ro
ro
ro

SIMON BECKETT

Die ewigen Toten

Thriller

Aus dem Englischen von
Karen Witthuhn und Sabine Längsfeld

ROWOHLT TASCHENBUCH VERLAG

Die Originalausgabe erschien 2019 unter dem Titel «The Scent of Death» im Verlag Bantam Press, London.

3. Auflage Februar 2020
Veröffentlicht im Rowohlt Taschenbuch Verlag, Hamburg, Dezember 2019
Copyright © 2019 by Rowohlt Verlag GmbH, Reinbek bei Hamburg
«The Scent of Death» Copyright © 2019 by Hunter Publications Ltd.
Redaktion Susann Rehlein
Covergestaltung Hafen Werbeagentur, Hamburg
Satz aus der Arno Pro
bei Pinkuin Satz und Datentechnik, Berlin
Druck und Bindung CPI books GmbH, Leck, Germany
ISBN 978-3-499-25506-9

Für meinen Vater, Frank Beckett,
der die Dinge immer in die richtige Perspektive gebracht hat.

Juli 1929 – April 2018

᚛

Die meisten Menschen glauben zu wissen, wie Verwesung riecht. Sie denken, der Geruch wäre markant, unverwechselbar, der faulige Gestank des Grabes.

Sie irren sich.

Der Verwesungsvorgang ist kompliziert. Bis aus einem einst lebendigen Organismus ein Skelett wird, bis nichts als trockene Knochen und Mineralien bleiben, spielen sich komplexe biochemische Prozesse ab. Einige der dabei entstehenden Gase werden vom menschlichen Geruchssinn als widerwärtig wahrgenommen, doch sie sind nur ein Teil des olfaktorischen Menüs. Ein verwesender Körper produziert Hunderte von flüchtigen organischen Verbindungen, jede mit eigenen Merkmalen. Viele davon – besonders jene, die etwa nach der Hälfte des Verwesungsprozesses auftreten und mit Fäulnis und Aufblähung einhergehen – sind für die Nase tatsächlich nur schwer zu ertragen. Dimethyltrisulfide beispielsweise erinnern an vergammelten Kohl. Buttersäure und Trimethylamin riechen nach Erbrochenem und altem Fisch. Eine andere Substanz, Indol, stinkt, wenn sie hochkonzentriert ist, nach Fäkalien. Doch in geringeren Mengen hat Indol einen zarten, blumigen Duft, der von Parfümherstellern sehr geschätzt wird. Hexanal, ein Gas, das in den frühen wie den späteren Verwesungsstufen auftritt, ähnelt frisch gemähtem Gras, und Butanol duftet nach herbstlichen Blättern.

Der Geruch von Verwesung kann all diese Noten enthalten, er ist komplex wie edler Wein. Und da der Tod voller Überraschungen ist, kann er sich mitunter auch auf ganz andere Weise ankündigen.

«Passen Sie auf, wo Sie hintreten, Dr. Hunter», warnte DI Whelan, der vor mir herging. «Ein Schritt neben die Platten, und Sie brechen durch die Decke.»

Das brauchte er mir nicht zu sagen. Ich duckte mich unter einem niedrigen Balken hindurch und setzte meine Schritte behutsam. Der große Dachboden war wie eine Sauna, die Hitze des Tages staute sich unter dem Schieferdach. Durch die Maske vor meinem Gesicht bekam ich kaum Luft. Das Gummiband der Kapuze an meinem Schutzanzug schnitt mir in die Haut, und meine Hände in den engen Nitril-Handschuhen waren feucht und heiß. Als ich mir den Schweiß aus den Augen wischen wollte, rieb ich ihn erst richtig hinein.

Der riesige Dachboden des alten Krankenhauses erstreckte sich vor mir in alle Richtungen und verlor sich jenseits der Lichtkegel der aufgestellten Lampen in tiefer Dunkelheit. Aus Aluminiumplatten hatte man einen Laufsteg gelegt, der sich unter unserem Gewicht bog und schwankte.

Ich hoffte bloß, die Dachbalken darunter waren stabil genug.

«Kennen Sie diesen Teil von London?», fragte Whelan über die Schulter hinweg. Der Dialekt des Detective Inspector verriet, dass seine Wurzeln eher im hohen Norden lagen als hier – näher an der Tyne als an der Themse. Er war ein bärtiger, untersetzter Mann in den Vierzigern, dessen dickes graues Haar bei unserer Begrüßung verschwitzt und platt gedrückt gewesen war. Jetzt war sein Gesicht hinter der Maske kaum noch zu sehen.

«Nicht wirklich.»

«In diese Gegend kommt man nicht ohne guten Grund. Und dann nur, wenn sich's nicht vermeiden lässt.» Er bückte sich unter einem schrägen Dachbalken hindurch. «Vorsicht mit dem Kopf.»

Ich machte es ihm nach. Trotz der Laufstege kamen wir nur langsam voran. Über unseren Köpfen verliefen kreuz und quer Balken, wer sich nicht tief genug bückte, stieß sich den Kopf, während sich in Knöchelhöhe alte Leitungen um die Dachträger wanden, die einem unvorsichtig gesetzten Fuß leicht zur Falle werden konnten. Hier und da ragten scheinbar willkürlich eingebaute, rußgeschwärzte Ziegelschornsteine vor uns auf und versperrten den direkten Weg, sodass die Platten um sie herum hatten gelegt werden müssen.

Ich wischte mir eine Spinnwebe aus dem Gesicht. Wie zerrissene Theatervorhänge hingen sie schmutzverklebt von den Dachbalken. Alles hier oben war von Staub überzogen, die früher gelbe Isolierung zwischen den Trägern hatte sich in eine dreckige, braune Matte verwandelt. Staubpartikel wirbelten durch die Luft, glänzten in dem hellen Licht. Meine Augen juckten, trotz der Maske schmeckte ich Staub im Mund.

Als über mir etwas durch die Luft schoss – ich fühlte es mehr, als dass ich es sah –, duckte ich mich. Erkennen konnte ich in der Dunkelheit nichts. Ich verbuchte es unter Einbildung und konzentrierte mich wieder darauf, wohin ich meine Füße setzte.

Ein Stück vor uns kündigte ein Lichtkreis unser Ziel an.

Unter grellen Flutlampen standen um einen Schornstein herum weißgekleidete Gestalten auf einer Insel aus Trittplatten. Leises Gemurmel drang zu uns herüber, von den Masken gedämpft. Ein Tatortermittler machte Fotos von etwas, das auf dem Boden lag.

Whelan hielt vor der Gruppe an. «Ma'am? Der forensische Anthropologe ist da.»

Eine Gestalt wandte sich mir zu. Der über der Maske sichtbare Teil des Gesichts war gerötet und glänzte vor Schweiß. Ob in dem sackartigen Schutzanzug ein Mann oder eine Frau steckte, wäre schwer zu sagen gewesen, wenn ich es nicht bereits gewusst hätte, denn wir arbeiteten nicht zum ersten Mal zusammen. Jetzt sah ich auch, dass die Gruppe um einen in Plastik eingewickelten Gegenstand herumstand, einem zusammengerollten Teppich ähnlich. An einem Ende war die Plastikplane teilweise abgezogen.

Darunter karamellfarbene Haut, straff über die Wangenknochen gezogen, und leere Augenhöhlen. Das Gesicht einer Mumie.

Derart abgelenkt bemerkte ich den niedrigen Dachbalken erst, als ich mir daran heftig den Schädel stieß und mir auf die Zunge biss.

«Vorsicht», sagte Whelan.

Eher verlegen als verletzt rieb ich mir den Kopf. *Toller Einstieg.* Ein halbes Dutzend Augenpaare sah mich über Masken hinweg ausdruckslos an. Nur die von Whelan angesprochene Frau amüsierte sich, wie die Lachfältchen um ihre Augen verrieten.

«Willkommen im St. Jude», sagte Detective Chief Inspector Sharon Ward.

Zwölf Stunden zuvor war ich aus einem Albtraum aufgewacht, hatte kerzengerade im Bett gesessen und nicht gewusst, wo ich war. Automatisch hatte ich die Hand auf den Bauch gelegt und erwartet, klebriges Blut zu spüren. Doch meine Haut war trocken, nur eine lange verheilte Narbe war zu fühlen.

«Alles in Ordnung?»

Rachel stützte sich auf den Ellbogen und legte besorgt die Hand auf meine Brust. Durch die schweren Vorhänge sickerte Tageslicht in ein Zimmer, das langsam erkennbare Formen annahm.

Ich nickte und atmete tief ein und aus. «Tut mir leid.»

«Wieder ein schlimmer Traum?»

Erinnerungen an Blutspritzer und ein in der Sonne glitzerndes Messer blitzten in mir auf. «Nicht allzu schlimm. Habe ich dich geweckt?»

«Mich und alle anderen.» Sie lächelte über meinen Gesichtsausdruck. «War nur Spaß. Du hast dich hin und her geworfen, laut warst du nicht. War es wieder derselbe Traum?»

«Ich kann mich nicht erinnern. Wie spät ist es?»

«Kurz nach sieben. Ich wollte gerade aufstehen und Kaffee kochen.»

Die Überreste meines Albtraums klebten immer noch wie kalter Schweiß an mir, als ich die Beine aus dem Bett schwang. «Lass nur, ich mache das.»

Ich zog mich an und schloss sanft die Zimmertür hinter mir. Sobald ich allein im Flur war, verflog mein Lächeln. Ich atmete tief durch und versuchte, die Nachwehen des Traums abzuschütteln. *Das ist nicht die Realität.*

Diesmal nicht.

Im Haus regte sich noch nichts, die frühmorgendliche Ruhe vor einem neuen Tag. Das schwere Ticken einer Standuhr durchbrach die Stille, als ich leise die Treppe hinunterstieg. Der dicke Teppich des Flurs wurde von Schieferfliesen abgelöst, angenehm kühl unter meinen bloßen Füßen. In der Luft hing noch die Wärme des gestrigen Tages, aber die Steinwände des alten Hauses hielten ansonsten die Hitze des Altweibersommers ab.

Ich setzte Kaffee auf, dann holte ich mir ein Glas Wasser, ging damit zum Fenster und trank mit Blick auf den Garten und die grünen Felder. Aus einem unwirklich blauen Himmel strahlte die Sonne herab. In der Ferne grasten Schafe, daneben lag ein kleines Waldstück, die Blätter an den Bäumen waren bereits rötlich eingefärbt, bald würden sie fallen. Die Landschaft sah wie ein Kalenderfoto aus, an einem solchen Ort konnte nichts Schlimmes geschehen.

Das hatte ich von anderen Orten auch gedacht.

Jason hatte diesen Zweitwohnsitz als Cottage bezeichnet. Verglichen mit seinem Haus in London, einer riesigen Villa in Belsize Park, mochte das stimmen, war aber eine ziemliche Untertreibung für dieses weitläufige, alte, aus honigfarbenen Cotswold-Steinen gebaute Haus mit Reetdach, das sich gut auf der Titelseite einer Zeitschrift gemacht hätte. Es lag am Rand eines hübschen Dorfes, dessen Pub einen Michelin-Stern vorweisen konnte und dessen enge Hauptstraße jedes Wochenende von Range Rovern, diversen Mercedes-Modellen und BMWs verstopft war.

Als Jason und Anja uns zu einem langen Wochenende einluden, hatte ich zunächst befürchtet, es könnte unbehaglich werden. Die beiden waren vor dem Tod meiner Frau und meiner Tochter meine engsten Freunde gewesen. Ich hatte Kara bei ihnen auf einer Party kennengelernt, sie waren Alice' Paten geworden, ich war Patenonkel ihrer Tochter Mia. Ich war froh, dass die beiden sich nun mit Rachel so gut verstanden, aber gelegentlich ein gemeinsamer Drink oder ein Abendessen waren etwas anderes, als mehrere Tage miteinander zu verbringen. Rachel und ich hatten uns erst in diesem Jahr kennengelernt, bei einer traumatischen Mordermittlung in den Küstenmarschen von Essex. Ich machte mir Sorgen, dass es seltsam werden könnte, sie mit zu Freunden aus meinem alten Leben zu nehmen, dass sie sich wegen meiner gemeinsamen Vergangenheit mit Jason und Anja ausgeschlossen fühlen könnte.

Aber alles war gutgegangen. Wenn sich doch ab und an ein merkwürdiges Gefühl von Fremdheit einstellte und sich das alte Leben beunruhigend über das neue zu legen schien, dann hielt das nie lange an. Wir hatten das Wochenende mit langen Spaziergängen über die Felder der Cotswolds, ausgedehnten Mittagessen im Pub und entspannten Abenden verbracht. Es war in jeder Hinsicht eine idyllische Zeit gewesen.

Bis zu dem Albtraum.

Hinter mir hatte der Kaffee zu blubbern begonnen und füllte die Küche mit seinem Duft. Ich schenkte gerade zwei Tassen ein, als ich die Treppe knarren hörte. Jemand kam mit schweren Schritten nach unten, und ich wusste ohne mich umzudrehen, dass es Jason war.

«Morgen.» Verschlafen und zerknautscht kam er in die Küche geschlurft. «Du bist früh auf.»

«Ich habe gedacht, ich koche schon mal Kaffee. Hoffe, das ist okay.»

«Solange ich was davon abkriege.»

Er ließ sich auf einen Stuhl an der Kücheninsel plumpsen und unternahm den halbherzigen Versuch, den Frotteebademantel um seinen massigen Körper zu wickeln, gab aber rasch auf. Dunkles, fellähnliches Brusthaar zog sich bis zur Rasierlinie an seinem Hals hoch. Das stoppelige Gesicht und dünner werdende Haupthaar schienen zu einem anderen Körper zu gehören.

Er nahm den Kaffee mit einem dankbaren Grunzen entgegen. Wir kannten uns seit unserer Zeit als Medizinstudenten, lange bevor mein Leben eine ganz andere Richtung genommen hatte. Anstatt Arzt zu werden, hatte ich mich für eine Karriere als forensischer Anthropologe entschieden, die zwischendurch oft turbulent gewesen war, während aus Jason ein erfolgreicher Orthopäde geworden war, der sich einen Zweitwohnsitz in den Cotswolds leisten konnte. Auch in jüngeren Jahren war er nie ein Morgenmensch gewesen, nichts hatte das geändert. Schon gar nicht der Wein vom Vorabend.

Er trank einen Schluck Kaffee und verzog das Gesicht. «Du hast vermutlich keinen Tipp gegen Kater?»

«Trink nicht so viel.»

«Guter Witz.» Er nahm einen weiteren Schluck. «Wann wollt ihr losfahren, Rachel und du?»

«Erst heute Nachmittag.»

Wir waren in meinem «neuen» Auto aus London gekommen, einem gebrauchten, aber verlässlichen Allradwagen, und mussten erst am Abend zurück sein. Aber der Hinweis, dass das Wochenende fast vorbei war – und der Gedanke an den nächsten Tag –, verursachten in mir ein hohles Gefühl.

«Wann fliegt Rachel morgen?», fragte Jason, als hätte er meine Gedanken gelesen.

«Am späten Vormittag.»

Er musterte mich. «Mit dir alles in Ordnung?»

«Klar.»

«Es ist nur für ein paar Monate. Das werdet ihr überstehen.»

«Ich weiß.»

Er betrachtete mich einen Moment länger, ließ es aber dabei bewenden. Mit einem Stöhnen ging er zu einer Schublade und nahm eine Schachtel Paracetamol heraus. Seine fleischigen Finger drückten routiniert zwei Tabletten aus der Folie.

«Verdammt, mein Kopf», sagte er, holte eine Flasche Mineralwasser aus dem Kühlschrank und öffnete sie. Er spülte die beiden Tabletten hinunter und warf mir einen säuerlichen Blick zu. «Spar's dir.»

«Ich habe kein Wort gesagt.»

«Brauchst du auch nicht.» Er machte eine Geste. «Na los, raus damit.»

«Wozu? Ich kann dir nichts sagen, was du nicht selber weißt.»

Bereits als Student war Jason ein Mann mit großem Appetit gewesen. Doch jetzt war er in ein Alter gekommen, in dem die Maßlosigkeit ihren Tribut forderte. Schon früher war er korpulent gewesen, hatte seitdem noch mehr zugenommen, das Gesicht war aufgedunsen und hatte eine ungesunde Farbe. Aber da wir unsere Freundschaft nach mehreren Jahren gerade erst wieder aufleben ließen, hielt ich es für unangemessen, das Thema anzusprechen. Ich war froh, dass er es nun von sich aus tat.

«Bei der Arbeit herrscht viel Druck.» Er zuckte die Achseln und starrte aus dem Fenster. «Budgetkürzungen, Wartezeiten. Das reine Chaos. Manchmal denke ich, du hast es richtig gemacht, als du damals gegangen bist.»

Ich sah mich in der wunderschön eingerichteten Küche um. «Allzu schlecht hast du es nicht getroffen.»

«Du weißt, was ich meine. Alles in allem treibe ich es wohl hin und wieder etwas zu heftig, aber ich nehme ja kein Kokain oder so.»

«Dafür sind deine Patienten sicher dankbar.»

«Zumindest sind sie nicht tot.»

Das Geplänkel schien ihn zu beleben. Er rieb sich den Bauch und ging zum Kühlschrank.

«Lust auf ein Sandwich mit gebrutzeltem Schinkenspeck?»

Nach dem Mittagessen machten Rachel und ich uns auf den Weg. Jason hatte einen Sonntagsbraten aufgetischt, eine zarte, perfekt zubereitete Rinderlende, und Anja hatte zum Nachtisch eine Meringue gebacken. Hinterher bestand sie darauf, dass wir etwas mitnahmen, auch von dem Fleisch.

«Dann müsst ihr nicht einkaufen gehen», beharrte sie, als ich ablehnen wollte. «Ich kenne dich, David. Sobald Rachel weg ist, denkst du nicht mehr ans Essen oder nimmst, was gerade im Kühlschrank ist. Du kannst nicht nur von Omelette leben.»

«Ich lebe nicht nur von Omelette.» Nicht mal in meinen eigenen Ohren klang ich besonders überzeugend.

Anja lächelte milde. «Dann kannst du ja ruhig was mitnehmen.»

Auf der Rückfahrt nach London waren Rachel und ich sehr still. Es war ein herrlicher Abend, die Hügel der Cotswolds schimmerten grün und golden, die Bäume verfärbten sich rotbraun, der Herbst nahte. Doch der Gedanke an ihre Abreise am nächsten Tag verdarb uns die Freude.

«Es sind nur drei Monate», sagte Rachel plötzlich, als würde sie einen Dialog fortsetzen. «Und Griechenland ist nicht weit weg.»

«Ich weiß.»

Weit genug, fand ich, aber ich wusste, was sie meinte. Im Sommer hatte sie schon die Chance ausgeschlagen, in ihren alten Job als Meeresbiologin in Australien zurückzukehren. Sie war geblieben, um mit mir zusammen zu sein, daher konnte ich mich über die zeitlich begrenzte Forschungsstelle im ägäischen Meeresschutzgebiet kaum beklagen.

«Es sind nur vier Stunden Flug. Du kannst jederzeit vorbeikommen.»

«Rachel, es ist alles gut. Wirklich.» Wir hatten besprochen, dass sie sich ohne Ablenkung auf die Arbeit konzentrieren sollte. «Das ist dein Beruf, du musst das machen. Wir sehen uns in ein paar Wochen wieder.»

«Ich weiß. Aber ich hasse den Abschied.»

Mir ging es genauso. Meine Vermutung war, dass Jason und Anja – vor allem wohl Anja – uns übers Wochenende eingeladen hatten, um uns vom Trennungsschmerz abzulenken.

Das war jetzt nicht mehr möglich. Rachel durchsuchte die wenigen CDs, die ich im Auto hatte. «Wie wäre es damit? Jimmy Smith, *The Cat*?»

«Vielleicht lieber was anderes.»

Sie gab die Suche schnell auf und stellte das Radio an. Für den Rest der Fahrt überdeckte eine Sendung über Alpakazucht das Schweigen. Die Felder gingen in Vorortsiedlungen über, dann folgten die hohen Betonklötze und Backsteinbauten der Stadt. Ich widerstand dem Drang, zu meiner alten Wohnung in East London zu fahren. Schon seit dem frühen Sommer wohnte ich dort nicht mehr, trotzdem war es seltsam, woanders hinzufahren.

Ich bog in eine von Bäumen gesäumte, stille Seitenstraße ab und fuhr an weiß getünchten Villen inmitten grüner Gärten vorbei, auf einen modernen Wohnblock zu, der hier wie hineingebeamt wirkte. Ballard Court, in den siebziger Jahren errichtet, war ein zehnstöckiges Gebäude aus Ecken, Kanten und Beton, in dessen Rauchglasfenstern sich eine abgetönte Version des Abendhimmels spiegelte. Ein bedeutendes Werk des Brutalismus, wie mir gesagt worden war, tatsächlich hatte es etwas ziemlich Brutales an sich, fand ich.

Vielleicht wollte ich mich deshalb nicht an das Leben dort gewöhnen.

Ich hielt am Tor und gab den Code ins Keypad ein. Während das Tor sich langsam aufschob, schaute ich ohne Begeisterung an den gestaffelten Balkons entlang nach oben, bis ich merkte, dass Rachel mich musterte.

«Was ist?»

«Nichts.» Doch ihr Mund war zu einem halben Lächeln verzogen.

Hinter dem Tor musste ich erneut warten, bis die Tür zur Tiefgarage aufging, und fuhr auf den mir zugeteilten Parkplatz. Nachdem ich einmal versehentlich an falscher Stelle geparkt hatte, war ich von der Verwaltung schriftlich verwarnt worden.

Ballard Court hatte viele Regeln.

Wir nahmen den Aufzug in den fünften Stock. Am Haupteingang gab es eine Rezeption mit Concierge, doch da nur Bewohner Zugang zur Tiefgarage hatten, fuhren die Aufzüge direkt zu den Stockwerken hoch. Die Tür glitt auf, dahinter lag der breite Korridor mit den nummerierten Teakholztüren. Ich fühlte mich dort immer an ein Hotel erinnert, ein Eindruck, den der leichte Pfefferminzgeruch, der permanent in der Luft zu hängen schien, verstärkte.

Unsere Schritte hallten über den Marmorboden. Ich schob

die schwere Tür meines Apartments auf, ließ Rachel eintreten, langsam schwang die Tür hinter uns zu und fiel mit einem leisen *Klick* ins Schloss. Der mit Teppich ausgelegte Flur führte in die große Küche, hinter einem Türbogen folgte ein offenes Wohn- und Esszimmer, in dem derselbe schallschluckende Teppich wie im Flur verlegt worden war, farblich perfekt auf die Terrakottafliesen in der Küche abgestimmt. An den Wänden hingen abstrakte Gemälde, und in dem mokkafarbenen Ledersofa konnte man ertrinken. Ein sehr schönes Apartment und nicht zu vergleichen mit der bescheidenen Erdgeschosswohnung, in der ich vorher gewohnt hatte.

Ich hasste es.

Jason hatte das Ganze eingefädelt. Ein Arztkollege aus seinem Krankenhaus war für ein halbes Jahr nach Kanada gegangen und wollte seine Wohnung nicht leerstehen lassen. Aber über einen Makler wollte er sie auch nicht vermieten, und da ich – widerwillig – aus meinem alten Zuhause hatte ausziehen müssen, fand Jason, wir würden uns gegenseitig einen Gefallen tun. Die Miete war lächerlich niedrig, vermutlich hatte Jason damit ebenfalls etwas zu tun, auch wenn er es vehement abstritt. Lange hatte ich gezögert, bis Rachel sich zu Wort meldete. In meiner alten Wohnung wäre ich nicht sicher, hatte sie argumentiert, und ihre grünen Augen hatten wütend gefunkelt. Ich war dort schon einmal angegriffen worden und fast gestorben: Wollte ich wirklich die Empfehlung der Polizei ignorieren und aus irgendeinem trotzigen Stolz heraus mein Leben aufs Spiel setzen?

Sie hatte recht.

Vor einigen Jahren hatte mich eine Frau namens Grace Strachan mit einem Messer angegriffen, fast wäre ich vor meiner eigenen Haustür verblutet. Eine psychotische Gewalttäterin, die mich für den Tod ihres Bruders verantwortlich machte. Danach war sie verschwunden und nie wieder gesehen worden. Die Wunden waren nur langsam verheilt – vor allem die psychischen –, doch im Laufe der Zeit hatte ich zu glauben begonnen, dass die Gefahr vorüber wäre. Ein dermaßen labiler Mensch hätte nie ohne fremde Hilfe so lange von der Bildfläche verschwinden können. Irgendwann war ich sicher gewesen, dass sie nicht mehr lebte oder zumindest nicht mehr im Land war. Sondern irgendwo, wo sie keine Gefahr darstellte.

Dann vor ein paar Monaten, als ich mich wegen einer Mordermittlung in Essex aufhielt, hatte die Polizei nach einem versuchten Einbruch in meiner Wohnung einen Fingerabdruck von ihr sichergestellt. Wie lange er schon dort gewesen war, ließ sich nicht ermitteln, eventuell war er nach dem Messerangriff übersehen worden. Doch es war genauso gut möglich, dass Grace zurückgekehrt war, um mich zu töten.

Trotzdem war ich nur widerwillig ausgezogen. Zu der Wohnung selbst hatte ich keine große emotionale Verbindung – Graces Mordversuch und eine gescheiterte Beziehung prägten die Erinnerungen an die Zeit dort –, doch ich wollte selbst entscheiden, wann ich auszog. So fühlte es sich nach Flucht an.

Am Ende überzeugten mich weder der Rat der Polizei noch irgendein spät einsetzender Überlebenswille. Sondern die Tatsache, dass auch Rachel sich in der Wohnung aufhielt.

Ich setzte nicht nur mein Leben aufs Spiel.

Also zog ich um nach Ballard Court, wo ich nicht gemeldet war und dessen Sicherheitssysteme, elektronischen Türen und Tiefgarage Rachel und die Polizei beruhigten. Wenn Grace Strachan wirklich wieder da war, wenn sie irgendwie herausbekommen hatte, dass ich noch lebte, würde es ihr sehr schwerfallen, mich zu finden, und erst recht, an mich heranzukommen.

Seit dem Fingerabdruck hatte es jedoch keine Spur mehr von ihr gegeben. Anfänglich hatte die Polizei meine Wohnung überwacht, die leerstand, weil ich sie weder verkaufen noch vermieten wollte, solange die Möglichkeit bestand, dass jemand dort zu Schaden kam. Aber im Laufe der Wochen waren die Maßnahmen zurückgefahren worden. Inzwischen war ich überzeugt, dass alles nur falscher Alarm gewesen war, und hatte beschlossen, zurück in mein Erdgeschoss zu ziehen, sobald meine Zeit im sicheren, aber seelenlosen Ballard Court abgelaufen war. Ich musste Rachel meinen Entschluss noch mitteilen, fand aber, dafür wäre später noch Zeit. Ich wollte uns den letzten Abend nicht verderben.

Das übernahm jemand anders.

Während wir das Abendbrot vorbereiteten und fest entschlossen so taten, als wäre nichts, klingelte mein Handy. Die Abendsonne schien golden durchs Fenster und warf lange Schatten. Ich hatte nicht mit einem Anruf gerechnet und keine Ahnung, wer mich am Sonntagabend sprechen wollte. Als ich zum Handy griff, zog sie eine Augenbraue hoch, sagte aber nichts. Auf dem Display stand *Sharon Ward*.

Ich sah Rachel an. «Es ist beruflich», sagte ich. «Ich muss da nicht drangehen.»

Ihr Lächeln zog Fältchen um ihre Augenwinkel, doch bevor sie sich abwandte, sah ich etwas in ihrem Blick, das ich nicht lesen konnte.

«Doch, musst du», sagte sie.

KAPITEL 2

Die meisten Menschen finden meinen Beruf vermutlich seltsam, geradezu makaber. Ich verbringe mehr Zeit mit den Toten als mit den Lebenden und untersuche Verwesung und Zerfall, um menschliche Überreste zu identifizieren und zu verstehen, was sie in diesen Zustand gebracht haben könnte.

Das ist eine oft düstere, aber wichtige Tätigkeit, und als ich Wards Namen auf meinem Display las, wusste ich sofort, was das zu bedeuten hatte. Bei unserer ersten Zusammenarbeit war sie noch Detective Inspector gewesen, damals war – buchstäblich auf meiner Türschwelle – ein Körperteil abgelegt worden. Aber vor kurzem war sie zur DCI befördert worden und leitete eines der Mordermittlungsteams der Metropolitan Police. Wenn sie am Sonntagabend anrief, dann nicht, um mit mir zu plaudern.

Dass mich das kaum beunruhigte, zeigte, wie sorglos ich geworden war. Ward war es gewesen, die mich vor einigen Monaten informiert hatte, dass der Fingerabdruck in meiner Wohnung von Grace Strachan stammte. Seitdem hatte sie mich über den Fortgang der Fahndung auf dem Laufenden gehalten. Oder vielmehr über deren Stillstand. Es wäre mir nicht in den Sinn gekommen, dass sie jetzt aus anderen als beruflichen Gründen anrufen könnte.

Und so war es auch. Auf dem Dachboden eines ehemaligen Krankenhauses in Blakenheath in North London war eine Leiche gefunden worden. Das alte Gebäude stand seit Jahren leer und wurde von Drogenabhängigen und Obdachlosen als Unterschlupf genutzt. Die unbekannte Person war schon seit einiger Zeit tot, der schlechte Zustand der Leiche machte die Anwesenheit eines forensischen Anthropologen erforderlich. Ob ich vorbeikommen und einen Blick darauf werfen könnte?

Ich sagte zu.

Natürlich hatte ich den letzten Abend mit Rachel anders verbringen wollen. Schließlich würden wir uns drei Monate lang nicht sehen. Aber sie fand, lieber sollte ich arbeiten gehen, als dass wir beide voller Abschiedsschmerz durch die Wohnung schlichen. «Mach schon», sagte sie, «lass sie nicht warten.»

Während ich zum St. Jude fuhr, wurde aus der Dämmerung Dunkelheit. Ich kannte Blakenheath nicht, aber die Straßen waren geprägt vom typischen multikulturellen Mix der meisten Londoner Stadtteile. Imbisse und Läden mit Schildern in westindischen, asiatischen und europäischen Sprachen drängten sich neben heruntergekommenen, vergitterten und verrammelten Gebäuden. Davon gab es immer mehr, je weiter ich rausfuhr, bis die Laternen irgendwann nur noch tote Straßen erhellten. Dann traf ich auf eine parallel zur Straße verlaufende Mauer, darauf ein altes Eisengeländer, zwischen dessen Streben hindurch Äste ragten. Ich vermutete einen Park, bis ich den Eingang erreichte. Über zwei hohen steinernen Pfosten wölbte sich ein verrosteter Torbogen aus Eisen, auf dem in großen, verschnörkelten Buchstaben *St. Jude's Royal Infirmary* stand. An der Mauer daneben war auf einem einsamen, ausgefransten Banner die Botschaft *Rettet das St. Jude* zu lesen.

Neben dem Tor hielt eine junge Polizistin Wache. Ich nannte meinen Namen und wartete, bis sie mich überprüft hatte. «Folgen Sie einfach dem Weg», sagte sie.

Als ich durch den Torbogen fuhr, fiel das Licht meiner Scheinwerfer auf eine große Tafel mit einem Plan des Krankenhausgeländes, so verblichen, dass kaum etwas zu erkennen war. Der Eindruck eines Parks war gar nicht so falsch gewesen. Die Außenmauer war hinter hohen Bäumen verborgen, vermutlich hatten früher zwischen den Krankenhausgebäuden Grünflächen gelegen. Jetzt war dort Ödland. Die Gebäude waren abgerissen worden, mit Unkraut bewachsene Haufen aus Ziegelsteinen und Beton zeigten an, wo sie gestanden hatten.

Es kam mir vor, als würde ich durch eine ausgebombte Stadt fahren, düster und verlassen. Nur meine Scheinwerfer verdrängten die Finsternis. Das Licht der umliegenden Straßen wurde durch die dichten Bäume und die hohe Mauer abgeschirmt, das Gelände wirkte dadurch viel entlegener, als es eigentlich war. Ich umrundete einen dunklen Schutthaufen und sah Polizeiwagen und Transporter vor dem Hauptgebäude parken. Viktorianisch, drei Stockwerke, in der Mitte führte eine breite Treppe herab. Trotz der vernagelten Fenster in den verwitterten Steinwänden und des jämmerlichen Gesamteindrucks verströmte das Gebäude eine gewisse Erhabenheit. Verzierungen schmückten die Mauerbrüstungen, der Portikus wurde von geriffelten Säulen gestützt. Aus dem schwarzen Dach ragte die eckige Silhouette eines Uhrenturms empor.

Wieder nannte ich meinen Namen und wurde zu einem Polizeianhänger geschickt, um Schutzkleidung in Empfang zu nehmen. Wards stellvertretender Ermittlungsleiter erwartete mich an der Treppe zum Haupteingang und stellte sich als Jack Whelan vor. Die große, graffitiverschmierte Flügeltür stand weit offen. Drinnen war es kalt und klamm und roch nach Feuchtigkeit, Schimmel und Urin. Im ehemaligen Foyer waren Flutlampen aufgestellt worden, die den stockfleckigen, bröckelnden Wandverputz und auf dem Boden liegenden Müll beleuchteten. An einer Seite befand sich ein Glaskasten, darüber ein Schild, *Notärztliche Ambulanz*.

Bierdosen, leere Flaschen und die verkohlten Reste eines Feuers zeigten, dass das Krankenhaus noch Besucher hatte. Meine Schritte hallten hohl auf der sich um einen Lichtschacht windenden Treppe. Auf jedem Absatz stand eine Lampe, staubige Schilder wiesen die Richtung zu *Röntgen*, *Endoskopie*, *EKG* und anderen lange verwaisten Abteilungen.

«Typisch Krankenhaus», sagte Whelan, kurz nach mir außer Atem im obersten Stock angekommen. «Falls man beim Reinkommen nicht krank war, hat spätestens die Treppe einen umgebracht.»

Wir betraten einen langen Korridor, der durch weitere Lampen erleuchtet wurde. Hinter den in die schweren Türen rechts und links eingelassenen Glasfenstern war nichts als Finsternis zu sehen. Unter unseren Füßen knirschte es, an manchen Stellen war Putz aus der maroden Decke gebrochen, und die Holzbalken waren entblößt. Wenigstens lagen hier nicht mehr so viele leere Dosen und Flaschen, aber es war auch ein weiter Weg hier hoch, den man nicht grundlos antrat.

Die Reihe der Lampen zog sich zu einer ausziehbaren Aluminiumleiter, die im Vergleich zu der armseligen Umgebung unpassend neu wirkte. Sie führte zu einer rechteckigen

Zugangsluke in der Decke, von dort war quer durch den Dachboden ein Laufsteg gelegt worden, bis zu der Stelle, an der Ward und ihr Team warteten.

Und an der die Leiche lag, die ich jetzt betrachtete, während ich mir den vom Zusammenstoß mit dem Balken schmerzenden Schädel rieb.

«Wir können gleich anfangen», sagte Ward. «Kennen Sie Professor Conrad?»

Ja, allerdings nur dem Namen nach. Conrad war als forensischer Rechtsmediziner in seinem Bereich schon lange etabliert gewesen, als ich in meinem gerade anfing, und wegen seines Jähzorns allgemein gefürchtet. Jetzt war er über sechzig, schien aber keineswegs altersmilde geworden zu sein. Als er mich über die Maske hinweg betrachtete, waren die buschigen, grauen Augenbrauen in ein Stirnrunzeln eingebettet.

«Schön, dass Sie da sind.»

Seine trockene, nasale Stimme ließ schwer einschätzen, ob das ein Vorwurf sein sollte oder nicht. Erneut schien es mir, als würde ich aus dem Augenwinkel in den dunklen Schatten des Dachbodens eine Bewegung wahrnehmen, doch ich ignorierte es. Ich hatte mich für heute schon lächerlich genug gemacht.

Ward sah mich mit hochgezogener Augenbraue an. «Gut, da jetzt alle da sind, legen wir am besten gleich los. Also, rückt zusammen.»

Sie verpasste dem neben ihr stehenden Kriminaltechniker einen unsanften Stoß. Man machte mir Platz. Die Trittplatten waren um die Leiche herum gelegt worden und boten eine Plattform zum Arbeiten. Doch die Dachbalken und der Schornstein schränkten die Bewegungsfreiheit ein, und unter den Lampen wurde es schnell heiß.

«Das Krankenhaus wurde vor Jahren geschlossen, seitdem sind nur noch Obdachlose und Drogensüchtige hier gewesen», sagte Ward, als ich eine Position suchte, um besser sehen zu können. «Bis vor ein paar Monaten die Abrissarbeiten begannen, wurde hier ziemlich viel gedealt, es könnte sich also um eine tödliche Überdosis oder eine tätliche Auseinandersetzung handeln, die vertuscht werden sollte.»

Beides nicht ungewöhnlich. Ich betrachtete das ausgetrocknete, halb im Plastik versunkene Gesicht. «Wer hat die Leiche gefunden, jemand vom Abrisstrupp?»

Sie schüttelte den Kopf. «Die haben den Dachboden überprüft, sind aber wohl nicht so weit reingegangen. Nein, es war einer von den Fledermausschützern. Wollte den Dachboden begutachten und hat mehr gefunden als erhofft.»

«Fledermäuse?»

«Anscheinend eine ganze Kolonie von Langohren.» Sie klang amüsiert. «Sie stehen unter Artenschutz, wir sollten sie also nach Möglichkeit nicht stören.»

Ich warf einen Blick in die Dunkelheit. Also hatte ich mir die Bewegungen doch nicht eingebildet.

«Der Bauunternehmer will alles plattmachen und einen großen Bürokomplex bauen», fuhr Ward fort. «Es gab heftigen Widerstand von Seiten der Anwohner, die Fledermäuse sind also nur das letzte Glied in einer ganzen Kette von Verzögerungen. Die Gegner sind natürlich entzückt, weil der Abriss des St. Jude nun in letzter Minute aufgeschoben wurde. Bis die Fledermäuse umgesiedelt werden können, oder was immer man mit solchen Tieren macht, ist das Bauvorhaben erst einmal gestoppt.»

«So faszinierend das alles auch sein mag, ich habe hierfür eine Verabredung zum Abendessen abgesagt», ließ sich

Conrad vernehmen. «Ich wäre froh, wenn ich nicht die ganze Nacht hier verbringen müsste.»

Ohne den finsteren Blick wahrzunehmen, den Ward ihm zuwarf, ging er neben der Leiche steif in die Hocke. Ich kniete mich ihm gegenüber hin. Das Gesicht in dem Plastik war zerknittert wie Pergament und umgeben von einem Heiligenschein aus dünnem Haar. Die Augenhöhlen waren leer, von Nase und Ohren nur Stummel übrig. Unter den starken Geruch des Dachbodens nach Staub und altem Holz mischte sich aus der Plane heraus ein anderer, süßlicher.

«Eindeutig schon eine ganze Weile tot», sagte Conrad, als würde er übers Wetter reden. «Vollständig mumifiziert, wie es aussieht.»

Nicht ganz, dachte ich, behielt es aber erst mal für mich.

«Ist das normal?» Ward klang skeptisch. Der Rechtsmediziner hatte sie entweder nicht gehört oder nicht hören wollen.

«Das kann passieren», antwortete ich für ihn. Vom Säuregehalt in einem Moor bis hin zu extremer Hitze konnte es verschiedene Gründe für eine natürliche Mumifizierung geben. Ich sah mich in der dunklen Weite des Dachbodens um, ein leichter Lufthauch bewegte die Spinnweben in der Nähe. «Es herrschen ziemlich ideale Bedingungen für eine Mumifizierung. Sie merken ja, wie heiß es hier oben ist, und trocken wird es auch im Winter noch sein. Diese großen, alten Dachböden sind gut durchlüftet, und der ständige Luftstrom zieht die Feuchtigkeit raus.»

Während ich sprach, öffnete Conrad die Plane weiter und legte Schultern und Brustkorb frei. Die Leiche lag auf dem Rücken, war leicht verdreht und in die Falten der Plane geschmiegt wie ein Vogel ins Nest. Noch waren Bauch und Unterkörper verhüllt, aber es war klar, dass dieser Mensch nicht groß gewesen war. Die Leiche trug nur ein zerlumptes gelbes T-Shirt, das von bei der Verwesung entstandenen Fäulnisflüssigkeiten verfärbt war. Aus den kurzen Ärmeln ragten Arme und Hände heraus, die nur noch aus Sehnen und Knochen bestanden. Wie im Gesicht war die Haut so vertrocknet, dass sie wie gegerbtes Leder aussah.

«Die Hände scheinen in Position gebracht worden zu sein», sagte Ward. Die klauenartigen Hände lagen über der knochigen Brust gekreuzt, als würde die Leiche in einem Sarg liegen anstatt auf einer Plastikplane. «Dafür muss sich jemand Zeit genommen haben. Es deutet auf Reue oder zumindest Respekt hin. Vielleicht hat der Täter sie gekannt.»

Sie? Ich sah Ward überrascht an. Außer der geringen Körpergröße wies nichts darauf hin, dass es sich um eine Frau handelte, und angesichts des Zustands der Leiche konnte es Tage dauern, das herauszufinden. Wenn wir nicht irgendetwas fanden, das ihre Identität preisgab.

«Die Verwendung des weiblichen Pronomens ist ein bisschen voreilig, solange wir das Geschlecht nicht nachgewiesen haben, meinen Sie nicht?», fragte Conrad mit einem herablassenden Blick in Wards Richtung.

Sogar hinter der Maske war zu erkennen, dass sie rot anlief. Es konnte ein Versprecher gewesen sein, der einer leitenden Ermittlerin jedoch nicht hätte unterlaufen dürfen. Sie versuchte, ihren Fehler zu überspielen. «Können Sie eine ungefähre Einschätzung des Todeszeitpunkts geben?»

Ohne aufzusehen erwiderte der Rechtsmediziner: «Nein, kann ich nicht. Vielleicht haben Sie nicht zugehört, als ich sagte, der Körper sei mumifiziert.»

Jetzt wirkte Ward ebenso wütend wie verlegen. Doch Conrad hatte recht. Wenn ein Körper dermaßen ausgetrocknet ist, werden alle weiteren physischen Veränderungen so verlangsamt, dass sie kaum mehr wahrnehmbar sind. Es gibt Fälle natürlicher Mumifizierung, bei denen die menschlichen Überreste Hunderte von Jahren oder sogar noch länger konserviert wurden.

«Kaum denkbar, dass jemand hier oben eine Leiche versteckt hat, solange das St. Jude noch in Betrieb war», sagte Whelan und füllte das peinliche Schweigen. «Das muss nach der Schließung passiert sein.»

«Wann war die Schließung?», fragte ich.

«Vor zehn, elf Jahren. Hat ziemlich viel Wirbel ausgelöst.»

«Gut, das ist eine Obergrenze, hilft uns aber nicht weiter», sagte Ward. «Was ist die kürzeste Zeit, in der ein Körper so mumifiziert werden kann? Sind weniger als zehn Jahre denkbar?»

«Unter den richtigen Bedingungen schon», sagte ich. «Ich würde vermuten, zumindest diesen und den letzten Sommer muss der Körper hier gelegen haben. Es gibt kaum Geruch, trotz der Hitze, das sagt mir, dass die Mumifizierung schon seit einiger Zeit abgeschlossen ist.»

«Großartig. Wir haben es also mit einem Todeszeitpunkt zu tun, der irgendwo zwischen vor fünfzehn, sechzehn Monaten und zehn Jahren liegt. Das macht es wirklich leichter.»

Dagegen konnte ich wenig sagen, also ließ ich es. Conrad faltete die Plane weiter zurück. Das steife Plastik war verdreckt, mit Zement- oder Gipsstaub überzogen und mit blauen Farbklecksen verschmiert. Mich interessierte eher das, was fehlte und hätte da sein müssen. Doch dann zog der Rechtsmediziner die Plane vom Unterkörper herunter, und alle anderen Details gerieten in Vergessenheit.

Die Beine der Leiche waren leicht gebeugt und zur Seite

gedreht. Unter dem kurzen Jeansrock, der ebenfalls Verwesungsflecken aufwies, schienen fast nur noch Knochen zu liegen. Das T-Shirt war hochgezogen und unter der Brust gerafft, sodass der Bauch frei lag. Oder was davon übrig war. Die Bauchhöhle war von unterhalb der Rippen bis zum Schambein aufgerissen. Die inneren Organe waren so geschrumpft und zersetzt, dass sie nicht zu erkennen waren.

Doch nicht das war es, was alle hatte verstummen lassen. In der Bauchhöhle lag etwas, das wie kleine, bleiche Äste aussah. Bei dem Anblick spürte ich, wie sich mir das Herz zusammenzog, und dass Ward scharf den Atem einsog, sagte mir, dass auch sie es erkannt hatte.

«Da müssen Ratten dran gewesen sein», kommentierte einer der Tatortermittler und reckte den Hals, um besser sehen zu können. «Sieht aus, als wäre eine da drin gestorben.»

«Red keinen Mist. Und zeig ein bisschen Respekt», fuhr Whelan ihn böse an.

«Was? Ich habe doch nur …»

«Das ist ein Fötus.» Ward sprach leise. «Sie war schwanger.»

Whelan warf dem unglücklichen Polizisten einen Blick zu, der für später nichts Gutes versprach. «Sieht aus, als hätten Sie recht damit, dass es eine Frau ist, Ma'am.»

Das stimmte, auch wenn Ward es nicht gewusst haben konnte. «Wie alt ist der Fötus?»

«Der Größe und Entwicklung nach sechs oder sieben Monate», sagte ich.

Conrad hatte unseren Austausch ignoriert. Er wandte sich von der Bauchhöhle ab, als wäre das, was dort lag, nicht weiter bedeutsam. «Die Schwangerschaft ist hilfreich», murmelte er, eher an sich als an andere gerichtet. «Wenn sie im gebärfähigen Alter war, schränkt das alles etwas ein. Vollständig bekleidet, Unterwäsche noch vorhanden, keine Anzeichen von sexuellem Missbrauch. Obwohl das natürlich noch zu untersuchen ist.»

«Sie hat nicht viel an. Keine Jacke, nur ein T-Shirt und einen Rock», merkte Ward an. «Keine Strumpfhose, was darauf hindeutet, dass sie im Sommer gestorben sein könnte.»

Whelan hob die Schultern. «Oder sie wurde irgendwo getötet, wo geheizt war, und dann hierhergebracht. Meine Frau trägt drinnen nie einen Pulli, nicht mal im Winter. Dreht einfach die Heizung hoch und überlässt mir die Rechnungen.»

Ward war wieder über die Leiche gebeugt. «Was ist mit dem, ähm, dem Bauch? Können das Ratten gewesen sein, oder ist es eine Verletzung?»

«Fragen Sie mich das nach der Obduktion», sagte Conrad. Aber dann schnaubte er nachdenklich. «Ratten würden sich eher über eine offene Wunde hermachen, möglicherweise hatte sie eine Stichverletzung. Aber wir sollten keine voreiligen Schlüsse ziehen. Außerdem sind an der Kleidung keine Blutflecke sichtbar, wenn es also eine Wunde gab, hat sie nur wenig geblutet.»

Er hatte recht. Auf den ersten Blick konnte man leicht vermuten, dass es sich um irgendeine grauenhafte Verletzung handelte, aber ich wusste, welche Tricks die Natur draufhatte. Im Moment war ich mir nur in einer Sache sicher.

«Sie wurde bewegt.»

Alle sahen mich an. Ich hatte nicht vorgehabt, es so unvermittelt auszusprechen, aber das winzige Skelett im Bauch seiner Mutter hatte mich mehr berührt als gedacht.

«Sie lag vorher woanders», fuhr ich fort. «Und wurde erst nach der Mumifizierung an diese Stelle gebracht.»

Conrad schnaufte widerwillig. «Ja, Sie haben recht.»

«Sind Sie sicher?», fragte Ward.

Ich nickte. «Die Knochen des Fötus sind durcheinandergeraten, und zwar mehr, als wenn Aasfresser am Werk gewesen wären. Das lässt vermuten, dass sie heftigen Bewegungen ausgesetzt waren, als im Körper keine schützende Flüssigkeit mehr vorhanden war.»

«Der Körper wurde in Plastik eingerollt», sagte Whelan. «Vielleicht ist es dabei passiert?»

«Das bezweifle ich, nicht in dem Ausmaß. Und wenn der Körper von Anfang an in Plastik eingewickelt gewesen wäre, hätte keine Mumifizierung stattgefunden. Dann hätte sich Feuchtigkeit gebildet, und die Überreste wären ganz normal verwest. In dem Fall wäre die Plane mit Flüssigkeit verschmiert, wie die Kleidung.»

«Also ist sie erst mumifiziert und wurde dann in die Plane eingewickelt?», fragte Ward noch mal nach.

«So muss es gewesen sein. Und dann sind da noch die hier.» Ich zeigte auf ein paar dunkle, reiskornähnliche Punkte in den Falten der Kleidung. «Es müssten viel mehr Hüllen von Schmeißfliegenlarven vorhanden sein. Wenn die Leiche die ganze Zeit hier gelegen hätte, wären sie überall verteilt.»

Ward runzelte die Stirn. «Gäbe es hier oben überhaupt Fliegen? Es ist stockdunkel, wie sollten die was sehen?»

«Brauchen sie nicht, sie folgen dem Geruch.» Es war ein verbreiteter Irrglaube, dass Schmeißfliegen im Dunkeln nicht aktiv wären. «Das sind vermutlich schwarzblaue Schmeißfliegen. Die laufen zur Not zu Fuß zu einem toten Körper, wenn es zum Fliegen zu dunkel ist.»

«Das ist mal eine lustige Vorstellung.» Whelan verzog das Gesicht.

Ward warf ihm einen irritierten Blick zu. «Warum sind da überhaupt Fliegen, wenn die Leiche mumifiziert ist? Würde sie das nicht abhalten?»

«Nicht, wenn zuerst noch die Verwesung eingesetzt hatte», sagte ich. «An den Flecken auf der Kleidung sieht man, dass das der Fall war, bevor der Körper ausgetrocknet und mumifiziert ist.»

Fliegen konnten verwesende sterbliche Überreste aus bis zu einer Meile Entfernung riechen und schossen dann auf das Ziel zu, um in Augen, Nase und allen anderen Öffnungen, die sie finden konnten, Eier abzulegen. Und auch wenn das Fehlen von Blutflecken an der Kleidung der Frau vermuten ließ, dass es keine größeren Verletzungen gegeben hatte, so hätte schon eine kleine Wunde die Fliegen angelockt. Sie hätten Eier gelegt, möglicherweise innerhalb von Minuten, noch bevor die Ratten kamen. Einmal geschlüpft, hätten die gierigen Larven sich von dem toten Gewebe ernährt, die ursprüngliche Wunde vergrößert und den Kreislauf aus Fressen und Vermehrung fortgesetzt. Bis die Überreste zu trocken und damit uninteressant waren.

Wards Stirn war immer noch gerunzelt. «Sie wollen also sagen, sie wurde woanders getötet und dann hierhergebracht?»

«Nicht unbedingt.» Ich warf Conrad einen Blick zu, um zu sehen, ob er vielleicht antworten wollte. Aber er hatte sich schon wieder der Leiche zugewandt. «Wo auch immer der Körper zuerst gelegen hat, müssen fast identische Bedingungen geherrscht haben. Trocken, gute Luftzufuhr und heiß genug, damit die Mumifizierung schnell einsetzt.»

«Denken Sie, die Leiche war die ganze Zeit hier oben und wurde nur innerhalb des Dachbodens bewegt?», fragte Ward.

«Das halte ich für möglich, ja.»

«Das ergibt keinen Sinn.» Whelan klang verärgert. «Wozu denn? Wenn jemand befürchtete, dass die Leiche gefunden werden könnte, warum hat er sie dann nicht ganz woanders hingebracht? Und warum warten, bis sie mumifiziert ist, bevor man sie wegträgt?»

«Das weiß ich nicht», gab ich zu. «Aber ich denke, man sollte den Rest des Dachbodens nach Schmeißfliegenhüllen absuchen.»

«Gut, das machen wir.» Ward beobachtete den Rechtsmediziner. Er schenkte unserer Unterhaltung keine Aufmerksamkeit, beugte sich vor, um die vor dem Körper gefalteten Hände der Leiche zu untersuchen. «Haben Sie etwas gefunden, Professor Conrad?»

«An den Fingerspitzen sind beträchtliche Verletzungen. Einige könnten von Nagetieren stammen, aber nicht alle, glaube ich.»

«Darf ich mal sehen?», fragte ich.

Er lehnte sich zurück. Angesichts des Zustands der Leiche ließ sich nur sehr schwer abschätzen, welche Schäden nach und welche vor dem Tod entstanden waren. Einige der ausgetrockneten Finger waren von kleinen Zähnen angeknabbert worden, und in der ersten Verwesung hatten die Fingernägel sich zu lösen begonnen. Doch die Finger selbst wirkten aufgerissen, die Nägel waren abgebrochen und gesplittert, einer fehlte gänzlich.

«Ich glaube nicht, dass dafür Ratten verantwortlich sind. Es sieht so aus, als wäre zumindest ein Teil davon entstanden, als sie noch lebte», sagte ich.

«Sie meinen, sie wurde gefoltert?»

«Sie stellen ständig Fragen, die wir unmöglich beantworten können», sagte Conrad gereizt. Seine Knie knackten, als er sich erhob. «Ich habe genug gesehen. Wenn die Hände eingepackt sind, können Sie den Körper in die Leichenhalle bringen. Ich glaube, es lässt sich mit Sicherheit sagen ...»

Er brach ab, als über seinem Kopf ein Schatten vorbeischoss, mit einem flatternden Geräusch wie von einem Daumenkino. Die Fledermaus war sofort wieder verschwunden, doch sie hatte den Rechtsmediziner so erschreckt, dass er nach hinten stolperte und mit den Armen ruderte, als sein Fuß von den Trittplatten abrutschte. Mit einem trockenen Knirschen brach er durch den dünnen Boden, die dreckigen Isolationsschichten verwandelten sich in eine riesige Staubwolke, als sein Bein darin versank. Whelan schaffte es, Conrads Handgelenk zu packen, und eine Sekunde lang glaubte ich, er hätte ihn. Dann gab, begleitet von einem lauten Krachen von Holz und Gips, ein Stück des Bodens nach, und Conrad verschwand.

KAPITEL 3

«Zurück! Alle zurück!», schrie Ward keuchend.

Die Luft war voller Staub und glitzernder Glasfaserteilchen. Alle husteten, die Papiermasken schützten kaum gegen den giftigen Dunst. Meine Augen brannten, ich schaute hinunter in den Abgrund, der sich so plötzlich aufgetan hatte. Eine der Lampen war umgekippt, als die Trittplatte wegbrach, der Lichtstrahl fiel in die Dunkelheit unter uns.

«Das gilt auch für Sie.» Ward schob sich an mir vorbei und vorsichtig dichter an das Loch heran. Zerrissene Isolierungsmatten hingen an zersplitterten Balken, die wie Speere hervorragten.

«Professor Conrad! Wie geht es Ihnen?», rief sie.

Keine Antwort. Das Gebäude war alt, die Decken hoch. Hoch genug, um sich bei einem Sturz alle Knochen zu brechen, selbst wenn nicht noch Holzbalken und Metallplatten auf einen herunterkrachten.

«Stehen Sie da nicht dumm rum, gehen Sie nach unten und sehen Sie nach, ob er sich was getan hat!», blaffte Ward die Polizisten an der Einstiegsluke an, die daraufhin losstürmten.

«Die Dachbalken müssen brüchig sein», sagte Whelan. «Ma'am, Sie sollten wirklich …»

Ward nickte und wandte sich widerwillig von dem Loch ab. «Okay, alle raus hier! Schön langsam, einer nach dem anderen, und geht nicht zu dicht zusammen. Los, los!»

Hustend bewegten wir uns in einer krummen Reihe über die Platten, die bebten und sich unter unseren Tritten bogen. Ich war froh, als ich die Leiter erreicht hatte. Nach der staubigen Hitze auf dem Dachboden fühlte sich der Abstieg in den kühlen Korridor wie ein Eintauchen in erfrischendes Wasser an. Ward und Whelan kamen als Letzte. Sie kletterte schnell die Leiter herab, der DI folgte.

«Holt sofort Sanitäter!», befahl sie, drängte sich zwischen den Menschen in Schutzanzügen hindurch, die um die Leiter herumstanden, und sah sich nach den beiden Polizisten um, die sie auf die Suche nach Conrad geschickt hatte. «Wo zum Teufel stecken Greggs und Patel?»

Am anderen Ende des langen Korridors entstand Bewegung. Eine junge Polizistin kam mit einer Taschenlampe in der Hand aus einer Tür. Sie wirkte verstört.

«Hier, Ma'am.»

Ward wehrte die Wasserflasche ab, die man ihr hinhielt, und ging auf die Polizistin zu. «Wie geht es ihm?»

Die junge Frau schüttelte den Kopf und blinzelte nervös. «Ähm, ich weiß nicht …»

«Sie *wissen* es nicht? Oh, zum … Los, aus dem Weg!»

Sie schob die junge Frau grob zur Seite und rannte in das Krankenzimmer. «Dort ist er nicht, Ma'am.»

«Wo zum Henker ist er dann?»

«Wir, ähm, wir können ihn nicht finden.»

«Was soll das heißen, Sie können ihn nicht finden? Er kann sich ja nicht in Luft aufgelöst haben!»

Ein weiteres Licht tauchte in der Dunkelheit des Flurs auf,

der Lichtpunkt kam wackelnd auf uns zu, es war der andere Polizist, der sich auf die Suche gemacht hatte.

«Von diesem Korridor hier gehen noch weitere ab», sagte er außer Atem. «Wir haben die Station abgesucht, von der wir dachten, sie läge unter der Stelle, wo er eingebrochen ist, und gerade bin ich noch in der danebenen gewesen, aber er ist nirgends zu finden.»

«Er wird ja kaum einfach davonspaziert sein, nach so einem Sturz!»

«Nein, ich meine, vielleicht doch, aber ...» Der Polizist zögerte unbehaglich. «Ich kann in der Decke kein Loch finden.»

«Dann haben Sie offensichtlich an der falschen Stelle gesucht. Geben Sie mir die.» Ward riss ihm die Taschenlampe aus der Hand und wandte sich an Whelan. «Jack, ich will, dass dieser gesamte Gang abgesucht wird. Jedes einzelne Zimmer. Und wo bleiben die verdammten Sanitäter?»

«Sind auf dem Weg, Ma'am.»

Whelan begann, die Suchaktion zu organisieren. Ich wollte mich anschließen, aber er schüttelte den Kopf. «Sie nicht, Dr. Hunter. Bei allem Respekt, aber wir haben bereits einen Forensik-Experten verloren. Solange wir nicht sicher sind, dass hier nicht noch mehr einbricht, bleiben Sie hier.»

Ich merkte, dass Widerworte sinnlos waren, und blieb frustriert am Fuß der Leiter stehen, während die anderen davoneilten, die Lichtkegel ihrer Taschenlampen huschten kreuz und quer durch die Dunkelheit. Als das Rufen und die Schritte sich entfernten und leiser wurden, schaute ich hoch zur Einstiegsluke. Auch wenn Whelan gesagt hatte, ich sollte hierbleiben, konnte ich nicht einfach nichts tun.

Ich kletterte so weit die Leiter hoch, bis mein Kopf und

meine Schultern im Dachboden waren. Immer noch lag Staub in der Luft, der im Licht der Lampen aussah wie Rauchschwaden. Unten hallten die Rufe der suchenden Polizisten durch die Gänge. Anscheinend hatten sie den Rechtsmediziner noch immer nicht gefunden, und ich sah jetzt, dass es gar nicht so leicht werden würde, ihn zu orten. Von der Luke bis zu der Stelle, an der Conrad eingebrochen war, waren es etwa dreißig Meter, und das Stockwerk unter dem offenen Dachboden war völlig anders angelegt. Offenbar war es ziemlich schwierig, in dem Labyrinth aus Stationen, Fluren, Büros und Wartezimmern herauszufinden, wo Conrad aufgekommen war.

Trotzdem hätten sie ihn inzwischen eigentlich gefunden haben müssen. Ich lauschte den Rufen der Suchenden und verharrte angespannt auf der Leiter. *Kommt schon, warum dauert das so lange?* Es waren bereits etliche Minuten vergangen, seit Conrad eingebrochen war. Sollte er offene Wunden davongetragen haben, könnte er verbluten, während alle herumrannten und ihn suchten.

«*Professor Conrad!*», rief ich.

Mein Ruf verhallte. Ich wollte gerade die Leiter hinuntersteigen und mich entgegen Whelans Anweisung an der Suche beteiligen, als ich ein Geräusch zu hören meinte. Ich hielt inne und horchte. Alles blieb still. Aber es hatte nicht nach dem Suchtrupp geklungen.

Sondern wie ein Stöhnen.

«Professor Conrad! Hören Sie mich?»

Nichts. Ich starrte in das Licht, das die Lampen in die Dunkelheit des Dachbodens rissen. In diesem Jahr hatte ich bereits einmal hilflos zusehen müssen, wie ein Mann starb. Ich wachte immer noch mit dem Gedanken daran auf, und die Vorstellung, so etwas ein zweites Mal erleben zu müssen, war unerträglich.

Also los.

Ich kletterte auf den Dachboden. Behutsam testete ich, ob die Trittplatten mich trugen, aber sie wirkten halbwegs solide. Wenn ich nicht wie Professor Conrad danebentrat, sollte es halten.

Hoffte ich.

Der Dachboden hatte schon unheimlich gewirkt, als noch andere Menschen dort waren. Jetzt, da ich allein war, war er noch gruseliger. Das helle Licht entlang des Laufstegs ließ die Schatten dahinter umso tiefer erscheinen. Ich hielt die Augen auf, um nicht von Fledermäusen überrascht zu werden wie Conrad, aber die scheuen Kreaturen zeigten sich nicht. Der ganze Lärm und Aufruhr hatte sie wohl verscheucht.

Die plastikverhüllte Leiche lag unverändert da. Der Einbruch des Fußbodens hatte keine Auswirkungen auf sie gehabt, das war zumindest etwas. Ich schob mich um die Tote herum, irgendwie kam es mir pietätlos vor, sie hier oben alleine zu lassen. Doch im Moment brauchten die Lebenden meine Hilfe mehr.

Vorsichtig bewegte ich mich auf das klaffende Loch zu. Den unmittelbar danebenliegenden Trittplatten traute ich nicht mehr und hielt mich an einem Dachbalken fest, bevor ich den Hals reckte und versuchte, nach unten zu sehen. Staub stieg in langsamen Schwaden nach oben, gefangen im Licht der umgefallenen Lampe. Doch obwohl sie ins Loch zeigte, war der Winkel zu flach, um erkennen zu können, was dort am Boden lag.

«Professor Conrad!»

Ich zog mein Handy aus dem Schutzanzug und stellte die Taschenlampe an. Die Schatten zogen sich zurück und gaben den Blick auf einen chaotischen Haufen aus zerborstenem Holz, Putz und Isolierung frei. Ich beugte mich tiefer über das Loch. Das Licht huschte über etwas Blaues. Ich richtete die Taschenlampe darauf. Erst war es schwer zu erkennen, doch dann wurde mir klar, was ich sah.

Einen Schuhüberzieher aus Plastik, der unter einer Isolierungsmatte hervorlugte.

«Was zum Teufel machen Sie da?»

Ich hätte fast das Handy fallen gelassen. Immer noch den Dachbalken umklammernd, drehte ich mich um und sah Whelan über die Trittplatten auf mich zustapfen.

«Sie sollten unten stehen bleiben. Raus hier! Sofort!»

«Ich kann Conrad sehen.»

Er zögerte. «Lassen Sie mich schauen.»

Ich machte ihm Platz. «Haben Sie schon den Raum gefunden, in dem er liegt?»

«Noch nicht. Die Raumaufteilung da unten ist völlig wirr. Wir sind durch einen anderen Korridor gegangen und mussten dann kehrtmachen. Überall irgendwelche Trennwände, das erschwert die Orientierung.»

Aber doch nicht so sehr, dachte ich, verkniff mir aber, es auszusprechen. Er hielt sich am selben Dachbalken fest wie ich, beugte sich über das Loch im Boden und leuchtete mit der Taschenlampe hinein.

«Hören Sie mich, Professor Conrad?», rief er.

Keine Antwort. «Können Sie ihn sehen?», fragte ich.

«Ich sehe was», grunzte Whelan und spähte in das Loch. «Sieht aus wie sein Fuß. Vielleicht können wir …»

Schritte auf den Trittplatten kündigten Ward an. Zum ersten Mal fiel mir auf, dass sie sich unbeholfen bewegte und in dem weiten Schutzanzug unförmig wirkte.

«Tut mir leid, Ma'am, ich habe bloß …»

«Es ist meine Schuld», sagte ich. «Ich habe ein Stöhnen gehört.»

«Sind Sie sicher?» Sie warf mir einen skeptischen Blick zu. Ich fragte mich langsam selbst, ob es Einbildung gewesen war. Aber ich hatte etwas gehört.

«Wir können ihn sehen.» Whelan ersparte mir weitere Erklärungen.

«Verdammt.» Ward warf einen kurzen Blick auf die Frauenleiche und atmete tief ein. «Ist er bei Bewusstsein? Bitte sagen Sie mir, dass er lebt.»

«Das weiß ich nicht. Er liegt unter den Trümmern der Decke begraben und bewegt sich nicht.»

«Lassen Sie mich sehen.»

«Ma'am, das ist gefährlich», warnte Whelan. «Sie sollten nicht hier oben sein.»

Ich weiß nicht, was mich mehr überraschte, dass er so etwas zu seiner Vorgesetzten sagte oder dass sie ihm dafür nicht den Kopf abriss.

«Erzählen Sie mir was Neues», sagte sie nur und hielt sich auch an unserem Dachbalken fest. Ihr Atem unter der Maske klang rau. «Die Feuerwehr ist mit Rettungsgerät auf dem Weg, außerdem ein Krankenwagen und Sanitäter, aber wir haben immer noch nicht rausgefunden, wo zum Teufel er aufgeschlagen ist! Verdammte Scheiße, das gibt's doch gar nicht!»

«Ich könnte da runter …», setzte ich an.

«Nein!», blafften Ward und Whelan einstimmig. Sie schüttelte den Kopf. «Die Feuerwehr wird gleich da sein. Die haben die richtige Ausrüstung.»

«Bis dahin könnte er tot sein.»

«Denken Sie, das weiß ich nicht?»

Whelan räusperte sich. «Ich sag's nur ungern, aber Dr. Hunter hat recht, Ma'am. Wir wissen nicht, in welchem Zustand Conrad ist, und die Feuerwehr muss erst mal ankommen, dann müssen die ihr ganzes Zeug nach oben schleppen. Ich könnte runtersteigen und mich wenigstens mal umsehen.»

Ward starrte zu Boden, die Hände auf die Hüften gestützt. «Legen Sie los.»

Die Polizisten im Stockwerk unter uns bekamen Anweisungen zugerufen, daraufhin wurde schnell eine Teleskopleiter auf den Dachboden gebracht. Ward wollte so wenige Beamte wie möglich hier oben haben, um das Risiko zu minimieren. Auch mich ließ sie nur widerwillig bleiben, aber ich wies darauf hin, dass bis zum Eintreffen der Sanitäter meine medizinische Ausbildung eventuell von Nutzen sein könnte.

In all dem geriet der eigentliche Grund unseres Hierseins fast in Vergessenheit: die Leichen der Frau und ihres ungeborenen Kindes, die zum Glück weit genug von dem Loch entfernt lagen, um von den hektischen Aktivitäten in Mitleidenschaft gezogen zu werden. Auf meine Bitte hin brachte man eine Plastikplane herauf, und während Whelan und ein Kollege die Teleskopleiter in das Loch hinabließen, deckte ich den mumifizierten Körper zu. Das Plastik knisterte, als ich es über das ausgetrocknete Gesicht zog, auf dem die lederartige Haut straff über den Wangenknochen saß, die runzligen Augenlider in die leeren Höhlen eingesunken. Die Plane würde weitere Verunreinigung durch die aufgewirbelten Staub- und Glasfaserteilchen verhindern, aber nicht nur deshalb wollte ich die Leiche bedecken. Die Frau hatte hier einsam und verlassen gelegen, Gott allein wusste, wie lange.

Es wäre nicht richtig gewesen, ihr keine Wertschätzung zu erweisen.

Zu meiner Frustration wies mich Ward an, weit hinten zu bleiben, während Whelan zwischen all dem Schutt, unter dem der Rechtsmediziner begraben lag, die Leiter in Position brachte. Sie hatten die Lampen so zurechtgeschoben, dass sie das Loch ausleuchteten, doch viel ließ sich nicht erkennen, nur ein Berg aus Holz und Isolierung, der Raum dahinter blieb in tiefer Dunkelheit verborgen.

«Seien Sie vorsichtig, Jack», sagte Ward.

«Genau wie beim Fensterputzen», scherzte er, während er hinabkletterte.

Die Teleskopleiter ächzte und schwankte unter seinem Gewicht. Wenige Sekunden später hatte er den Boden erreicht. Von da, wo ich stand, war er nicht mehr zu sehen, doch seine Stimme war laut und deutlich zu hören.

«Okay, ich bin unten. Ich versuche mal, ihn von diesem Zeug zu befreien ...»

Ein Grunzen, dann ein scharrendes Geräusch. Eine Staubwolke stieg nach oben, als der DI den Schutt beiseiteräumte.

«Schon besser.» Er klang atemlos. «Er sieht ziemlich mitgenommen aus. Hat noch Puls, ist aber in schlechtem Zustand. Ein Bein sieht gebrochen aus, und ... hier ist viel Blut.»

«Woher?», rief ich. «Aus einer Arterie?»

«Keine Ahnung, ich kann nicht sehen, woher es kommt. Könnte aus seinem Bein sein, aber das steckt fest, und ich will nicht riskieren, ihn zu bewegen. Ma'am, wenn wir nicht schnell was tun, wird er es nicht schaffen.»

Ich wandte mich an Ward. «Lassen Sie mich runter, damit ich …»

Ungeduldig brachte sie mich mit einer Geste zum Schweigen. «Wir müssen da rein, Jack. Können Sie eine Tür sehen?»

«Moment.» Eine Pause. «Sieht aus wie ein Krankenzimmer. Hier stehen noch ein paar Betten und anderer Müll, aber ich sehe keine Tür.»

«Irgendwo *muss* eine sein.»

«Nein, es sieht so aus, als wäre eine Seite zugemauert worden und … *Scheiße!*»

Gefolgt von plötzlichem Klappern.

«Jack? Jack! Alles in Ordnung?»

Sekunden später antwortete Whelan: «Ja, ich … ich hab bloß meine Taschenlampe fallen lassen.»

Ward seufzte erleichtert auf. «Verdammt, Jack, was treiben Sie da?»

«Tut mir leid, Ma'am. Diese Betten hier … Da liegen Menschen drin.»

KAPITEL 4

Ward wollte mich immer noch nicht zu Whelan hinabsteigen lassen. «Ich gehe kein Risiko mehr ein, bis wir nicht wissen, womit wir es da unten zu tun haben.»

«Wir wissen, womit Conrad es zu tun hat. Wenn wir nichts tun, verblutet er.»

«Die Sanitäter und die Feuerwehr sind in fünf Minuten da …»

«So viel Zeit hat er vielleicht nicht. Bis die hier sind, kann ich zumindest versuchen, die Blutung zu stoppen.»

«Jack ist in Erster Hilfe ausgebildet …»

«Und ich bin Arzt! Wenn Sie befürchten, ich könnte möglicherweise einen Tatort verunreinigen …»

«Darum geht es nicht, das wissen Sie!»

«Dann lassen Sie mich da runtergehen!»

Ward warf den Kopf zurück. «Herrgott noch mal! In Ordnung, aber seien Sie bloß vorsichtig!»

Bevor sie es sich anders überlegen konnte, schwang ich mich auf die Leiter und begann den Abstieg. Die Leiter quietschte und ruckelte, Whelan hielt sie fest, bis ich unten ankam.

«Passen Sie auf, wo Sie hintreten.»

Es war, als stünde man am Grund eines Brunnens. Die

durch das Loch in der Decke hereinfallenden Lichtstrahlen erleuchteten nur einen kleinen Bereich. Jenseits davon herrschte Finsternis. Whelan kniete neben einem Berg aus Glasfaserisolierung, Putz und Holz und hielt die Taschenlampe auf Conrad gerichtet. Er hatte ihn zumindest von dem Teil des Schutts, der nicht schwer war, befreien können, und der Rechtsmediziner lag, auf die Seite gedreht, auf Isolierungsmatten. Sein Gesicht war mit Staub und Gips verklebt und sah bleich und abgehärmt aus, dunkles Blut glänzte darauf. Er war bewusstlos, und seine Atmung gefiel mir gar nicht. Das Krankenhaus hatte hohe Decken, er war bestimmt drei oder vier Meter in die Tiefe gestürzt.

Am dringendsten musste die Wunde am Bein versorgt werden, in der Dreck und Glasteilchen klebten. Ringsherum hatte sich eine Blutlache gebildet. Ich wusste jetzt, warum Whelan gezögert hatte. Nach einem solchen Sturz konnte Conrad eine Hals- oder Wirbelsäulenfraktur haben, und der raspelnde Atem deutete darauf hin, dass eine Rippe einen Lungenflügel punktiert haben könnte. Er brauchte mehr als nur meine Hilfe, aber zumindest musste ich versuchen, ihn am Leben zu halten.

«Wenn er sich bewegt, halten Sie ihn fest», wies ich Whelan an und schob meine Hände unter das eingeklemmte Bein. Während ich nach dem Ursprung der Blutung tastete, achtete ich darauf, seine Position möglichst nicht zu verändern, und hoffte bloß, es würde kein Knochenstück aus den Muskeln in seinem Bein herausragen. Falls das der Grund für die Blutung war, konnte ich wenig ausrichten, schon gar nicht, wenn der Knochen eine Arterie angestochen hätte. Dann wäre Conrad wahrscheinlich tot, bevor die Rettungskräfte eintrafen.

Aber zu meiner Erleichterung schien kein offener Bruch

vorzuliegen. Stattdessen spürte ich durch das dünne Nitril meiner Handschuhe hindurch am Oberschenkel einen Riss in Conrads Schutzanzug und der Hose und darunter warmes, feuchtes Blut. Er musste bei seinem Sturz durch die Decke an einem Nagel oder einem geborstenen Holzbalken hängengeblieben sein. Hoffentlich war keine Arterie betroffen.

«Halten Sie sich bereit», sagte ich zu Whelan. «Ich lege Druck an.»

Meine Handschuhe waren alles andere als steril, aber sie waren wenigstens nicht mit der Leiche auf dem Dachboden in Kontakt gekommen. Und eine Infektion war jetzt das kleinere Übel. Ich verließ mich auf meinen Tastsinn, knüllte den Stoff der Hose über der Wunde zusammen und drückte kräftig zu.

Conrad stöhnte leise auf und versuchte, sich zu bewegen.

«Halten Sie ihn fest», sagte ich.

Whelan drückte den Verletzten mit seinem Gewicht nach unten.

«Was ist los?» Wards Stimme drang von oben herab. «Wie geht es ihm?»

«Wie lange brauchen die Sanitäter noch?», fragte ich zurück.

«Sie sind gerade durchs Tor gekommen. Zwei, drei Minuten.»

Länger durfte es nicht dauern. Ich drückte so stark wie möglich auf die Wunde, brachte mich in eine bessere Position und konzentrierte mich darauf, den Druck aufrechtzuerhalten. Erst dann hatte ich Gelegenheit, mich umzusehen.

Es war zu finster, um viel erkennen zu können. Erst als sich meine Augen allmählich an die Dunkelheit gewöhnten, tauchte vor mir aus den Schatten das unverputzte Mauerwerk einer Wand auf, außerdem erahnte ich hinter Staubschwaden den Umriss eines Krankenhausbettes. Darauf, kaum mehr als ein grauer Fleck in dem Schwarz, lag eine reglose Gestalt. Ich meinte, dahinter noch ein weiteres Bett ausmachen zu können, aber das konnte ein Streich sein, den mir die Schatten spielten.

Was immer dort lag, es musste warten. Ich versuchte den sich anbahnenden Krampf in meinen Unterarmen zu ignorieren und betete, dass die Sanitäter bald eintreffen würden.

Als ich nach Ballard Court zurückkehrte, zeigte sich am Himmel der erste Streifen der Dämmerung. Ich wartete, dass sich das automatische Tor öffnete, das Brummen der Elektronik lieferte den Bass zu dem Gesang der Vögel. Ich fuhr auf meinen Platz in der Tiefgarage und stellte den Motor ab. Die Aufzugtür öffnete sich mit einem Glockenton, mein Nachbar von gegenüber kam heraus. Er bedachte mein zerknittertes Erscheinungsbild mit einem missbilligenden Blick und ging mit einem knappen Nicken an mir vorbei.

«Ihnen auch einen guten Morgen», sagte ich zu dem leeren Aufzug.

Meine Schritte klickten wie eine Tätowiernadel auf dem Marmorfußboden vor meinem Apartment. Ich verhielt mich so leise wie möglich, doch als ich die Tür aufschob, verriet mir der Geruch von gebratenem Schinken, dass ich mir die Mühe hätte sparen können. Rachel schnitt Pilze klein, auf dem Herd neben ihr brutzelte etwas in der Pfanne. Sie war bereits angezogen, sah wunderschön und wesentlich frischer aus als ich.

«Hi», sagte sie und nahm die Pfanne vom Herd. Sie kam zu mir, legte die Arme um mich und hob das Gesicht zu einem Kuss. «Gutes Timing.»

Ich atmete den Duft ihrer vom Duschen noch feuchten Haare ein. «Du hättest so früh doch noch gar nicht aufstehen müssen.»

«Doch. Ich wollte Frühstück machen. Ich weiß, dass du sonst nichts essen würdest. Hast du seit gestern irgendwas gehabt?»

Ich dachte an den bitteren Tee, den mir ein Police Constable gebracht hatte.

«Ein bisschen.»

Rachel zog skeptisch eine Augenbraue in die Höhe und wandte sich wieder dem Herd zu. «Du hast noch Zeit zum Duschen.»

Ich lächelte über den wenig subtilen Hinweis: Nach den vielen Stunden im verschwitzten Schutzanzug hatte ich eine Dusche dringend nötig.

Aber mein Lächeln verflog, als ich auf dem Weg ins Badezimmer die gepackten Koffer neben der Tür sah. Rachels Flieger ging erst am späten Vormittag, aber wegen des Verkehrs musste sie sich schon früh auf den Weg zum Flughafen machen. In meiner Brust wurde es kalt.

So hatte ich unsere letzte Nacht nicht verbringen wollen.

Die Sanitäter hatten sich beeilt, trotzdem waren bis zu ihrem Eintreffen endlose Minuten vergangen. Ich war froh, an sie übergeben zu können, eine junge Frau übernahm den Druck auf Conrads Wunde, während ihr Kollege Verbandspäckchen aufriss. Um ihnen Platz zu machen, trat ich beiseite und konnte mir jetzt endlich die Umgebung ansehen. Das zusätzliche Licht der Taschenlampen der Sanitäter ließ im Schatten drei Betten erkennen. Das am weitesten entfernte war leer, aber in den anderen beiden lagen reglose Gestalten. Um den Tatort nicht noch mehr zu verunreinigen, blieb ich, wo ich war. Aber die leise Hoffnung, es könnte sich um einen Jux handeln – vielleicht hatten Scherzbolde Schaufensterpuppen in die Betten gelegt –, verflog schnell. Es lag ein Geruch in der Luft, den ich jetzt erst wahrnahm. Er war schwach und mischte sich mit dem von Gips und Staub der eingebrochenen Decke, doch es war unverkennbar der süßlich-faule Geruch von Verwesung. Soweit ich erkennen konnte, waren beide Gestalten vollständig bekleidet, und über der Brust und den Beinen sah ich schwarze Streifen. Erst wusste ich nicht, was das sein sollte, dann begriff ich.

Sie waren an die Betten gefesselt worden.

Ein Zupfen an meinem Ärmel. «Machen wir ihnen Platz», sagte Whelan. «Hier.»

Er hielt mir ein paar Nitril-Handschuhe hin, ich zog die blutigen aus und die neuen an, und da sich die Sanitäter um Conrad kümmerten, ging ich zur Leiter zurück. Am Fuß hielt ich kurz inne und warf einen letzten Blick in die düstere Kammer. Keine Türen, kein Weg hinein oder hinaus, wie Whelan gesagt hatte. Nur die nackte Wand, in der Dunkelheit grau.

Als ich auf dem Dachboden ankam, wurde ich gleich wieder weggeschickt. Auf der Treppe nach unten traf ich die Feuerwehrleute und machte Platz, um sie mit ihren Geräten vorbeizulassen. Es war eine Erleichterung, in die kühle Nacht hinauszutreten. Ich war verschwitzt, die Glasfasern der Isolierung juckten auf meiner Haut, und ich war froh, den verdreckten und blutverschmierten Schutzanzug ausziehen zu können. Ein Sichelmond hing am Himmel, umgeben von einem milchigen Hof. Ein freundlicher Police Constable reichte mir einen Tee, ich stand auf der Treppe und hatte noch nicht ausgetrunken, als die Sanitäter Conrad auf einer Trage aus dem Krankenhaus brachten. Der Rechtsmediziner schien in keinem guten Zustand zu sein. Sein Gesicht war blutverschmiert, er war immer noch bewusstlos, mit Riemen gesichert, eine Cervicalstütze stabilisierte Kopf und Hals.

Sobald er eingeladen war, fuhr der Krankenwagen mit Blaulicht und Sirene davon.

Kurz darauf tauchte Ward auf, sprach mit ein paar Leuten, gestikulierte einmal wütend und kam dann auf mich zu. Sie hatte Maske und Kapuze abgezogen und lehnte sich mit einem abgrundtiefen Seufzen gegen eine der Steinsäulen an der Treppe.

«Was für eine Nacht.» Sie begann, die Handschuhe auszuziehen. «Danke für Ihre Hilfe da oben. Mit Conrad.»

«Wie geht es ihm?»

Sie pustete sich eine verschwitzte Haarsträhne aus den Augen. «Lässt sich noch nicht sagen. Die Sanitäter konnten ihn so lange stabil halten, bis die Feuerwehr ihre Geräte aufgestellt hatte und ihn rausholte. Seine Pupillen reagieren, was ein gutes Zeichen ist, aber sie müssen ihn erst röntgen und untersuchen, bevor wir wissen, wie ernst es ist.»

«Sie haben ihn über den Dachboden rausgeholt?»

«Das ging schneller, als die Wand einzuschlagen.» Sie bückte sich und zog die Überzieher von den Füßen. «Obwohl wir wussten, wonach wir suchten, haben wir ewig gebraucht, die verdammte Kammer zu finden. Die Wand wurde quer durch einen Raum gezogen und passend gestrichen. Wenn man es nicht weiß, kommt man nicht drauf. Da hat sich jemand viel Mühe gegeben.»

Ich stellte die naheliegende Frage. «Meinen Sie, es besteht eine Verbindung zu der Toten auf dem Dachboden?»

«Ehrlich? Ich habe nicht die leiseste Ahnung.» Sie warf ihre zusammengeknüllten Überzieher in einen Plastikeimer.

«Wäre schon ein Riesenzufall, wenn es keine gäbe, aber bevor wir uns nicht ansehen können, was da in der Kammer liegt, ziehe ich keine vorschnellen Schlüsse.»

Ich nickte in Richtung einer an der Krankenhausmauer angebrachten Kamera, deren Linse auf den Haupteingang gerichtet war. «Was ist mit den Überwachungskameras?»

Wer die Mauer gebaut hatte, musste eine Weile im Krankenhaus ein und aus gegangen sein. Doch Ward schüttelte den Kopf. «Das sind Attrappen. Die Bauunternehmer haben entschieden, echte wären rausgeschmissenes Geld. Hätte aber auch nicht viel genutzt. Die Aufnahmen werden normalerweise nach ein paar Wochen gelöscht, und wir müssen viel weiter zurückgehen.»

«Es gibt hier also gar keine Überwachung?»

«Am Anfang hatten sie Sicherheitspersonal, aber eher, um die Protestierenden abzuschrecken als alles andere. Als das mit den Bürobauten bekannt wurde, gab es jede Menge Ärger. Die Aktivisten finden, auf dem Grundstück sollte Wohnraum entstehen, und die Denkmalschützer sind der Auffassung, das St. Jude sollte unverändert erhalten bleiben und unter Denkmalschutz gestellt werden. Das Areal grenzt an ein Waldstück, in dem die Ruine einer normannischen Kirche oder so was steht. Es gab eine Kampagne, das Ganze zu einem Ort von besonderem historischen Interesse zu erklären, eine Art Lesnes Abbey Woods in Bexley. Nur dass die ein Kloster und Fossilien haben, die Denkmalschützer stehen hier also eher auf verlorenem Posten.»

Ward zog den Reißverschluss des Schutzanzugs auf und begann, sich herauszuwinden. Mir fiel auf, dass sie ein wenig zugenommen zu haben schien, aber ich dachte mir nichts dabei.

«Als die Bauunternehmer merkten, dass das Ganze sich hinziehen würde, haben sie die Sicherheitsmaßnahmen zurückgefahren», fuhr sie fort und befreite sich aus einem Ärmel. «Die übliche Geschichte. Haben sich mit Zäunen und *Betreten verboten*-Schildern begnügt und alles dem Verfall überlassen, bis es irgendwann für den Abriss grünes Licht gibt.»

«Und dann kamen die Fledermäuse.»

Sie lächelte trocken. «Dann kamen die Fledermäuse.»

Ich sah an dem mit Brettern vernagelten Gebäude hoch. «Meinen Sie, das könnte etwas mit den Protesten zu tun haben?»

«Damit kann man mal anfangen. Bevor wir irgendwen da reinschicken, müssen wir aber im Gebäude für Sicherheit sorgen. Ich will keine weiteren Verletzten riskieren, und wir haben heute schon genug Tatorte kontaminiert. Was immer da in der Kammer liegt, ich will nicht, dass noch mehr von der Decke drauffällt.» Sie zerrte an dem Ärmel, in dem sie steckengeblieben war. «Gott, ich hatte vergessen, wie sehr ich die verdammten Dinger hasse.»

Mit einem Ächzen befreite sie sich. Mein erster Gedanke war, dass sie wirklich zugenommen haben musste, dann begriff ich. Sie zog eine Augenbraue hoch.

«Was ist? Fragen Sie sich, ob ich es mit dem Kuchen übertrieben habe?»

Ich lächelte. «In welchem Monat sind Sie?»

«Fast im sechsten, aber es kommt mir wie eine Ewigkeit vor. Und bevor Sie was sagen, ja, ich weiß, was ich tue. Ich laufe ja nicht Streife, also kann ich weiterarbeiten, solange ich mich fit fühle. Ich gebe nicht meine Chance auf eine Leitungsposition auf, um zu Hause Söckchen zu stricken.»

Jetzt verstand ich, warum Whelan sich auf dem Dachboden solche Sorgen um sie gemacht hatte. Und warum der Anblick der Frau mit ihrem ungeborenen Kind Ward so bewegt hatte. Die Schwangerschaft der Toten war in etwa so weit fortgeschritten gewesen wie ihre eigene.

«Junge oder Mädchen?», fragte ich und verspürte den vertrauten Stich, als ich an die Schwangerschaft meiner eigenen Frau zurückdachte.

«Keine Ahnung, ist mir egal. Mein Mann hofft auf einen Jungen, aber ich hab ihm gesagt, wenn er das Geschlecht wissen will, muss er selber schwanger werden.»

Ich wusste, dass sie verheiratet war, hatte ihren Mann aber nie kennengelernt. Obwohl wir schon mehrfach zusammengearbeitet hatten, hatten wir uns nie privat getroffen, und bei unseren gemeinsamen Einsätzen war unser Privatleben kein Gesprächsthema.

Dies war eindeutig ein Lichtblick an einem sonst düsteren Abend. Ich wartete an meinem Wagen, während Ward sich mit ihrem Team und den Feuerwehrleuten besprach. Kurz danach betraten drei weitere Personen die mobile Einsatzzentrale, ein Mittvierziger mit kurzen Haaren, dessen Auftreten vermuten ließ, dass es sich um Wards Vorgesetzten handelte, und ein jüngerer Mann und eine Frau, die hinter ihm herdackelten. Keiner sah froh aus. Nicht nur war der zuständige Rechtsmediziner ernsthaft verletzt worden, wir hatten es auch mit mehreren Leichen zu tun, die miteinander in Zusammenhang stehen konnten oder auch nicht.

Was als Routineermittlung begonnen hatte, hatte sich zu einem veritablen Monsterfall ausgewachsen.

Zwanzig Minuten später teilte mir ein PC mit, dass ich nach Hause fahren könnte. Alle weiteren Arbeiten waren auf-

geschoben, bis der Dachboden gesichert und vom Arbeits-
schutz freigegeben worden war. Man würde sich melden,
wenn ich wieder gebraucht würde.

Und so war ich nach Ballard Court zurückgefahren. Bis zu
Rachels Abreise war an Schlaf nicht zu denken. Nachdem
ich geduscht und wir gefrühstückt hatten, redeten wir bei
einer Tasse Kaffee weiter und versuchten, so zu tun, als wäre
dies ein ganz normaler Morgen. Je näher ihre Abfahrt rückte, desto schwieriger wurde es. Sie wollte nicht von mir zum
Flughafen gebracht werden, weil das den Abschied nur ver-
längert hätte, und als das Klingeln ihres Handys die Ankunft
des Taxis ankündigte, wurde mir schwer ums Herz. Ich hielt
sie fest und atmete den sauberen Duft ihres Haars ein, um ihn
mir einzuprägen.

«Wir sehen uns in drei Monaten.» Sie gab mir einen letzten
Kuss.

Als sich die Tür hinter ihr geschlossen hatte, drehte ich
mich um und betrachtete das Apartment. Die moderne,
glänzende Küche wirkte noch steriler als sonst, die abstrakte
Kunst an den dunklen Wänden im Wohnzimmer und Flur
noch fremder. Ich war daran gewöhnt, alleine zu sein, aber
hier erinnerte mich alles an Rachels Abwesenheit.

Ich war müde, doch da ich ohnehin nicht würde schlafen
können, räumte ich das Geschirr in die Spülmaschine und
machte mir noch einen Kaffee. Im Apartment stand eine
komplizierte Kaffeemaschine, die die Bohnen mahlte, Milch
schäumte und eine ganze Reihe esoterischer Dinge voll-
führte. Rachel liebte sie, mir war das viel zu viel Aufwand für
eine Tasse Kaffee. Daher holte ich den Instantkaffee aus dem
Schrank, füllte meinen Becher in der halben Zeit und setzte

mich damit an die Granitkücheninsel. Später würde ich wohl in die Uni fahren, aber bis dahin blieben noch einige Stunden zu füllen. Rastlos sah ich im Internet nach, ob die Ereignisse im St. Jude es bereits in die Nachrichten geschafft hatten. Hatten sie, aber in den Regionalmeldungen vergraben, und bis auf die Tatsache, dass man in einem verlassenen Krankenhaus menschliche Überreste gefunden hatte, wurden keine Details genannt. Die geheime Kammer und Conrads Unfall wurden nicht erwähnt. Das Gelände war offen zugänglich, ganz würde die Polizei die Sache nicht deckeln können, aber Ward war offensichtlich bemüht, den Medienrummel so lange wie möglich aufzuhalten.

Viel Glück, dachte ich.

Nachdem ich die wenigen Berichte über die Ermittlung gelesen hatte, googelte ich das Krankenhaus und fand haufenweise Informationen, von Blogs und Aufrufen zum Protest gegen den Abriss bis hin zu Amateurwebseiten über die Geschichte des Gebäudes. Es war im 19. Jahrhundert als ein von Nonnen geleitetes karitatives Spital gegründet worden. Seit Mitte des letzten Jahrhunderts hatte es sich stetig vergrößert, das strenge viktorianische Hauptgebäude überblickte bald zahlreiche neue Abteilungen und Einrichtungen. Es existierten etliche Fotos aus den verschiedenen Lebensaltern des St. Jude, auf frühen Sepiabildern waren das nackte, neu aussehende Mauerwerk und die gerade angepflanzten Bäume zu sehen, auf neueren Aufnahmen war das Krankenhaus bereits eine vernagelte Ruine. Ein Bild aus den siebziger Jahren zeigte es zu seiner Hochzeit. An der Treppe zum Hauptgebäude stand eine Übersichtstafel, von der heute nur noch die rostigen Pfosten übrig waren, davor zwei Krankenschwestern, die nebeneinandergingen und lachend eine Zigarette rauchten.

Über ihnen traten ein Mann und ein Kind aus der hohen Tür, ob Junge oder Mädchen, war nicht zu erkennen, für die Ewigkeit festgehalten.

Es hatte etwas Melancholisches, diese Bilder aus früheren Leben zu betrachten. Ich wollte mich im Moment lieber nicht weiter in diese Stimmung sinken lassen, und große Erkenntnisse hatte die Hintergrundlektüre auch nicht gebracht. Immerhin, ein Blick auf die Uhr zeigte, dass eine Stunde verstrichen war. Es war spät genug, um zur Arbeit zur fahren.

Ich klappte den Laptop zu, steckte ihn ein und nahm meinen Mantel von dem skandinavischen Kleiderständer im Flur. Erleichtert trat ich aus der Tür und ließ das luxuriöse Apartment hinter mir.

Seit ein paar Jahren hatte ich am Institut für forensische Anthropologie an einer der größeren Universitäten in London eine Dozentenstelle inne, ein Arrangement zum beiderseitigen Nutzen. Meine Lehrtätigkeit war minimal, aber sie verschaffte mir ein Einkommen, ein Labor und die Freiheit, als Berater für die Polizei zu arbeiten. Im Frühjahr war meine Anstellung kurzzeitig gefährdet gewesen, nachdem ich nach einer Ermittlung, die ein schlechtes Ende genommen hatte, von der Polizei gewissermaßen auf die schwarze Liste gesetzt worden war. Aber seit dem erfolgreichen Fall in Essex war mein Ansehen wieder gestiegen, und vor kurzem hatte mir die Uni einen weiteren Zweijahresvertrag, sogar zu besseren Konditionen, angeboten.

Doch ich zögerte die Unterschrift hinaus. Denn auch wenn meine Position fürs Erste gesichert schien, machte ich mir keine Illusionen, wie schnell das wieder vorbei sein konnte. Und nach der Unsicherheit und dem Aufruhr im Frühjahr wusste ich nicht, ob ich so lange bleiben wollte, um das zu erleben. Rachel hatte mein Leben verändert, eine neue Perspektive hatte sich aufgetan.

Vielleicht war es an der Zeit für eine Veränderung.

Ich parkte ein paar Ecken von der Uni entfernt und ging zu Fuß zu dem Gebäude, in dem die forensische Anthropologie untergebracht war. Nachdem Grace Strachans Fingerabdruck am Türrahmen meiner alten Wohnung entdeckt worden war, hatte Ward mir geraten, meine Arbeitswege zu ändern. Für alle Fälle, hatte sie gesagt. Eine sinnlose Maßnahme, hatte ich schon damals gedacht, und inzwischen erst recht. Aber da ich es Rachel versprochen hatte, parkte ich jeden Tag woanders, mied den Uni-Parkplatz und benutzte irgendwelche Seitentüren anstatt des Haupteingangs.

Das neue Studienjahr hatte gerade angefangen, der Trubel in den Fluren war nach dem stillen Apartment eine willkommene Ablenkung. Brenda, die Fakultätssekretärin, saß an ihrem Schreibtisch und sah auf, als ich hereinkam.

«Morgen, David. Wie war das Wochenende?»

«Gut, danke.»

«Ich habe dich gar nicht so schnell zurückerwartet. Denk an die Fakultätsbesprechung heute Nachmittag.»

Verdammt. «Ich kann's kaum erwarten.»

«Das sehe ich. Oh, und dieser Journalist hat wieder eine Mail geschickt. Francis Scott-Hayes.»

Ich seufzte. Scott-Hayes nervte mich seit Wochen wegen eines Interviews und schickte E-Mails sowohl an das Institut als auch an mich, in der Hoffnung auf eine Antwort. Oder vielmehr auf die Antwort, die er hören wollte. Bei der ersten Mail hatte ich höflich abgelehnt, bei der zweiten schon etwas weniger höflich, alle weiteren hatte ich ignoriert. Ich wusste nicht mal, wie er von mir gehört hatte, da meine Beteiligung an polizeilichen Ermittlungen meistens nicht öffentlich gemacht wurde. Was mir nur recht war. Leider war mein Name in Zeitungsberichten aufgetaucht, nachdem zwei Fälle, an denen ich beteiligt war, national Schlagzeilen gemacht hatten, der eine im letzten Jahr in Dartmoor und dann die Ermittlung in Essex, bei der ich Rachel kennengelernt hatte. Jede Wette, dass der Journalist einen davon gesehen und sich gedacht hatte, mich auszuquetschen, würde eine gute Story ergeben.

Dass ich anderer Meinung war, schien ihn nicht zu stören.

«Ignorier ihn einfach», bat ich Brenda. «Irgendwann kapiert er's.»

«Bist du sicher? Er schreibt für die großen Tageszeitungen. Könnte doch ganz nett sein, dein Bild abgedruckt zu sehen.»

«Hat hier jemand ‹Tageszeitungen› gesagt?», erklang hinter mir eine Stimme.

Ich befürchtete das Schlimmste, als ich mich umdrehte und Professor Harris erblickte, den Dekan des Instituts, die schimmernde Aktentasche fest in der Hand und ein Lächeln im Gesicht, das so breit wie falsch war. Als die Polizeiaufträge ausblieben, war er merklich abgekühlt, seit sich das Blatt gewendet hatte, war er wieder ausnehmend freundlich.

«Bloß ein Journalist, der kein Nein akzeptieren will», sagte ich. Brenda formte ein stilles *Sorry* und widmete sich ihrem Computer.

Immer noch lächelnd nickte er. «Vielleicht sollten Sie noch mal darüber nachdenken. Sie wissen ja, was man über Publicity sagt, und ein schönes Interview würden Ihrem Ruf guttun.»

Und dem des Instituts. «Vielleicht später», sagte ich.

Seine Augen leuchteten auf. «Ach, ja, wie ich hörte, wurde

in einem leerstehenden Krankenhaus eine Leiche gefunden. Irgendwo in North London, stimmt's? Sie sind, ähm, mit dem Fall befasst? Ganz in der Nähe, ist doch praktisch.»

Nicht für die Opfer, dachte ich. «Ich darf nichts sagen …»

«Nein, nein, natürlich nicht. Tja … viel Glück. Auch für das Interview.»

Während er davoneilte, lächelte Brenda trocken.

«Die Antwort lautet immer noch nein», sagte ich.

Ich ging in die Besenkammer, die als mein Büro deklariert war, und begann, meine E-Mails durchzusehen. Die übliche Mischung aus Institutskram, Newslettern und ein paar Fragen von Doktoranden bezüglich ihrer Forschungsprojekte. Auch die Mail von Scott-Hayes fand sich im Posteingang. Instinktiv wollte ich sie löschen, aber nach dem unangenehmen Zwischenspiel mit Professor Harris fühlte ich mich verpflichtet, sie wenigstens zu lesen. Sie enthielt mehr oder weniger das Gleiche wie die vorherigen. Ich musste allerdings zugeben, dass Scott-Hayes für einige wichtige Zeitungen und Zeitschriften schrieb, vermutlich sollte ich mich geehrt fühlen, dass er Interesse an mir zeigte. Vielleicht hatte Harris recht: Es würde meinem Ruf guttun, und der hatte in letzter Zeit weiß Gott genug gelitten.

Aber warum auch immer ich tat, was ich tat, ganz sicher nicht, um mein Foto in der Zeitung zu sehen. Ich drückte auf Löschen, und die Mail verschwand.

KAPITEL 5

Erst am nächsten Tag rief Ward an und teilte mir mit, dass die mumifizierte Leiche jetzt vom Dachboden geborgen werden konnte. Ich war erleichtert. Am Abend zuvor hatte Rachel sich gemeldet, müde von der Reise, aber voller Vorfreude auf die Arbeit. Inzwischen war sie mit einem Marineforschungsboot auf dem Weg zu irgendwelchen entlegenen Inseln der Ägäis, was einen längeren Aufenthalt auf See notwendig machte, während dessen das Satellitentelefon an Bord Notfällen vorbehalten war. Sie würde sich nur dann melden können, wenn sie in Reichweite von Handy- oder WLAN-Netzen waren, es konnte also ein paar Tage dauern, bevor wir wieder miteinander sprechen würden.

Obwohl wir das vor ihrer Abreise gewusst hatten, spürte ich ihre Abwesenheit seit dem Telefonat beinahe als körperlichen Schmerz. Nachdem Ward mir also mitgeteilt hatte, wir könnten die Arbeit fortsetzen, sagte ich alles andere ab und fuhr zur Besprechung des Ermittlerteams. Die Medien hatten inzwischen kapiert, dass das, was da in dem verlassenen Krankenhaus vor sich ging, eine größere Story als der Tod einer Obdachlosen oder Drogensüchtigen war. Übertragungswagen mit Antennenstacheln standen am Straßenrand aufgereiht, vor dem Haupttor hatte sich eine Traube aus Kameraleuten und Journalisten gebildet, und bei meiner Ankunft brach Aufregung aus, die sich wieder legte, nachdem die Polizisten am Tor meinen Wagen durch die Absperrung gelassen hatten.

Bei Tag wirkte das St. Jude nicht ganz so düster wie in der Nacht. Die unheimlichen Formen und Schatten entlang der Auffahrt entpuppten sich als Schutthaufen und Überreste halb abgerissener Gebäude, von Unkraut überwuchert. Ohne die Maske der Dunkelheit prangte das Krankenhaus in seiner ganzen verfallenden Pracht. Früher einmal mochte es die Erhabenheit eines Herrenhauses gehabt haben. Der pseudogriechische Portikus am Eingang, dazu die beiden Gebäudeflügel links und rechts. Die Säulen ließen an ein Mausoleum denken. Eine breite Treppe führte auf die große Doppelflügeltür zu, nur die nachträglich eingebaute Rollstuhlrampe störte die Symmetrie. Das Gebäude war immer noch imposant, doch der jahrelange Leerstand hatte Spuren hinterlassen. Unkraut wucherte aus den Lücken im Mauerwerk, und die durch die Luftverschmutzung geschwärzten Mauern waren mit Vogelkot und Graffiti bedeckt. Die hohen Fenster, durch die man einst gewiss auf gepflegte Grünanlagen geblickt hatte, waren mit Holzplatten zugenagelt worden. Die alten Wegweiser zu längst geschlossenen Abteilungen verstärkten den traurigen Eindruck von Verfall.

Die Besprechung fand in einem Polizeianhänger statt. Ward leitete sie zum ersten Mal und war sichtlich nervös. Gleich zu Beginn ließ sie ihre Notizen fallen und murmelte leise «Mist» vor sich hin, während sie sich bückte, um sie vom Boden aufzusammeln. Da sie sofort nach der Besprechung verschwand, hatte ich keine Gelegenheit, noch mit ihr zu reden. Aber als ich meinen Schutzanzug übergezogen hatte und zwischen den Polizeifahrzeugen und Beamten hindurch zum Eingang ging, sah ich am Fuß der Treppe Whelan stehen. Daneben eine Polizistin in Uniform, die mit verschlossener Miene einen zweiten Mann anstarrte. Er war groß und schwer und trug eine gelbe Neonjacke. Beim Näherkommen bemerkte ich, dass sie sich stritten, und ging langsamer.

Zumindest stritt der große Mann. Er musste Ende vierzig, Anfang fünfzig sein, war massig und trug seinen Bierbauch vor sich her wie eine Drohung. Die gelbe Jacke war verschlissen und schmutzig, durch das braune Leder seiner Sicherheitsstiefel schimmerten die Stahlkappen hindurch. Mit dem rot geäderten, grobporigen Gesicht hatte er das Erscheinungsbild eines Trinkers, im Moment war es dunkelrot. Seine wütende Stimme war nicht zu überhören.

«... die Scheißfledermäuse sind schon schlimm genug! Verdammte Scheiße! Und jetzt auch noch das! Ich versuche, eine Firma zu führen, wissen Sie, was mich das kostet?»

Er war einen ganzen Kopf größer als Whelan und nutzte das zu seinem Vorteil aus, indem er sich mit kämpferisch vorgeschobenem Stoppelkinn vor dem stellvertretenden Ermittlungsleiter aufbaute.

Aber Whelan ließ sich nicht einschüchtern. Mit ausdrucksloser und fester Miene sah er den größeren Mann kalt an.

«Wie gesagt, die Unannehmlichkeiten tun uns leid, aber ...»

«Unannehmlichkeiten? Heilige Scheiße!»

«... leider ist das ein Tatort. Wir können keine weiteren Arbeiten erlauben, bis die Ermittlung abgeschlossen ist.»

«Und wie lange dauert das?»

«Das können wir nicht sagen. Aber je eher wir fertig werden, desto schneller können Ihre Männer wieder an die Arbeit gehen, Sie sollten also kooperieren.»

«Na, das ist ja ganz toll! Was soll ich in der Zwischenzeit tun? Meine Männer dafür bezahlen, dass sie den ganzen Tag auf ihren Ärschen rumsitzen?»

«Wir verstehen Sie durchaus, Mr. Jessop, aber wir können nichts tun. Und wenn Sie jetzt bitte meiner Kollegin folgen und im Anhänger warten, bis …»

«Ja, noch mehr verdammte Warterei! Als hätte ich nicht schon genug davon gehabt!»

Er wandte Whelan den Rücken zu und stapfte davon, gefolgt von der Polizistin mit dem versteinerten Gesicht. Ich trat beiseite, als er auf mich zukam, die dreckige gelbe Jacke blähte sich im Wind. Etwas rutschte heraus und fiel klappernd zu Boden. Seine Brille, ein Glas war herausgefallen und lag auf dem Asphalt.

«Sie haben was verloren», rief ich ihm nach und hob die Brille auf.

Er drehte sich um und starrte mich wütend an. Dann ließ er die Polizistin stehen und kam zurück.

«Danke», murmelte er und riss mir die Brille aus der Hand.

«Und das hier auch.» Ich hielt ihm das Glas hin.

Der abgestandene Geruch von Schweiß, Zigaretten und schalem Alkohol umgab ihn, als er blinzelnd seine kaputte Brille betrachtete. Einen bizarren Moment lang glaubte ich, er würde anfangen zu weinen. Dann drehte er sich auf dem Absatz um und stürmte davon, gefolgt von der unbeeindruckten Polizistin.

Ich ging zu Whelan. «Der war ja nicht sehr glücklich.»

«Allerdings. Kann ich ihm nicht verdenken. Das ist Keith Jessop. Er ist der Abrissunternehmer, der hier alles platt- machen soll. Wartet seit Monaten auf grünes Licht. Als es endlich kommt, muss er wegen der Fledermäuse gleich wieder aufhören. Und jetzt das.» Er lächelte mich fröhlich an. «Die gute Nachricht ist, Sie werden ihn wahrscheinlich öfter sehen. Er weiß mehr über die bauliche Seite von St. Jude als jeder andere, und wir haben ihn um Hilfe gebeten, um eventuell noch weitere geheime Räume ausfindig zu machen. Wie Sie sehen konnten, ist er sehr kooperativ.»

«Sie meinen, es könnte noch mehr geben?» Ich hatte so viel über die schwangere Frau und die anderen beiden Leichen nachgedacht, dass mir nicht in den Sinn gekommen war, es könnte noch weitere geben.

Whelan musterte die Fassade von St. Jude, die hohen, dunklen Wände mit den zugenagelten Fenstern. «Wir haben drei Leichen gefunden, ohne überhaupt gesucht zu haben. Bei der Größe von dem Ding da ist alles möglich.» Er forderte mich mit einem Kopfnicken auf, ihm zu folgen. «Kommen Sie. Bevor Sie mit der Bergung beginnen, müssen Sie sich noch was anderes ansehen.»

Die Station lag im obersten Stock des Flügels, der die Pädiatrie beherbergte, ein Stück weiter den Korridor hinunter als die Luke, durch die wir auf den Dachboden geklettert waren. Ich hatte verdrängt, wie kalt es in dem Gebäude war, der Geruch von Moder und Feuchtigkeit hing schwer in der stillen Luft. Auch in diesem Korridor war eine Kette von Flutlampen aufgestellt worden, die den Weg ausleuchten sollten, aber in den Ecken Schatten erzeugten. Der Boden war mit Dreck und heruntergefallenem Putz bedeckt, der unter den Füßen knirschte, auf den größeren Stücken konnte man leicht umknicken. Plakate, die vor den Gefahren von Tabak, Alkohol und Drogen warnten oder die Benutzung von Mobiltelefonen untersagten, hingen zerrissen und wellig von den Wänden. Wir kamen an einem Bereich mit Kabinen vorbei, ein Schild neben einer spinnwebenverhangenen roten Lampe verkündete, *Röntgen: Wenn Licht brennt, kein Eintritt.*

Die Kinderstation lag ein kleines Stück weiter. Die Doppeltür stand offen, dahinter weitere Flutlichter, die ein hartes, unwirkliches Licht auf die schäbigen Wände warfen, auf denen sich gemalte Comicfiguren tummelten. Der Geruch von Schimmel war überwältigend. Anschlüsse für Sauerstoffbehälter baumelten von der Decke, überall stand und lag kaputtes Zeug herum: ein verrostetes Bettgestell ohne Matratze, ein Nachttisch ohne Tür und Schublade, sogar ein paar alte Autobatterien. Ein zerfranster Teddy saß müde an die Fußleiste gelehnt, daneben ein zerbrochener Abakus, dessen Kugeln von den Drähten gerutscht waren.

«Ich weiß. Lässt einen nicht kalt, wie?», sagte Whelan, der meinen Blick bemerkt hatte.

An einigen Fenstern hingen noch zerrissene Gardinen, und alle waren zugenagelt worden, kein Lichtstrahl drang in die Dunkelheit der Station. «Könnten Sie nicht ein paar Bretter entfernen?», fragte ich, von der Atmosphäre in den feuchten Räumen erschüttert.

«Könnten wir, aber dann kriegen die Geier mit den Drohnen oder Teleobjektiven einen guten Blick auf alles. So können wir wenigstens dafür sorgen, dass das, was wir hier tun, morgen nicht auf den Titelseiten zu sehen ist.»

Er ging weiter bis zum Ende der Station, wo größere Flutlichter eine Gruppe anonymer Gestalten in blauen Schutzanzügen beleuchteten. Sie arbeiteten an einer Wand, die auf den ersten Blick völlig normal aussah. Vier Meter breit, drei Meter hoch, aus Porenbeton, gestrichen in einer Farbe, die dem Hellgrün der anderen Wände sehr nahekam. Man konnte verstehen, warum die Polizisten bei der Suche nach Conrad nichts bemerkt hatten. Die Wand war völlig unauffällig.

Solange man nicht wusste, was dahinter lag.

Bei genauerem Hinsehen wurden die Unterschiede deutlich. Nur in dieser Mauer waren die rechteckigen Betonblöcke sichtbar, alle anderen Wände waren verputzt. Und anstatt sauber an den Seitenwänden zu enden, waren sie krude zurechtgeklopft worden.

«Wie kommt ihr voran?», fragte Whelan, der neben einem Stapel aus Vorschlaghämmern, Stemmeisen und anderem schweren Werkzeug angehalten hatte. Seine Stimme hallte in dem leeren Raum wider.

Eine der Gestalten hielt kurz in der Arbeit inne. «Dauert nicht mehr lange. Wir sind drin gewesen und haben eine Plastikplane aufgehängt, damit der Staub aufgefangen wird und keine Bruchstücke durch den Raum fliegen. Mehr ist leider nicht möglich.»

«Hoffentlich reicht's. Wir können uns nicht noch mehr Pannen leisten.»

Es war keine Drohung, klang aber auch nicht nach einem Scherz. Als das Hämmern wieder einsetzte, fielen mir in der Ecke ein leerer Eimer und eine Farbwanne ins Auge, beides mit der gleichen Farbemulsion beschmiert, mit der die Betonblöcke gestrichen worden waren. Daneben lag ein großer Farbroller, eingetrocknet und steinhart.

«Ist es das, was ich glaube?», fragte ich.

«Ja», sagte Whelan. «Irgendwer hat sich die Mühe gemacht, diese Wand zu tarnen, und dann die Sachen stehenlassen. Und wir haben ein paar hübsche Fingerabdrücke nehmen können. Sogar einen Daumenabdruck im Mörtel, was wirklich sehr nett war. Großer Kerl, wie's scheint.»

«Ziemlich blöder Flüchtigkeitsfehler, oder?»

Er zuckte die Achseln. «Schon, aber das kommt vor. Die Leute halten sich für total clever und versauen es dann mit was völlig Banalem. Na ja, überlassen wir das den Kollegen. Nichts wie raus hier.»

Wir kehrten in den Korridor zurück. Die Flutlichter führten hinter der Station um die Ecke und endeten vor einer Tür, hinter der eine Holztreppe zu sehen war. Whelan und ich traten beiseite, um eine Tatortermittlerin in einem schwarzen, dreckigen Schutzanzug vorbeizulassen, dann gingen wir durch die Tür.

«Hier geht's hoch zum Uhrenturm», sagte Whelan, als wir die schmale Treppe hochstiegen. In der Luft lag der würzige Geruch von Staub, die Holzstufen knarrten trocken unter unserem Gewicht. «Da oben ist nicht mehr viel. Das Uhrwerk wurde als Altmetall entsorgt, aber so weit gehen wir nicht. Hier ist unser Ziel.»

Wir hatten einen kleinen Treppenabsatz erreicht. Ein Flutlicht erleuchtete von dort aus einen Durchgang in der Wand, nicht höher als anderthalb Meter. Der Putz an der Wand war abgebröckelt, darunter lagen entblößte Holzlatten. Die kleine Tür stand offen, am Rahmen und an den Rändern klebte Spurensicherungspulver. An der Außenseite der Tür befand sich ein einfacher Riegel, eine Metallstange, die in einen Bügel geschoben werden konnte.

«Es gibt etwa ein Dutzend solcher Luken und Türen», sagte Whelan. «Abgesehen von der, die wir letztes Mal benutzt haben, liegt diese hier dem Fundort der Leiche am nächsten.»

Er duckte sich durch die niedrige Tür. Ich tat es ihm nach und richtete mich dahinter wieder auf. Wir befanden uns in einem anderen Teil des Dachbodens als gestern. Hinter uns

lag die Ziegelwand des Uhrenturms, vor uns ragten die Stütz-
balken des Dachs in der Dunkelheit hervor wie die Rippen
eines Wals. Die Luft war hier anders als im restlichen Gebäude, irgendwie dicker, schwerer. *Man könnte hier leicht klaustro-
phobisch werden,* dachte ich und wandte mich dem wartenden
Whelan zu.

Direkt hinter der Zugangstür war eine Plattform aus Trittplatten über die Dachträger gelegt worden. In der Mitte war
ein Stück frei geblieben, die verfilzte Isolierung schaute heraus, zwei Tatortermittler hockten darübergebeugt.

«Das haben wir vor ein paar Stunden gefunden», sagte
Whelan. «Was sagen Sie dazu?»

Ich kniete mich neben die Isolierung. Die raue, verdreck-
te Oberfläche war mit Hunderten von winzigen dunklen
Flecken übersät, die wie schwarze Reiskörner aussahen. Sie
bildeten einen Ring in ungefähr ovaler Form. In der Mitte
war fast nichts, dann nahmen die Flecken an Dichte zu und
wurden an den Rändern wieder dünner.

Vorsichtig hob ich eines der Körner auf. Die papierähn-
liche Hülle war aufgebrochen und hohl, die einst darin le-
bende Kreatur längst verschwunden. Das galt für die meisten
anderen auch, ich sah nur einige unversehrte Puppen, bei denen das Insekt nicht geschlüpft war. Wir waren alte Bekannte,
Calliphoridae und ich. Das nervtötende Summen der ausgewachsenen Fliegen war an vielen der Tatorte, die ich untersuchen musste, meine Hintergrundmusik. Ich brachte ihnen
wenig Zuneigung entgegen, respektierte aber ihre Rolle.
Nicht nur bei der Zersetzung von verfaulendem organischem
Material, darunter menschliches Fleisch, sondern auch bei
der Feststellung des Todeszeitpunkts. Schmeißfliegen waren
die Stoppuhren der Natur, ihr Lebenszyklus – von Ei zu Larve

zu Insekt – war eine unschätzbare Hilfe, wenn es darum ging, die seit dem Tod verstrichene Zeit zu bestimmen.

In diesem Fall hatte die Uhr vor langer Zeit aufgehört zu ticken – sie war nicht mehr von Nutzen. Aber das hieß nicht, dass uns diese leeren Hüllen nichts zu sagen hatten.

«Ich würde einen forensischen Entomologen um Bestätigung bitten, aber das sind hauptsächlich schwarzblaue Schmeißfliegen und grüne Flaschenfliegen», sagte ich, nachdem ich mir die leeren Hüllen angesehen hatte. «Ich kann keine Larven sehen, doch nach so langer Zeit wäre das auch nicht zu erwarten.»

Die Larven hatten sich entweder verpuppt und waren geschlüpft oder gestorben und zerfallen, als keine Nahrungsquelle mehr vorhanden war. Der Körper, der einst hier gelegen haben musste, war nicht mehr da, hatte aber deutliche Spuren hinterlassen. Wo die Verwesungsflüssigkeiten in die Isolierung gesickert waren, war das Gewebe verklebt und fleckig und das zufällige Muster der abgeworfenen Fliegenhüllen unterbrochen. An einigen Stellen waren die Hülsen zerdrückt und platt.

«Sieht aus, als hätten Sie recht gehabt», sagte Whelan. «Die Leiche hat hier gelegen, bis sie mumifiziert war, dann wurde sie weiter in den Dachboden hineingetragen.»

«Haben Sie irgendwas an der Plane gefunden, in der sie eingewickelt war?», fragte ich.

«Möglicherweise. Etwas, das nach Hundehaaren aussah, und in einer der Ösen haben wir ein menschliches Haar entdeckt. Andere Farbe als das Opfer, es kann also nicht von ihr stammen. Wir lassen die DNA durch die Datenbank laufen, vielleicht gibt es ja einen Treffer, aber das wird dauern. Die Plane selbst ist in jedem Baumarkt und bei jedem Bauunternehmen zu finden. Der Staub daran bestand aus Zement und Gips, wie wir angenommen hatten, und die blaue Farbe ist völlig gewöhnlich und kann keinem Hersteller zugeordnet werden. Wer immer auch die Leiche bewegt hat, hatte es vermutlich eilig und nahm, was gerade zur Hand war, anstatt neues Material zu besorgen. Was allerdings nicht erklärt, warum die so lange damit gewartet haben.»

«Die?»

Er zeigte auf die Tür. «Von hier bis zum Fundort sind es zwanzig, fünfundzwanzig Meter. Wenn sich nicht jemand die Zeit genommen hat, Trittplatten auszulegen, muss die Leiche getragen worden sein. Mit der Plane wäre das schon gegangen, aber ich kann mir nicht vorstellen, dass es einer alleine geschafft hätte. Weniger wegen des Gewichts, eher weil er den ganzen Weg über die Balken hätte balancieren müssen ohne abzurutschen.»

Ein gutes Argument. Und wenn man die Leiche gezogen hätte, wäre eine Schleifspur aus zerzauster Isolierung entstanden, außerdem hätte es den fragilen Überresten ziemlich großen Schaden zugefügt. Davon hatte ich nichts gesehen.

Ich betrachtete wieder die Stelle, an der der Körper früher gelegen hatte. Neben der Verfärbung durch die Zersetzungsflüssigkeit war noch ein blasserer Fleck zu erkennen, als wäre dort eine hellere Flüssigkeit getrocknet. «Was ist das?»

Die eine Tatortermittlerin schüttelte den Kopf. «Noch nicht klar. Für Blut ist es nicht dunkel genug. Wir haben draußen auf der Treppe Spritzer gefunden, die denselben Ursprung haben könnten, vielleicht stammen sie also nicht von der Leiche. Möglicherweise wurde einfach irgendwas verschüttet. Wir haben Proben ins Labor geschickt, doch was immer das ist, es ist zu alt und zu trocken, um viel herzugeben.»

«Wir haben aber noch was anderes gefunden», sagte Whelan. Er deutete auf die Innenseite des Türrahmens. «Sehen Sie?»

In dem unbehandelten Holz waren tiefe, helle Furchen.

«Das erklärt die Wunden an den Händen der Frau», sagte Whelan. «Wir haben einen ihrer Fingernägel aus dem Holz gezogen. Die Tür war von außen verriegelt und ist ziemlich stabil. Zu dick, um sie aufhebeln oder einschlagen zu können, aber sie hat ihr Bestes gegeben.»

Herrgott, was für eine Vorstellung. Jemand hatte sie eingeschlossen und sterben lassen.

«Ich verstehe nicht, warum sie nicht durch einen der anderen Ausgänge geflohen ist», sagte der zweite Tatortermittler, ein älterer Mann mit sorgenvollen Augen über der Maske. «Das hier war ja nicht der einzige Ausgang.»

«Wie würdest *du* dich dabei fühlen, hier schwanger rumzukriechen? Du hast es mit deinem Bierbauch ja schon schwer genug», entgegnete seine Kollegin. «Und woher sollte sie wissen, wo die Türen lagen? Es war stockfinster, und wir haben weder ein Handy noch ein Feuerzeug gefunden, mit dem sie hätte Licht machen können. Einmal abgerutscht, und sie wäre durch die Decke gekracht.»

«Ich meine ja bloß», murmelte er gekränkt.

Ich versuchte immer noch, mir ein Bild von dem zu machen, was hier geschehen war. «Warum sollte jemand sie einschließen und einfach alleine lassen?»

Whelan zuckte die Achseln. «Vielleicht war es keine Absicht, ein Scherz, der gründlich schiefgegangen ist. Die Menschen machen ja allen möglichen Mist, wenn sie high oder besoffen sind, und wie wir wissen, treiben sich hier Junkies rum. Aber ich kann mir nicht vorstellen, dass sich eine schwangere

Frau aus Jux hier auf dem Dachboden versteckt, high oder nicht. Ich würde sagen, jemand hat sie mit Gewalt hierhergebracht, oder sie wurde gejagt und hat sich versteckt. Wie auch immer, man hat sie eingeschlossen und allein gelassen. Zumindest mehrere Monate lang oder auch länger. Vielleicht haben diejenigen mitbekommen, dass das Krankenhaus abgerissen werden soll, und beschlossen, die Leiche an einen Ort zu bringen, wo sie weniger leicht zu finden wäre.»

Diese Theorie war genauso gut wie jede andere. Aber die Vorstellung, dass die schwangere Frau gejagt worden war, erinnerte mich an etwas, das die Tatortermittlerin gesagt hatte.

«Diese hellen Flecke auf der Isolierung», sagte ich, «Sie meinten, auf der Treppe draußen waren ähnliche Spritzer. Kann es sich um Fruchtwasser handeln?»

Die Tatortermittlerin setzte sich auf die Fersen und dachte nach. «Ja, wahrscheinlich schon. Aber ich vermute, die Flecke sind zu alt, um das abschließend zu klären.»

«Sie meinen, ihre Fruchtblase ist geplatzt?», fragte Whelan.

«Möglich ist es. Aber es wäre zu früh gewesen, so wie der Fötus aussieht.»

«Also könnte sie daran gestorben sein.»

Ich nickte, von dem Gedanken schockiert. Ohne ärztliche Hilfe konnte ein verfrühter Blasensprung selbst unter besseren Bedingungen zum Tode führen. Eingesperrt auf einem Dachboden, ohne Nahrung und Wasser, hätten die Frau und ihr Kind keine Überlebenschance gehabt. Ein langsamer Tod im Dunkeln wäre ihr Schicksal gewesen.

Niemand sprach. Whelan wandte sich zum Gehen.

«Kommen Sie», sagte er mit belegter Stimme.

Auf dem Weg nach unten hielt ich bei den trockenen Flecken an, die die Tatortermittlerin erwähnt hatte. Sie waren blass, eher Wasserzeichen als Blut. Eine ganze Reihe von kleineren und größeren Tropfen, die eine ungleichmäßige Spur über die Treppe zum Dachboden bildeten.

Vielleicht ist auch alles ganz harmlos, beruhigte ich mich, vielleicht hat ein Arbeiter hier irgendeine Flüssigkeit verschüttet. Man las leicht zu viel in die Dinge hinein, erst recht bei einem emotional so aufgeladenen Fall wie diesem.

Aber als ich Whelan durch den leeren Korridor folgte, ließ sich das Bild der jungen Frau auf der Flucht vor einem oder mehreren gesichtslosen Verfolgern nur schwer abschütteln. Vielleicht hatte sie Zuflucht auf dem Dachboden gesucht und war in die Falle geraten. Ich dachte wieder an die Kratzspuren an dem hölzernen Türrahmen, jede Furche sprach von Angst und Verzweiflung. Die Fruchtblase war geplatzt, sie hatte um ihr Leben und das ihres Kindes gekämpft, auf die einzige Weise, die ihr noch blieb.

Und als das vergeblich war, hatte sie sich auf den verdreckten Boden gelegt und war gestorben.

KAPITEL 6

Am Ende verlief die Bergung der toten Frau reibungslos. Der Staub hatte sich gelegt, als ich durch die Luke kletterte und über die Trittplatten zu der Stelle balancierte, an der der ausgetrocknete Körper lag. Alles war, wie wir es zurückgelassen hatten, nur das Loch, durch das Conrad gefallen war, war mit Plastik abgedeckt und mit weiß-blauem Polizeiband abgesperrt worden.

Ich hatte erfahren, dass der forensische Rechtsmediziner außer Gefahr war. Eine schwere Gehirnerschütterung, eine gebrochene Hüfte und Schulter und mehrere Rippenfrakturen bedeuteten jedoch, dass er so bald keine Obduktion vornehmen würde. Man hatte überlegt, die Bergung zu verschieben, bis Ersatz für ihn gefunden war, aber Ward hatte sich durchgesetzt. Auch wenn die Statiker versichert hatten, dass auf dem Dachboden keine Absturzgefahr mehr bestand, so wollte es niemand auf den Versuch ankommen lassen. Der Plan war, die Leiche so schnell wie möglich abzutransportieren. Alles andere konnte warten, bis sie im Leichenschauhaus war.

Normalerweise wäre die Bergung der toten Frau nicht kompliziert gewesen. Mumifizierte Leichenreste verursachten keine allzu großen Probleme, nur an der engen Luke würde man aufpassen müssen. Die Schwierigkeit lag nicht darin, dass das Opfer ausgetrocknet war, sondern darin, dass es schwanger gewesen war. Und ohne schützende Körperflüssigkeit würde jeder Versuch, die Leiche samt Fötus zu bewegen, dazu führen, dass die winzigen Knochen in der Bauchhöhle durcheinandergeworfen wurden wie Kerne in einem trockenen Kürbis. Da sie nicht noch mehr beschädigt werden durften, blieb mir genau eine Option.

Bevor wir die sterblichen Überreste der Frau vom Dachboden holten, musste ich zuerst ihr Baby entnehmen.

Worauf ich mich wahrlich nicht freute. Es kam mir falsch vor, fast wie ein Sakrileg, die beiden zu trennen. Ein Kriminaltechniker zog vorsichtig Plastiktüten über die klauenartigen Hände der Frau mit den zerschundenen Fingerspitzen und zerbrochenen Nägeln, ein zweiter filmte das Prozedere. Ich wartete und wappnete mich für die makabre Tätigkeit, die vor mir lag.

So etwas hatte ich noch nie gemacht. Tatsächlich hatte ich es mit zwei verschiedenen Arten menschlicher Überreste zu tun, denn die Bedingungen waren für beide ausgesprochen unterschiedlich gewesen. Während die Mutter Luft, Fliegen und Aasfressern ausgesetzt gewesen war, hatte der Fötus geschützt in ihrem Uterus gelegen. Das Gleiche galt für den Mumifizierungsprozess. Der Körper der Mutter war von außen nach innen vertrocknet, zuletzt die inneren Organe, sie waren erst allmählich geschrumpft. Eigentlich hätte das auch für den Fötus gelten müssen. Unter normalen Umständen, umgeben von Fruchtwasser, wären die Überreste des Kindes möglicherweise gar nicht mumifiziert worden.

Aber nichts an diesem Fall war normal. Die gesamte Bauchhöhle war geöffnet und ausgehöhlt, die winzigen Knochen darin entblößt. Wäre das durch eine Verletzung geschehen, so hätten auf dem Jeansrock und dem T-Shirt große Mengen Blut sein müssen. Da das nicht der Fall war, musste es einen anderen Grund geben. Ratten waren eine Möglichkeit. Sie waren häufig auf Dachböden zu finden und hatten der Leiche der Frau vor der Mumifizierung sicherlich einen Besuch abgestattet.

Aber entgegen dem weit verbreiteten Glauben machen sich Nagetiere selten über menschliche Überreste her. Füchse, Hunde und sogar Hauskatzen sind da viel gefräßiger, und nichts von dieser Größe war hier am Werk gewesen. Selbst wenn ein solches Tier es irgendwie auf den Dachboden geschafft hätte, größere Aasfresser verzehren einen Körper normalerweise in einer erkennbaren Reihenfolge, angefangen mit dem weichen Gewebe an Kopf und Hals und endend mit dem Zerlegen des Schädels und der langen Knochen. Wenn man weiß, wie lange die einzelnen Phasen dauern, kann das sogar die ungefähre Bestimmung des Todeszeitpunkts ermöglichen. Doch hier beschränkten sich die Nage- und Zahnspuren hauptsächlich auf die Extremitäten. Zusätzlich zu den Wunden an den Händen, die sich die Frau bei ihrem vergeblichen Fluchtversuch zugezogen hatte, waren die Fingerspitzen stark angenagt, was jegliche Hoffnung auf Fingerabdrücke zunichtemachte. Ohren, Nase und Augen waren ebenfalls angegangen worden, das Gesicht eine grausige Totenmaske. Das wies darauf hin, dass nichts Größeres als eine Ratte sich hier zu schaffen gemacht hatte. Der Rand der offenen Bauchhöhle wies zwar Bissspuren auf – und die viel, viel kleineren Knochen des Fötus hatten noch mehr Aufmerksamkeit erregt –, doch waren diese Spuren wahrscheinlich erst später entstanden. Die Überreste leerer Puppenhüllen in der Bauchhöhle sagten mir, dass Calliphoridae-Larven eifrig am Werk gewesen waren, und die hielt ich eher für schuldig an der offenen Bauchhöhle als Ratten.

Doch Fliegen hatten im Bauch nur dann Eier legen können, wenn es irgendeine offene Wunde gegeben hatte. Die brauchte nicht groß zu sein, ein kleiner Schnitt oder Kratzer wäre Einladung genug gewesen. Aber es gab keine Hinweise auf eine solche Wunde, weder an der Leiche noch an der Plastikplane waren Reste von Verbänden oder Pflastern zu sehen. Und dort, wo die Tote ursprünglich gelegen hatte, war auch nichts gefunden worden.

Aber das musste bis zur Obduktion warten. Ich zog eine der Flutlampen dichter heran und richtete meine Aufmerksamkeit auf die jämmerlich kleinen Knochen.

Während ich arbeitete, wurde im Stockwerk unter mir mit lautem Hämmern die falsche Wand aufgebrochen. Ich ließ mich davon nicht ablenken. Der Umgang mit dem zarten fötalen Skelett erforderte Fingerspitzengefühl. Es war nicht komplett, einige Knochen waren von den Aasfressern davongetragen worden. Die verbliebenen hatten sich voneinander gelöst und lagen wild durcheinander. Sorgfältig hob ich einen Knochen nach dem anderen heraus und steckte sie in kleine Beutel, die rechten von den linken getrennt, soweit möglich. Manche waren so winzig, dass ich nur quälend langsam vorankam, und unter den gleißenden Lampen wurde es immer heißer und stickiger.

Da ich gerade völlig darauf konzentriert war, mit der Pinzette einen winzigen Wirbelknochen herauszuziehen, ignorierte ich die schweren Schritte auf den Trittplatten, mit denen sich jemand näherte.

«Was schätzen Sie, wie lange Sie noch brauchen?», fragte Whelan nach einem Moment.

«So lange es dauert.»

Das klang schärfer als beabsichtigt. Ich hatte versucht, mich von dem zu distanzieren, was ich da tat; anscheinend war es mir nicht gelungen. Ich ließ den Wirbelknochen in einen Beutel gleiten und richtete mich auf.

«Ich bin etwa halb durch», sagte ich. «Schneller geht es nicht, ohne die Knochen zu beschädigen. Und ich will keine übersehen.»

«In Ordnung. Ich wollte nur fragen.»

Ich nickte in Richtung des Gehämmers unter uns. «Wie geht es da voran?»

«Es wird. Wir haben uns gegen schweres Gerät entschieden und benutzen jetzt ganz traditionell Hammer und Meißel. Das ist langsamer, verursacht aber weniger Staub. Heute Nachmittag müssten wir durch sein, und sobald die Decke gesichert ist, kann die Kriminaltechnik loslegen.»

«Wo ist Ward?» Ich hatte sie seit dem Morgen nicht mehr gesehen.

«In einer Besprechung. Aber wenn sie nachher wiederkommt, will sie mit Ihnen reden.»

Ich nickte abwesend. Als Whelan ging, war ich schon wieder über die Leiche gebeugt und dabei, eine Rippe von der Größe einer Fischgräte herauszuklauben.

Es war mir gar nicht in den Sinn gekommen zu fragen, was Ward von mir wollte.

Schwarze Krähen hockten auf der Ruine wie Statuen vor dem blassen Himmel. Ab und zu legte eine den Kopf schief oder schüttelte ihr Gefieder, dann herrschte wieder reglose Ruhe, schweigend schienen sie auf irgendetwas zu warten.

Die dachlose und von Efeu fest umschlungene Kirchenruine stand mitten in einem kleinen Wald auf einer Lichtung. Nur eine Giebelwand existierte noch, das Bogenfenster darin rahmte den Himmel ein. Der Rest war in den letzten Jahrhunderten zu Steinhaufen zusammengebrochen, die einst scharfen Kanten von Moos und Farnen überwuchert. Dahinter lag eine vom Blitz gefällte Eiche. Sie musste uralt sein, wenn auch nicht so alt wie die Kirche, der knorrige Stamm war schwarz und etwa einen Meter über dem Boden abgeknickt. Um den verkohlten Stumpf herum hatte der sterbende Baum neue Triebe ausgesät, und an den Ästen hingen noch einzelne Blätter, wie um dem Tod zu trotzen.

Es war schwer zu glauben, dass ich mich nur einen Steinwurf vom Krankenhaus entfernt befand, mitten in London. Ein Eichhörnchen flitzte an einem Baum hoch, hielt kurz inne und meckerte, bevor es im raschelnden Blattwerk verschwand. Ich sah ihm nach, schloss dann die Augen und wandte das Gesicht wieder der Sonne zu.

Ich musste den Kopf frei kriegen. Nachdem die fötalen Knochen entnommen und weggebracht worden waren, war die Bergung der Frauenleiche unkompliziert verlaufen. Trotzdem war ich froh, es hinter mir zu haben. Auf dem grell ausgeleuchteten Dachboden war es stickig und muffig gewesen, schon nach kurzer Zeit war mir der Schweiß in Strömen heruntergelaufen. Aber die körperlichen Unannehmlichkeiten waren erträglich, daran hatte ich mich gewöhnt. Auch an den traurigen Aspekt meiner Arbeit. Es war das alte Krankenhaus selbst, das mir an die Nieren ging. Das St. Jude schien eine unheilvolle Beklemmung auszulösen, die immer stärker wurde, je länger man sich darin aufhielt. Ich hatte gehofft, das würde sich legen, wenn ich den Dachboden verlassen hätte. Aber die langen, hallenden Korridore waren genauso schlimm. Sie stanken nach Schimmel und Urin und schienen ins Nichts zu führen, erhellt von den Flutlampen, die die Dunkelheit dahinter nur noch schwärzer machten. Offene Türen lenkten den Blick in düstere Räume, leer bis auf einen umgefallenen Stuhl hier oder einen kaputten Tisch da. Wenn dies je ein Ort der Genesung und Heilung gewesen sein sollte, war davon nichts mehr zu spüren. Jetzt lag Verzweiflung über allem.

Erleichtert war ich ins Sonnenlicht hinausgetreten. Selbst die dieselgeschwängerte Luft schien zu duften. Doch die Atempause währte nur kurz. Die Obduktionen der Frau und des ungeborenen Kindes waren erst für den kommenden Vormittag angesetzt, aber noch warteten die Opfer in der versiegelten Kammer auf mich. Sobald die Wand eingerissen war, würde ich mich wieder ins St. Jude begeben müssen.

Ich hatte den Schutzanzug ausgezogen, mir ein Sandwich und eine Flasche Wasser geholt und war aus Neugier um das Krankenhaus herumgegangen. Hinter dem St. Jude herrschte geordnete Verwüstung. Auf dem aufgebrochenen Asphalt waren noch die Markierungslinien von Parkplätzen zu erkennen, mannshohe Schutthügel zeigten an, wo einst Außengebäude gestanden hatten. Aus einem unkrautüberwucherten Haufen aus kaputten Ziegeln und Beton ragte ein zerbeultes Schild mit der Aufschrift *Anlieferung Leichenhalle hinter dem Hauptgebäude*. Etwa fünfzig Meter weiter zeichnete sich eine dunkle Baumreihe ab. Ich erinnerte mich, dass Ward etwas von einem Wald gesagt hatte, und beschloss, meine Pause dort zu verbringen. An der hinteren Absperrung begegnete ich einem Polizisten mit Hund und wäre fast zurückgeschickt worden, aber nach einer kurzen Erklärung ließ er mich passieren.

Ein Wald mitten in London. Ein verrosteter Zaun, dessen

Sprossen wie Speere herausragten, trennte ihn vom Krankenhausgelände. Der Zaun war so von Gestrüpp überwuchert, dass ich erst keinen Durchgang fand, bis ich eine Stelle entdeckte, an der die Sprossen umgeknickt waren. Ein schmaler Trampelpfad zeigte mir, dass ich nicht der einzige Mensch war, der die Lücke kannte. Ich schob das störrische Gestrüpp beiseite und betrat den Wald. Und eine andere Welt. Dies war keine Neupflanzung, kein schnelles Grünflächenprogramm urbaner Stadtplaner. Uralte, dicke, knorrige Eichen und Buchen standen dicht an dicht, und schon bald kam es mir vor, als hätte ich das St. Jude und den Rest von London weit hinter mir gelassen.

Ich hatte nicht vorgehabt, weit zu gehen, aber als ich vor mir auf einer Lichtung helles Sonnenlicht einladend durch die Blätter strömen sah, hielt ich darauf zu. Ward hatte auch eine normannische Kirche erwähnt, was mir aber erst wieder in den Sinn kam, als ich die Lichtung erreichte und verwitterte Mauerreste entdeckte. Einst musste die Kirche ziemlich imposant gewirkt haben, jetzt wand Efeu sich über die verbliebene Giebelwand, als wollte er sie zu Boden ziehen.

Ich stieg über einen von Moos überwucherten Steinquader und betrat das, was früher das Kirchenschiff gewesen war. Die vom Blitz gefällte Eiche füllte fast den gesamten Raum. Ich bahnte mir einen Weg um den dicken Baumstumpf herum, setzte mich auf einen grasbewachsenen Hügel aus Steinblöcken und aß das fade Sandwich. Bei genauem Hinhören konnte ich gerade noch den weit entfernten Verkehrslärm ausmachen, ein gedämpftes Rauschen, fast wie das Meer. Dann bewegte eine Windböe die Äste, und das Rauschen verwehte. Bei geschlossenen Augen und mit der Sonne im Gesicht verlor das St. Jude seine Macht über mich.

Ich musste gedöst haben. Plötzlich schreckte ich auf, in dem sicheren Wissen, nicht länger allein zu sein.

Am Rand der Lichtung stand eine Frau.

Ich hatte sie nicht kommen hören. Sie war kräftig gebaut und sicher über siebzig, auch wenn das schwer zu sagen war. Der braune Mantel wirkte zu warm für das Wetter, und die abgewetzten Turnschuhe an ihren Füßen passten nicht zu der dicken Strumpfhose, die sie trug. In einer Hand hielt sie einen leeren Müllbeutel, der im Wind raschelte. Ihr graues Haar war rotbraun getönt und sah aus wie eine rostige Pfannenbürste, das Gesicht darunter war aufgedunsen und hatte eine ungesunde Farbe. Sie atmete schwer, ein asthmatisches Keuchen, das ich selbst von meinem Platz auf den Steinblöcken aus hören konnte.

Falls sie überrascht war, mich zu sehen, zeigte sie es nicht. «Wer sind Sie?»

Ich rappelte mich auf. «Entschuldigung, ich wollte Sie nicht erschrecken.»

«Haben Sie nicht.» Die Augen über den teigigen Wangen waren klein und blickten misstrauisch. Sie nickte in Richtung der Bäume hinter mir. «Sie sind wohl einer von denen, wie?»

«Von wem?»

«Polizei. Wegen der Morde, die in den Nachrichten waren.» Sie musterte mich von Kopf bis Fuß. «Sie sehen nicht aus wie ein Polizist.»

«Bin ich auch nicht.»

«Was machen Sie dann hier?»

«Ich gehe schon», sagte ich entmutigt.

Es war sowieso Zeit. Ich hob die Wasserflasche und die Reste des Sandwichs auf, aber sie war noch nicht fertig mit mir.

«Wenn Sie kein Polizist sind, was sind Sie dann? Wie ein Junkie sehen Sie nicht aus. Und wenn doch, verschwenden Sie Ihre Zeit. Hier verkauft keiner was.»

«Ich will nichts kaufen.» Aber ihre Worte hatten mich neugierig gemacht. «Woher wissen Sie, dass hier keiner was verkauft?»

Ward hatte gesagt, dass im ehemaligen Krankenhaus mit Drogen gehandelt wurde, und es war nicht unwahrscheinlich, dass zumindest eins der Opfer entweder Junkie oder Dealer gewesen war. Falls diese Frau etwas gesehen hatte, konnte sie möglicherweise eine wichtige Zeugin sein.

Sie schnaufte verächtlich. «Wie denn, wenn überall die Polizei rumkraucht?»

«Aber vorher. Wurde hier gedealt?»

«Machen Sie die Augen auf. Anständige Leute können sich kaum noch auf die Straße trauen», sagte sie ärgerlich. «Warum fragen Sie?»

«Ich wollte bloß …»

«Denken Sie, ich gehöre zu diesem Abschaum?»

«Nein, ich …»

«Dreckige Mistkerle! Die sollte man aufhängen, alle miteinander! Zerstören das Leben von anständigen Leuten, aber das kümmert ja keinen, wie?!»

Ich versuchte, das Thema zu wechseln. «Ich hatte keine Ahnung, dass es diesen Ort hier gibt. Wohnen Sie in der Nähe?»

«Ziemlich.» Sie schaute sich um und schüttelte den Kopf angesichts ein paar leerer Flaschen, die im Gras lagen. Sie bückte sich, sammelte sie auf und warf sie angeekelt in ihren Müllbeutel. «Sehen Sie sich das an. Drecksbande, lässt einfach den ganzen Müll liegen.»

«Kommen Sie deswegen her?»

«Ist nicht verboten, oder? Irgendwer muss sich ja drum kümmern.» Ihr Mund verzog sich abschätzig, als sie mich mit jetzt eindeutig feindseligem Blick musterte. «Dafür, dass Sie nicht von der Polizei sind, fragen Sie ganz schön viel.»

Ich hob die Hände. «Okay, tut mir leid, ich meinte es nicht böse.»

Sie sah mich finster an und ruckelte den Müllbeutel in der Hand zurecht.

«Verpissen Sie sich.»

Damit drehte sie sich um und verschwand im Wald. Na, die hat's mir gegeben, dachte ich, während ich der plumpen Gestalt nachsah. Dann schaute ich zur Sicherheit nach, dass ich keinen Müll liegen gelassen hatte, und machte mich auf den Rückweg zum St. Jude.

🜊

KAPITEL 7

Als ich ankam, war von Ward nichts zu sehen. Ich zog einen neuen Schutzanzug, Handschuhe und Schuhüberzieher an und setzte Kapuze und Maske auf. Dann begab ich mich zurück in die Dunkelheit des Krankenhauses.

Obwohl ich die Treppe hinaufstieg, hatte ich das Gefühl, unter der Erde zu sein, weit entfernt von frischer Luft und Tageslicht. Ich hielt inne, als ich oben den fensterlosen Korridor vor mir liegen sah. Er schien kein Ende zu nehmen. Die lange Reihe der Lampen verlor sich in der Ferne wie eine Landebahnmarkierung bei Nacht. Als ich weiterging, überlief mich unwillkürlich ein Schauder.

Ein stetiges Hämmern verriet mir, dass die Wand immer noch nicht durchbrochen war. Je näher ich der Krankenstation kam, desto dichter wurde der im Licht der Flutlampen treibende Zementstaub. In der Station wurde es noch schlimmer. Zwei stämmige Polizisten schlugen mit Vorschlaghämmern und Meißeln auf die Wand ein und warfen im grellen Licht zuckende Schatten. Sie waren dabei, den Mörtel um einzelne Porenbetonsteine herum zu entfernen und einen nach dem anderen herauszuziehen, sodass ein gezacktes Loch entstand. Die in der Kammer als Staubschutz ausgehängte Plastikplane schimmerte bei jedem Schlag wie ein dreckiger Duschvorhang.

Mehrere Polizisten und Tatortermittler standen herum, unter den weißen Schutzanzügen, Kapuzen und Masken kaum voneinander zu unterscheiden. Es gelang mir, Whelan auszumachen, aber als er mich sah, wandte er sich ab. Anscheinend war er nicht in der Stimmung zu reden. Da war er nicht der Einzige. Die Anspannung war greifbar, so dick wie der Staub, der in der Luft hing.

Auf dem Gang draußen entstand Unruhe. «Entschuldigung, ich muss hier durch, lasst den Hund zum Karnickel, danke sehr ...»

Die Stimme kannte ich. Sie war tief und kräftig, mit einer Heiserkeit, die eine Kettenraucherin vermuten ließ. Fälschlicherweise, denn die Person, der sie gehörte, war militante Nichtraucherin. Die Polizisten und Ermittler, die in der Tür zur Station standen, wichen der Frau hastig aus, die im Vergleich zu ihnen winzig wirkte, aber weder ihre Schritte verlangsamte noch sie eines Blickes würdigte, in der völligen Gewissheit, dass man ihr den Weg frei machen würde. Sie hielt vor mir an und setzte eine lederne Tragetasche ab, die für ihre Größe überdimensioniert wirkte. Ihr dunkles Gesicht hinter der Maske verzog sich zu einem Lächeln.

«Hallo, David. Lange nicht gesehen.»

Das stimmte. Riya Parekh war forensische Rechtsmedizinerin, wir hatten schon früh in meiner Laufbahn zusammengearbeitet. Bereits damals war sie eine Koryphäe auf ihrem Gebiet gewesen, viel älter als ich und auf dem Höhepunkt ihrer Karriere. Das war lange her, länger, als ich mich erinnern mochte.

Seitdem hatte sich vieles geändert.

Auch Parekh selbst. Trotz Kapuze und Maske war zu sehen, dass sie gealtert war. Sie war nie groß gewesen, schien aber noch weiter geschrumpft zu sein und hielt die Schultern leicht gebeugt. Die einst pechschwarzen Augenbrauen waren grau geworden, um die Augen lagen Falten, darunter schwarze Ringe.

Ich erwiderte das Lächeln und war aufrichtig froh, sie zu sehen. «Hallo, Riya. Ich wusste nicht, dass du an diesem Fall arbeitest.»

«Würde ich auch nicht, wenn Conrad es nicht vermasselt hätte.» Sie schniefte. «Typisch.»

Manches hatte sich doch nicht geändert. «Wie geht es dir?»

«Ach, weißt du. Bin älter. Alles knirscht. Ansonsten wie immer.» Sie sah mich prüfend an. «Du siehst gut aus.»

«Du auch.»

«Lügner.» Aber sie wirkte erfreut, als sie auf die halb demolierte Wand blickte. «Erinnert mich an Edgar Allan Poe. *Der Untergang des Hauses Usher.* Kennst du die Geschichte?»

«Nicht wirklich, aber vermutlich wird da jemand eingemauert.»

«Auf denkwürdige Weise. Allerdings nicht in einem Krankenhaus, hoffen wir also, dass es nicht noch mehr Parallelen gibt.»

«Parallelen?»

«Bei Poe war das Opfer noch am Leben.»

Ich dachte an die Riemen, mit denen die Leichen in der Kammer an die Betten gefesselt waren. Aber Spekulationen waren sinnlos, wir würden bald Bescheid wissen. Wir sahen zu, wie ein weiterer Stein herausgezogen und zu dem wachsenden Haufen geschleppt wurde. Jetzt war das Loch groß genug, um mit Arbeitsmaterial hindurchzugelangen. Ein erhitzter und atemloser Tatortermittler legte den Stein ab und wandte sich an Whelan.

«Das dürfte reichen.»

Während der dickste Staub und Schutt mit einem Industriestaubsauger abgesaugt wurde, sprach Whelan mit Parekh. Wieder schien er den Blickkontakt mit mir zu meiden, aber das schwarze Loch zog meine Aufmerksamkeit auf sich, und ich dachte nicht weiter darüber nach.

«Ohne die Ermittlungsleiterin?», fragte Parekh. «Wo ist DCI Ward?»

Das hatte ich mich auch gefragt. Wenn Ward jetzt nicht hier war, musste die Besprechung sehr wichtig sein.

«Sie ist auf dem Weg», entgegnete Whelan. «Und dann möchte sie Sie wie gesagt kurz sprechen, Dr. Hunter. Vielleicht warten Sie draußen auf sie.»

Das hatte Whelan tatsächlich schon einmal erwähnt, und es gefiel mir gar nicht, aber Parekh sprach, bevor ich nach dem Grund fragen konnte.

«Unsinn, wir wollten gerade reingehen. Wenn DCI Ward nicht pünktlich sein kann, ist das nicht unser Problem.»

Whelan schien etwas erwidern zu wollen, überlegte es sich aber anders und wandte sich dem Loch zu. Ein Tatortermittler schob den durchsichtigen Plastikvorhang zur Seite. Dahinter lag Dunkelheit. Das offene Loch in der Mauer glich dem Eingang zu einer Höhle.

«Wer hat eine Taschenlampe?», fragte Parekh und streckte die Hand aus.

«Ich finde, wir sollten warten, bis die Decke gesichert ist und wir da drin Licht haben», sagte Whelan. Blau gekleidete Gestalten holten bereits Stahlstützen von einem Stapel und trugen Lampen heran. «Über den Betten bauen wir noch ein Zelt auf, damit so wenig Putz wie möglich auf die Körper fällt.»

«Dann kann ich in der Zwischenzeit ja schon mal einen Blick darauf werfen.»

Sie ließ keinen Raum für Widerspruch. Taschenlampen wurden gebracht.

«Gehen Sie nicht zu weit rein. Und halten Sie sich von der Stelle fern, wo die Decke runtergekommen ist», warnte Whelan Parekh, als sie ihre Lampe anknipste.

«Sie können ja draußen bleiben, wenn Sie Angst haben», gab sie zurück.

Ich hörte ein leises «Verdammt», dann folgte er der Rechtsmedizinerin durch das Loch. Ich machte meine eigene Lampe an und stieg ihnen nach.

Mein Atem klang laut unter der Maske. Der Geruch von Verwesung war immer noch wahrnehmbar, aber schwächer als zuvor. Es war der Geruch eines alten Todes, nicht eines erst kürzlich eingetretenen. In der Nacht hatte ich mich nur kurz in der Kammer umgesehen, war zu beschäftigt mit Conrad gewesen, um alles genauer betrachten zu können, selbst wenn es genug Licht gegeben hätte. Die Taschenlampen enthüllten nun einen Raum, der etwa neun Meter lang und sechs Meter breit war. Die Wände waren nackt und bröckelten, die Decke war hoch, selbst für einen Raum dieser Größe. An einer Wand lag ein Schutthaufen – das gesplitterte Holz und die zerrissene Isolierung aus dem Deckeneinbruch.

Dann fiel das Licht von Parekhs Lampe auf die drei Betten. Sie standen aufgereiht nebeneinander an einer Wand. Die Metallgestelle waren schwer und sahen nach alten Krankenhausbeständen aus.

Zwei waren belegt.

Die Strahlen unserer Taschenlampen bündelten sich auf dem nächststehenden. Eine Gestalt in einem fleckigen schwarzen Sweatshirt und einer Jeans lag auf dem Rücken auf der bloßen, verdreckten Matratze. Die Größe ließ einen Mann vermuten, auch wenn ich wusste, dass das nicht notwendigerweise stimmen musste. Die Leiche war mit zwei breiten Gummiriemen an das Bett gefesselt, wie man sie bei Operationen zur Fixierung von betäubten Patienten verwendet. Einer verlief quer über Oberkörper und Arme, der andere unterhalb der Knie. Die Haare waren größtenteils vom Schädel abgefallen, die Haut war abgesackt und hatte die Farbe und Textur von gewachstem Leder. Der Kopf war nach hinten geneigt, die Zähne entblößt wie zu einem Schrei.

In den Mund war ein zusammengeknüllter Stofffetzen gestopft worden. Als die Lippen und Wangen geschrumpft waren, hatte er sich gelockert und lag jetzt zwischen den Zähnen wie eine schmutzige Trense.

Die zweite Leiche war deutlich kleiner und auf die gleiche Weise gefesselt und geknebelt. Auch hier war die Haut von den Knochen gesackt wie ein Kleidungsstück, das zu groß war. Doch sie hatte wesentlich mehr Haare, die dunkel und trocken um den Schädel herum lagen.

Parekh machte einen Schritt nach vorne, doch Whelan hob die Hand. «Tut mir leid, Ma'am, wir müssen erst die Decke abstützen, bevor wir hier irgendwas anderes machen können.»

«Ich habe ja nicht vor, daran zu schaukeln. Ich will bloß einen genaueren Blick auf die beiden werfen», erwiderte die Rechtsmedizinerin.

«Das können Sie auch. Sobald wir hier alles fertig haben.»

Parekh schnalzte verärgert mit der Zunge, entgegnete aber diesmal nichts. Sie hatte eine Hornbrille aufgesetzt, das Licht der Taschenlampe spiegelte sich in den Gläsern.

Anders als die schwangere Frau waren diese beiden Leichen nicht mumifiziert. In der Kammer war es viel kühler als auf dem Dachboden, auch der stetige Luftstrom fehlte. Die lose Haut war zwar ausgetrocknet, trotzdem war der Verwesungsprozess normal verlaufen, vom Aufblähen der Körper über Fäulnis bis zu ihrem jetzigen Zustand. Die einzige Parallele zu der Frau auf dem Dachboden war, dass auch hier der Prozess, wie bei der Mumifizierung, seit einiger Zeit abgeschlossen war.

Es gab noch einen weiteren großen Unterschied. Ich hatte mit der Taschenlampe die Leichen und den Boden unter den Betten abgeleuchtet und nach leeren Puppenhüllen gesucht. Ohne Ergebnis. Und die Körper wiesen auch keine Spuren von Verwüstung durch Schmeißfliegenbefall auf. Eine einzige Fliege hätte gereicht: Aus den Eiern wären Larven geschlüpft, die sich ernährt und verpuppt hätten, und dieser Kreislauf hätte sich so oft wiederholt, bis das gesamte Weichgewebe aufgezehrt gewesen wäre.

Wenn das nicht passiert war, musste die Kammer sehr gut versiegelt gewesen sein.

Ich richtete meine Lampe auf den nächstliegenden Körper. Die Hände hatten sich halb zu Klauen verformt, die Finger waren zu Krallen verhärtet. Die Ärmel des Sweatshirts waren nach oben gerutscht, die Arme darin unter der losen Haut nur noch Knochen und Sehnen. Die Haut selbst hatte eine dunkle Karamellfarbe angenommen, das war allerdings ein normales Merkmal der Verwesung und sagte nichts über die ursprüngliche Hautfarbe aus.

«Wir müssten echt Glück haben, um sie anhand der Fingerabdrücke identifizieren zu können», sagte Whelan, der seine Lampe auf die Leichen gerichtet hatte. Die abgelöste

Haut hing wie schlecht sitzende Handschuhe an den toten Händen.

Er irrte sich, aber das konnte warten. Im Moment interessierte mich mehr, wie die Gummiriemen sich in die Arme des Opfers geschnitten hatten. Dort hatte die Haut sich wie ein hochgeschobener Ärmel aufgestaut. Beide Leichen trugen Jeans, deren Stoff neben den Riemen an den Beinen zerrissen und blutig war.

«Also, womit haben wir es zu tun?», fragte Whelan mit gedämpfter Stimme. Eine natürliche Reaktion an einem Ort wie diesem. «Folter?»

«Hmm», machte Parekh, während sie die Taschenlampe erst auf die eine Leiche, dann auf die andere richtete. «Möglicherweise. Obwohl ich abgesehen von den Verletzungen durch die Riemen keine Läsionen sehen kann.»

«Das muss entstanden sein, als die armen Schweine versucht haben, sich freizukämpfen», sagte Whelan.

«Vielleicht schon, aber das sind nicht nur oberflächliche Abschürfungen», erklärte ich. «Es sieht so aus, als hätten sich die Ränder der Riemen bis in die darunterliegenden Muskeln geschnitten. Der Schmerz muss unerträglich gewesen sein. Um sich selbst solchen Schaden zuzufügen, müssten sie *rasend* gewesen sein. Wie ein Tier, das in der Falle sitzt und versucht, sein eigenes Bein abzukauen.»

Er schüttelte den Kopf. «Kann man es ihnen verdenken?»

«Wohl nicht, aber es gibt keine Anzeichen von Folter. Jedenfalls keine physischen», sagte Parekh, die über die eine Leiche gebeugt stand. «Keine herausgerissenen Zähne oder Fingernägel, und die Todesursache ist nicht offensichtlich. Im Moment kann ich so was wie Erwürgen nicht ausschließen. Aber die Tatsache, dass sie sich die einzig sichtbaren Verletzungen anscheinend selber zugefügt haben, lässt mich vermuten, dass sie am Leben und bei Bewusstsein waren, als man sie eingemauert hat.»

«Herrgott.» Whelan klang erschüttert. «Wie lange dauert so was?»

Parekh zog die Schultern hoch. «Hängt davon ab. Wenn sie verdurstet oder verhungert sind, kann es mehrere Tage oder länger gedauert haben. Das lässt sich im Moment nicht sagen, aber schnell ging es nicht.»

«Könnten sie erstickt sein?»

«Wenn der Raum luftdicht versiegelt war, vermutlich schon.»

«Das glaube ich nicht», sagte ich. Weil die Fliegen fehlten, hatte ich mich das Gleiche gefragt. Und Fliegen hätten den Weg durch die allerkleinste Lücke gefunden. Aber wenn die Kammer versiegelt gewesen wäre, hätte die Luft viel schlechter sein müssen, denn auch die Verwesungsgase hätten sich nicht verflüchtigen können.

Ich leuchtete die Wände und die Decke ab. «Da vorne.»

Unten in einer Ecke befand sich etwas, das nach einem Belüftungsgitter aussah. Ich ging hin und richtete die Lampe darauf. Hinter dem Gitter war ein feines Drahtnetz befestigt, und in dem Schacht dahinter sah ich eine dunkle Masse, die grünlich schillerte.

«Lauter tote Fliegen.» Ich richtete mich auf. «Das Gitter hat sie abgehalten. Auf jeden Fall gab es hier drin genug Luft zum Atmen.»

«Also sind sie nicht erstickt», sagte Whelan. «Ich weiß nicht, ob das nun eine gute Nachricht ist.»

Ich dachte genauso. Ersticken wäre ein relativ schneller Tod gewesen, der Sauerstoff in der Kammer wäre zu Kohlendioxid geworden und hätte allmählich zu Hypoxie geführt. Verhungern und Verdursten hätten länger gedauert. Nachdem der letzte Porenbetonstein in die Mauer geschoben worden war, hatten die beiden gefesselten Opfer hilflos in völliger Finsternis gelegen, ohne Hoffnung auf Rettung oder Flucht.

Kein Wunder, dass sie sich das Fleisch aufgerissen hatten, um freizukommen.

Während die Tatortermittler und Techniker Flutlampen aufstellten und die Decke abstützten, verließen Parekh und ich die Kammer. Wir standen in der Tür zur Kinderstation, Parekh sah sich mit gerunzelter Stirn um.

«Ist irgendwie sehr viel Mühe, um zwei Leichen zu verstecken. Vor allem, wenn das Gebäude sowieso abgerissen werden soll.»

«Vielleicht hat derjenige, der die Mauer gebaut hat, nicht so weit im Voraus gedacht. Oder er ist davon ausgegangen, dass die Leichen den Abriss nicht überstehen würden», sagte ich. Das hätten sie wahrscheinlich auch nicht. Die Knochen wären pulverisiert worden, und die Chance, dass zwischen dem Schutt noch etwas zu sehen gewesen wäre, ging gegen null.

«Stimmt», sagte Parekh. «Aber warum macht man sich überhaupt die Mühe, eine Mauer zu bauen? In einem Gebäude dieser Größe gibt es jede Menge Verstecke. Man hätte sie auch einfach irgendwo auf dem Gelände vergraben können, das wäre viel einfacher gewesen. Oder man hätte sie wie das andere Opfer auf dem Dachboden verstecken können.»

Mir war der gleiche Gedanke gekommen. Der Wald hinter dem Krankenhaus wäre ein idealer Friedhof gewesen.

«Vielleicht wollte der Mörder nicht riskieren, von den Überwachungskameras aufgenommen zu werden», schlug ich vor. Dass die Kameras nur Attrappen waren, konnte der Täter nicht wissen. «Und es ist immer noch möglich, dass es zwischen diesen beiden Opfern und der Toten auf dem Dachboden keine Verbindung gibt.»

Parekh warf mir ein tadelndes Lächeln zu. «Jetzt spielst du Advocatus Diaboli. Alle drei wurden eingeschlossen. Zwei von ihnen eingemauert, möglicherweise lebendig, und die Frau auf dem Dachboden eingesperrt, soweit ich weiß. Und dann ist da noch das leere dritte Bett. Für mich sieht es so aus, als wäre es für jemanden bestimmt gewesen.»

Ich dachte an die Spritzer auf den Holzstufen hoch zur Dachbodentür, an die Möglichkeit, dass die schwangere Frau auf der Flucht vor einem Verfolger gewesen war. Aber im Moment war das reine Spekulation.

«Dr. Hunter.»

Ich drehte mich um. Whelan hatte bis eben mit einem Polizisten geredet, der vor kurzem eingetroffen war. Er hatte während des Gesprächs in meine Richtung gesehen und kam jetzt auf mich zu.

«DCI Ward erwartet Sie unten.»

«*Jetzt* möchte sie mit mir sprechen?» Ich warf einen Blick durch das Loch in der Betonwand. Dahinter war es inzwischen hell, und während die Stützen aufgestellt wurden, waren die Tatortermittler damit beschäftigt, alles per Video und mit Fotos zu dokumentieren. Bald würden wir reingehen können.

«Ja, bitte.»

Whelans Miene verriet nichts, trotzdem überkam mich eine böse Vorahnung.

«Bleib nicht so lange», mahnte Parekh, als ich mich auf den Weg machte. «Ich warte nicht gerne.»

Der Weg durch die beleuchteten Korridore nach unten erschien mir noch länger als zuvor. Wieder überraschte mich nach der ewigen Nacht des Krankenhauses das Sonnenlicht. Blinzelnd sah ich mich nach Ward um. Sie stand neben einem der Anhänger und sprach mit dem leitenden Tatortermittler. Als ich zu ihr ging, bemerkte ich einige dunkelgraue Lieferwagen, die an der Treppe parkten. Sie waren schick und neu, ein diskretes Logo an der Seite zeigte die stilisierte Doppelhelix eines DNA-Moleküls und den Schriftzug *BioGen*. Darunter stand in kleineren Buchstaben *Biologische und Forensische Dienstleistungen*.

«Dr. Hunter?»

Ein elegant gekleideter Mann in dunkelblauem Anzug und Krawatte trat auf mich zu. Er kam mir irgendwie bekannt vor, dann ging mir auf, dass ich ihn und seine Kollegen in der Nacht, als Conrad durch die Decke gekracht war, am St. Jude gesehen hatte. Er sah jetzt weniger grimmig aus, ein fit wirkender Endvierziger mit der Geschmeidigkeit und dem Selbstvertrauen eines geborenen Sportlers. Das helle Haar war perfekt frisiert und sein Gesicht so glatt rasiert, dass es wie gemeißelt aussah. Er roch nach Rasierwasser. Nicht übertrieben, aber deutlich.

«Wir sind uns noch nicht begegnet, aber ich habe viel von Ihnen gehört. Ich bin Commander Ainsley.» Er hielt mir die Hand hin.

Sein Griff war fest, fast eine Ansage. Ich fragte mich, warum jemand wie er das St. Jude mit seiner Anwesenheit beehrte. In der speziellen Hierarchie der Metropolitan Police stand ein Commander zwischen dem Chief Superintendent und dem Deputy Assistant Commissioner und damit mehrere Rangebenen über DCI Ward. Die Ermittlung schien also die Aufmerksamkeit der hohen Tiere bei der Met erregt zu haben.

«Ich wollte mich persönlich bei Ihnen bedanken, dass Sie Professor Conrad geholfen haben», sagte er mit einem flüchtigen, professionellen Lächeln. Er hatte sehr gerade, sehr weiße Zähne und beunruhigend blaue Augen. «Eine schlimme Sache, die leicht hätte noch schlimmer ausgehen können. Gut gemacht.»

Ich nickte verwundert. An Dankesworte hochrangiger Polizeibeamter war ich nicht gewöhnt. «Wie geht es ihm?»

«Den Umständen entsprechend.» Die Inhaltsleere der Antwort ließ mich zweifeln, dass er es wusste. Aus dem Augenwinkel sah ich Ward herüberschauen und den Tatortermittler schnell verabschieden. «Ich bin überrascht, Sie hier zu sehen, anstatt im Leichenschauhaus. Für wann ist die Obduktion der Toten vom Dachboden angesetzt?»

«Für morgen früh.» Ich wollte gerade hinzufügen, dass ich noch bei der Bergung zweier weiterer Leichen helfen müsste, aber ein Bauchgefühl ließ mich innehalten.

«Nun, ich bin froh, Sie kennenzulernen. Ich hoffe, Sie verstehen, warum wir uns entschieden haben, einen privaten forensischen Dienstleister hinzuzuziehen.» Er sah hinüber zu den Lieferwagen. «BioGen hat einen ausgezeichneten Ruf und erstklassige Mitarbeiter.»

Ich dachte immer noch über eine Antwort nach, als Ward uns erreichte. Sie war vor Eile außer Atem und bekam bei den Worten ihres Vorgesetzten rote Wangen.

«Ah, Sharon, ich habe gerade gesagt, wie sehr wir Dr. Hunters Beitrag zu schätzen wissen.» Ainsley wandte sich an mich. Mir wurde klar, dass nicht nur die Farbe seiner Augen beunruhigend war. Wenn er nicht blinzelte, legten die Augenlider die gesamte Iris frei wie helle, blaue Murmeln. Sein Blick bekam eine puppenhafte, leicht manische Intensität. «Vielleicht sollten Sie auch über einen Wechsel in den privaten Sektor nachdenken. Für jemanden mit Ihrer Erfahrung gibt es da sicher eine Menge Möglichkeiten.»

«Ich behalte es im Hinterkopf.» Ich sah Ward an.

«Sehr gut. Sharon kann Sie sicher mit dem CEO von Bio-Gen bekannt machen.»

Er zog die Augenbrauen hoch, machte eine Frage daraus. Ward verzog keine Miene. «Ja, Sir.»

«Wunderbar. Wie dem auch sei, schön, Sie kennenzulernen, Dr. Hunter. Ich bin gespannt auf Ihren Bericht. Ich mache diese Ermittlung zur Chefsache. Natürlich im Hintergrund», fügte er mit einem kurzen Nicken in Wards Richtung hinzu.

Bevor er ging, schüttelte er mir erneut die Hand. Ich sah ihm nach, als er selbstbewusst über den Parkplatz auf die grauen Transporter zuging.

«Ich wollte es Ihnen gerade sagen», sagte Ward hastig, sobald er außer Hörweite war.

«Sie ziehen eine private Forensikfirma hinzu?» Erst jetzt wurde mir klar, was passiert war. Kein Wunder, dass Whelan mir nicht in die Augen hatte sehen wollen.

«Nur für die eingemauerten Leichen. Sie sind nicht gefeuert, wir wollen nach wie vor, dass Sie an der ursprünglichen Ermittlung mitarbeiten. Aber solange wir nicht wissen, ob es zwischen der Frau auf dem Dachboden und den beiden anderen Leichen eine Verbindung gibt, ist es sinnvoll, die Fälle separat zu behandeln.»

Ich betrachtete die Transporter mit dem BioGen-Logo. «Was, wenn sie nicht separat sind?»

«Das entscheiden wir, wenn es so weit ist.» Sie seufzte. «Hören Sie, das war nicht meine Idee. Die Entscheidung fiel an höchster Stelle, aber ich finde sie nicht falsch. Die Ermittlung hat sich buchstäblich verdreifacht, als Tatort kommt ein ganzes Krankenhaus in Frage. Und nach Conrads Unfall ist die Nervosität groß. Das Hinzuziehen einer Firma, die die Laborarbeit übernehmen und uns technische und forensische Unterstützung geben kann, bedeutet, dass wir uns über eine Sache weniger den Kopf zerbrechen müssen.»

Ich verstand langsam, wieso Met Commander Ainsley am St. Jude aufgetaucht war. Wards erster Fall als leitende Ermittlerin hatte als Routinesache begonnen, jetzt war daraus eine ganz andere Nummer geworden. Verständlicherweise waren ihre Vorgesetzten nervös, aber dass ein hochrangiger Polizist ihr ständig über die Schulter sah, half ihr kein Stück. Und verringerte auch den Druck nicht.

«Ich habe noch nie von BioGen gehört», sagte ich. Ich war alles andere als glücklich über diese Entwicklung, wusste aber, dass ich auf verlorenem Posten stand.

«Die haben von Ihnen gehört und lauter nette Dinge gesagt, waren aber trotzdem nicht begeistert, dass Sie dabeibleiben sollen.» Sie lächelte matt. «Ich habe nicht eingesehen, warum alles nach deren Willen laufen sollte.»

«Danke», sagte ich und meinte es so. Für sie wäre es einfacher gewesen, sich auf die private Firma zu beschränken, vor allem, wenn es Druck von oben gab.

Ward winkte ab. «Die sind eine unbekannte Größe, und mit Ihnen habe ich schon gearbeitet. Vermasseln Sie's nur nicht.»

Das klang nicht nach einem Witz. «Wer ist bei denen der forensische Anthropologe?»

«Daniel Mears. Hochangesehen, wie es heißt. Dem Vernehmen nach ein echter Perfektionist. Kennen Sie ihn?»

Ich schüttelte den Kopf, der Name sagte mir nichts. «Wo kommt er her?»

«Keine Ahnung. Aber Sie können ihn selber fragen.» Sie nickte in Richtung der BioGen-Wagen. «Da ist er.»

Ein junger Techniker und ein älterer Mann gingen auf die Krankenhaustreppe zu. Ihre Overalls waren so grau wie die Transporter, auf der Brust prangte das BioGen-Logo. Da sie die Kapuzen noch nicht aufgesetzt hatten, war zu erkennen, dass der Ältere der beiden um die fünfzig war, groß, mit Pferdegesicht, der Kopf kahlrasiert. Ich war überrascht, noch nie von ihm gehört zu haben. Die Forensik war in den letzten Jahren explosionsartig gewachsen, qualifizierte junge Leute aller Fachrichtungen überschwemmten den Markt. Aber dies war ein älterer Kollege, und wenn er schon länger als Forensiker tätig war, hätte ich ihm eigentlich irgendwann mal begegnet sein müssen.

«Hallo, Dr. Mears», sagte Ward. «Das ist David Hunter, er arbeitet an der anderen Hälfte der Ermittlung.»

Ich wollte gerade meine Hand ausstrecken, aber der Mann hielt nicht inne. «Wir sehen uns oben», sagte er zu dem jungen Techniker und ging weiter.

Der Jüngere war vor uns stehen geblieben. Ich begriff meinen Irrtum und bemühte mich, den Fauxpas zu überspielen. Und meine Überraschung. *Meine Güte, wie alt ist der?* Mears musste mindestens Mitte zwanzig sein, sah aber nicht danach aus. Er hatte ein jungenhaftes Gesicht, flammend rotes Haar und den dazu passenden Teint, blasse Haut mit Sommersprossen, was ihn noch jünger erscheinen ließ. Er trug einen ähnlichen Aluminiumkoffer, wie ich ihn hatte, nur dass meiner durch jahrelange Abnutzung zerbeult und zerschrammt war, seiner dagegen makellos. In dem gebügelten grauen Overall erinnerte er mich an einen Schuljungen, der für den ersten Schultag zurechtgemacht worden war.

Aber Ward hatte gesagt, er wäre hochgeschätzt, und das musste er auch sein. Sonst wäre er nicht hier.

«Dr. Hunter», sagte er steif. Seine Stimme war unerwartet tief, als sollte sie sein jugendliches Aussehen kompensieren, und die blassen Wangen hatten sich verdunkelt, was mir zeigte, dass mein Fehler nicht unbemerkt geblieben war. «Ich habe vor einigen Jahren Ihre Veröffentlichung über Zersetzung gelesen. Interessant.»

Ich war nicht sicher, wie er das meinte. «Immer schön, einen anderen forensischen Anthropologen kennenzulernen», sagte ich.

«Eigentlich bin ich forensischer Taphonom.»

«Oh. Okay.»

Ward hatte sich in der Jobbezeichnung geirrt, aber das war verständlich. Im Grunde genommen ist Taphonomie die Lehre von den Prozessen, die in einem biologischen Organismus nach dem Tod ablaufen, bis hin zu einer möglichen Fossilisation. Bezogen auf die Forensik bedeutete das, alle postmortal eintretenden Veränderungen zu untersuchen, von der Zersetzung bis zu Verletzungen. Das umfasste ein breites Spektrum forensischer Fachgebiete, war aber nicht unbedingt neu. In vieler Hinsicht war es genau das, was ich auch machte.

Doch ich hatte mich nie als forensischen Taphonomen bezeichnet und war bisher niemandem begegnet, der das tat. Es war natürlich völlig zulässig, aber ich ahnte, dass dahinter eher eine clevere Marketingstrategie der Privatwirtschaft als eine neue Herangehensweise stand.

Allerdings war ich in der Frühzeit meiner beruflichen Laufbahn selbst oft genug mit den Vorurteilen etablierter forensischer Experten konfrontiert gewesen, denen Veränderungen missfielen. Ich wollte nicht wie sie werden.

«Kommen Sie aus der Anthropologie oder der Archäologie?», fragte ich.

«Aus beidem. Ich bevorzuge eine breitgefächerte Herangehensweise, dazu gehören auch Paläontologie und Entomologie», sagte er und zupfte mit einem scharfen Schnappen seinen hautengen Handschuh zurecht, der die gleiche stahlgraue Farbe hatte wie der Overall: BioGen schien seine Corporate Identity sehr ernst zu nehmen. «Der alte, nach Fachrichtungen getrennte Ansatz mag früher gereicht haben, inzwischen ist er überholt. Die Forensik hat sich weiterentwickelt. Heutzutage muss man eine ganze Reihe von fachlichen Fähigkeiten mitbringen.»

«Ich dachte, das täte ich», sagte ich sanft.

Er lächelte still. «Tatsächlich?»

Jetzt ließ sich die beabsichtigte Herabsetzung nicht mehr wegreden. Ward sah uns stirnrunzelnd an.

«Nun, ich lasse Sie beide dann mal machen.»

Sie ging zum Polizeianhänger. Mears und ich beäugten einander. Wieder war ich schockiert, wie jung er aussah. *Gib ihm eine Chance. Vielleicht ist er einfach nervös und kompensiert das.*

«Sind Sie schon drin gewesen?», fragte ich mit Blick auf die geschwärzten Steinwände des Krankenhauses.

Mears' Röte war verblasst, aber das hochmütige Gehabe blieb. «Noch nicht.»

«Es ist ziemlich gruselig. Auf der Kinderstation ist gerade die zugemauerte Kammer aufgebrochen worden. Ich bin gespannt, was Sie davon halten.»

«Sind Sie drin gewesen?»

«Nur direkt hinter der falschen Wand.»

Das war nicht ganz wahr. Ich war auch in der Kammer gewesen, um Conrad zu helfen, hielt es aber für überflüssig, das zu erwähnen. Irgendetwas ließ mich ahnen, dass Mears sich wie ein Platzhirsch aufführen würde, und wir hatten sowieso schon auf dem falschen Fuß angefangen.

«Tatsächlich?» Mears' Wangen hatten sich wieder verfärbt. «Man erwartet von uns gegenseitiges professionelles Entgegenkommen, deswegen werde ich diesmal noch keine Beschwerde einreichen. Aber halten Sie sich in Zukunft bitte von meinem Tatort fern.»

Einen Moment lang war ich vor Überraschung sprachlos. Ich war nur deswegen überhaupt dort gewesen, weil mir niemand gesagt hatte, dass ich ersetzt worden war.

«Streng genommen ist es wohl DCI Wards Tatort», sagte ich, bemüht, nicht die Beherrschung zu verlieren. «Aber keine Sorge, ich habe nicht vor, noch mal reinzugehen. Er gehört ganz Ihnen.»

«Gut. Dann gibt es ja keine Probleme mehr.»

Er drängte sich an mir vorbei. Als er seinen glänzenden Koffer die Treppe hinauftrug, leuchtete sein Nacken so rot wie seine Haare.

Dann verschluckte ihn die Dunkelheit.

KAPITEL 8

Auf dem Weg zu meinem Wagen kochte ich immer noch vor Wut. Mears mochte jung aussehen, an Ego mangelte es ihm nicht. Auch nicht an Dreistigkeit. Ich war in meinem Job schon einigen Primadonnen begegnet, aber der forensische Taphonom – schon die Bezeichnung ärgerte mich – hatte sich ziemlich weit oben auf die Liste gesetzt. Und auch von Ainsley war ich nicht beeindruckt, der mir herablassend einen Karrieretipp gegeben hatte, nachdem er selbst dafür gesorgt hatte, dass ich ausgebootet oder zumindest von einem Teil der Ermittlung abgezogen worden war. Deswegen machte ich Ward zwar keine Vorwürfe, aber sie hätte es mir früher sagen müssen. Und mich nicht über den Tatort wandern lassen dürfen in dem Glauben, dass ich dort arbeiten würde.

Derart gekränkt, zerrte ich am Reißverschluss meines Schutzanzugs, während ich zwischen den geparkten Polizeifahrzeugen hindurch auf mein Auto zumarschierte. Erst kurz vor dem Ziel ging mir auf, dass ich an den Mülleimern für benutzte Schutzanzüge vorbeigelaufen war.

Wunderbar. Aber der Patzer reichte, um mich zur Räson zu bringen. Als ich kehrtmachte und zurückging, fiel meine Empörung in sich zusammen. *Es geht hier um Größeres als meinen Stolz,* ermahnte ich mich beim Anblick der düsteren Mauern des St. Jude. Die Sonne stand hinter dem alten Krankenhaus, der große Schatten des Gebäudes fiel über den Parkplatz. Darin war es gleich merklich kühler, das Gebäude schien seine ungute Atmosphäre bis hierher zu verströmen. Es lief mir kalt über den Rücken, als ich mir vorstellte, wie sich die beiden an ihre Betten gefesselten Opfer in der Kammer gefühlt haben mussten, der Gedanke trieb mir den letzten Rest meines Selbstmitleids aus. Es war schwer einzuschätzen, wie lange die beiden dort gelegen hatten, ihrem Tod und der Verwesung in der kalten Finsternis überlassen. Aber unter den gegebenen Bedingungen – konstant trocken und kühl, vor der Sommerhitze geschützt – konnten es Monate gewesen sein. Vielleicht sogar Jahre, denn wenn der Verwesungsprozess fast abgeschlossen war, trat eine Art Stasis ein, die letzten physischen Veränderungen verliefen immer langsamer, bis sie fast nicht mehr wahrnehmbar waren.

Als ich an den Mülleimern stand, wurde mir die Größe des Krankenhauses zum ersten Mal wirklich bewusst. Es war riesig. Mit den geschwärzten Mauern und den vernagelten Fenstern wirkte es wie ein gigantisches, verfallenes Mausoleum. Eine Gruft. Ich zitterte.

Was ist da noch drin?

Ich drehte mich um und ging zu meinem Wagen zurück. Zu gerne hätte ich die beiden eingemauerten Leichen untersucht, um herauszufinden, was ihre Überreste mir erzählen würden. Doch als das St. Jude im Rückspiegel kleiner wurde, war ich auch irgendwie froh, es hinter mir lassen zu können.

An die Pressemeute vor dem Eingangstor hatte ich nicht mehr gedacht. Sie war seit dem Morgen noch angewachsen und durch andere Menschen verstärkt worden: Mitten auf der Straße standen Demonstranten mit Plakaten, alle Altersgruppen und Ethnien waren vertreten, und weitere Polizisten waren angerückt, um sie am Betreten des Krankenhausgeländes zu hindern. Zwischen den Steinpfosten waren Metallgitter aufgestellt worden, ich musste anhalten und kurbelte das Fenster herunter.

«Was ist denn los?», fragte ich die junge Polizistin, die auf mich zukam.

«Kleine Demo», sagte sie gelassen. «Die machen aber keinen Ärger, geben nur vor den Kameras ein bisschen an. Moment, wir lassen Sie raus.»

Ich wartete, während die Gitter geöffnet wurden. Die Botschaften auf den Plakaten reichten von einem einfachen *Rettet das St. Jude* bis zu politischen Forderungen. Zwei Demonstranten hielten an Stäben ein selbstgebasteltes Banner mit dem Slogan *Menschen brauchen Wohnungen, keine Büros* in die Höhe, darunter stand auf einer Bank ein Mann und sprach zu der Menge. Ich kurbelte das Fenster weiter herunter, um zu verstehen, was er sagte.

«... sollten sich schämen! Sich dafür schämen, dass unschuldige Menschen Angst haben, auf die Straße zu gehen. Für die Armut, in der immer mehr Familien in diesem Stadtteil leben müssen. Und dafür, dass in einem ehemaligen Krankenhaus Menschen wie Vieh zu Tode gekommen sind! Ausgerechnet in einem *Krankenhaus*!»

Der Redner war Mitte dreißig, sah gut aus und trug ein schwarzes Jackett und ein weißes Hemd, das seine dunkle Haut hervorhob. Er machte eine Kunstpause und sah sich um.

«Sind die Politiker und Investoren, die an den Hebeln der Macht sitzen, blind für diese tragische Ironie? Oder ist ihnen das egal? Was ist aus dem *Gemeinwohl* geworden? Läden müssen schließen, Häuser werden verlassen. Und jetzt das hier!» Mit ausgestrecktem Arm zeigte er auf das Krankenhaus. «Wir haben versucht, das St. Jude vor der Schließung zu retten, und wurden ignoriert. Wir haben uns für den Bau neuer Wohnungen eingesetzt, anstatt von Büros, die jahrelang leer stehen werden, und wurden ignoriert. Wie lange wollen wir uns noch ignorieren lassen? *Wie viele von uns müssen noch zu Tode kommen?*»

Wütende Rufe wurden laut, Plakate wurden geschwenkt und Arme gereckt. Als die Polizei das Gitter entfernt hatte, ließ ich das Auto langsam vorwärts rollen. Die Leute am Rand der Menge machten mir Platz, aber dann stellte sich eine junge Frau direkt vor den Wagen, und ich musste anhalten. Sie stopfte ein Flugblatt hinter den Scheibenwischer, und als ein Polizist sie wegschieben wollte, warf sie noch eins durch mein offenes Fenster.

«Öffentliche Versammlung morgen Abend! Bitte kommen Sie», rief sie, bevor man sie wegführte.

Das Flugblatt war auf meinem Schoß gelandet. Es war auf billigem Papier gedruckt und zeigte ein Schwarzweißfoto des St. Jude in seiner ganzen verfallenen Pracht. Darunter stand: *Lasst das nicht zum Symbol für unser Leben werden!*, dazu Zeit und Ort der Versammlung.

Ich legte das Flugblatt auf den Beifahrersitz, und während die Scheibe nach oben glitt, warf ich einen Blick auf den Redner. Der kleine Zwischenfall musste seine Aufmerksamkeit erregt haben, denn in dem Moment schaute er mich direkt an. Kurz meinte ich so etwas wie Erkennen in seinen Augen zu sehen, dann war es vorbei. Während er weiter die Menge anheizte, legte ich den Gang ein und fuhr los.

Auf der anderen Straßenseite sah ich eine einsame Gestalt an der Bushaltestelle stehen, weder Demonstrant noch Presse, wie es schien. Mir fiel der eindringliche Blick auf, mit dem der Mann in Richtung des Krankenhauses starrte. *Ward sollte Eintritt nehmen*, war mein Gedanke, als ich weiterfuhr.

Es war zu früh, um ins Apartment zurückzufahren, und so beschloss ich, den unerwartet freien Nachmittag in der Universität zu verbringen. Ich holte mir in der Cafeteria ein Sandwich und einen Kaffee, nahm beides mit in mein vollgestopftes Büro und fuhr den Computer hoch. Im St. Jude hatte ich nicht in meine E-Mails geschaut, das holte ich jetzt nach. Nichts Wichtiges, nur eine erneute Interviewanfrage von Francis Scott-Hayes. *Der Mann akzeptiert wirklich kein Nein*, dachte ich verärgert und löschte auch diese Mail.

Danach öffnete ich die Tatortfotos vom Dachboden. Prinzipiell machte ich lieber eigene, hatte aber am St. Jude dazu keine Gelegenheit gehabt, daher hatte Ward mir den Zugriff auf die Bilder der Tatortermittler erlaubt. Sie waren gestochen scharf und fachkundig aufgenommen, gaben aber die Atmosphäre in dem alten Krankenhaus nicht ansatzweise wieder. Trotzdem waren sie eindrücklich und schockierend. Die ausgetrockneten Leichenreste wurden vom Blitz grell ausgeleuchtet und wirkten auf dem Dachboden völlig deplatziert. Die schwangere Frau und das ungeborene Kind lagen auf dem Isolierungsmaterial wie skeletthafte Matrjoschka-Puppen. Und ich stellte deprimiert fest, wie schwierig es werden würde, den Todeszeitpunkt genauer zu bestimmen.

Ich betrachtete eine Weile die klaffende Bauchöffnung und den darin liegenden Haufen winziger Knochen, dann nahm ich systematisch den Rest des Körpers unter die Lupe. Zwar würde ich am kommenden Tag in der Leichenhalle die Überreste selbst untersuchen, doch es half, ein Bild davon im Kopf zu haben, wie die Frau beim Auffinden ausgesehen hatte. An der rechten Schulter hielt ich inne. Irgendwas stimmte da nicht, ich vergrößerte den Ausschnitt. Der Winkel war unnatürlich, das konnte an der Körperhaltung liegen, aber durchaus auch etwas anderes bedeuten.

Für die Handgelenke und Unterschenkel nahm ich mir ebenfalls Zeit. Mir war genauso wenig wie Parekh entgangen, dass nur zwei der drei Betten in der geheimen Kammer belegt gewesen waren. Das dritte konnte gut für die schwangere Frau bestimmt gewesen sein.

Doch falls sie irgendwie hatte fliehen können, dann ohne Fesselverletzungen. An Armen und Beinen waren keine Anzeichen von Abschürfungen oder Schnitten durch Lederriemen zu sehen. Die Haut war mumifiziert und geschrumpft, aber soweit auf den Fotos zu sehen war, immer noch intakt. Ich bedauerte, von den beiden in der Kammer eingemauerten Opfer keine Fotos zu haben, bis mir wieder einfiel, dass das nicht mehr mein Fall war. Ich musste mich allein auf die Frau und das Baby konzentrieren und den Rest vergessen.

Als ich schließlich den Computer herunterfuhr, war es spät geworden. Ich lehnte mich zurück und rieb mir die Augen. Mein unterer Rücken schmerzte vom langen Sitzen am Schreibtisch. Ich hätte nicht so lange bleiben müssen, verspürte aber kein Bedürfnis, in das leere Apartment zurückzukehren. Meine Kollegen hatten nach und nach Feierabend gemacht, Brenda hatte noch angekündigt, dass am nächsten Morgen um sieben die Putzkolonne kommen würde. Ich hatte gelächelt und ihr versichert, dass ich dann nicht mehr da sein würde.

Aber das war schon eine ganze Weile her, und jetzt war ich der Letzte. Draußen war es dunkel geworden, mein Spiegelbild sah mir aus dem Fenster entgegen. Ich knipste das Licht aus, schloss die Bürotür und nahm den Aufzug ins Erdgeschoss.

Ich hatte überhaupt nicht daran gedacht, eine andere Tür zu nehmen, bis ich am Hauptausgang war. Im Stillen entschuldigte ich mich bei Rachel und Ward, aber ich war müde und hatte keine Lust, umzukehren und eine der Seitentüren zu benutzen. *Wenn Grace Strachan da draußen wartet, dann ist das eben so*, dachte ich und trat ins Freie.

Es war ein kühler Abend. Der Altweibersommer schien endgültig vorbei zu sein, Herbst lag in der Luft. Mein Wagen stand ein paar hundert Meter weit entfernt, und die Straßenlaternen warfen zahlreiche Schatten. Ich lief über den menschenleeren Campus, die Scharen der Studierenden und Dozenten waren längst verschwunden. Während meine Schritte auf dem Asphalt widerhallten, dachte ich an Rachel, fragte mich, auf welcher ägäischen Insel sie gerade sein mochte. Ich war auf halbem Weg zum Wagen, als ich merkte, dass in mir leichte Unruhe aufgekommen war. Ich ging langsamer, schaute mich um. Niemand zu sehen.

Meine Nackenhaare stellten sich auf.

Unter der Haut sind wir alle nur Tiere. Die Überlebensinstinkte unserer Vorfahren sind noch immer in uns, wenn auch verkümmert und meistens im Unterbewusstsein vergraben. Ich fühlte meinen Puls schneller werden, meine Muskeln zittern, Adrenalin wurde durch meinen Blutkreislauf gepumpt. *Was zum Teufel ist das ...?*

Und dann roch ich es.

Nur schwach, der leiseste Hauch eines würzigen, moschusartigen Parfüms, aber er traf mich wie ein Stromschlag. Hinter mir waren Schritte zu hören, ich fuhr herum.

«Nacht, Dr. Hunter.»

Zwei Doktoranden aus dem Institut lächelten mir zu und sahen mich im Vorbeigehen neugierig an. Ich war also doch nicht der Letzte gewesen und hob schwach die Hand zu einem Gruß. Ihre Schritte wurden leiser, als sie sich entfernten.

Mein Herz klopfte immer noch hektisch, beruhigte sich aber langsam. Ich schaute mich erneut um, ich war allein. Die Luft roch nach Abgasen und dem herbstlichen Duft von verbranntem Laub, keine Spur von Parfüm.

Wenn überhaupt je eine da gewesen war.

Da zeigt sich die Macht der Einbildung, dachte ich und setzte meinen Weg fort. Als ich das Gebäude verlassen hatte, war ich in Gedanken bei Grace Strachan gewesen, und meine Phantasie hatte den Rest besorgt. Grace war eine der schönsten Frauen, die mir je begegnet waren. Rabenschwarze Haare und ein strahlendes Lächeln, das jeden blind machte für ihren zerstörten, psychotischen Charakter. Ihre körperliche Präsenz war überwältigend. Ihr unverkennbares Parfüm war das Letzte gewesen, das ich wahrgenommen hatte, bevor sie mich niederstach, mich für tot hielt und liegen ließ. Es hatte sich in mein Gedächtnis eingebrannt, und noch lange Zeit später bekam ich Panikattacken, wann immer ich es zu riechen glaubte und dachte, Grace wäre in der Nähe. Der klinische Fachbegriff hierfür lautet Phantosmie, eingebildete Geruchswahrnehmung, aber ich hatte gedacht, diese Phase hinter mir zu haben.

Bis jetzt.

Auf mich selbst wütend, ging ich zu meinem Wagen und schmiss meine Tasche unnötig heftig in den Kofferraum. Beim Losfahren stellte ich das Radio an und bekam das Ende eines Berichts über das St. Jude mit. Die Demonstration vor dem Eingangstor hatte der Geschichte frischen Schwung verliehen, die alten Proteste gegen den Abriss des Krankenhauses bekamen wieder Aufwind. Der Rest der Nachrichten interessierte mich dann nicht mehr. Der Vorfall auf dem Campus hatte mich aus der Bahn geworfen, auch wenn ich es nicht wahrhaben wollte. Ich fuhr wie auf Autopilot und achtete nicht auf die Umgebung, erst beim Anblick eines vertrauten Straßenschilds ging mir auf, dass ich auf dem Weg in meine alte Wohnung war.

Na, toll. Ich befand mich mitten auf einer Umgehungsstraße, die kein Wenden erlaubte. Da die nächste Ausfahrt mich sowieso in die Nähe meiner Wohnung führte, beschloss ich, dorthin zu fahren. Schließlich zog mich nichts zurück nach Ballard Court.

Es schien Schicksal zu sein, dass ich genau vor meinem Haus an der auf beiden Seiten zugeparkten Straße eine Parklücke fand. Trotz Wards Warnungen war ich schon ein paarmal in der Gegend gewesen, bisher allerdings immer nur am Haus vorbeigefahren. Jetzt hielt ich zum ersten Mal an. Rational wusste ich, dass Ward und Rachel recht hatten. Falls Grace Strachan am Leben war und vorhatte, mich zu ermorden, würde sie hierherkommen. Es wäre dumm gewesen, hier wohnen zu bleiben.

Trotzdem fühlte sich der Umzug immer noch wie eine Flucht an.

Die frisch gestrichene Tür, an der nach dem versuchten Einbruch Graces Fingerabdruck entdeckt worden war, glänzte inzwischen nicht mehr ganz so sehr, sonst sah das Haus aus wie immer. Meine Wohnung im Erdgeschoss stand nach wie vor leer, neben dem Gehweg zur Tarnung ein «Zu vermieten»-Schild. Rachel hatte vorgeschlagen, die Wohnung zu verkaufen, aber ich hatte mich gewehrt, aus den gleichen Gründen, aus denen ich sie auch nicht vermieten wollte. Erstens war ich nicht bereit, sie aufzugeben. Noch nicht. Und zweitens, solange nur die leiseste Gefahr bestand, dass Grace Strachan zurück war, konnte ich dort niemand anderen wohnen lassen.

Aber ich glaubte eigentlich nicht mehr daran. Meine Panik vorhin auf dem Campus war mir inzwischen peinlich, eine emotionale Entgleisung, für die ich Schlafmangel und meine blühende Phantasie verantwortlich machte: Die bedrückende Atmosphäre im St. Jude musste mir nähergegangen sein, als ich geahnt hatte. *Eins ist jetzt immerhin klar*, dachte ich, als ich wieder losfuhr. Da Rachel in Griechenland war, gab es keinen Grund, länger in Ballard Court zu bleiben. Sobald die Ermittlung zu Ende war, würde ich zurück in meine alte Wohnung ziehen.

Ich hatte genug vom Versteckspiel.

KAPITEL 9

In der Nacht war das Wetter umgeschlagen. Als ich am Morgen zum Leichenschauhaus fuhr, goss der Regen von einem stahlgrauen Himmel herab, prallte vom Asphalt ab und riss die Blätter von den herbstlichen Bäumen. Ich fand einen Parkplatz und rannte durch den Wolkenbruch, vor dem überdachten Eingang hielt ich inne und schüttelte meinen nassen Mantel aus.

Das Leichenschauhaus war relativ neu und eigens für den Norden Londons errichtet worden. Ich hatte früher ein paarmal hier gearbeitet, aber das war schon eine Weile her. Parekh war bereits da und begrüßte mich mit dem ihr eigenen Humor.

«Du bist ja gestern lange weggeblieben», sagte sie mit einem schelmischen Zwinkern.

Nachdem ich am Vortag die versiegelte Kammer im St. Jude in dem Glauben verlassen hatte, gleich wieder zurück zu sein, hatte ich Parekh nicht mehr gesehen.

«Es kam anders.»

«Das habe ich gemerkt.»

Ich hatte es nicht ansprechen wollen, war aber doch zu neugierig. «Wie lief die Bergung?»

«Langsam. Die Decke musste stärker als gedacht abgestützt

werden, das verzögerte alles, daher wurde nur eine Leiche geborgen. Die andere ist heute dran.»

«Und was ist mit BioGen?»

«Unser neuer privater Dienstleister?» Sie zuckte die Achseln. «Sie haben schicke Arbeitsklamotten. Abgesehen davon hatte ich wenig mit ihnen zu tun. Auch wenn ich von deinem Ersatzmann ziemlich überrascht war.»

Und ich erst. «Wieso?»

«Ich habe noch nie mit jemandem zusammengearbeitet, der sich als forensischer Taphonom bezeichnet. Gut, dass er mich darauf hingewiesen hat, ich hätte ihn sonst für einen stinknormalen forensischen Anthropologen gehalten. Abgesehen von dem grauen Overall natürlich.»

Ich bemühte mich, nicht zu grinsen. «Anscheinend wird er hoch gehandelt.»

«In der Tat. Er schien ganz fähig. Jung, aber sehr methodisch. Und er leidet sicher nicht an mangelndem Selbstbewusstsein.»

So konnte man es auch ausdrücken. Aber eine forensische Rechtsmedizinerin wie Parekh würde er auch nicht als Konkurrentin ansehen. Nicht, wenn er klug war.

Sie lächelte mich an, das Gesicht von feinen Fältchen überzogen. «Tut weh, wie?»

«Was denn?»

«Zu merken, dass die nächste Generation nach unseren Knöcheln schnappt.»

Ich wollte widersprechen, ließ es aber bleiben. Sie kannte mich zu lange. «War ich auch so arrogant, als wir uns kennengelernt haben?»

«Arrogant nicht. Selbstsicher, ja. Und ehrgeizig. Aber seitdem hast du mehr vom Leben gesehen. Ich denke, Daniel

Mears muss sich erst mal ein paar Ecken und Kanten absto-
ßen. Und das wird zweifelsohne passieren.»

Ich dachte genauso, aber eigentlich war es mir egal. Je weniger ich mit Mears zu tun hatte, desto besser für uns beide,
lautete mein Entschluss.

Die Obduktionsbesprechung des Ermittlungsteams war
für zehn Uhr angesetzt. Fünfzehn Minuten davor begannen
Whelan und der Rest des Ermittlungsteams einzutrudeln,
aber Ward verspätete sich. Sie kam als Letzte, während sie in
den Besprechungsraum hastete, schüttelte sie ihren nassen
Mantel ab.

«Tut mir leid», sagte sie mit einem Seufzen, stellte ihre
Schultertasche auf den Tisch und setzte sich. Der schwangere
Bauch war in der dunkelgrauen Jacke und dem grauen Rock
deutlicher zu sehen als im Schutzanzug.

Die Besprechung selbst war Routine und sollte nur dafür
sorgen, dass die Rechtsmedizinerin und das Ermittlerteam
auf demselben Stand waren, bevor die Obduktion begann.
Die Polizei war bei der Identifizierung der Frau noch keinen
Schritt vorangekommen. Sie hatte keinen Führerschein oder
Ausweis bei sich getragen, Kleidung und Schuhe waren billige,
massenproduzierte Ware und gaben keinen Anhaltspunkt.
Von den aufgerissenen und von Ratten zernagten Händen
hatten keine brauchbaren Fingerabdrücke genommen werden können, und auch wenn die Schwangerschaft bei der Suche in der Vermisstendatei helfen mochte, so mussten wir zumindest das Alter genauer bestimmen, um die Suchkriterien
besser eingrenzen zu können. Denn auch gebärfähiges Alter
konnte von Teenager bis Ende vierzig alles bedeuten.

Die Hoffnung, die Leiche zu identifizieren, stützte sich
jetzt in erster Linie auf Zahnabgleiche und was immer Parekh

und ich sonst noch herausfinden konnten. Während Ward, Whelan und die Ermittlungskollegen sich in das Beobachtungszimmer drängten, zogen Parekh und ich OP-Bekleidung an und gingen in den Untersuchungsraum.

Leichenschauhäuser sehen auf der ganzen Welt ähnlich aus. Manche mögen moderner und besser ausgestattet sein, aber im Grunde ist eins wie das andere. Die gekühlte Luft und der Geruch nach Desinfektionsmittel, der die anderen, biologischen, Gerüche überdeckt, sind überall gleich.

Die Tür schloss sich, dann umgab uns kühle Ruhe. Die Leiche der Frau lag auf dem Obduktionstisch. Die Knie waren angezogen und zur Seite gebogen, die Arme von der Farbe und Textur von Dörrfleisch lagen in einer traditionellen Begräbnishaltung gekreuzt über der Brust. Die Stahloberfläche des Tisches hob den Verfall noch deutlicher hervor. Die Kleidung war entfernt und zusammen mit Weichgewebeproben zur Analyse ins Labor geschickt worden, danach hatte man die Mumie abgespült. Der Großteil der abgelösten Haare war abgewaschen und eingesammelt worden, nur noch ein paar schlaffe Strähnen hingen verloren am Schädel. Auf dem Tisch daneben lagen die Knochen des Fötus.

«Manchmal ist unser Job echt traurig», murmelte Parekh, als sie die beiden Toten betrachtete. Mutter und Kind. Mit einem Kopfschütteln machte sie sich an die Arbeit.

Die eigentliche Obduktion war ihre Aufgabe, ich assistierte und hielt mich im Hintergrund. Es dauerte nicht lange. Bei Überresten in solch schlechtem Zustand konnte ein forensischer Rechtsmediziner nicht viel tun. Es gab keine offensichtlichen Verletzungen, etwa eine Schädelfraktur oder ein gebrochenes Zungenbein, die als wahrscheinliche Todesursache in Frage gekommen wären. Auch Parekh hielt es für möglich, dass die Fruchtblase der Frau frühzeitig geplatzt war, was unter den vorliegenden Umständen zum Tode geführt haben könnte, vor allem in Verbindung mit anderen Verletzungen. Aber angesichts des schlechten Zustands der Leiche blieb das reine Spekulation.

Die Mumifizierung verhinderte außerdem eine genaue Bestimmung des Todeszeitpunkts. Ich entdeckte nichts, das meine ursprüngliche Einschätzung korrigiert hätte: dass die Leiche mindestens einen ganzen Sommer lang auf dem Dachboden gelegen hatte, möglicherweise länger. Aber wie so vieles andere in diesem Fall, war auch das nur eine Vermutung.

Trotzdem gewannen wir ein paar neue Erkenntnisse.

«Ich glaube nicht, dass ihre Hände und Arme absichtlich so zurechtgelegt wurden», sagte Parekh und betrachtete die Leiche nachdenklich über ihre Maske hinweg.

«Ich auch nicht», stimmte ich zu. «Zumindest nicht zu dem Zeitpunkt, als der Körper bewegt wurde.»

Möglicherweise hatte jemand sie nach Eintreten des Todes so arrangiert, entweder kurz vor oder unmittelbar nach der Totenstarre, als der Körper noch biegsam war. Aber das passte nicht zu der Theorie, dass die Frau auf dem Dachboden eingesperrt und dem Tod überlassen worden war.

Eins konnte ich mit Sicherheit sagen: Die Arme waren nicht erst zurechtgelegt worden, als die Leiche in Plastik eingewickelt und bewegt wurde. Zu dem Zeitpunkt war sie bereits mumifiziert gewesen und so brüchig, dass jeder Versuch, die Gliedmaßen zu bewegen, Schäden verursacht hätte. Davon war nichts zu sehen, was bedeutete, dass es eine andere Erklärung für die Position der Arme geben musste.

«Sie hat sich selbst geschützt», sagte Parekh. «Mit den

hochgezogenen und seitwärts gebeugten Knien ist das fast eine Embryonalstellung.»

Ich war zum selben Schluss gekommen. Die Frau, völlig erschöpft und auf dem Dachboden eingesperrt, hatte sich irgendwann zusammengerollt, die Arme über den schwangeren Bauch gelegt und auf den Tod gewartet. Als der Körper austrocknete, hatten sich die Sehnen zusammen- und die Arme höher auf die Brust gezogen.

Die Pose hatte nichts mit Pietät zu tun. Sie war ein Zufall der Natur.

Nur die rechte Schulter wies offensichtliche Schäden auf. Mir war schon auf den Tatortfotos aufgefallen, dass die Schulterhaltung unnatürlich wirkte, und als ich jetzt die Röntgenaufnahmen sah, erkannte ich den Grund. Die Schulter war ausgekugelt.

«Perimortal, meinst du auch?», überlegte Parekh bei einem Blick auf das gespenstische Schwarzweißbild. «Das könnte bei einem Sturz oder Kampf passiert sein. Vielleicht bei ihrem Fluchtversuch, wenn man von der Theorie ausgeht.»

Ich nickte. Aus eigener Erfahrung wusste ich, wie schmerzhaft eine Schulterluxation war. Unbehandelt hielt man das nicht aus, zumindest nicht freiwillig. Aber nichts deutete darauf hin, dass die Frau gefesselt oder fixiert gewesen wäre, es gab keine Abschürfungen wie bei den anderen beiden Opfern. Und bei einer postmortal entstandenen Verletzung, beispielsweise durch das Bewegen der Leiche, wäre auch das mumifizierte Gewebe an den Gelenken beschädigt worden, möglicherweise hätte sich der Körperteil komplett gelöst.

Alles in allem war es also wahrscheinlich, dass die Verletzung um den Todeszeitpunkt entstanden war. Was die Theorie stützte, dass die Frau sich auf dem Dachboden hatte verstecken wollen. Eine Schwangere mit einer ausgekugelten Schulter hätte weder weit noch schnell laufen können. Wenn sie vor jemandem geflohen war, blieb ihr vielleicht der Dachboden als einziger Ausweg.

Und als ihr letzter.

Parekh trat beiseite, damit ich die Zähne der Toten untersuchen konnte. Ein forensischer Zahnmediziner würde noch eine detailliertere Analyse machen, aber ich konnte eine erste Einschätzung abgeben. Vorsichtig hielt ich eine kleine Taschenlampe in den offen stehenden Mund. Zunge und Lippen waren nicht mehr vorhanden, übrig waren nur noch geschrumpfte Zahnfleischreste.

«Zwei der Weisheitszähne sind durchgebrochen, die oberen beiden noch nicht ganz», sagte ich. «Also war sie wahrscheinlich volljährig, aber nicht viel älter als Mitte zwanzig.»

Weisheitszähne kamen normalerweise zwischen siebzehn und fünfundzwanzig zum Vorschein. Da bei der Frau – der *jungen* Frau, wie ich jetzt wusste – dieser Prozess bereits eingesetzt hatte, aber noch nicht abgeschlossen gewesen war, ergab sich eine obere Altersgrenze. Diese wurde von den verhältnismäßig leichten Abnutzungsspuren am Gebiss unterstützt, auch dies deutete auf einen jungen Menschen hin. Doch der Zustand der Zähne war noch aus einem anderen Grund aufschlussreich.

«Sie hat nur wenige Füllungen, aber es sind deutliche Verfärbungen und ein paar kariöse Stellen zu sehen», berichtete ich Ward, als wir nach der Obduktion wieder im Besprechungsraum saßen.

«Passt das zu Drogenkonsum?», fragte sie.

«Vermutlich, ja.»

Whelan hatte telefoniert und dabei zugehört. Jetzt steckte

er das Handy weg und beteiligte sich am Gespräch. «Wenn sie Drogen gekauft oder vertickt hat, dann erklärt das, was sie im St. Jude wollte. Wir wissen ja, dass da gedealt wurde, und bei Junkies steht Dentalhygiene nicht gerade oben auf der Prioritätenliste.»

«Vielleicht nicht, aber früher wurden ihre Zähne gut gepflegt», sagte ich. «Ich denke, die Löcher und Verfärbungen sind eher neu. Die Füllungen sehen ziemlich alt aus, wenn sie also höchstens Mitte zwanzig ist, dann wurden sie vermutlich im Teenager- oder Kindesalter gemacht. Und zwei der hinteren Backenzähne haben zahnfarbene Füllungen anstatt silbernes Amalgam. Die staatliche Krankenkasse zahlt das nur bei Frontzähnen.»

«Also wurde sie in jüngeren Jahren privat behandelt. Das klingt nicht nach jemandem aus einem sozial schwachen Milieu.» Ward nickte nachdenklich. «Okay, jetzt wissen wir ein bisschen mehr über sie. Anfang bis Mitte zwanzig, sechs bis sieben Monate schwanger. Und da sie im St. Jude war, hat sie vermutlich Drogen genommen. Aber sie könnte aus einer Familie stammen, die sich weiße Füllungen leisten kann.»

«Braves Mädchen auf Abwegen», sagte Whelan. «Schlimm, wenn sie während der Schwangerschaft Drogen genommen hat.»

Ward warf ihm einen verärgerten Blick zu und legte die Hände auf ihren Bauch, eine unbewusste, schützende Geste. Ihre Gedanken waren unschwer zu erraten: Wie vermutet, war die Schwangerschaft der toten Frau etwa so weit fortgeschritten wie ihre eigene. Nach der Ausmessung des fötalen Skeletts hatte ich meine ursprüngliche Einschätzung bestätigen können. Der Fötus war zwischen fünfundzwanzig und dreißig Wochen alt gewesen, die Mutter musste also am Ende des zweiten oder am Anfang des dritten Drittels der Schwangerschaft gewesen sein.

Doch mehr konnte ich trotz aller Bemühungen nicht sagen. Die Röntgenaufnahmen hatten Knochenfissuren am rechten Unterarm und an der Elle des linken gezeigt, die aber aller Wahrscheinlichkeit nach postmortal entstanden waren, entweder als die Mutter bewegt wurde oder durch Aasfresser. Wenn das winzige Skelett gereinigt war, würde ich einen genaueren Blick darauf werfen, erhoffte mir aber nicht viel davon. Geschlechtsmerkmale am Knochenbau entwickelten sich erst in der Pubertät, es ließ sich also nicht sagen, ob das ungeborene Kind ein Junge oder ein Mädchen gewesen war.

Manchmal war unser Job echt traurig, wie Parekh gesagt hatte.

Röntgenbilder können nicht alles zeigen. Nachdem Ward und Whelan gegangen und Parekh zum St. Jude zurückgekehrt war, um die Bergung des letzten Opfers zu beaufsichtigen, machte ich mich allein an den nächsten grausigen Schritt. Die genauere Untersuchung der Knochen der unbekannten jungen Frau erforderte ein Vorgehen, das eher an den Schlachthof als an eine wissenschaftliche Methode erinnerte. Zunächst musste so viel verbliebenes Weichgewebe wie möglich mit Schere und Skalpell entfernt werden. Dann wurde das Skelett systematisch auseinandergenommen, indem man die Knorpel und Sehnen an den Gelenken zerschnitt. Schädel und Wirbelsäule, Arme und Oberkörper, Beine und Becken: Alles wurde vorsichtig voneinander getrennt. War der Körper dann in seine Einzelteile zerlegt, löste man das restliche Gewebe ab, indem die Knochen in warmem Wasser und Reinigungsmittel mazeriert wurden.

Ein gruseliger und zeitaufwendiger Prozess, aber in diesem Fall ein bisschen einfacher als sonst. Es gab an der Toten kaum noch weiches Gewebe, das entfernt werden musste.

Erst recht nicht an dem zweiten, kleinen Skelett.

Ich hatte das Hilfsangebot des Sektionsassistenten abgelehnt. Ich war daran gewöhnt, alleine zu arbeiten, außerdem bedrückte mich die traurige Aufgabe, die vor mir lag. Ich zog es vor, meinen Gedanken und mir selbst überlassen zu sein.

Erst mehrere Stunden später war ich fertig. Die Knochen der Frau würden über Nacht köcheln. Am nächsten Morgen wären sie dann so sauber, dass sie abgespült, getrocknet und für die Untersuchung ausgelegt werden konnten. Das empfindlichere Kinderskelett lag in lauwarmem Wasser. So würde der Prozess länger dauern, aber ich wollte nicht riskieren, die Knochen zu beschädigen.

Nachdem ich aufgeräumt hatte, konnte ich nichts mehr tun. Bei einem Blick auf die Uhr stellte ich deprimiert fest, wie früh es noch war. Ich hatte nichts vor, und die Aussicht auf einen einsamen Abend im leeren Apartment war nicht verlockend.

Auf dem Weg zum Auto setzte wieder Regen ein. Dicke, schwere Tropfen platschten auf den Gehweg, innerhalb von Sekunden schüttete es. Ich rannte zu meinem Wagen und sprang gerade noch hinein, bevor der Himmel seine Schleusen öffnete. Während ich mir das Wasser aus dem Gesicht wischte, trommelte der Regen auf das Dach und verbarg die Außenwelt hinter den beschlagenen Scheiben. Die Scheibenwischer würden da nicht mithalten können, daher lehnte ich mich zurück und wartete.

Ich hatte keine Eile.

Ich stellte das Radio an und erwischte das Ende der

Sechs-Uhr-Nachrichten, den Teil, der nicht wichtig genug für die Schlagzeilen war. Das Rauschen des Regens übertönte zunächst die Stimme des Sprechers, doch als das St. Jude erwähnt wurde, drehte ich lauter. Ein Interview mit einem Lokalhistoriker, der sich bemühte, nicht zu aufgeregt zu klingen.

«So tragisch die, ähm, *jetzigen* Ereignisse auch sind, ist dies nicht das erste Unglück, mit dem das St. Jude in Verbindung steht», sagte er. «Bei einer Typhusepidemie um 1870 starben mehrere Nonnen, die auf der damaligen Isolationsstation gearbeitet hatten. Kurz darauf kam eine unbekannte Anzahl an Patienten bei einem Brand ums Leben. Ähm, und 1918 erlag fast ein Viertel des Krankenhauspersonals der Spanischen Grippe. Im Zweiten Weltkrieg fiel dann eine Fliegerbombe auf den Ostflügel. Zum Glück ist sie nicht explodiert, aber ein Teil des Dachs wurde heruntergerissen und erschlug eine Krankenschwester. Man nennt sie die Graue Frau.»

«Die Graue Frau?», hakte der Interviewer nach.

«Der Krankenhausgeist.» Dem Historiker war das Lächeln anzuhören. «Angeblich wurde sie von Patienten und Personal im Laufe der Jahre immer wieder gesehen, wenn auch Augenzeugenberichte schwer zu finden sind. Will man der Legende Glauben schenken, gilt sie als Todesbotin.»

So ein Blödsinn. Ich schüttelte verärgert den Kopf.

«Man kann also sagen, das Krankenhaus ist verflucht?», fragte der Interviewer.

«Na ja, so weit würde ich nicht unbedingt gehen. Aber es hat einen Gutteil Unglück und Pech erlebt. Was ironisch ist, da St. Jude als Schutzheiliger der *aussichtslosen Fälle* gilt, er ist der Apostel Judas Thaddäus, der ...»

Ich stellte das Radio ab. Das Interview war ein Lückenfüller, weil die Polizei kaum irgendwelche Einzelheiten über die Todesfälle im Krankenhaus bekanntgegeben hatte. Aber diese Art von Sensationsmache half der Ermittlung nicht.

Das Interview hatte mich auf einen Gedanken gebracht. Ich klappte das Handschuhfach auf und holte das Flugblatt heraus, das mir am Vortag die Demonstrantin gegeben hatte. Unter einem alten Foto des St. Jude waren Zeit und Ort der Versammlung angegeben. Ein Blick auf die Uhr. Ich konnte es gerade noch schaffen.

Schließlich hatte ich nichts Besseres zu tun.

Der Regen hatte nachgelassen, als ich das St. Jude passierte, aber die Straßen waren immer noch menschenleer.

Am Tor war nichts mehr von der Pressemeute zu sehen, die am Tag zuvor dort gestanden hatte. Es wurde von einem einzigen Polizisten bewacht, dessen gelbe Regenkleidung in der Düsterkeit schockierend grell wirkte. Nur ein paar hartgesottene Journalisten hielten die Stellung. Die meisten waren wettergerecht gekleidet oder drängten sich unter Golfschirmen zusammen, aber unter einem Baum stand einsam und tropfnass eine Frau, die der Regen wohl überrascht hatte.

Die Versammlung fand in einem nahegelegenen Gemeindesaal statt. Ich hatte noch zwanzig Minuten Zeit, das sollte bei der geringen Entfernung reichen, aber als ich in eine weitere Straße mit leerstehenden Häusern und verrammelten Läden einbog, bereute ich, das Navi nicht eingeschaltet zu haben. An der nächsten Ecke bog ich wieder ab und hoffte, jetzt die richtige Straße gefunden zu haben, landete aber auf der Hauptstraße hinter dem Krankenhausgelände. Eine einsame Gestalt wanderte die menschenleere Straße entlang. Eine Frau, beladen mit Einkaufstaschen, schleppte sich durch den strömenden Regen. Sie trug einen dicken Mantel ohne Kapuze und hinkte leicht, das Gewicht beim Gehen nach links verlagernd. Irgendwie kam sie mir bekannt vor, aber erst als ich vorbeigefahren war, ging mir auf, dass es die Frau war, der ich gestern in der Kirchenruine begegnet war.

Eingedenk ihrer Abschiedsworte – *«Verpissen Sie sich»* – wäre ich fast weitergefahren, doch im Rückspiegel sah ich den Bus hinter mir durch eine Pfütze fahren. Die alte Frau wurde von einer Schmutzwasserwelle überschüttet und strauchelte seitwärts.

Sie mochte eine zänkische alte Hexe sein, aber so konnte ich sie nicht stehen lassen. Ich hielt an, der Busfahrer blendete verärgert auf. Möglicherweise hatte er nicht mitbekommen, was passiert war, aber ich konnte nicht einfach weiterfahren. Die Frau stand an der Stelle, an der sie nass gespritzt worden war, und rief dem Bus etwas hinterher. Dann nahm sie ihre tropfenden Tüten und schlurfte mit resigniert hängenden Schultern weiter.

Als sie mein Auto erreicht hatte, ließ ich das Fenster herunter. «Soll ich Sie mitnehmen?»

Sie sah sich um. Das graue Haar klebte ihr am Kopf, Wasser tropfte von den Augenbrauen und der Nasenspitze, während sie mich ablehnend anstarrte.

«Wer sind Sie?»

«Wir haben uns gestern im Wald getroffen.» Sie sagte nichts, stierte mich nur feindselig an. Ich machte einen zweiten Versuch. «An der Kirchenruine, hinter dem St. ...»

«Ich weiß. Ich bin nicht blöd.»

Sie rührte sich immer noch nicht. Der Regen wurde durch das offene Fenster in den Wagen geweht, langsam wurde auch ich nass. «Wo wohnen Sie?»

Offensichtlich irgendwo in der Nähe, aber ich hoffte, es wäre kein allzu großer Umweg. Ich wollte pünktlich zum Beginn der Versammlung kommen. Sie blickte mich finster an, aus der Ablehnung wurde pures Misstrauen.

«Wieso?»

«Ich biete Ihnen an, Sie nach Hause zu fahren.» Ich bemühte mich, meine Ungeduld nicht mitklingen zu lassen.

«Ich brauche kein Mitleid.»

Eine Windbö fegte Regen ins Auto. Ich wischte mir die Tropfen vom Gesicht. «Das Wetter ist grauenhaft. Wenn Sie möchten, fahre ich Sie nach Hause, aber wenn Sie lieber gehen wollen, ist das auch okay.»

Sie bedachte den Wagen mit einem zweifelnden Blick und sagte dann widerwillig: «Na gut.»

Ich öffnete die hintere Wagentür. Sie stellte die nassen Tüten auf den Sitz und kletterte mit einem Grunzen hinterher.

«Also, wo soll ich Sie hinfahren?», fragte ich.

Das Gesicht im Rückspiegel sah mich misstrauisch an. Eine Pause.

«Cromwell Street. Die nächste links.»

Beim Losfahren warf ich einen Blick auf die Uhr: Ich würde zu spät kommen. Im Auto roch es nach nasser Wolle und alten Kleidern, und ein säuerlicher Mief sagte mir, dass meine Passagierin nicht oft duschte.

«Ich heiße David», sagte ich, als ich abbog.

«Schön für Sie. Die nächste rechts. Nein, die da, sind Sie blind? Jetzt sind Sie vorbeigefahren!»

Die Straße verschwand hinter uns. «Kein Problem, ich wende.»

Sie schniefte. «Nicht nötig, Sie können auch die nächste nehmen. Sie führen alle zum Ziel.»

Gut zu wissen. Ich versuchte es erneut. «Kein schönes Wetter, um draußen unterwegs zu sein.»

«Hab ja keine Wahl, wenn ich einkaufen muss, oder?»

«Gibt es hier in der Nähe keine Läden?»

«Wäre ich sonst unterwegs?»

Danach gab ich meine Bemühungen auf. Wir fuhren schweigend weiter.

«Lola», sagte sie plötzlich.

«Wie?»

«So heiße ich. Lola.»

Der Feindseligkeit in ihrem Tonfall war Müdigkeit gewichen. Ich schaute in den Rückspiegel und sah, dass sie apathisch aus dem Fenster starrte, das aufgedunsene Gesicht war weich und düster.

Sie sah nicht aus wie eine Lola.

Die Straße ging in die über, in der sie wohnte, ein paar hundert Meter entfernt von dem Wald, in dem ich ihr das erste Mal begegnet war. Auf beiden Seiten standen Reihenhäuser. In einigen brannte Licht, die meisten wirkten verlassen, ein paar Abrisslücken gab es auch.

«Hier.»

Ich hielt vor dem Haus, auf das sie zeigte. Der Kieselrauputz war nicht gestrichen, den Fensterrahmen hätte Farbe gutgetan. Nur die Haustür sah neu aus, eine solide Holztür mit glänzendem Lackanstrich.

Der Regen, kapriziös wie immer, hatte fast aufgehört, als ich aus dem Wagen stieg. Lola hatte bereits die Tür geöffnet und bemühte sich, alleine auszusteigen.

«Lassen Sie mich helfen.» Ich wollte nach ihren Tüten greifen.

«Ich hab sie schon», fauchte sie mich an.

Ich trat zurück, während sie sich aus dem Wagen wuchtete. Ungeschickt umklammerte sie die Tüten und kramte auf dem Weg zur Haustür in ihrer Handtasche. Aber anstatt aufzuschließen, blieb sie mit dem Schlüssel in der Hand stehen und starrte mich an.

«Falls Sie Geld wollen, sind Sie schiefgewickelt.»

«Keine Sorge, ich wollte nur sichergehen, dass Sie zurechtkommen», sagte ich.

«Ich komm klar.»

Es sah aus, als wäre damit unser Gespräch beendet. «Also gut. Passen Sie auf sich auf.»

Sie erwiderte nichts. Ich wandte mich dem Wagen zu, sah auf die Uhr und fluchte innerlich. Ich überlegte kurz, Lola – der Name war wirklich unpassend – nach dem Weg zum Gemeindesaal zu fragen, beschloss aber, dass es den Ärger nicht wert wäre. Ich würde schon hinfinden.

Hinter mir hörte ich das Schloss der Haustür klicken. Plötzlich ein Ausruf, gefolgt von lautem Krachen und zersplitterndem Glas. Ich drehte mich um. Eine der Einkaufstüten war gerissen, Dosen, Gläser und Verpackungen auf den Boden gefallen. Kaputte Eier, Würstchen und Schinkenspeck lagen in einer Milchlache auf dem nassen Gehweg.

Mit dem Fuß hielt ich eine Dose Baked Beans davon ab, in den Rinnstein zu rollen, dann begann ich, die anderen Einkäufe aufzuheben, die in meiner Nähe gelandet waren. Lola stand immer noch vor der Tür und starrte die kaputten Packungen an, als wollte sie nicht glauben, was sie sah.

«Soll ich die hier reinbringen», fragte ich und meinte die Sachen, die ich aufgesammelt hatte.

Ihre Miene verdüsterte sich. «Ich hab doch gesagt, ich will keine Hilfe.»

Sie wandte sich ab, um die übrigen Tüten ins Haus zu stellen, dann griff sie nach den Sachen, die ich in den Händen hielt. Durch die offene Tür war aus dem Haus leises Stöhnen zu hören. Lolas Mund verhärtete sich, aber erst als das Stöhnen sich wiederholte, diesmal lauter, reagierte sie.

«Gib mir 'ne Minute, ich hab dich gehört!», schnauzte sie über ihre Schulter hinweg.

Das Geräusch stammte nicht von einem Tier, sondern von einem Menschen, da war ich mir sicher. Ich versuchte, hinter der offenen Tür etwas zu erkennen. Es war dunkel im Haus, aber ich sah, dass aus einer der Einkaufstüten eine Schachtel herausgefallen war. Eine Packung Inkontinenzeinlagen für Erwachsene.

«Ist alles in Ordnung?», fragte ich.

Sie sah mich an, als wäre die Frage zu bescheuert für eine Antwort. «Was geht Sie das an?»

Ich seufzte und gab die Hoffnung auf, es pünktlich zur Versammlung zu schaffen. «Hören Sie, wie wäre es, wenn ich das hier sauber mache, während Sie die Einkäufe wegräumen?»

Ich weiß nicht, ob sie es in Erwägung zog oder einfach nur überrascht war, jedenfalls starrte sie mich unentschlossen an. Dann riss sie mir die letzte Dose aus der Hand.

«Lassen Sie uns in Ruhe.»

Die Haustür flog vor meiner Nase zu.

KAPITEL 10

Die ersten zehn Minuten der Versammlung hatte ich verpasst. Obwohl der Gemeindesaal nicht weit vom Wohnhaus der alten Frau entfernt lag, gab es keinerlei Ausschilderung, und ich war sowieso schon spät dran gewesen. Schließlich war mir nichts anderes übriggeblieben, als auf mein Navi zurückzugreifen, das mich durch Straßen lotste, die ich alle schon mindestens einmal passiert hatte, ehe es mich endlich in die eine führte, der ich die ganze Zeit frustrierend nah gewesen war. Als ich das Auto abschloss und über die Straße eilte, hatte der Regen fast aufgehört. Es tröpfelte nur noch, doch die bauchigen, grauen Wolken am Himmel verkündeten, dass dies eine vorübergehende Pause war.

An dem strengen edwardianischen Kirchengebäude klebte seitlich ein hässlicher Siebziger-Jahre-Anbau. Sobald ich durch die Tür trat, schlugen mir feuchte Luft und der Mief nasser Kleidung entgegen. Die Wände waren mit Plakaten von sozialen Einrichtungen und Veranstaltungshinweisen behängt, an einer Wand lehnte ein kaputtes Trampolin. Ich hatte damit gerechnet, dass sich die meisten Leute vom Wetter abhalten lassen würden, vor die Tür zu gehen, doch der Saal war voll. Sämtliche Stühle waren besetzt, Menschen standen in den Gängen und an der Rückwand. Auf der Bühne wurde bereits gesprochen, die vom Lautsprecher verstärkte Stimme war die ganze Zeit knapp vor der Rückkopplung.

An einem langen Tapeziertisch saß hinter Mikrophonen ein halbes Dutzend Leute. Die aktuelle Sprecherin, eine erschöpft wirkende Frau mit Kurzhaarschnitt und einer ganzen Ansammlung Halsketten und Anhängern über einem bunten Oberteil, saß mittig. Am Tischende stand ein leerer Stuhl. Neben dem leeren Stuhl saß der Mann, den ich bereits auf der Demonstration am St. Jude gesehen hatte. Er trug auch diesmal ein schlichtes schwarzes Jackett, Jeans und ein gebügeltes weißes Hemd. Obwohl er nichts Extravagantes an sich hatte, war er die mit Abstand beeindruckendste Gestalt auf der Bühne. Die Sprecherin sah beim Reden immer wieder zu ihm hin, als wollte sie sich seiner Zustimmung versichern. Als er dann nickte und sich die Saalbeleuchtung auf seinem kahlrasierten Schädel spiegelte, kroch ihr Röte seitlich den Hals hinauf.

Ich entdeckte an der Wand eine Lücke und steuerte darauf zu. Obwohl ich mich bemüht hatte, den Saal geräuschlos zu betreten, war mein Kommen nicht unbemerkt geblieben. Als ich mich an die Wand lehnte, spürte ich, dass ich beobachtet wurde. Ich blickte zur Bühne und sah, dass der Mann, den ich beim St. Jude gesehen hatte, mich musterte. Beim ersten Mal hatte ich noch gedacht, ich hätte mir das Wiedererkennen in seinem Blick nur eingebildet, doch jetzt gab es keinen Zweifel mehr. Er nickte mir kurz und kaum merklich zu, dann widmete er seine Aufmerksamkeit wieder der Rednerin.

Kennen wir uns? Verdutzt zermarterte ich mir das Hirn. Falls wir uns schon begegnet waren, erinnerte ich mich nicht daran. Er jedenfalls schien mich zu kennen. Ich dachte immer noch darüber nach, als neben mir eine tiefe Stimme flüsterte: «Sie hatte ich hier nicht erwartet, Dr. Hunter.»

Ich erkannte Whelan an seinem Geordie-Akzent, ehe ich ihn sah. Der stellvertretende Ermittlungsleiter quetschte sich neben mich und schenkte der Frau, die ihm Platz gemacht hatte, ein Lächeln.

«Sie haben wohl eine masochistische Ader», sagte er und lehnte sich gegen die Wand. Falls er den Gruß des Mannes auf der Bühne mitbekommen hatte, ließ er es sich nicht anmerken. «Was führt Sie her?», sagte er.

«Pure Neugier», sagte ich, mit ebenfalls gedämpfter Stimme. Ich konnte ja schlecht zugeben, dass ich nicht nach Hause wollte.

«Weiß DCI Ward, dass Sie hier sind?»

«Ich wusste selbst bis vor einer Stunde nicht, dass ich herkommen würde.» Hätte sich die Gelegenheit ergeben, hätte ich meinen Besuch im Vorfeld mit Ward abgeklärt, doch im Grunde sah ich keine Notwendigkeit dafür. Schließlich handelte es sich um eine öffentliche Versammlung. «Was tun Sie hier?»

«Oh, ich sehe mich lediglich ein bisschen um.»

«Glaubt Ward, dass es Ärger geben wird?» Im Saal waren keine Polizisten zu sehen, und außer Whelan war niemand von Wards Leuten gekommen.

Whelan schüttelte den Kopf. «Nein, eigentlich nicht. Es kann trotzdem nicht schaden, die Dinge im Auge zu behalten. Man weiß nie, wer sich so blicken lässt.»

Oder auch nicht, dachte ich und sah zu dem leeren Stuhl am Ende des Tapeziertisches hinüber. Ich nickte in Richtung Bühne.

«Wer sind die Leute?»

«Hauptsächlich Vertreter örtlicher Verbände und kommunal agierende Aktivisten. Die Frau, die gerade spricht, ist

Anwältin. Die daneben leitet eine Lebensmitteltafel.» Er zuckte die Achseln. «Sie meinen's gut – die meisten jedenfalls.»

«Wer ist der Mann neben dem leeren Stuhl?»

Die Lippen des Polizisten verzogen sich zu einem freudlosen Lächeln. «Bei dem steht die Entscheidung noch aus, ob er's gut meint. Das ist Adam Oduya. Ebenfalls kommunaler Aktivist, allerdings in einer anderen Liga als der Rest da oben. War mal Anwalt für Menschenrechte und inszeniert sich jetzt als selbsternannter Vorkämpfer für soziale Gerechtigkeit. Er organisierte den Großteil der Proteste und Kundgebungen zur Rettung des St. Jude, und er war es auch, der diese Naturschutzorganisation zur Rettung der Fledermäuse auf den Plan rief. Ohne ihn wäre der Kasten längst plattgemacht worden.»

Auch das gab mir keinerlei Hinweis darauf, woher dieser Oduya mich kennen könnte. «Damit hat er sich bei den Investoren mit Sicherheit nicht besonders beliebt gemacht.»

«Ich bezweifle, dass er denen schlaflose Nächte bereitet. Das sind riesige internationale Konglomerate, für die sind das hier nur Zahlen auf irgendeiner Bilanz. Den Ärger haben in erster Linie die armen Schweine, die in diesem Viertel leben.»

«Das klingt, als wären Sie auf der Seite der Demonstranten.»

«Ich sympathisiere mit ihnen, daraus mache ich keinen Hehl. Man hört es mir vielleicht nicht an, aber ich bin nur ein paar Straßen weiter aufgewachsen.» Ich machte ein überraschtes Gesicht, und er nickte. «Ich komme aus Blackenheath. Meine Familie ist nach Newcastle gezogen, als ich acht war. Ich hab eine Londonerin geheiratet, so bin ich zurück in die Stadt gekommen. Aber direkt hier in der Gegend bin ich zum ersten Mal wieder. Erschreckend, was aus dem Viertel geworden ist. Reich war diese Ecke noch nie, aber das jetzt?

Überall Drogen, alles entweder abgerissen oder verrammelt, und seit das St. Jude geschlossen wurde, zwölf Meilen Fahrt bis zum nächsten Krankenhaus. Es ist zum Heulen.»

Er hatte die Stimme erhoben und erntete von der Frau, die ihm Platz gemacht hatte, einen ärgerlichen Blick. Er nickte ihr entschuldigend zu, beugte sich näher zu mir und senkte die Stimme wieder.

«Die ganze Gegend schreit förmlich nach Neugestaltung, doch anstatt bezahlbaren Wohnraum zu schaffen, ziehen die Investoren natürlich lieber den nächsten gewerblichen Glaskasten hoch. Das Waldstück hinter dem St. Jude versuchen sie auch in die Finger zu kriegen. Das Areal steht zwar eigentlich unter Naturschutz, aber sie versprechen, wenn sie eine Baugenehmigung kriegen, bauen sie dort Wohnhäuser. Oduya sagt, das ist nichts als heiße Luft, und damit hat er wahrscheinlich recht.»

«Weshalb sehen Sie ihn dann so kritisch?»

Whelan zuckte die Achseln. «In vielem, was er sagt, kann ich ihm nicht widersprechen, aber den sozialen Messias, den er die ganze Zeit raushängen lässt, kaufe ich ihm nicht ab. Für meinen Geschmack ist er ein bisschen zu sehr auf Eigenwirkung bedacht. Er betreibt einen beliebten Blog, hat eine riesige Twitter-Gemeinde und beherrscht das Spiel mit den Medien aus dem Effeff. Photogen ist er, das muss man ihm lassen, ich bin nur einfach nicht überzeugt, dass der nicht seine eigene Agenda verfolgt. Das St. Jude hat seinem Profil jedenfalls nicht geschadet.»

Ich musterte den gutaussehenden Mann auf der Bühne. Er lauschte den langatmigen Ausführungen der Frau aufmerksam und mit konzentriert gerunzelter Stirn. «Welche Art Agenda?»

«Wer weiß? Jedenfalls hat er für seine Ambitionen seine Anwaltskarriere an den Nagel gehängt. Politik vielleicht. Der Typ ist der geborene Politiker und könnte sich hier sein Direktmandat verdienen. Ah, na also. Jetzt geht's los.»

Die Sprecherin kam endlich zum Ende, wandte sich an Oduya und stellte ihn den Anwesenden vor. Als sie sich zurücklehnte, spendete er begeisterten Applaus, und das Publikum folgte ihm, wenn auch nicht ganz so enthusiastisch. Dann nahm er sein Mikrophon aus der Halterung und erhob sich, anstatt wie seine Vorrednerin im Sitzen zu sprechen.

«Vielen Dank, Tanja. Und vielen Dank an Sie alle, dass Sie heute Abend hergekommen sind. Ohne den Regen hätten wir sicher ein volles Haus.»

Er lächelte entspannt und ließ, um dem Witz Raum zu geben, langsam den Blick durch den überfüllten Saal schweifen. Mit Verstärker klang seine Rednerstimme noch beeindruckender, und Gelächter rieselte durchs Publikum. Es verstummte, sobald er wieder ernst wurde.

«Es gibt Menschen, die behaupten, so etwas wie Gemeinschaft gäbe es nicht mehr und dass die Bande, die unsere Gesellschaft zusammenhalten, längst zerrissen wären. Dass den Leuten heutzutage alles egal wäre.» Er nickte und legte eine Kunstpause ein. «Meine Erfahrung heute Abend ist eine ganz andere. Ich sehe Menschen, die nicht gleichgültig sind. Menschen, die sich Sorgen um ihre Familien und ihre Nachbarn machen, Menschen, die ihren Kindern eine bessere Zukunft bereiten wollen. Menschen, die *endgültig die Schnauze voll* davon haben, dass niemand ihnen zuhört!»

Er hatte die Stimme erhoben, die Worte hallten von den Betonwänden des Gemeindesaals wider und provozierten spontanen Applaus. Doch mir war nicht entgangen, wie er das Mikrophon, als er lauter wurde, ein Stückchen von den Lippen weggehalten hatte, um eine Rückkopplung zu vermeiden. Whelan hatte recht: Oduya wusste genau, was er tat.

Die nächsten zehn Minuten sprach er eloquent und mit wohldosierter Leidenschaft. Ich besaß inzwischen bereits einiges Hintergrundwissen über das St. Jude, genau wie alle anderen hier. Doch das spielte keine Rolle. Oduya zog die Leute in seinen Bann, und ich bezweifelte, dass es auch nur ein Augenpaar im Saal gab, das nicht auf ihn gerichtet war.

Er trat hinter dem Tisch hervor, machte eine Show daraus, den leeren Stuhl zu umrunden, stellte sich an den Bühnenrand und blickte in den Saal. Das Publikum verstummte. Er gab dem Schweigen Raum, sich auszudehnen.

«Mir ist bewusst, dass ich Ihnen nichts Neues erzähle, all das haben Sie schon von mir gehört», sagte er schließlich. Seine Stimme war jetzt leiser, trotzdem hatte er den Saal fest im Griff. «Die Schließung unseres Krankenhauses, der Diebstahl – und es *ist* Diebstahl – an unseren Rechten und unserem Grund und Boden, damit irgendwelche Konzerne ihre Gier stillen können, das ist alles längst bekannt. An dem Punkt waren wir bereits, das hatten wir schon. Aber hier geht es nicht mehr nur um Grundstücke, um Gebäude oder Gier. Hier geht es um *Menschenleben*. Menschen sind gestorben. Und was bekommen wir von der Polizei? Schweigen!»

«Oh-oh!», murmelte Whelan.

Oduya deutete mit ausladender Geste auf den leeren Stuhl hinter sich. «Dies wäre für die Polizei eine gute Gelegenheit gewesen, direkt mit den Menschen aus dem Viertel zu sprechen, doch man hat sich entschlossen, zu schweigen. Wo sind die verantwortlichen Ermittler? Wieso sind sie nicht hier?»

Whelan schnaubte verärgert. «Das ist eine verfluchte Inszenierung. Wir wurden nicht eingeladen!»

Doch bei allen anderen im Saal kamen Oduyas Worte gut an. Aus dem Publikum erhob sich bedrohliches Gemurmel, als er sich neben den leeren Stuhl stellte. Ein Requisit, war mir jetzt klar.

«Wir wissen nur, dass drei Menschen gestorben sind, an einem Ort verrottet, der mal ein *Krankenhaus* war! Wir wissen nicht, wer sie sind, wir haben keinerlei Informationen. Aber eins steht fest: Sie haben es nicht verdient, wie Ratten zu sterben, im Stich gelassen und vergessen wie das St. Jude selbst! Keiner von uns verdient es, im Stich gelassen zu werden!»

Der Applaus war dröhnend, Pfiffe und wütende Rufe ertönten. Oduya ging auf der Bühne hin und her, seine Stimme wurde immer lauter.

«Wie konnte es dazu kommen? Ist ein Menschenleben – ist unser Leben, Ihres und das Ihrer Kinder – tatsächlich so wenig wert? Denn machen wir uns nichts vor: Hier steht das Leben unserer Kinder auf dem Spiel! Ich weiß aus zuverlässiger Quelle, dass eine der armen Seelen, die dort gestorben sind, *schwanger* war …»

Whelan erstarrte. «Ach du Scheiße.»

«Die von der Polizei wollen nicht, dass wir davon wissen, weil sie sich schämen. Und das sollten sie auch. Sie sollten sich schämen!» Oduyas Stimme war jetzt voller Leidenschaft. «Was im St. Jude passiert ist, ist mehr als eine Tragödie. Es ist ein Symptom. Ein Symptom der ansteckenden Krankheit, die unsere Gesellschaft befallen hat! Wollen wir wirklich tatenlos zusehen, wie diese Seuche sich immer weiter ausbreitet?»

Die Leute hatten sich von ihren Stühlen erhoben, applaudierten wie wild und schrien sich ihren Frust von der Seele.

Whelan war bereits auf dem Weg ins Freie. Währenddessen stand Oduya mit hoch erhobenem Kopf schweigend ganz vorne am Bühnenrand, das stille Auge des Sturms.

Ich blieb bis zum Schluss, doch nach Oduya wirkten alle anderen Redner farblos. Sie bliesen mehr oder weniger in sein Horn und versuchten erfolglos, denselben Quell an Emotionen anzuzapfen. Oduya hatte wieder Platz genommen und war offenbar zufrieden, sich zurückzulehnen und sich höflich den Rest anzuhören. Das Publikum im Saal war weniger geduldig. Die Ersten gingen, noch ehe der letzte Redner geendet hatte.

Als die Versammlung schließlich zu Ende war, drängte ich gemeinsam mit den anderen in Richtung Ausgang. Whelan war nicht mehr wiedergekommen, und ich vermutete, er hatte Ward umgehend in Kenntnis gesetzt. Mit Sicherheit würde es ein paar hitzige Diskussionen geben. Oduya hatte geheime Details preisgegeben, die außerhalb des Ermittlerkreises niemand kennen konnte, der klare Beweis für eine undichte Stelle im Team. Ward sah einem PR-Debakel entgegen und würde gezwungen sein, sich ein paar unangenehmen Fragen zu stellen.

Als ich den Gemeindesaal verließ, hielt der Regen sich immer noch zurück, doch der feine Niesel in der Luft verriet, dass es bald wieder richtig losgehen würde. Ich gehörte zu den Letzten, hinter mir kamen nur noch ein paar wenige ins Freie. Die Kälte drang durch meine Jacke, und ich machte mich eilig auf den Weg zu meinem Wagen. Doch ich kam nicht weit. Hinter mir rief jemand meinen Namen.

«Dr. Hunter!»

Ich drehte mich um. Eine Gestalt kam auf mich zugeeilt.

Als sie näher kam, stellte ich überrascht fest, dass es Adam Oduya war. Er strahlte mich an.

«Ich dachte mir gestern schon, dass Sie das sind. Wie geht es Ihnen?»

Mir stand die Verwirrung offenbar ins Gesicht geschrieben. Er lächelte entschuldigend.

«Es ist lange her. Wir sind uns mal begegnet, das muss jetzt … acht oder neun Jahre her sein. Der Gale-Fairley-Fall? Ich gehörte zu Kevin Barclays Verteidigerteam.»

Ich brauchte einen Moment, um einzuordnen, worauf er anspielte. Gale Fairley war eine siebzehnjährige Ausreißerin gewesen, deren verwester Leichnam in einem Waldgebiet gefunden worden war. Kevin Barclay, ein dreißigjähriger Arbeitsloser mit Lerndefiziten, war wegen Mordes angeklagt worden, nachdem die Polizei in seinem Zimmer Gegenstände aus ihrem Besitz gefunden hatte. Ich wurde von der Verteidigung als Entlastungszeuge berufen, und es gelang mir, den Todeszeitpunkt des Mädchens auf einen Zeitraum zwischen vier und sechs Wochen vor dem Fund ihrer Leiche einzugrenzen. Weil Barclay zu der Zeit nach einem Autounfall im Krankenhaus gelegen hatte, konnte er sie nicht getötet haben.

Das war weder bei der Polizei noch bei der Staatsanwaltschaft besonders gut angekommen. Die Staatsanwältin versuchte während des Kreuzverhörs mit allen Mitteln, meine Erkenntnisse zu relativieren, doch die Tatsachen standen außer Frage. Barclay wurde freigesprochen, und kurze Zeit später wurde sein Mitbewohner des Mords an Gale Fairley angeklagt und schließlich schuldig gesprochen.

Ich konnte mich zwar an den Fall selbst erinnern, aber nicht an Adam Oduya.

«Damals hatte ich noch Haare», sagte er grinsend und

strich sich mit der Hand über den glatten Schädel. «Außerdem bin ich Ihnen wahrscheinlich gar nicht aufgefallen. Ich war ein kleiner Nachwuchsanwalt und arbeitete hauptsächlich im Hintergrund. Sie hatten in erster Linie mit James Barraclough zu tun.»

An den erinnerte ich mich allerdings: ein wichtigtuerischer Kronanwalt mit einer übertriebenen Vorstellung von seiner eigenen Bedeutsamkeit. Und jetzt konnte ich auch Oduya langsam einordnen.

«Ein ziemlicher Schritt», sagte ich und nickte zu dem Gemeindesaal hinüber. «Interessante Rede, die Sie da eben gehalten haben.»

«Die Dinge mussten gesagt werden. Und ich werde nicht damit aufhören, bis die Menschen endlich zuhören.»

«Auf mich hat es gewirkt, als würden sie das bereits tun.»

«Um etwas zu bewirken, braucht es mehr als ein paar hundert Leute in einem Gemeindesaal.» Eine Sekunde lang klang er frustriert. «Hören Sie, ich muss da drinnen noch ein paar Sachen klären, aber wie wär's danach mit einem Bier?»

Die Alarmglocken, die bereits eingesetzt hatten, klingelten lauter. «Danke, aber ich kann nicht.»

«Dann ein andermal? Wir können uns auch auf einen Kaffee treffen, falls Ihnen das lieber ist.»

«Ich glaube nicht.»

Er lächelte und sah mich forschend an. «Um nicht mit dem Feind zu kollaborieren? Ist es das?»

Er hatte mich am St. Jude gesehen, er wusste also bereits, dass ich zum Team der Ermittler gehörte. «Sagen wir, ich will einen Interessenkonflikt vermeiden.»

Beschwichtigend streckte er die Hände aus.

«Ich möchte Sie nicht in Schwierigkeiten bringen, darauf

haben Sie mein Wort. Ob Sie's glauben oder nicht, wir stehen auf derselben Seite. Sie haben den Wunsch, Opfern zu helfen und ihnen Gerechtigkeit widerfahren zu lassen. Genau wie ich.»

«Indem Sie vertrauliche Informationen aus einer Mordermittlung preisgeben?»

«Falls Sie damit meinen, dass eines der Opfer schwanger war, dann ja. Ich registriere, dass Sie es nicht dementieren.»

Pass auf! «Es liegt nicht an mir, Dinge zu bestätigen oder zu dementieren. Woher haben Sie Ihre Information überhaupt?»

Das Leck könnte von allen stammen, die mit den Ermittlungen zu tun hatten. Neben Dutzenden involvierten Polizisten könnte es auch jemand aus dem Leichenschauhaus gewesen sein oder einer der Feuerwehrleute oder Sanitäter, die am Schauplatz gewesen waren.

Oduya schüttelte lächelnd den Kopf. «Sie wissen, dass ich Ihnen das nicht sagen werde. Jedenfalls ist die Quelle zuverlässig.»

«Und Sie glauben, mit so etwas billig Punkte zu sammeln, wäre die beste Art zu helfen?»

«Habe ich das Ihrer Meinung nach getan?» Er wirkte aufrichtig erstaunt. «Jedes dieser Opfer hat irgendwo Familie oder Freunde. Finden Sie nicht, die haben ein Recht darauf zu erfahren, was mit ihnen geschehen ist?»

«Selbstverständlich, aber nicht auf diese Weise.» Ich brauchte keine Belehrungen von ihm, nicht nach dem, was ich am Nachmittag im Leichenschauhaus getan hatte. «Diese Entscheidung liegt nicht bei Ihnen.»

«Ach, kommen Sie, Dr. Hunter! Schlagen Sie ernsthaft vor, wir sollen den Behörden vertrauen? So naiv sind Sie nicht!»

Das saß. Ich hätte beinahe angefangen, mit ihm zu streiten,

doch ich riss mich zusammen. Genau das wollte Oduya. Als ehemaliger Strafverteidiger war er bestens geübt in kontradiktorischer Argumentation. Ich würde mich von ihm nicht provozieren lassen, irgendetwas preiszugeben.

Er änderte die Taktik, vielleicht weil er Lunte roch. «Ich bin nicht auf irgendwelche Informationen aus, versprochen. Das ist nicht der Grund, weshalb ich Ihnen hinterhergelaufen bin. In erster Linie wollte ich hallo sagen. Wir haben schließlich mal zusammengearbeitet, und es wäre schön, wenn das wieder gelänge. Wenn nicht jetzt, dann vielleicht ein andermal.»

«Okay.»

Er lächelte bedauernd. «Ich sehe schon, Sie trauen mir nicht. Das ist verständlich. Ich möchte Sie nur um eines bitten. Seien Sie unvoreingenommen.»

«Das versuche ich grundsätzlich.»

«Mehr kann ich nicht verlangen.» Er reichte mir eine Visitenkarte. Nach einem Augenblick des Zögerns nahm ich sie.

«Es war schön, Sie wiederzusehen, Dr. Hunter. Was einige Ihrer Kollegen bei der Polizei auch über mich erzählen mögen, ich bin nicht der Feind, wirklich nicht. Ich hoffe, Sie vergessen das nicht.»

Ich steckte die Karte in meine Brieftasche und blickte ihm nach.

KAPITEL 11

Am nächsten Morgen machte ich mich früh auf den Weg. Ich musste ins Leichenschauhaus, doch die Knochen, die ich über Nacht zum Mazerieren eingelegt hatte, würden nicht davonlaufen, und es konnte nicht schaden, sie ein oder zwei Stunden länger in ihrem Wasserbad zu belassen.

Vorher wollte ich noch etwas erledigen.

Ich war gut gelaunt erwacht. Rachel hatte sich abends noch gemeldet. Ich hatte frühestens in ein paar Tagen wieder mit einem Anruf gerechnet, doch ihr Boot hatte außerplanmäßig an einer Insel mit gutem Funknetz haltgemacht. Sie klang fröhlich und optimistisch, erzählte von der Delfinschule, die sie begleitet hatten, und von dem einen, den sie aus einem herrenlosen Fischernetz befreit hatten. Ihre Geschichten von blauem Meer und weitem Himmel waren eine völlig andere Welt als das Londoner Herbstgrau und ein anderes Universum als die düstere Glocke, die über dem St. Jude hing. Nach dem Sumpf der Ermittlungen war ihre Stimme eine willkommene Belohnung.

Doch die gute Laune hielt nur an, bis ich das Radio einschaltete. Obwohl ich bei der Versammlung keine Medienvertreter gesehen hatte, waren offensichtlich doch Journalisten anwesend gewesen, oder aber Oduya hatte sich im Anschluss selbst an die Presse gewandt. Wie auch immer, er war nicht untätig gewesen.

«Die Polizei lehnt es ab, Ihre Behauptung zu kommentieren, eine der im St. Jude entdeckten Leichen sei schwanger gewesen», sagte der Reporter. «Wie sind Sie an diese Information gelangt? Wurde sie Ihnen von einem Insider zugespielt?»

«Sie werden verstehen, dass ich meine Quellen nicht preisgeben werde. Sagen wir einfach, ich bin nicht der Einzige, der sich mit der Art und Weise unwohl fühlt, wie die Ermittlungen gehandhabt werden», hörte ich Oduyas inzwischen vertraute Stimme sagen. «Meine Quelle ist jedoch absolut zuverlässig. Außerdem wurde die Information gestern Abend zusätzlich von jemandem bestätigt, dem ich vertraue und der dank seiner Position über die nötigen Informationen verfügt.»

Was? Ich verbrannte mir den Mund am Kaffee und setzte hastig den Becher ab, um zuzuhören.

«Was ist Ihrer Meinung nach der Grund dafür, dass die Polizei dieses Detail unter Verschluss hält?», wollte der Reporter wissen.

«Das ist eine sehr gute Frage. Ich habe darauf keine Antwort und möchte in aller Deutlichkeit an die Polizei appellieren: Sagen Sie der Öffentlichkeit endlich die Wahrheit, zum Wohle der Familie dieser unbekannten Frau und ihres Kindes. Wir haben ein Recht auf die Wahrheit. Wozu diese Geheimniskrämerei? Wovor die Angst?»

Ach, komm schon! Angewidert kippte ich den Kaffee in den Ausguss. Mir war der Appetit vergangen. Die Preisgabe derart heikler Informationen war schlimm genug. Damit riskierte man, dass die Telefonzentralen von verzweifelten Angehörigen überrollt wurden, außerdem gezielte Falschmeldungen und Fehlalarme. Schon nach dem Gespräch mit Oduya war mir klargeworden, dass er alles daransetzte, die Sache öffentlich zu machen.

Doch der Schlusssatz, sein *Wovor die Angst?*, war der zynische Versuch, die Story aufzuputschen. Es war das typische, aufmerksamkeitsheischende Zitat, auf das die Leute anspringen würden, das Vertuschung und Verschwörungen suggerierte, wo es keine gab. Whelan hatte gesagt, Oduya beherrsche das Spiel mit den Medien. Jetzt war mir klar, was er damit gemeint hatte. Und ich hatte eine relativ genaue Vorstellung, wen er mit der vertrauenswürdigen Quelle meinte. Trotz aller Beteuerungen war Oduya bereit, mich zu benutzen, um sein Anliegen zu untermauern. Auch wenn ich mein Bestes gegeben hatte, die Frage nach der Schwangerschaft eines der Opfer zu umgehen, hatte ich sie nicht geradeheraus verneint. Wie auch, schließlich stimmte es.

Mehr hatte er nicht gebraucht.

Ich versuchte, Ward zu erreichen, landete aber sofort auf der Mailbox. Kein Wunder. Sie arbeitete mit Sicherheit gerade an einer Strategie zur Schadensbegrenzung. Die Schwangerschaft des jungen Opfers war jetzt öffentlich, daran konnte sie nichts mehr ändern. Reagierte sie jedoch sofort auf Oduyas Äußerungen, würde es so aussehen, als hätte er sie dazu gezwungen. Und wenn sie nicht sofort reagierte, befeuerte sie damit seine Behauptung, die Polizei würde die Öffentlichkeit mit Absicht im Dunkeln lassen.

Schlecht gelaunt fuhr ich mit dem Aufzug hinunter in die Tiefgarage. Der Berufsverkehr war die übliche Mischung aus verstopften Straßen und blankliegenden Nerven, und mein Tag war jetzt schon schlimm genug. Ein Zusammenstoß mit einem anderen Wagen würde es nicht besser machen.

Die Reihenhäuser wirkten verwaist, als ich links ranfuhr.

Von der Fensterbank eines verrammelten Hauses musterte mich mit gleichgültigem Blick eine Katze, und am Ende der Straße schob eine müde Frau Zwillinge in einem Doppelbuggy vor sich her. Ansonsten war die Straße verlassen.

Neben der neuen Haustür war eine uralte Türklingel. Ich drückte den Knopf und löste damit lediglich das Knirschen von kaputtem Plastik aus. Hinter der Tür herrschte Stille. Stattdessen klopfte ich. Nur ein Fleck auf dem Gehsteig zu meinen Füßen markierte die Stelle, wo Eier und Milch heruntergefallen waren, alle weiteren Beweise waren verschwunden.

Ich war mir nicht sicher, wie Lola mich empfangen würde. Sie hatte mir ziemlich deutlich zu verstehen gegeben, dass sie ihre Ruhe wollte. Normalerweise hätte ich das akzeptiert, aber meine Sorge galt nicht in erster Linie ihr. Da war dieses Stöhnen gewesen, als sie die Haustür aufgesperrt hatte, und dann die Inkontinenzeinlagen in der Einkaufstüte. Man musste kein ehemaliger Hausarzt sein, um zu verstehen, was das hieß. Eine alte Frau, die auf sich allein gestellt war, war eine Sache, aber falls sie sich tatsächlich um einen kranken Ehemann oder Angehörigen kümmern musste, konnte ich das unmöglich auf sich beruhen lassen, ehe ich mich vergewissert hatte, dass alles in Ordnung war. Ich war bereits früher in diesem Jahr einem Menschen begegnet, der meine Hilfe gebraucht hätte. Damals hatte ich nichts unternommen und es im Nachhinein bitter bereut.

Ich wollte nicht noch einmal denselben Fehler machen.

Ich wartete ein paar Sekunden und klopfte erneut. Keine Reaktion. Ich dachte schon, ich hätte die Fahrt umsonst gemacht, doch als ich mich von der Haustür abwandte, sah ich, dass die Jalousie am Fenster sich bewegte.

«Hallo?», rief ich.

Nichts. Wenigstens wusste ich jetzt, dass jemand zu Hause war. Ich hob die Einkaufstüte hoch, die ich in der Hand hielt, damit man sie sehen konnte.

«Ich habe Ihnen was mitgebracht.»

Es kam keine Reaktion, und gerade als ich dachte, ich könnte die Tüte ebenso gut vor die Haustür stellen und gehen, hörte ich ein Klicken, und die Tür wurde aufgesperrt.

Sie öffnete sich ein paar Zentimeter weit und wurde dann von einer Kette gestoppt. Lolas aufgedunsenes Gesicht musterte mich durch den Spalt.

«Was wollen Sie?»

«Ich habe Sie gestern Abend nach Hause gefahren und ... »

«Ich weiß, wer Sie sind! Ich habe gefragt, was Sie wollen!»

Sie musterte die Einkaufstüte, hin- und hergerissen zwischen Misstrauen und Gier.

«Ich bezahle nicht für Zeug, das ich nicht wollte.»

«Ich möchte kein Geld.»

«Und Almosen will ich auch keine!»

Ich versuchte es anders. «Das ist das mindeste, was ich tun kann. Es tut mir leid, dass ich Ihnen mit Ihren Einkäufen nicht geholfen habe. Sie würden mir einen Gefallen tun.»

Sie zog ein finsteres Gesicht und machte mir die Tür vor der Nase zu. *Ich hab's versucht.* Dann war das Rasseln der Kette zu hören, und die Tür ging wieder auf. Lola bedachte mich mit einem misstrauischen Blick, dann trat sie widerwillig beiseite und ließ mich hinein.

Einen Flur gab es nicht. Die Haustür führte direkt in ein kleines Zimmer. Innen war es dämmrig, die Jalousie vor dem Fenster sperrte das Licht fast gänzlich aus. Der Geruch schlug mir direkt ins Gesicht, ein heftiger Gestank nach Exkrementen und uralter Bettwäsche, der mich im Handumdrehen in meine Zeit als Hausarzt zurückversetzte. Irgendwo tickte eine Uhr, zählte mit einem metronomischen *Tock* die Sekunden, und als meine Augen sich an die Dunkelheit gewöhnten, sah ich, dass ich mich in einem Wohnzimmer befand, das irgendwann zur Küche umfunktioniert worden war. Jetzt diente es außerdem als Krankenzimmer. In der Mitte lag unter schmutzigen Decken ein Mann in einem Bett. Sein Alter ließ sich schwer schätzen, jedenfalls war er viel jünger als Lola. Er hatte fettige braune Haare und einen ungepflegten Bart, der die eingefallenen Wangen bedeckte. Sein Mund stand offen, und einen schrecklichen Augenblick lang dachte ich, er wäre tot. Dann sah ich, dass seine Augen lebendig waren und mich aus dem schlaffen Gesicht aufmerksam betrachteten.

«Geben Sie her.» Fast riss Lola mir die Tüte aus der Hand. Dann, als sei es ihr eben erst eingefallen, sah sie zum Bett. «Das ist mein Sohn, falls Sie sich fragen.»

Das hatte ich mir schon gedacht. Ein Schränkchen am Fußende des Betts war mit gerahmten Fotos von ihm vollgestellt, alle aufgenommen, als er noch sehr viel jünger gewesen war. Es waren Bilder von ihm als kleinem Jungen, dick und mit runden Pausbacken, als Schüler, bis hin zu Schnappschüssen von einem ungeschlachten Teenager. Übergewichtig und sichtlich gehemmt, trug er auf allen Bildern das gleiche scheue Lächeln zur Schau.

Von Lächeln konnte nicht mehr die Rede sein, ob scheu oder nicht. Zudem hatte die Krankheit ihm jegliches überschüssige Fleisch von den Knochen gebrannt und nur eine ausgemergelte Ruine zurückgelassen. Bis auf die dunklen Haare hatte der Mann im Bett mit dem Teenager auf den Fotos nichts mehr gemeinsam. Ich schenkte dem eingefallenen Gesicht ein freundliches Lächeln.

«Hallo. Ich bin David.»

«Sie verschwenden Ihre Zeit, er kann nicht antworten», blaffte Lola und knallte die Einkaufstüte unsanft auf die Arbeitsplatte. In dem Spülbecken daneben stapelte sich schmutziges Geschirr. «Er hatte einen Schlaganfall.»

«Schon gut, ich habe mich nur vorgestellt.»

Ich hütete mich vor der Annahme, ihr Sohn würde nicht verstehen, was vor sich ging, nur weil er körperlich beeinträchtigt war. Die Augen, die mich unentwegt beobachteten, waren hellwach. Sein Blick verfolgte mich, seit ich zur Tür hereingekommen war.

Während seine Mutter anfing, die Einkaufstüte auszupacken, sah ich mich in dem Zimmer um. In einer Ecke stapelten sich neben einem zusammengeklappten Rollstuhl Pakete mit Inkontinenzwindeln. Überall lagen medizinische Hilfsmittel und Produkte verstreut, und eine Kommode verschwand beinahe unter Stapeln von Anzeigenblättern und ungeöffneter Post. Ich entzifferte den Namen auf den obersten Umschlägen: *Mrs. L. Lennox.*

«Es ist sicher nicht leicht», sagte ich und achtete darauf, auch den Mann mit anzusprechen. «Haben Sie Hilfe, oder kümmern Sie sich ganz allein?»

«Wer soll das denn sonst machen?» Sie zog eine Packung aus der Tüte. «Ich brauche keine Würstchen. Die hab ich abgewaschen.»

«Was ist mit dem Sozialdienst?»

Sie kramte immer noch in der Tüte und sagte, ohne den Blick zu heben: «Was soll mit dem sein?»

«Kann man Ihnen niemanden organisieren, der Sie ab und zu unterstützt?»

«Ich hab Ihnen schon gesagt, ich brauch keine Hilfe. Jedenfalls nicht von denen.» Verächtlich musterte sie eine Schachtel. «Ich mag keine Apfeltaschen. Was sollen die denn?»

«Tut mir leid.» Ich versuchte es noch einmal. «Wie kriegen Sie das alles hin? Bettwäsche wechseln, zum Beispiel, das muss doch schwer sein, ganz allein?»

«Ich weiß, was ich tue. Ich war mal Krankenschwester.»

«Im St. Jude?», fragte ich spontan.

«In dem Drecksloch? Sicher nicht. Schlimm genug, um die Ecke zu wohnen.»

Sie drehte sich zu mir um und starrte mich finster an. «Sie stellen ziemlich viele Fragen, was?»

«Ich wollte mich nur unterhalten.»

Höchste Zeit, das Thema zu wechseln. Ich deutete mit gerecktem Kinn auf ein gerahmtes Foto, diesmal an der Wand. Es zeigte eine junge Frau in einem engen, roten Kleid, die Haare sorgfältig hochgesteckt und mit Haarlack fixiert. Das Bild war verblichen, doch der Stil und die übertriebenen Farben ließen auf die Siebziger schließen. Die Frau auf dem Bild war attraktiv und lächelte in Modelpose wissend in die Kamera. Ich hätte auch so erraten, wer sie war, doch eindeutig erkannte ich sie an ihren Augen. Die hatten sich nicht verändert.

«Sind Sie das?», fragte ich.

Ihr Ausdruck wurde weicher, als sie sah, was ich meinte. «Ja. In meiner Blütezeit. Damals klebten die Kerle an mir wie die Fliegen. Heute nicht mehr.»

Bedauern zog über ihr Gesicht, vielleicht auch Widerwille. Doch es war gleich wieder weg, ersetzt durch Verdruss, als vom Bett ein tiefes Stöhnen kam. Ich sah zu dem Mann hinüber. Er starrte uns eindringlich an, ein Rinnsal Spucke lief ihm übers Kinn. Sichtlich erregt, fing er an, sich zu bewegen, und stieß mit schwacher Hand eine Schnabeltasse auf den Boden.

«Damit fangen wir gar nicht erst an!», blaffte seine Mutter und ging zu ihm, um den Becher aufzuheben. «Sei still, ich bin gleich bei dir.»

«Geht es ihm gut?»

«Er braucht eine frische Windel. Ich mach das, wenn Sie weg sind.»

Sie wandte sich ab und nahm ihre Handtasche. Sie holte die Geldbörse heraus und zählte etwas Geld ab.

«Wirklich, ich möchte kein Geld ...»

«Ich habe gesagt, ich will keine Almosen.»

Ihre Stimme war eisenhart. Ich verschwendete keinen weiteren Atemzug, es war sinnlos zu streiten. Unbehaglich musterte ich ihren Sohn. Er hatte sich etwas beruhigt, als hätte ihn selbst diese kleine Aufregung ermüdet, aber er beobachtete uns immer noch. Auf dem Sims des Gasofens führte die alte Uhr ihr unermüdliches Tagwerk fort. Armer Teufel, dachte ich, hier zu liegen und dem Verstreichen der Sekunden zuzuhören, musste die reinste Folter sein. Sein Mund begann zu arbeiten, öffnete und schloss sich wie bei einem Fisch, und frischer Speichel rann ihm übers Kinn.

«Hier!» Lola drückte mir das Geld in die Hand. «Für die Würstchen und die Apfeltaschen kriegen Sie nichts, die wollte ich nicht.»

Was sie nicht davon abhielt, sie trotzdem zu behalten, stellte ich fest. Ich hatte ihre Gastfreundschaft jedenfalls bis an die Grenzen strapaziert, falls sie denn je existiert hatte. Ich wandte mich zum Gehen, dann hielt ich inne.

«Ach, ich habe ganz vergessen zu fragen, wie heißt eigentlich Ihr Sohn?», fragte ich, an den Mann im Bett genauso gewandt wie an seine Mutter.

Sie starrte mich an, als sei die Frage schwer zu beantworten. «Gary. Er heißt Gary», sagte sie dann.

Ich spürte seinen Blick auf mir, als ich die Tür öffnete und hinaustrat. «Tschüs …», wollte ich sagen und drehte mich um, aber die Tür war schon ins Schloss gefallen.

Es war erleichternd, nach dem Gestank in dem vollgestopften Zimmer wieder an der frischen Luft zu sein. Doch das, was ich gesehen hatte, hatte mich aufgewühlt. Lolas Sohn war ein chronisch kranker Mann und rund um die Uhr auf häusliche Pflege angewiesen. Selbst wenn seine Mutter früher Krankenschwester gewesen war, hatte ich nicht erkennen können, dass sie die Kapazitäten besaß, sich angemessen um ihn zu kümmern. Ganz abgesehen von ihrem Alter. Sie musste Mitte siebzig sein, und auch wenn sie trotz der steifen Glieder ziemlich rüstig wirkte, war der Umgang mit Bettpfannen, Wundliegegeschwüren und Körperpflege im Bett selbst für jemand viel Jüngeren anstrengende Arbeit.

Die Frage war nur: Was sollte ich tun?

«Furchtbare alte Schachtel, nicht wahr?»

Ein paar Häuser weiter stand eine Frau in der geöffneten Tür. Sie sah aus wie Mitte vierzig, auch wenn sich das, so stark geschminkt, wie sie war, schwer schätzen ließ. Ihre Haare waren tiefschwarz gefärbt, und Gesicht und Hals hatten die unnatürlich orangebraune Tönung von Bräunungscreme. Sie wirkte ein bisschen gelbsüchtig, wie sie da so im Türrahmen lehnte. Sie wedelte mit der Zigarette in Richtung der Tür, die mir soeben vor der Nase zugemacht worden war.

«Was auch immer Sie wollen, bei der beißen Sie auf Granit.» Unverbindlich lächelnd steuerte ich auf meinen Wagen zu. Ich hatte keine Lust, mich in ein Gespräch verwickeln zu lassen. Die Frau ignorierte den deutlichen Hinweis.

«Sind Sie vom Sozialdienst?»

«Nein.» Aber ich verlangsamte den Schritt. «Warum?»

Sie zog an ihrer Zigarette und musterte mich durch den Rauch. «Wird endlich Zeit, dass jemand was unternimmt. Es ist nicht in Ordnung, dass die ihren Sohn bei sich zu Hause hat. Er müsste dringend ins Heim, in seinem Zustand. Den Gestank riecht man bis hier draußen.»

Ich sah zu Lolas Haus hinüber. Die Jalousien waren zwar immer noch geschlossen, trotzdem ging ich ein Stück die Straße runter, um außer Hörweite und außer Sicht zu sein. «Wie lange ist er denn schon in dem Zustand?»

Sie zuckte die Achseln. «Keine Ahnung. Ich lebe seit fast einem Jahr hier, da war er schon so. Das einzige Mal, das ich ihn gesehen habe, war kurz nachdem ich eingezogen bin, als sie ihn draußen im Rollstuhl rumgefahren hat. Armer Hund, mich soll man erschießen, wenn ich mal so ende.» Sie sagte es ohne echte Regung.

«Kommt manchmal jemand zum Helfen? Ein Sohn oder eine Tochter?»

«Nicht dass ich wüsste. Kann man auch verstehen, oder? Sauertöpfische alte Kuh. Ich hab sie mal gefragt, was mit ihm los ist, und sie meinte nur, ich soll mich um meinen eigenen Dreck scheren. Noch mal habe ich sie nicht angesprochen, das können Sie mir glauben.» Sie musterte mich von Kopf bis Fuß und aschte nachdenklich die Zigarette ab. «Wenn Sie nicht vom Sozialdienst sind, was sind Sie dann? Ein Arzt oder so was?»

«So was in der Art.» Das war nicht gelogen und ersparte mir umständliche Erklärungen.

«Dachte ich mir. Sie strahlen das irgendwie aus.» Sie klang zufrieden mit sich. «Ein ganz schönes Wrack, der Sohn, oder? Wundert mich nicht, wenn sich so jemand wie die um ihn kümmert. Aber besser er als ich, nach dem, was sie getan hat.»

Das war so überspitzt formuliert, dass es eine offensichtliche Einladung zum Nachhaken war. Ich wollte eigentlich nicht fragen, aber meine Neugierde gewann die Oberhand.

«Was hat sie denn gemacht?»

Die Frau grinste. «Hat Sie Ihnen erzählt, sie wäre mal Krankenschwester gewesen?»

«Ja, richtig.»

«Hat sie Ihnen auch erzählt, dass sie gefeuert wurde?»

Die Nachbarin taxierte mich, begierig auf meine Reaktion.

«Weswegen denn?»

«Nach allem, was ich gehört habe, kann sie froh sein, dass sie nicht im Gefängnis gelandet ist.» Sie zog an ihrer Zigarette, sichtlich angetan von meiner Aufmerksamkeit. «Die Leute sagen, sie hätte ein Kind getötet.»

KAPITEL 12

Von Lola aus fuhr ich am St. Jude vorbei. Es lag nicht weit entfernt, und ich wollte sehen, welche Auswirkungen Oduyas
Indiskretion hatte. Am Vorabend waren vor dem alten Krankenhaus kaum Journalisten gewesen, und das hatte nicht am
Regen gelegen. Ohne neue Erkenntnisse, die das Medien-
interesse hätten befeuern können, war es schnell wieder abgekühlt.

Doch das hatte Oduyas Auftritt geändert. Vor den Toren
tummelten sich wie ganz am Anfang Übertragungsfahrzeuge und Journalisten. Zwar nicht so viele wie beim Fund
der Leichen, aber das Interesse an der Story hatte definitiv
neuen Aufwind bekommen. Die Menschentraube reichte bis
auf die Straße und zwang mich, den Fuß vom Gas zu nehmen.
Und das war auch gut so. Aus entgegengesetzter Richtung
ging ein junger Kerl mit Kapuzenpulli auf die Journalisten zu.
Neugierig verdrehte er den Kopf, offensichtlich mehr an den
Fernsehkameras interessiert als an seinem Weg, und plötzlich
überkam mich einer dieser intuitiven Momente. Ich wusste,
was passieren würde.

Ich war bereits auf die Bremse gestiegen, als er vom Gehsteig auf die Straße trat. Knapp war es trotzdem. Er stand direkt vor mir, und hätte ich nicht bereits das Tempo gedrosselt

gehabt, hätte ich ihn erwischt. So wurde ich, als der Wagen abrupt zum Halten kam, lediglich unsanft in den Gurt gepresst, und mein Transportkoffer rumpelte im Kofferraum nach vorne. Der Jugendliche stand regungslos mitten auf der Straße, das kapuzenumrahmte Gesicht starr vor Schreck angesichts des Autos, das plötzlich aus dem Nichts vor ihm aufgetaucht war. Dann veränderte sich sein Ausdruck.

«Pass gefälligst auf, wo du hinfährst, Idiot!»

Er wirkte, als sei er kurz davor, meinem Wagen einen wütenden Tritt zu verpassen, doch dann fielen ihm offensichtlich die Polizisten auf der anderen Straßenseite ein. Mit einem verstohlenen Seitenblick in Richtung der Beamten senkte er den Kopf und eilte davon.

Der Beinahe-Unfall hatte mich nicht kaltgelassen. Mit pochendem Herzen legte ich den Gang ein und fuhr langsam weiter. Die am nächsten stehenden Journalisten hatten den Vorfall ebenfalls mitbekommen. Ich spürte ihre Blicke auf mir, als ich weiterfuhr, ohne zu ihnen hinzusehen.

Ich wollte ihnen nicht noch mehr Schlagzeilen liefern.

Während das St. Jude im Rückspiegel verschwand, dachte ich über Lola nach. Es gab also Gerüchte, die besagten, die alte Frau sei vor Jahren entlassen worden, nachdem ein Kind, dessen Pflege ihr oblag, gestorben war. Die Nachbarin hatte es zwar sichtlich genossen, mir die Geschichte unter die Nase zu reiben, doch es war schnell klargeworden, dass sie nichts Näheres wusste. Falls es denn irgendetwas zu wissen gab. Ich war selbst schon einmal das Opfer übler Nachrede gewesen und wusste, wie sehr ein schlechter Ruf an einem klebenblieb, egal, ob an der Sache etwas dran war oder nicht.

Andererseits hatte Lola mir selbst erzählt, dass sie früher Krankenschwester gewesen war. Und nur weil mir die Lust missfiel, mit der manche Menschen Verleumdungen verbreiteten, hieß das nicht, dass in solchen Geschichten nicht manchmal doch ein Körnchen Wahrheit steckte.

Es war eine unerwartete Verkomplizierung, vor allem nachdem ich mit eigenen Augen gesehen hatte, unter welchen Umständen Lola und ihr Sohn lebten. Es war offensichtlich, dass sie Mühe hatte, ihn allein zu versorgen, und obwohl ich mich nicht einmischen wollte, galt es, ihren Wunsch nach Unabhängigkeit gegen sein Wohlergehen abzuwägen. Ich mochte zwar nicht mehr als Arzt praktizieren, trotzdem konnte ich nicht so tun, als hätte ich nicht gesehen, wie es Lola und ihrem Sohn ging.

Die Frage war nur, was sollte ich unternehmen?

Es war erleichternd, die kühle, distanzierte Stille des Leichenschauhauses zu betreten. Hier hatte ich zumindest ein wenig Kontrolle über die Dinge. Ich meldete mich an, zog den Kittel über, stellte mein Telefon auf lautlos und schob es in eine Seitentasche. War ich mit besonders anspruchsvollen Herausforderungen konfrontiert, sperrte ich es oft von vornherein in den Spind. Doch die heutige Aufgabe war eher Routine, und ich wollte erreichbar bleiben.

Ich wusste, dass Ward mich anrufen würde.

Als Erstes sah ich nach den empfindlichen Knochen des Fötus. Obwohl kaum Gewebereste übrig waren, würden die Knochen einige Tage bei Zimmertemperatur in reinem Wasser liegen müssen, bis sich das verbliebene Weichgewebe vollständig gelöst hatte. Danach wäre die Untersuchung dieser Knochen jedoch reine Formalität. Nichts deutete darauf hin, dass die Mutter erstochen worden war oder ein anderes physisches Trauma erlitten hatte, dessen Spuren auf den winzigen Knochen zu finden sein würden. Eingebettet in die Gebärmutter, war ihr Ungeborenes vor allen Einflüssen der letzten Augenblicke, die sie durchlitten haben mochte, geschützt gewesen.

Zumindest bis zu ihrem Tod.

Mehr als täglich das Wasser zu wechseln, in dem die Knochen lagen, konnte ich nicht tun. Sobald das erledigt war, wandte ich mich der Mutter zu. Über Nacht in einer milden Seifenlauge simmernd, hatten sich Gewebe und Fett durch die Mazeration von den exartikulierten Knochen gelöst. Ich zog mir ein paar ellbogenlange Gummihandschuhe über und bereitete den nächsten Schritt vor.

Als Wunderwerk biologischer Konstruktionstechnik stellt der Knochen alles von Menschenhand Gebaute in den Schatten. Weit entfernt von der kompakten Masse, die man sich häufig vorstellt, wenn man an Knochen denkt, ist er ein Meisterstück struktureller Konstruktion. Die Oberfläche, die Kortikalis oder Knochenrinde, ist aus dünnen Gewebeschichten geformt, Lamellenknochen genannt. Glatt und kräftig, besteht sie aus Kollagenfasern und Mineralkristallen, die strukturelle Belastungslinien bilden. Das Knocheninnere besteht aus einer schwammartigen Struktur, der Spongiosa. Sie verleiht dem Knochen Stabilität, ohne ihn mit zusätzlichem Gewicht zu belasten. In langen Knochen, zum Beispiel in den Arm- oder Beinknochen, ist der hohle Kern – oder die Markhöhle – mit Knochenmark gefüllt: ein von Aasfressern und Fleischfressern aller Art in höchstem Maße geschätztes fetthaltiges Gewebe.

Eine vollständige Untersuchung würde ich erst anstellen können, nachdem ich die Knochen der Frau in ihre anatomisch korrekte Position gebracht hatte. Was nicht hieß, dass ich nicht jetzt schon eine erste Einschätzung vornehmen konnte.

Ich nahm den tropfenden Schädel aus der Pfanne und spülte ihn unter klarem Wasser ab. Der Schädelknochen gab kaum Hinweise auf die Person, zu der er einst gehört hatte. Unsere Knochen formen zwar das Grundgerüst, doch es sind Haut und Muskeln, die unseren Gesichtern ihre Lebhaftigkeit und ihren Charakter verleihen. Ohne sie ist der Schädel nur ein Ding aus Kalzium.

Wenn auch ein immer noch nützliches.

Die kantige Form ließ auf kaukasische Abstammung schließen, ebenso der schmale, hohe Nasenrücken und der relativ kleine Kiefer. Auch wenn die Indizien zu diesem Zeitpunkt alles andere als endgültig waren, konnten sie für Ward hilfreich sein, wenn es darum ging, in der Vermisstendatenbank nach möglichen Treffern zu suchen. Was die Zähne an ersten Informationen hergaben, hatten wir während der Obduktion bereits festgehalten. Im Augenblick interessierte mich der leichte, aber deutliche Überbiss. Die oberen Schneidezähne standen über den unteren. Eine sichtbare Eigenschaft zu Lebzeiten und damit ein weiteres Merkmal, welches für eine Identifizierung hilfreich sein könnte.

Ich stellte den Schädel zum Trocknen ins Digestorium und machte mich daran, die gesäuberten Knochen aus dem suppenartigen Reinigungsbad zu nehmen und abzuspülen. Ich war erpicht darauf, den kugelförmigen Kopf des rechten Humerus in Augenschein zu nehmen, des langen Oberarmknochens, sowie die korrespondierende konkave Gelenkpfanne, wo der Knochen sich in die Scapula, das Schulterblatt, einfügte. Ich wollte wissen, ob das Ausrenken der Schulter zu Schäden geführt hatte, die auf den Röntgenaufnahmen nicht zu sehen gewesen waren. Dem war nicht so. Sowohl Gelenkkugel als auch Pfanne waren in gutem Zustand. Falls die Schulter beim Transport der mumifizierten Leiche ausgekugelt worden war, hatte die Verletzung weder das verdorrte Weichgewebe noch das Gelenk selbst tangiert. Obwohl meine Einschätzung nicht zwingend endgültig war, war dies ein weiterer Hinweis darauf, dass die Verletzung entstanden war, als die junge Frau noch lebte.

Während ich die Knochen abspülte und zum Trocknen legte, stieß ich auf weitere Hinweise, die meine anfängliche Einschätzung hinsichtlich des Alters der Frau unterstützten. Die Schambeinfuge – ein Bestandteil des Schambeins, dessen Oberfläche mit zunehmendem Alter charakteristische Veränderungen zeigt, flacher und rauer wird – ließ auf ein Individuum in den Zwanzigern schließen. Der Zustand der Femora stützte diese These. Im Kindes- und Jugendalter ist der Schaft des Oberschenkelknochens noch durch eine knorpelige Wachstumsfuge von den Gelenkenden getrennt. Diese Fuge verknöchert im Laufe der Adoleszenz, wird zu Knochenmasse und verschmilzt schließlich mit dem Schaft des Femur. Dieser Prozess ist als Epiphysenschluss bekannt, zu dessen Beginn der Übergang von einer Oberfläche zur anderen noch von einer Linie markiert ist. Schon bald verblasst diese Linie jedoch und ist bis etwa Mitte zwanzig völlig verschwunden. An der vor mir liegenden Femora waren die Linien eben gerade noch zu erkennen. Die Enden der sternalen Rippenpaare waren glatt und hatten noch nicht die grobkörnige Struktur, die sich im Laufe des Lebens herausbildet. Alles zusammengenommen ließ sich daraus schließen, dass das Opfer höchstens Mitte zwanzig gewesen war. Wahrscheinlich jünger, wenn man in Betracht zog, dass noch nicht alle Weisheitszähne vollständig durchgebrochen waren.

Ich legte gerade das letzte Rippenpaar ins Digestorium,

als mein Handy zu vibrieren begann. *Verdammt.* Ich verließ den Untersuchungsraum und streifte mir im Gehen die Handschuhe ab. Ehe ich das Telefon aus der Innentasche des Kittels angeln konnte, hatte es aufgehört. Obwohl ich bereits ahnte, wer mich zu erreichen versuchte, sank mir der Mut, als ich den Namen auf dem Display sah.

Ward.

Ich suchte mir eine abgeschiedene Ecke auf dem Flur und rief zurück. Sie nahm umgehend ab.

«Ich war zu langsam …», fing ich an.

«Moment.» Ihre Stimme wurde dumpf. Ich hörte sie im Hintergrund reden, dann war sie wieder dran. «Was haben Sie Adam Oduya gestern Abend erzählt?»

Ich hatte ihr keine Einzelheiten auf die Mailbox gesprochen, nur dass ich mich nach der Versammlung noch mit dem Aktivisten unterhalten hatte. Mir war klar gewesen, dass Ward nicht begeistert sein würde, doch ihr Tonfall klang geradezu brüsk und anklagend.

«Ich habe ihm gar nichts erzählt. Als ich ging, kam er mir nachgelaufen. Wie sich rausstellte, war ich mal bei einem Fall, für den er als Anwaltsassessor arbeitete, als Sachverständiger der Verteidigung bestellt.»

«Und das erzählen Sie mir erst jetzt?»

«Es war mir selbst nicht klar, ehe er mich darauf aufmerksam machte. Das ist Jahre her. Ich habe ihn nicht mal erkannt.»

«Haben Sie ihm irgendetwas über die Ermittlungen erzählt?»

«Selbstverständlich nicht.»

«Tja. Oduya verkündet jedenfalls landesweit in Funk und Fernsehen, *jemand* hätte die durchgesickerte Information bestätigt. Jemand, den er kennt und dem er vertraut. Soll ich jetzt etwa glauben, er hätte außer Ihnen rein zufällig noch einen alten Kollegen getroffen?»

«Ich verlange nicht, dass Sie irgendetwas glauben», schoss ich zurück. «Ich sage lediglich, dass ich ihm nichts erzählt habe. Er hat mich vergeblich um Bestätigung gebeten.»

«Aber Sie haben es auch nicht abgestritten.»

Da wären wir also. Ich holte tief Luft. «Nein.»

Ward antwortete nicht sofort. Ich konnte förmlich hören, wie sie versuchte, sich zusammenzureißen. «Erzählen Sie mir genau, wie das abgelaufen ist.»

Ich schilderte ihr die gesamte Begegnung, ohne etwas auszulassen. Sie schwieg, bis ich geendet hatte.

«Okay.» Ward atmete hörbar aus. «Ich kann Ihnen wohl kaum einen Vorwurf machen, das ermittlerische Detail hinsichtlich der Schwangerschaft nicht dementiert zu haben, aber es hat Oduya Munition geliefert. Die Presse ist außer sich. Ich werde heute Mittag vor dem St. Jude eine Pressekonferenz abhalten. Ich hätte damit lieber gewartet, bis wir mehr in der Hand haben, aber mir bleibt keine andere Wahl. Sollte er noch mal versuchen, mit Ihnen zu sprechen, tun Sie uns um Himmels willen beiden einen Gefallen und gehen Sie einfach weiter.»

Das brauchte sie mir nicht zu sagen. Die Anspannung setzte sich langsam in meiner Nackenmuskulatur fest. Ich knetete meinen Nacken, um mir Erleichterung zu verschaffen. «Haben Sie die undichte Stelle inzwischen gefunden?»

«Noch nicht. Es könnte sich um jemanden innerhalb des Ermittlungsteams handeln, aber nach Conrads Sturz wuselten im St. Jude viel zu viele Leute herum. Es hätte jeder gewesen sein können.»

Mittlerweile klang sie eher erschöpft als wütend. Ich konnte sie verstehen. Die Ermittlungen schlitterten ohne ihr Zutun von einer Krise in die nächste, und ich konnte mir gut vorstellen, dass Commander Ainsley ihr deswegen die Hölle heißmachte.

«Ich wollte auch aus einem anderen Grund mit Ihnen sprechen», fuhr sie in etwas milderem Tonfall fort. «Wie lange werden Sie noch im Leichenschauhaus brauchen?»

Ich dachte kurz nach, was zu tun blieb. «Ich muss irgendwann den Fötus untersuchen, aber abgesehen davon sollte ich bis heute Abend fertig sein.»

«Gut. Kommen Sie morgen ins St. Jude», fuhr Ward fort. «Wir müssen sicherstellen, dass nicht noch mehr unliebsame Überraschungen irgendwo da drin versteckt sind. Ich habe einen Leichenspürhund angefordert. Ich will Sie bei der Durchsuchung dabeihaben.»

Ich hatte damit gerechnet, dass ein Leichenspürhund zum Einsatz kommen würde. Der Geruchssinn dieser Tiere ist dem unseren hundertfach überlegen, und sie sind darauf abgerichtet, Verwesungsgeruch zu wittern, den die menschliche Nase nicht einmal mehr erahnen kann. Selbst durch dicken Beton können die Tiere Verwesungsspuren wahrnehmen, und eine falsche Wand würde kein Problem darstellen.

Doch so nützlich sie waren, Leichensuchhunde konnten nicht zwischen menschlichen und tierischen Überresten unterscheiden. Dies spielte keine große Rolle, falls ein ganzer Leichnam entdeckt wurde, doch Teilfunde und verstreute Knochen waren nicht immer so leicht zu identifizieren. Was die Beteiligung eines forensischen Anthropologen notwendig machte.

Trotzdem war ich überrascht, dass Ward gerade mich fragte. «Was ist mit Mears?», wollte ich wissen.

«Der hat bereits alle Hände voll zu tun. Parekh hat für heute Vormittag die erste Obduktion der eingemauerten Opfer angesetzt, er wird also die nächsten paar Tage beschäftigt sein. Ich habe schon zwei Spezialisten an der Seite. Ich werde nicht noch jemanden von außen ins Boot holen.»

Und ich hatte gedacht, ich hätte das alte Krankenhaus zum letzten Mal gesehen. Ich hatte diesen Ort wahrlich nicht ungern hinter mir gelassen, trotzdem regte sich bei dem Gedanken, noch einmal dorthin zurückzukehren, Aufregung in mir.

«Wann soll ich da sein?», fragte ich.

Ich hatte eigentlich vorgehabt, Ward von dem Gespräch mit Lolas Nachbarin zu erzählen, doch in letzter Sekunde entschied ich mich dagegen. Sie hatte momentan genug auf dem Zettel, und ich wollte ihre Zeit nicht unnötig mit vermutlich böswilligem Geschwätz vergeuden. Eine ehemalige Krankenschwester, von der behauptet wurde, sie sei in den Tod eines Kindes verwickelt, und die in der Nähe des St. Jude wohnte, mochte zwar Stirnrunzeln provozieren, doch je länger ich darüber nachdachte, desto unsicherer wurde ich, ob es überhaupt der Rede wert war. Selbst wenn stimmte, was die Nachbarin sagte, hatte es eher nichts mit dem aktuellen Fall zu tun. Eine alte Frau und ihr schwerbehinderter Sohn waren wohl keine ernstzunehmenden Verdächtigen. Andererseits hatte ich jetzt noch mehr Grund, Lola erneut zu besuchen. Während ich mir Klarheit verschaffte, wie ihnen zu helfen wäre, konnte ich auch gleich versuchen, herauszufinden, ob an der Sache tatsächlich etwas dran war.

Ich steckte das Telefon weg und kehrte in den Untersuchungsraum zurück. Je nachdem, wie ich mit der Auslegung der Knochen der jungen Mutter zurechtkam, würde ich vielleicht am Mittag zum St. Jude rüberfahren, um mir Wards Presseerklärung anzuhören. Es war ihre Premiere als Ermittlungsleiterin, und ich wollte gern dabei sein. In Gedanken wäre ich ums Haar gegen die aufschwingende Tür zum Umkleideraum gelaufen. Jemand in vollem Obduktionsornat, inklusive OP-Haube, kam mir entgegen. Aber um das jugendliche Gesicht von Daniel Mears zu erkennen, brauchte es auch keinen Blick auf die roten Haare.

Er zögerte und errötete, als er mich sah. Dann reckte er das Kinn und ließ die Tür hinter sich zufallen.

«Morgen», sagte ich.

Mein Gruß wurde mit einem steifen Nicken erwidert. «Haben Sie Dr. Parekh gesehen?» Er sah an mir vorbei, als erwartete er, sie würde sich hinter mir materialisieren.

«Noch nicht. Führt sie nicht heute Vormittag die Obduktionen durch?»

«Richtig.» Er zögerte kurz. «Könnte interessant werden.»

Es war der durchschaubare Versuch, mich zu der Frage nach dem Warum zu provozieren. Zu gern hätte ich nicht angebissen, doch ich kannte mich, dann hätte ich den ganzen Tag gegrübelt. «Warum? Was haben Sie gefunden?»

Aber ich bereute augenblicklich, gefragt zu haben. Es gelang ihm nicht, seine selbstgefällige Miene zu verbergen. «Ach, dies und das. Dass die Opfer gefoltert wurden, haben Sie doch sicher selbst gesehen?»

Gefoltert? Abgesehen von durch Fixiergurte verursachte Druckwunden hatte der Taschenlampenstrahl, den ich über die Opfer hatte gleiten lassen, keinerlei offensichtliche Hinweise auf körperliche Verletzungen zum Vorschein gebracht. Lebendig eingemauert zu werden, würde nach meinem Empfinden an sich schon als Folter gelten, doch mir war klar, dass Mears das nicht gemeint hatte.

«Ich habe kaum etwas gesehen», sagte ich, und mir war bewusst, dass es nach einer Ausrede klang.

«Na ja, es *war* ja auch leicht zu übersehen», antwortete er mit gespieltem Großmut. «Durch die Hautablösung und Verfärbung war es kaum zu erkennen, aber Teile der Epidermis wiesen lokal stark begrenzte Brandmale auf.»

«Sie wurden versengt?»

«Sagte ich das nicht gerade?»

Ich hatte die beiden Opfer nur flüchtig und nicht von nahem gesehen. Außerdem hätte der Zustand der Leichen etwaige Verbrennungen bis zu einem gewissen Grad verschleiert. Was nicht bedeutete, dass es mich weniger fuchste, jetzt davon zu erfahren.

«Die Verletzungen waren relativ klein und in sich geschlossen, wurden also offensichtlich eher mit entsprechendem Werkzeug als durch bloßes Feuer verursacht», fuhr Mears sichtlich erfreut fort. «Eher Lötkolben als Schweißbrenner. Natürlich kann ich Genaueres erst nach eingehender Untersuchung sagen.»

«Wo in etwa befanden sich die Verbrennungen?», fragte ich.

«Am ganzen Körper. Ich konnte Male am Kopf, an den Gliedmaßen und am Torso feststellen. Nach dem, was ich bis jetzt gesehen habe, eher zufällig.» Wieder breitete sich ein selbstgefälliges Grinsen auf seinem Gesicht aus. «Falls es Sie tröstet, ich musste Parekh ebenfalls darauf hinweisen.»

«Das liegt daran, dass diese alten Augen im Dunkeln nicht mehr so gut sehen», ertönte Parekhs Stimme hinter uns. «Auch wenn ich zu meiner Verteidigung sagen muss, dass ich mich zu dem Zeitpunkt auf die Wunden von den Gurten konzentrierte.»

Ich hatte die Rechtsmedizinerin nicht kommen hören. Mears offensichtlich auch nicht. Er lief knallrot an, als die zierliche Gestalt stehen blieb.

«Dr. Parekh, ich, äh, wollte nur …»

«Ja, ich habe es vernommen. Hallo, David.» Sie lächelte mich an, doch ihre Augen glitzerten gefährlich. «Wie kommst du mit dem Dachbodenopfer voran? Beinahe fertig, nehme ich an?»

«Es geht voran.»

«Du hast noch nie viel Zeit verschwendet. Gut, ich freue mich auf deinen Bericht. Ich bin sicher, er ist so gründlich wie immer.» Sie wandte sich an Mears, dessen Röte sich inzwischen noch weiter vertieft hatte. «Wenn Sie dann so weit sind, Dr. Mears, würde ich mich gerne an die erste Obduktion machen. Ich bemühe mich sehr, nichts zu übersehen, aber tun Sie sich bitte keinen Zwang an, mich darauf hinzuweisen, falls es doch geschehen sollte.»

Ohne auf ihn zu warten, ging sie durch den Flur davon. Klein, wie sie war, legte sie einen erstaunlich schnellen Schritt vor und zwang Mears, hinter ihr herzueilen.

Lächelnd wandte ich mich ab. Doch das Lächeln erstarb, als ich darüber nachdachte, was der Taphonom erzählt hatte. Egal, von welcher Warte man es betrachtete, die beiden eingemauerten Opfer hatten in jedem Fall einen grausamen Tod erlitten. Falls sie auch noch – durch Verbrennungen – gefoltert worden waren, hob das ihr Martyrium auf eine neue Stufe des Leidens.

Ein schrecklicher Gedanke. Ich schob das egoistische Bedauern, nicht selbst einen Blick auf die sterblichen Überreste werfen zu können, beiseite und kehrte zu den Knochen der jungen Mutter in den Untersuchungsraum zurück.

KAPITEL 13

Fast hätte ich Wards mittägliche Presseerklärung verpasst.
Die gereinigten Knochen der jungen Frau hielten, als ich sie
abspülte und zum Trocknen legte, keine Überraschungen bereit, doch das, was Mears erzählt hatte, ließ mir keine Ruhe.
Sobald die letzten Knochen im Digestorium lagen, lud ich die
am Tatort und während der Obduktion gemachten Fotos auf
den Rechner. Obwohl ich wusste, dass mir Verbrennungen
mit Sicherheit aufgefallen wären, suchte ich die Bilder trotzdem nach entsprechenden Hinweisen ab, die ich womöglich
übersehen hatte. Blasse Haut dunkelt während des Verwesungsprozesses nach, während dunkle Haut sich aufhellt,
was die Hautfarbe als Hinweis auf Abstammung untauglich
macht. Doch selbst unter Berücksichtigung dieses Umstands
und des Trocknungseffekts der Mumifikation wären schwere
Brandmale wie Mears sie beschrieben hatte, sichtbar gewesen.
Allerdings konnte ich die Möglichkeit, dass die Frau an den
von Madenfraß zerstörten Körperteilen Verbrennungen erlitten hatte, nicht ausschließen – eine eiternde Brandwunde auf
dem Bauch wäre für Fliegen ein geeigneter Ort zur Eiablage
gewesen, hätte jedoch auf der Kleidung keine Blutspuren
hinterlassen. Womöglich wäre das eine Erklärung für die klaffende Bauchhöhle.

Bislang hatte ich keinerlei Hinweise gefunden, die diese Theorie stützen würden. Abgesehen von der örtlichen Nähe der Fundorte ließ nichts darauf schließen, dass es zwischen den eingemauerten Toten und der Schwangeren vom Dachboden einen Zusammenhang gab. Ich mochte keine Zufälle, doch langsam sah es tatsächlich danach aus. Vielleicht hatte Commander Ainsley recht getan, Ward darum zu bitten, die beiden Tatorte getrennt zu behandeln, gestand ich mir zähneknirschend ein. Verborgen vor neugierigen Blicken und so gut wie vergessen, mochte das heruntergekommene alte Krankenhaus alle möglichen Geheimnisse bergen.

Nachdem ich die Fotos gründlich studiert hatte, kam ich zu dem Schluss, dass ich tatsächlich nichts übersehen hatte. Die Überreste der schwangeren Frau wiesen keinerlei sichtbare Verbrennungen auf.

Erst nachdem ich noch einmal einen prüfenden Blick in das Digestorium geworfen hatte, sah ich auf die Uhr und merkte, dass es Zeit für Wards Pressekonferenz war. Eilig zog ich mich um, verließ das Leichenschauhaus und fuhr zum St. Jude. Über Nacht war es deutlich kühler geworden. Auch das Licht hatte sich ein wenig geändert, die Schatten waren länger und hatten schärfere Konturen.

Als ich das Krankenhaus erreichte, war vor der Hauptzufahrt eine Menschenmenge versammelt. Kamerateams, Übertragungsfahrzeuge und Mikrophongalgen verstopften die Straße, und eine Fahrspur war mit Absperrgittern abgetrennt. Ich parkte ein paar Straßen weiter und eilte im Laufschritt zurück. Ich ergatterte einen Platz an der seitlichen Absperrung am Rand des Gedränges, von wo aus ich einen guten Blick haben würde. Direkt hinter dem Tor war den wartenden Journalisten gegenüber ein Mikrophon aufgebaut, doch noch war niemand zu sehen. Ich schaute mich um und entdeckte Ainsley. Er stand allein hinter dem Journalistenpulk. Niemand beachtete den Commander, doch in Zivil war er auch nicht als Polizist zu erkennen.

Ich fragte mich, was es zu bedeuten hatte, dass er auf dieser Seite des Mikrophons stand und nicht dahinter, an der Seite seiner Ermittlungsleiterin.

Sonst erkannte ich niemanden. Auch Oduya war nirgends zu sehen, was mich einigermaßen überraschte. Ich hätte erwartet, dass der Aktivist die Chance ergriff, sich vor laufenden Fernsehkameras noch einmal für seine Sache starkzumachen. Während ich noch darüber nachdachte, kam über die Zufahrtsstraße zum Krankenhaus ein dunkler Wagen angerollt und bog in die Auffahrt ab. Der Wagen hielt, und Ward stieg aus, begleitet von Whelan und einer eleganten jungen Frau, die ich für eine Polizeisprecherin hielt.

Sobald Ward ans Mikrophon trat, erstarben die Unterhaltungen rundum. Ihr Gesicht war regungslos, doch ihr Räuspern verriet die innere Anspannung. Sie hatte sich Mühe gegeben, glaubwürdig zu wirken, das widerspenstige Haar war zu einer Art Frisur gezähmt, und ein gegürteter Regenmantel verbarg ihre Schwangerschaft. Ich fragte mich, ob das Absicht war. Bekäme die Presse Wind davon, dass die leitende Ermittlerin schwanger war, so wie eines der Opfer, wäre das lediglich eine weitere unerwünschte Ablenkung.

Ich spürte einen Blick auf mir, drehte mich um und bemerkte, dass Ainsley zu mir herübersah. Er grüßte nicht gleich, und ich fragte mich, ob er vergessen hatte, wer ich war. Die verstörenden eisblauen Porzellanaugen starrten mich an, dann nickte er doch noch und wandte sich ab, als Ward zu sprechen begann.

«Am Sonntagabend …» Sie wich zurück, weil eine schrille Rückkopplung aus den Lautsprechern gellte. Die Pressesprecherin flüsterte ihr etwas zu, und Ward bewegte sich, ehe sie weitersprach, ein wenig vom Mikrophon weg. «Am Sonntagabend stieß die Polizei, einem Hinweis aus der Bevölkerung folgend, im ehemaligen Krankenhaus St. Jude auf die Leiche einer jungen Frau. Eine anschließende Durchsuchung des Gebäudes förderte die Leichen zweier weiterer Personen zutage. Da die formelle Identifizierung der Toten noch aussteht, ist es mir nicht möglich, zu diesem Zeitpunkt Einzelheiten zu den Funden bekanntzugeben. Was ich jedoch sagen kann, ist, dass alle drei Todesfälle als verdächtig eingestuft werden.»

Es war die typisch nichtssagende Erklärung, mit der alles Strittige vermieden wurde und mit der man die Aussage darüber umging, wie dürftig die Informationslage derzeit noch war. Mir fiel auf, dass Ward das Geschlecht der anderen beiden Opfer nicht erwähnt hatte: Auch diese Bestätigung stand noch aus.

Sie machte eine kleine Pause und wirkte, als sie den Blick zu den Journalisten hob, ein bisschen zuversichtlicher als eben noch.

«Es kursiert eine Behauptung hinsichtlich des Zustands eines der Opfer. Zu diesem Zeitpunkt kann ich solche Gerüchte weder bestätigen noch dementieren, weil damit das Risiko verbunden wäre, die laufenden Ermittlungen zu gefährden. Wir haben es mit komplexen, weitreichenden Untersuchungen zu tun, und ich möchte deshalb um …»

Plötzlich kam Bewegung in die Menge, und Ward verstummte. Die Köpfe wandten sich einer kleinen Gruppe zu, die sich von hinten einen Weg nach vorne bahnte, und die

Journalisten traten beiseite, um den Neuankömmlingen Platz zu machen. Ich verrenkte mir den Hals und erhaschte einen Blick auf ein Paar mittleren Alters mit angespannten Gesichtern. Seitlich hinter ihnen ging ein sehr viel jüngerer Mann, höchstens Anfang zwanzig, den Blick zu Boden gerichtet.

Angeführt wurde die kleine Gruppe von Adam Oduya. Mit ernster Miene bahnte der Aktivist ihnen einen Weg durch die Menge. Seine selbstbewusste Ausstrahlung stand in deutlichem Gegensatz zu dem sichtlichen Unbehagen seiner drei Begleiter. Sie folgten ihm dicht beieinander und warfen nervöse Blicke zu beiden Seiten.

Ward versuchte, den Faden wiederaufzunehmen. «... ich möchte deshalb um Geduld bitten ...»

Doch niemand hörte ihr zu. Sämtliche Augen blickten auf Oduya und seine Begleiter, die jetzt direkt vor Ward stehen blieben. Er schenkte den Mikrophonen und Kameras, die augenblicklich auf ihn gerichtet wurden, keinerlei Beachtung.

«Das hier sind Sandra und Tomas Gorski», verkündete er laut und deutlich, sodass alle Anwesenden ihn hörten. Er deutete auf den jungen Mann, der daraufhin den Kopf noch weiter einzog. «Das ist ihr Sohn Luke. Und hier ist ihre einundzwanzig Jahre alte Tochter Christine.»

Er hielt ein großes Hochglanzfoto in die Luft und zeigte es in die Menge, damit jeder das Gesicht der jungen Frau darauf sehen konnte. Eilig trat die Pressesprecherin in Wards Begleitung ans Mikrophon.

«Dies ist keine öffentliche Versammlung. Sollten Sie im Besitz sachdienlicher Informationen sein ...»

«Diese Familie hat das Recht, gehört zu werden!» Oduya schrie nicht, hob lediglich die Stimme, während uniformierte Beamte sich einen Weg durch die Menge bahnten.

«Christine ist vor fünfzehn Monaten in Blakenheath verschwunden. Seitdem hat niemand etwas von ihr gesehen oder gehört. Trotz wiederholter Appelle an die Polizei wurde *nichts* unternommen, um sie zu finden!»

«Wenn Sie im Besitz sachdienlicher Informationen sind, wenden Sie sich bitte an einen unserer Kollegen ...»

«Heute Morgen haben Sandra und Tomas sich in ihrer Verzweiflung an mich gewandt», fuhr Oduya unbeirrt fort. «Sie wussten sich nicht mehr zu helfen, denn ihre Tochter ...»

Es entstand ein kleines Handgemenge, als die ersten Polizisten nach ihm griffen. Oduya schwang das Foto des Mädchens über seinem Kopf wie ein Schwert.

«... denn ihre Tochter Christine Gorski *war im sechsten Monat schwanger!*»

Tumult brach aus, als ein Beamter versuchte, Oduya bei der Schulter zu nehmen. Die Journalisten schrien durcheinander, feuerten ihre Fragen ab, doch ehe die Pressesprecherin noch etwas sagen konnte, legte Ward ihr die Hand auf die Schulter. Sie erteilte Whelan eilig eine Anweisung. Der nickte und fing an zu telefonieren. Die Beamten um Oduya traten zurück, blieben jedoch wachsam.

«Also gut. Ruhe, bitte!», sagte Ward ins Mikrophon. «Entschuldigung, darf ich um RUHE bitten!»

Ihre Worte schickten eine kreischende Rückkopplung über den Medienpulk. Die Menge verstummte. Nur das Klicken der Kameraverschlüsse war zu hören. Ward setzte wieder an, doch Oduya schnitt ihr das Wort ab. «DCI Ward, können Sie mit Rücksicht auf Familie Gorski hier und jetzt bestätigen, dass eines der Opfer, die im St. Jude gefunden wurden, schwanger war ...»

«Mit Rücksicht auf *alle* Opfer und ihre Familien werde ich

keinerlei Informationen veröffentlichen, die eine laufende polizeiliche Ermittlung gefährden könnten. Das sind wir ihnen schuldig», erwiderte Ward. Zwei rote Flecken auf ihren Wangen verrieten ihre Wut. «Das heißt nicht, dass ich kein Verständnis für Mr. und Mrs. Gorski und ihre Familie habe. Mir ist bewusst, wie quälend ...»

«Unsere Tochter ist seit über *einem Jahr* verschwunden!» Sandra Gorskis gequälter Aufschrei schallte Ward entgegen. Ihr Mann starrte mit verzerrtem Gesicht geradeaus. «Wir wollen kein Verständnis, wir wollen, dass Sie etwas unternehmen!»

Ward sah aus, als wäre sie geohrfeigt worden, doch dann sammelte sie sich. «Und das werden wir auch, das verspreche ich Ihnen. Aber eine Presseerklärung ist nicht das geeignete Forum für ein solches Gespräch. Wenn Sie bereit sind, sich jetzt an jemanden aus meinem Team zu wenden, gebe ich Ihnen mein Wort, dass ich mir anhören werde, was Sie zu sagen haben. Sollten Sie danach weiterhin den Wunsch verspüren, Ihrem Schmerz öffentlich Luft zu machen, ist das Ihre Entscheidung. Vielen Dank, das ist alles.»

Sie hatte sich umgedreht und das Mikrophon verlassen, ehe irgendwer die Chance hatte zu realisieren, dass die Erklärung beendet war. Während die Presse ihr vergeblich Fragen hinterherrief, sah ich, wie Whelan sich einen Weg zu Oduya und der Familie Gorski bahnte. Nach einem kurzen Wortwechsel führte er die Gruppe durch ein Polizeispalier zu dem Zivilfahrzeug, mit dem Ward gekommen war.

Noch immer waren vereinzelte Rufe zu hören, doch die Menge zerstreute sich bereits. Die Presse war in der Hoffnung gekommen, etwas Neues zu erfahren. Das war definitiv passiert.

Als ich mich zum Gehen wandte, hatte ich das plötzliche Gefühl, beobachtet zu werden. Ich drehte mich noch einmal zu der Stelle um, wo Ainsley gestanden hatte, doch der Commander war nirgends zu sehen, und das Durcheinander aus Reportern, Fotografen und Fernsehteams machte es unmöglich, jemanden zu entdecken.

Doch das Gefühl ließ mich auf dem Rückweg zum Wagen nicht mehr los.

Als ich ins Leichenschauhaus kam, waren die Knochen der jungen Frau ausreichend trocken. Die Auslegung des Skeletts ging schnell vonstatten, und auch eine gründlichere Untersuchung brachte nichts zutage, was ich nicht bereits wusste. Die Knochen wiesen keinerlei geheilte Brüche oder andere signifikante Skelettmerkmale auf, die eine Identifizierung erleichtert hätten, und das einzige neue Detail, mit dem ich aufwarten konnte, war eine Einschätzung der Körpergröße. Um die Statur zu beurteilen, reichte es nicht, einfach die Überreste von Kopf bis Fuß zu messen, wie man das bei einem Lebenden tut. Das Fehlen von Weichgewebe und eine deformierte Wirbelsäule, falls die Leiche in gekrümmter Position lag, kann Messergebnisse verfälschen und eine Identifizierung verkomplizieren. Es ist zwar möglich, allein anhand der Länge einiger Röhrenknochen der Extremitäten eine grobe Einschätzung der Körpergröße vorzunehmen, doch da in diesem Fall ein vollständiges Skelett vorhanden war, war das Messen einzelner Körpersegmente – wie zum Beispiel Schädel, Wirbel und Oberschenkelknochen – die akkuratere Methode. Ich nahm mit einem Messschieber Maß und berechnete, dass die junge Frau zu Lebzeiten ungefähr einhundertfünfundsechzig Zentimeter groß gewesen war.

Während der Arbeit versuchte ich, meine Gedanken nicht zu den Vorfällen vor dem St. Jude abschweifen zu lassen, doch ganz verdrängen ließ es sich nicht. Ich war mir schmerzlich bewusst, dass die mumifizierten Überreste – inzwischen auf glatte, bleiche Knochen reduziert – einst eine lebendige, junge Frau gewesen waren, eine Frau mit Eltern und Freunden. Mit einem Leben. Ein Leben, das vielleicht auf einem dreckigen Dachboden geendet hatte. Und obwohl mir vollkommen klar war, wie wichtig eine nüchterne Herangehensweise war, brachte das Wissen darum, um wen es sich hier womöglich handelte, eine subtile Veränderung der Perspektive mit sich. Natürlich konnte ich mir einreden, dass es noch keine Bestätigung gab, dass heute vor dem Krankenhaus die trauernden Angehörigen einer völlig anderen jungen Frau aufgetaucht waren. Doch schon den möglichen Namen zu kennen, hat grundsätzlich personalisierenden Effekt. Ein Name tilgt eine Schicht Distanz zwischen mir und dem Opfer.

Es wirkte plötzlich, als hätten die schmalen Knochen in meinen Händen mehr Gewicht bekommen.

Ich war fast fertig, als das Handy in meiner Kitteltasche vibrierte. Ich hatte mit dem Anruf gerechnet und wunderte mich nicht, dass Ward wieder dran war. Sie kam sofort zur Sache.

«Sind Sie noch im Leichenschauhaus?»

«Ich bin so gut wie fertig.»

«Bleiben Sie, wo Sie sind. Ich schicke Ihnen einen Satz Zahnbilder. Ich möchte, dass Sie die mit dem Dachbodenopfer vergleichen. Wie schnell können Sie mir sagen, ob sie passen?»

«Das hängt davon ab, ob Sie eine detaillierte Untersuchung wollen oder lediglich einen einfachen Abgleich.»

Letzteres war kein Problem; jeder forensische Anthropologe verfügte über genug Kenntnisse, um zu Lebzeiten angefertigte Röntgenbilder mit den Zähnen eines Toten zu vergleichen. Für alles Komplexere zog man besser einen Spezialisten heran.

«Ein einfacher Abgleich genügt. Zur formalen Identifizierung holen wir im Nachgang einen forensischen Odontologen hinzu, außerdem lassen wir einen DNA-Test machen. Aber das kostet Zeit, und ich brauche jetzt etwas. Ist das möglich?»

War es. «Stammen die Unterlagen von Christine Gorski?»

«Haben Sie es also auch schon gehört.» Ward klang nicht überrascht, schließlich kursierten die Neuigkeiten inzwischen mit Sicherheit in den Nachrichten und in den sozialen Netzwerken.

«Ich war vorhin dabei, als Oduya mit der Familie auftauchte.»

«Dann verstehen Sie auch, weshalb ich nicht tagelang warten möchte, bis wir Bescheid wissen.» Ihr war die Verärgerung anzuhören. «Das Frustrierendste daran ist, dass wir Christine Gorski bereits auf dem Radar hatten, ehe der verfluchte Adam Oduya heute Mittag diese Show abgezogen hat. Sie ist zwar nicht die einzige schwangere Vermisste, aber ihre Beschreibung passt zu dem, was wir über die Leiche vom Dachboden wissen. Das richtige Alter, im sechsten Monat schwanger, seit fünfzehn Monaten vermisst, was wiederum zu Ihrer Einschätzung des Todeszeitpunkts passen würde. Wir wissen zwar nicht, was sie an dem Tag, als sie verschwand, trug, aber es war Sommer, also würden T-Shirt und ein kurzer Rock ins Bild passen. Ihre Familie wirkt einigermaßen vernünftig. Der Vater Pole, wie Sie vielleicht schon vermutet haben, arbeitet für einen Sportartikelhändler. Mutter Sekretärin, der Bruder Philosophiestudent im letzten Semester. Zwar nicht wohlhabend, aber genug, um Christine ordentliche Zahnfüllungen zu bezahlen, als sie fünfzehn war.»

Ich dachte an die Zähne der jungen Toten. «Nahm sie Drogen?»

«Seit sie siebzehn war, immer wieder auf Heroinentzug. Die Familie hatte fast zwei Jahre ganz den Kontakt zu ihr verloren, bis sie eines Tages plötzlich aus heiterem Himmel auftauchte und verkündete, sie wäre schwanger. Sie wünschte sich die Hilfe ihrer Familie, um endgültig clean zu werden, dem Kind zuliebe.»

«Was ist mit dem Kindsvater?»

«Über den wissen die Eltern nichts, und es klang nicht so, als hätte Christine gewusst, wer er ist. Ich vermute, sie ist irgendwann auf dem Straßenstrich gelandet, weil sie zu keinem regulären Job mehr imstande war. Ihre Eltern haben nicht viele Fragen gestellt, sie waren einfach froh, ihre Tochter wiederzuhaben. Sie beharren darauf, dass Christines Sinneswandel aufrichtig war, obwohl sie ihr noch nicht wieder genug vertrauten, um ihr Geld zu geben. Sämtliche Vorbereitungen für einen erneuten Entzug waren getroffen, doch ein paar Tage vor der Einweisung in die Klinik verschwand sie wieder. Die Familie entschloss sich umgehend, Christine als vermisst zu melden. Seitdem hat sie nichts mehr von ihr gesehen oder gehört.»

So traurig es war, ich konnte verstehen, weshalb das Verschwinden von Christine Gorski bei der Polizei keine hohe Priorität gehabt hatte. Man hatte es im Kontext ihrer Sucht betrachtet und war, anstatt Schlimmeres zu vermuten, davon ausgegangen, dass es sich wieder mal um eine Drogenabhängige handelte, die sich vor dem Entzug drücken wollte. Das musste es für die Familie noch quälender gemacht haben. Monatelang in der Luft zu hängen, ohne zu wissen, was mit ihrer Tochter passiert war, musste für sie die reinste Folter gewesen sein.

Ich an ihrer Stelle wäre auch zu Oduya gegangen.

Ich versprach Ward, mich zu melden, und kehrte zurück in den Untersuchungsraum. Die Indizien, dass es sich bei dem Skelett auf dem Tisch um die sterblichen Überreste von Christine Gorski handelte, häuften sich, doch davon durfte ich mich jetzt nicht beeinflussen lassen. Auch die Zahnunterlagen, die Ward mir gerade schickte, wollte ich mir nicht ansehen. Noch nicht. Die Begründung einer positiven odontologischen Identifizierung geschieht in Etappen. Als Erstes stellte ich sicher, dass sämtliche Zähne vorhanden waren – was bis auf einen fehlenden Backenzahn der Fall war – und notierte anschließend Lage und Art von Überkronungen und Amalgamfüllungen. Als Nächstes suchte ich nach unbehandelten Schäden und fand einen Sprung in dem Zahn neben dem fehlenden Backenzahn sowie mehrere kleine Stellen mit Karies. Aus den Details fertigte ich einen Zahnstatus an. Der war vielleicht nicht ganz so detailliert, wie der von einem forensischen Zahnmediziner erstellte Befund es gewesen wäre. Doch ich war zuversichtlich, dass meine Erkenntnisse für Wards Zwecke genügten.

Erst als ich mit der Bestandaufnahme fertig war, verglich ich meine Zeichnung mit den Zahnunterlagen, die Ward mir inzwischen in einer passwortgeschützten E-Mail hatte zukommen lassen. Außerdem hatte sie ein Foto mitgeschickt, und ich machte mir zum ersten Mal ein Bild davon, wie Christine Gorski ausgesehen hatte. Es handelte sich offensichtlich um den vergrößerten Ausschnitt eines Gruppenfotos, aufgenommen gegen Ende ihrer Teenagerjahre. Die braunen Haare waren zu einer feierlichen Frisur hochgesteckt, ihr rundliches Gesicht war gleichzeitig attraktiv und durchschnittlich. Christine blickte auf dem Foto leicht zur Seite, als wäre sie nicht ganz bei der Sache, und ihr Lächeln wirkte nicht spontan, sondern eher nach unsicherer Pose für die Kamera. Ich musterte es forschend, auf der Suche nach Anzeichen für einen Überbiss, doch das ließ sich schwer sagen.

Ab und an kann ein einziges besonderes Merkmal zur positiven Identifikation einer Person ausreichend sein. Ich hatte es einmal mit einem Fall zu tun, wo ein unverwechselbar schiefer Schneidezahn genügte. Doch das war eine ungewöhnliche Situation gewesen. Im Idealfall besteht zwischen den zu Lebzeiten erstellten Zahnunterlagen und der postmortalen Untersuchung des Gebisses absolute Übereinstimmung. Hier war das nicht der Fall. In Christine Gorskis Zahnarztunterlagen gab es weder einen Hinweis auf Karies, noch waren der fehlende Backenzahn oder der gesprungene Zahn vermerkt.

Andererseits lag der letzte Zahnarztbesuch vor ihrem Verschwinden fünf Jahre zurück, das war mehr als genug Zeit für die nicht registrierten Veränderungen. Außerdem deutete der gesprungene Zahn neben der Lücke auf die Möglichkeit hin, dass der fehlende Zahn gewaltsam entfernt worden war. Eher ausgeschlagen als gezogen.

Doch triftiger als die Widersprüche waren die Übereinstimmungen zwischen den Zahnbildern. Laut Zahnarztunterlagen hatte Christine Gorski einen Überbiss, wie den an diesem Skelett festgestellten, und die zahnmedizinischen Behandlungen der Frau vom Dachboden stimmten bis ins kleinste Detail mit den Zahnarztunterlagen überein, bis hin zu den zahnfarbenen Füllungen in zwei Backenzähnen. Ich ging sämtliche Einzelheiten ein zweites Mal durch, nur um ganz sicherzugehen, doch es bestand kein Zweifel.

Wir hatten Christine Gorski gefunden.

KAPITEL 14

Ein heiliger Gral der forensischen Wissenschaft ist die Entwicklung einer Technik zum Aufspüren von Gasen, die während der Verwesung eines Leichnams entstehen. Eine solche Technik würde nicht nur bei der Suche nach vergrabenen oder versteckten menschlichen Überresten helfen, sondern könnte darüber hinaus als Mittel zur Bestimmung dienen, wie lange jemand bereits tot ist. Bis jetzt ist es der Wissenschaft allerdings noch nicht gelungen, etwas zu erfinden, das es mit der Natur aufnehmen könnte.

Der Labrador vermochte seine Aufregung kaum zu zügeln. Der Hund war jung und das kurze Fell bis auf einen weißen Fleck am Kopf vollkommen schwarz. Zitternd tänzelte er auf der Stelle und sah winselnd und hoffnungsvoll zu seiner Hundeführerin hinauf.

«Pst», machte sie und kraulte ihm die Ohren. «Still, Star.»

«Wenigstens einer freut sich», sagte Whelan mit Blick auf die Uhr.

Wir hatten uns zu sechst am Fuße der Stufen vor dem St. Jude versammelt. Zu siebt, wenn man den Leichenspürhund mitzählte. Ward hatte gesagt, sie würde eventuell später zu uns stoßen, doch im Augenblick hatte sie alle Hände voll mit den Konsequenzen der Identifizierung von Christine

Gorski zu tun. Außerdem bestand keine Notwendigkeit für die Anwesenheit der Ermittlungsleiterin. Abgesehen von Whelan und mir war der polizeiliche Suchexperte anwesend, ein rundlicher Mann in den Fünfzigern mit Namen Jackson, und außerdem zwei Kriminaltechniker, ein Mann und eine Frau, denen ich bereits auf dem Dachboden begegnet war. Die Frau trug eine Videokamera um den Hals, ihr Kollege hatte einen Koffer dabei. Wir waren mit weißen Schutzanzüge und allen weiteren üblichen Schutzutensilien ausgestattet, auch wenn wir im Augenblick noch auf Kapuzen und Masken verzichteten. Wir genossen die frische Luft, solange wir konnten. Inzwischen war der Labrador allerdings nicht mehr der Einzige, der ungeduldig wurde. Bereits seit zehn Minuten standen wir im Nieselregen vor dem Krankenhaus.

Und warteten.

Whelans Funkgerät erwachte zum Leben. Er antwortete übellaunig. «Ich höre.» Ich konnte die Antwort nicht verstehen, doch der stellvertretende Ermittlungsleiter schnaubte entnervt. «Wurde auch Zeit.»

«Er ist da», verkündete er dann.

Schweigend sahen wir zu, wie von den Polizeianhängern her zwei Männer auf uns zukamen. Ein junger Constable und dahinter ein Mann, dem der Schutzanzug über dem Bauch spannte, er hatte eine abgegriffene Schultertasche übergehängt, in der anderen Hand trug er einen ebenso abgenutzten Koffer mit einer Bohrmaschine.

«Schön, dass Sie's einrichten konnten, Mr. Jessop.»

Der Abrissunternehmer sah Whelan mürrisch an. Seine gelblichen Augen waren blutunterlaufen.

«Jetzt bin ich ja hier, oder nicht?»

Der enge Schutzanzug war noch das Frischeste an seiner

Erscheinung. Die schütteren Haare waren ungekämmt, und drei oder vier Tage alte graue Stoppeln zierten seine Hängebacken. Als ich Ward am Vorabend angerufen hatte, um ihr zu berichten, dass die zahnmedizinischen Unterlagen den Leichnam als Christine Gorski identifizierten, hatte sie mir gesagt, dass Jessop uns bei der Hausdurchsuchung mit dem Leichenspürhund unterstützen würde.

«Er kennt das Gebäude wie kein anderer», hatte sie gesagt. «Er besitzt eine Kopie der Originalgrundrisse und die nötige Ausstattung, um hinter etwaige falsche Wände zu blicken.»

Ich hatte nichts erwidert. Jessop hatte nicht besonders erfreut über die Ermittlungen gewirkt, als ich ihn mit Whelan gesehen hatte, und war an dem Vormittag nicht zur Besprechung erschienen. Kein gutes Zeichen, doch die Entscheidung, welche Zivilisten hinzugezogen wurden, lag allein bei Ward. Außerdem war es tatsächlich sinnvoll, jemanden dabeizuhaben, der die baulichen Fakten bezüglich des Krankenhauses kannte. Jessop war angeheuert worden, um den Kasten abzureißen. Gut möglich, dass er der Durchsuchung eine interessante Perspektive beisteuern konnte. Ich hatte trotzdem meine Zweifel, als ich hinter dem beleibten Mann die Stufen hinaufstieg. Dann trat ich durchs Eingangsportal und war wieder zurück im St. Jude.

Die wenigen Tage, die ich nicht hier gewesen war, hatten meine Erinnerung daran geschönt. Es war trostlos. Hinter den Mauern herrschte ewige Nacht. Kein Licht der Welt, auch die hellen Strahler nicht, vermochte den Gestank nach Schimmel und Urin zu tilgen.

Als Ward mich ins St. Jude zurückbeordert hatte, hatte ich mich gefreut. Jetzt, als wir das Tageslicht hinter uns ließen und mir langsam das Ausmaß der vor uns liegenden Aufgabe bewusst wurde, schwand meine Begeisterung. Es würde Tage dauern, sich durch jeden Saal, jedes Zimmer, jeden Flur zu arbeiten. In der klaustrophobischen Düsternis des St. Jude würde uns das wie eine Ewigkeit vorkommen.

Das Krankenhaus war in Zonen unterteilt worden, um eine systematische Durchsuchung zu ermöglichen. Die Suche sollte ganz oben beginnen, wo die beiden eingemauerten Leichen entdeckt worden waren, und von dort, Stockwerk für Stockwerk, bis zum Keller fortgesetzt werden. Die Polizei kämmte das gesamte Gebäude gründlich durch, und der Plan lautete, dass unser Team mit dem Leichenspürhund nachfolgte, um sicherzugehen, dass nicht noch mehr verwesende Überreste hinter falschen Wänden oder sonst wo versteckt lagen.

Normalerweise würde ein Gerichtsmediziner die Suche mit Leichenspürhund begleiten, um nach festgestelltem Tod die Bergung zu beaufsichtigen. Doch angesichts der besonderen Umstände und da völlig ungewiss war, ob es hier überhaupt noch etwas zu finden gab, sollte meine Anwesenheit genügen. Ich würde ohne weiteres bestimmen können, ob ein etwaiger Fund menschlicher Natur war, außerdem wäre alles, was der Labrador womöglich aufspürte, wahrscheinlich versteckt und schwer zugänglich. Parekh bliebe immer noch ausreichend Zeit, herzukommen, falls sie tatsächlich gebraucht wurde.

Die Hundekrallen klapperten auf dem Boden, als wir die Treppen hochgingen. Unsere schwereren Schritte hallten als Echo von den nackten Wänden des Treppenhauses wider. Ich ging hinter Jessop und sah, welche Mühe der Aufstieg dem Bauunternehmer mit seiner Umhängetasche und dem Bohrerkoffer bereitete. Er hievte sich am Handlauf die Stufen hinauf, und als wir oben ankamen, drang hinter seinem Mundschutz Pfeifen hervor.

«Geht's Ihnen gut?», fragte ich, als er anhielt.

Er wandte mir die gelblichen Augen zu, die breite Brust hob und senkte sich. Selbst durch die Maske streifte mich sein Atemhauch, sauer und schal von altem Alkohol.

«Mir würde es besser gehen, wenn ich nicht in diesem Scheißhaufen stecken würde.»

«Soll ich Ihnen was abnehmen?»

Er starrte mich an. Die Feindseligkeit stand ihm trotz Mundschutz offen ins Gesicht geschrieben.

«Nein.»

Er schob sich den Trageriemen ein Stück die Schulter hoch und machte sich auf den Weg durch den Flur, der im Licht der Lampen wie ein schwarzer, endloser Tunnel wirkte, der sich in der Ferne verlor. Die Suche würde am anderen Ende beginnen, doch auf halbem Wege blieb Jessop schon wieder stehen. Ich vermutete, dass er nach dem Aufstieg noch immer Atemnot hatte, bis ich sah, wohin er blickte. Zur Rechten lag der mit Absperrband markierte Zugang zu dem Teil des Dachbodens, wo Christine Gorskis Leiche gefunden worden war.

Als Jessop merkte, dass ich ihn beobachtete, warf er mir einen Blick zu. «Wurde sie da gefunden?»

«Ich glaube schon.»

Jessop starrte in die Finsternis hinter dem Absperrband und schnaufte hörbar.

«In den Nachrichten haben sie gesagt, sie wäre einundzwanzig gewesen. So alt wie meine Tochter.»

Ohne eine Antwort abzuwarten, drehte er sich um und stapfte weiter.

Obwohl ich wusste, dass noch andere Suchtrupps im Gebäude unterwegs waren, kam es mir vor, als wären wir völlig allein, als unsere kleine Gruppe den langsamen Marsch durch die finsteren Weiten des St. Jude begann; mutterseelenallein und abgeschnitten von allen Lebenden.

Mir waren Krankenhäuser vertraut, ich wusste, wie verschachtelt sogar die am besten geplanten Häuser sein konnten. Allerdings waren die Krankenhäuser, in denen ich bis jetzt zu tun gehabt hatte, voller Leben und Lärm gewesen, nicht finster und stumm wie dieses. Hier die Orientierung zu verlieren, wäre ein Kinderspiel.

Wenigstens der Hund war glücklich. Bis auf die Hundeführerin blieben wir alle ein Stück zurück, um das Tier nicht bei der Arbeit zu stören. Nicht dass der Labrador sich hätte stören lassen: Star ging völlig in der Erforschung dieser wundervollen neuen olfaktorischen Welt auf, die das ehemalige Krankenhaus zu bieten hatte. Krankensäle, Sprechzimmer, Untersuchungskabinen, selbst Vorratskammern – alles musste der Leichenspürhund überprüfen.

Ich hatte mir über die praktischen Aspekte kaum Gedanken gemacht. Wie die meisten alten staatlichen Krankenhäuser war das St. Jude im Laufe der Jahre modernisiert, renoviert und ausgebaut worden. Obwohl es, von außen betrachtet, unverändert geblieben war, hatte das Innere kaum noch etwas mit dem ursprünglichen Gebäude zu tun. Grundriss und Anordnung von Räumen, Sälen und Gängen hatten sich über die Zeit völlig verändert. Immer wieder waren Wände entfernt oder versetzt worden. Manche waren offensichtlich alt und standen bereits seit Jahrzehnten an Ort und Stelle. Andere dagegen nicht.

Es war noch keine Stunde vergangen, als der Hund zum ersten Mal anschlug. Mit gespitzten Ohren inspizierte er die Untiefen eines verdreckten Wandschranks. Eine erste Überprüfung durch einen Kriminaltechniker hatte den ledrigen Kadaver einer Fledermaus zum Vorschein gebracht, der zerknüllt wie ein verlorener Handschuh unter ein paar zerbrochenen Regalböden lag. Die Trainerin belohnte den Hund mit einem zerkauten Tennisball.

«Muss schön sein, so leicht befriedigt zu sein», sagte Whelan, als der Hund glücklich mit dem Schwanz wedelte.

Nicht lange danach verstand ich, weshalb Ward Jessop hatte dabeihaben wollen. Wir befanden uns in einem ehemaligen Wartezimmer. An eine Wand war eine Reihe Plastikstühle geschraubt, die inzwischen kaputt waren, darüber ein Schild mit dem Hinweis *Bitte nehmen Sie Platz und warten Sie, bis Sie aufgerufen werden*. Neben einem leeren Desinfektionsmittelspender hing ein zerrissenes Plakat, das die Elektronenmikroskopaufnahme eines Grippevirus zeigte.

Der Labrador hatte schnüffelnd eine verstaubte Fußbodenleiste abgesucht und schlug plötzlich an. Er tänzelte an einer Stelle hin und her, sah zu seiner Trainerin hoch und bellte.

Die Frau tätschelte den Hund und wandte sich an Whelan. «Sieht aus, als hätte er was gefunden.»

Jessop hatte die ganze Zeit keinen Ton von sich gegeben, und seine übellaunige Präsenz hatte die beklemmende Atmosphäre verstärkt. Von Whelan mit einem Handzeichen nach vorn zitiert, drosch er direkt über der Stelle, wo der Hund angeschlagen hatte, mit der geballten Faust gegen die Wand. Ein dumpfer, hohler Schlag ertönte.

«Gipskarton», knurrte er.

Er öffnete den Plastikkoffer, holte eine akkubetriebene Bohrmaschine heraus und bohrte dicht über dem Fußboden ein kleines Loch in die Wand. Dann holte er ein Endoskop aus der Schultertasche, eine Glasfasersonde, die mit einem kleinen Monitor verbunden war. Jessop schob die Sonde durch das Bohrloch und schwenkte das Kabel hin und her. Der Bildschirm beleuchtete fahl sein Gesicht. Dann hielt er inne und passte minutiös die Einstellungen an, um das Bild zu verbessern.

«Was ist es?», fragte Whelan.

Ohne zu antworten, legte Jessop das Endoskop beiseite, griff erneut in die Tasche und zog ein Brecheisen heraus. Ehe irgendjemand eingreifen konnte, hieb er es gegen die Wand und schlug ein Loch in den dünnen Gipskarton. Als der Mann den Arm hineinsteckte, machte Whelan einen Satz nach vorn.

«Mensch! Was zum Teufel …!»

Doch Jessop zog den Arm bereits wieder zurück. Zwischen seinen Fingern baumelte etwas Dunkles, Behaartes.

«Nur eine Ratte. Ist wahrscheinlich durch den Sockel gelangt.»

Stumm kniete Whelan sich vor das Loch in der Wand. Er leuchtete mit der Taschenlampe hinein, um zu erkennen, ob noch etwas dahinter war. Ich hatte den Eindruck, als ginge es ihm hauptsächlich darum, sich zu beruhigen. Mit eisigem Blick wandte er sich an Jessop.

«Noch so eine Nummer, und ich belange Sie wegen mutwilliger Manipulation eines Tatortes! Wenn Sie wieder was sehen, entscheide ich, was zu tun ist. Verstanden?»

«Mann, das war doch nur eine beschissene Ratte …»

«Haben wir uns verstanden?»

Der Bauunternehmer mied seinen Blick. «Schon gut, kommen Sie wieder runter», murmelte er.

Er schleuderte die tote Ratte in eine Ecke. Der Hund sprang aufgeregt hinterher und erntete einen Tadel von seiner

Trainerin. Mit eingekniffenem Schwanz stahl er sich zurück. Er wirkte regelrecht betroffen. Whelan holte tief Luft.

«Okay. Mittagspause.»

Aus dem Nieselregen war feinster Sprühregen geworden, der in der Luft hing und sich auf Haare und Kleidung setzte. Ich überlegte, ob ich zu der Kirchenruine in dem Waldstück hinter dem Krankenhaus spazieren sollte, doch der Boden war nass und schlammig, und ich entschied mich stattdessen für ein Sandwich und einen Becher Tee in meinem Wagen.

Ich starrte ausdruckslos zum Fenster hinaus, kaute mechanisch und fragte mich, was Rachel wohl gerade tat, als es an die Beifahrertür klopfte. Ward spähte durchs Seitenfenster herein.

«Haben Sie eine Minute?»

Ich beugte mich hinüber, um ihr zu öffnen. Ich hatte sie seit der von Oduya gekaperten Pressekonferenz nicht mehr gesehen und erschrak, wie müde sie wirkte. Sie hatte tiefe Schatten unter den Augen. Seufzend ließ sie sich vorsichtig auf den Beifahrersitz sinken. «Herrlich, eine kurze Pause für meine Füße. Ich bleibe nicht lange, ich wollte nur hören, wie Sie vorankommen.»

Ich zuckte die Achseln. «So weit, so gut, würde ich sagen. Bis jetzt haben wir nichts gefunden.»

«Hoffentlich bleibt das so. Ich hätte zur Abwechslung gern mal einen Tag ohne neue Schlagzeilen. Wie kommen Sie mit unserem Abrissexperten zurecht?»

«Jessop? Wir hatten nicht viel Gelegenheit zum Austausch.»

«Sehr diplomatisch ausgedrückt. Ich habe gehört, er ist nicht gerade das engagierteste Teammitglied.»

«Sagen wir, ich glaube, er würde das Ding lieber abreißen, als darin herumzusuchen.»

«Das kann ich ihm kaum verdenken. Die ganzen Verzögerungen müssen ihn ein Vermögen kosten. Wäre er nicht ein so unangenehmer Fiesling, würde er mir leidtun.»

Sie ließ sich tiefer in den Sitz sinken, machte es sich bequem. «Haben Sie in letzter Zeit mal mit Ihrem Freund Mears gesprochen?» *Ihrem Freund* klang eindeutig ironisch.

«Wir sind uns gestern im Leichenschauhaus über den Weg gelaufen. Er sagte, er hätte bei den zwei Opfern Verbrennungen entdeckt.»

«Oh, inzwischen ist es sogar ein bisschen mehr als das. Er vermutet, es könnte sich um Brandzeichen handeln.»

«Brandzeichen? Wie bei … Vieh?» Das war allerdings neu.

«So etwas in der Art. Die Zeichen sind klein und waren angesichts des Zustands der Leichen schwer zu entdecken. Aber er sagt, eine offene Flamme hätte die Haut eher verkohlt. Er vermutet, dass jemand die Opfer mit einem Lötkolben oder dergleichen bearbeitet hat. Ein Gerät, das heiß genug war, um den Knochen zu versengen, jedoch gleichzeitig lokal sehr begrenzte Brandwunden zu verursachen.»

«Moment mal, die Verbrennungen drangen bis auf den *Knochen* vor?»

Ward nickte. «Ein unerträglicher Gedanke, oder? Er hat mit der Untersuchung des größeren Opfers noch nicht begonnen, wir können im Augenblick also nur davon ausgehen, dass es männlich ist. Aber er hat bestätigt, dass es sich bei dem zweiten Opfer um eine Frau Ende dreißig bis Anfang vierzig handelt. Mears hat Spuren auf ihrem Skelett gefunden, die mit den Brandwunden auf der Haut korrespondieren.»

Du liebe Güte. Ich dachte immer noch darüber nach, was

derart tiefe Brandwunden verursachen konnte, ohne der Epidermis größeren sichtbaren Schaden zuzufügen.

«Es wird noch besser», fuhr Ward düster fort. «Die Obduktionsröntgenaufnahmen weisen Frakturen an Armen und Beinen beider Opfer auf. Zwar nur Knochenfissuren, aber es sieht ganz danach aus, als hätte jemand die beiden bearbeitet. Mears vermutet einen Banden- oder Drogenzusammenhang.»

«Ist er auf dem Gebiet etwa auch Experte?»

Sie lächelte. «Nein, aber es ist eine plausible Theorie. Wir wissen, dass im St. Jude mit Drogen gedealt wurde, und hier deutet alles entweder auf Bestrafung oder Rachemord hin. Beide Opfer gefesselt und gefoltert und im Anschluss lebendig eingemauert. Erzählen Sie mir nicht, dass da nicht jemand einen gewissen Groll gehegt hätte!»

Ich war skeptisch. Würde eine Bande wirklich so viel Aufwand betreiben? Folter, ja. Aber ich konnte mir nicht vorstellen, dass Bandenmitglieder sich die Mühe machten, ihre Opfer einzumauern.

Ward massierte sich mit den Handballen die Augen. «Ich sagte, es ist eine Theorie. Ich sagte nicht, dass sie perfekt ist. Für mich klingt das auch nicht bis ins Letzte schlüssig. Hätte jemand ein Exempel statuieren wollen, wären die Leichen offensichtlich deponiert worden. Und falls nicht, wieso dann das Risiko auf sich nehmen, dass sie bei den Abrissarbeiten gefunden werden? Ich habe mich auch schon mit Parekh darüber unterhalten. Wir sind zu keinem Ergebnis gekommen.»

«Hatten Sie Glück mit den Fingerabdrücken von den Farbeimern?»

«Nein. Das war eine Niete. Und die im Mörtel auch. Sie stammen von derselben Person, der Größe nach vermutlich männlich, aber bis jetzt gibt unsere Datenbank nichts her. Möglich, dass wir es mit einem unbeschriebenen Blatt zu tun haben, was nicht eben hilfreich wäre.» Sie klang frustriert, doch dann wurde sie munter. «Die gute Nachricht lautet, dass Mears Fortschritte macht. Es ist ihm gelungen, von beiden Leichen Fingerabdrücke zu nehmen.»

«Konnten Sie die Opfer identifizieren?»

«Nein, aber ich hatte mir eigentlich keine allzu großen Hoffnungen gemacht, überhaupt an Abdrücke zu kommen, weil sich die Haut schon gelöst hatte. Mears mag zwar wie ein Oberschüler aussehen, aber er versteht sein Handwerk. Halten Sie sich fest! Er hat die Haut der Hände in Wasser eingeweicht und sie dann wie Handschuhe benutzt.» Sie schüttelte den Kopf. «Von der Methode habe ich noch nie gehört.»

Ich schon. Die Methode funktionierte nur unter bestimmten Voraussetzungen, doch ich hatte diese Technik selbst bereits bei mehreren Gelegenheiten angewandt. Wahrscheinlich, als Mears noch zur Schule ging. Trotzdem musste ich zugeben, dass es in einem solchen Verwesungsstadium einiges an Geschick brauchte, um das hinzukriegen.

«Zu schade, dass Ihnen das bei Christine Gorski nicht gelungen ist», fuhr Ward fort und unterdrückte ein Gähnen. «Das hätte uns einige Peinlichkeiten erspart.»

«Ihre Fingerkuppen waren von Ratten zerfressen. Bei ihr gab es keine brauchbaren Fingerabdrücke mehr.»

«Ich weiß. Das sollte keine Kritik sein.» Sie zögerte. «Und Sie haben an dem Leichnam definitiv keine Verbrennungen gefunden? Nichts, das darauf hindeuten könnte, dass sie ebenfalls gefoltert wurde?»

«Wenn dem so wäre, hätte ich es Ihnen gesagt.»

«Sind Sie sicher?»

«Möchten Sie sich von Mears eine zweite Meinung einholen?»

«Okay, war nur eine Frage.» Ward warf mir einen Seitenblick zu. Ihr Mundwinkel zuckte. «Kann es sein, dass hier ein Hauch von Konkurrenzkampf in der Luft liegt?»

«Nein. Natürlich nicht.» *Na ja, vielleicht ein Hauch.* Ich konnte mir ein Lächeln nicht verkneifen, reumütiges Eingeständnis, dass in ihrem Vorwurf womöglich ein Körnchen Wahrheit steckte.

Wards Belustigung erstarb mit einem Blick auf die Uhr. «Ich muss wieder los. Eigentlich bin ich vorbeigekommen, um Sie vorzuwarnen, dass uns nachher Besuch ins Haus steht. Christine Gorskis Familie besteht darauf, den Fundort zu besichtigen.»

«Halten Sie das für eine gute Idee?», fragte ich überrascht.

«Es wird passieren, ob es eine gute Idee ist oder nicht», konterte Ward, dann seufzte sie. «Hören Sie, die haben uns mit ihrem plötzlichen Auftauchen völlig überrumpelt. Die Situation hat uns nicht gerade ins beste Licht gerückt, und jetzt, wo der Leichnam tatsächlich als der ihrer Tochter identifiziert wurde, möchten wir nicht gefühllos erscheinen. Sie werden nur hergebracht, um sich selbst davon überzeugen zu können, was unternommen wird, um diejenigen zu finden, die für den Tod ihrer Tochter verantwortlich sind. Sie werden das Gebäude nicht betreten, Sie werden einander also wahrscheinlich nicht einmal begegnen. Ich wollte Sie nur vorwarnen, damit Sie wissen, was auf Sie zukommt.»

Sie klang, als wolle sie sich selbst überzeugen, und ich verstand, weshalb. Christine Gorskis Familie den Zugang zum St. Jude zu gestatten, war keine gute Idee. Auch wenn sie sich, was die Umstände des Todes ihrer Tochter betraf, womöglich wenig Illusionen machten, wäre die Konfrontation mit dem Elend des Ortes, an dem sie gestorben war, kaum hilfreich, ihren Tod zu begreifen. Von Trost ganz zu schweigen.

Die ganze Sache schmeckte nach einer PR-Aktion. Ich kannte Ward gut genug, um zu wissen, dass sie damit selbst nicht glücklich war, und vermutete, dass Ainsley dahintersteckte. Nach dem öffentlichen Debakel von Wards erster Pressekonferenz war der Commander garantiert erpicht darauf, ein paar fernsehtaugliche Bilder präsentieren zu können.

Erst als Ward längst ausgestiegen war, wurde mir bewusst, dass ich die Chance verpasst hatte, ihr von Lola zu erzählen.

KAPITEL 15

Wie am Morgen schon, versammelte sich unsere Gruppe nach der Mittagspause erneut auf den Eingangsstufen zum Krankenhaus. Es hatte wieder zu regnen begonnen, nicht besonders heftig, auch wenn die dunklen Wolken verrieten, dass sich das bald ändern konnte. Wir suchten unter dem pseudogriechischen Portikus Schutz, dessen geriffelte Säulen mit Graffiti beschmiert waren. Nicht zum ersten Mal kam mir der Vergleich mit einem Mausoleum in den Sinn. In der schattigen Dunkelheit unter dem Vordach von St. Jude, vor mir die schweren Türen zum düsteren Innenbereich, fühlte ich mich wie auf der Schwelle zu einer Gruft.

Es gab bessere Assoziationen für ein Krankenhaus.

Und wieder warteten wir auf Jessop. Der Abrissunternehmer hatte sich zu Beginn unserer Mittagspause verzogen und war nicht wieder aufgetaucht. Und ebenfalls genau wie heute Morgen warf Whelan verärgert einen Blick auf die Uhr.

«Scheiß drauf. Wir fangen ohne ihn an.»

Im gleichen Augenblick kam Jessop mit einem provozierenden Mangel an Eile aus Richtung der Baustellenklos auf uns zugeschlendert. Im Gehen zog er sich den Overall hoch und mühte sich stirnrunzelnd ab, den Reißverschluss über seinen Bauch zu kriegen.

«Wir haben auf Sie gewartet», sagte Whelan schmallippig.

Jessop zwängte seine dicken Finger in einen viel zu engen Handschuh. «Ich war scheißen.»

«Wir wollten bereits vor zehn Minuten weitermachen.»

«Tja. Jetzt bin ich da, oder?»

Whelan musterte ihn ausdruckslos und wandte sich dann an die Übrigen von uns. «Gehen Sie schon mal rauf. Mr. Jessop und ich kommen in einer Minute nach.»

Es dauerte dann doch ein wenig länger. Untätig standen wir am Treppenabsatz herum. Keiner sagte etwas, nur der Labrador war offenbar immun gegen die dicke Luft. Dann verkündete das Echo von Schritten im Treppenhaus die Ankunft von Whelan und Jessop. Der schwere Mann trottete hinter dem DI her wie ein gescholtener Schuljunge.

«Schön. Dann mal an die Arbeit», sagte Whelan und betrat den von Scheinwerfern beleuchteten Flur.

Oben angekommen, hielt Jessop inne, um Atem zu schöpfen, und starrte ihm missmutig hinterher, sagte aber nichts.

Es lässt sich an den Fingern einer Hand abzählen, wie oft die Zeit zäh dahinfloss, während ich an einer Ermittlung beteiligt war. Viel öfter ist das Gegenteil der Fall, und ich tauche aus einer Tätigkeit auf, nur um festzustellen, dass mal eben ein ganzer Tag vergangen ist. Doch im St. Jude schien die Zeit regelrecht zu gefrieren. Es gab nichts zu tun, außer langsam dem Hund durch einen endlosen Flur nach dem anderen zu folgen und leere Räume zu durchsuchen, die alle gleich aussahen und miteinander zu verschmelzen schienen. Ab und zu blickte ich auf die Uhr, überzeugt, dass mindestens eine Stunde vergangen war, nur um festzustellen, dass die Zeiger sich so gut wie nicht von der Stelle gerührt hatten.

Aber wenigstens riss Jessop sich zusammen. Was immer

Whelan zu ihm gesagt hatte, es schien zu wirken, auch wenn seine Selbstbeherrschung im Laufe des Nachmittags nachließ und seine Aufsässigkeit langsam wieder an die Oberfläche drang. Diverse Male schlug der Hund an, doch es war jedes Mal ein Fehlalarm, der zu nichts führte außer zu unterdrückten Flüchen und ungeduldigem Stöhnen seitens des Abrissunternehmers. Als Fell und Knochen der nächsten toten Ratte zutage gefördert wurden, verlor er endgültig die Beherrschung.

«Ich dachte, diese Scheißtöle wäre abgerichtet?», platzte es aus Jessop heraus, als die Hundeführerin den Labrador ein weiteres Mal mit dem Tennisball belohnte. «Das hat mein Hund ja besser drauf! Riecht der nicht den Unterschied zwischen einer Leiche und einem verfluchten Nagetier?»

«Nein. Sie etwa?», schoss die Frau zurück. Sie streckte den Rücken durch und starrte Jessop drohend an, als solle er sich unterstehen, ihr Tier noch einmal zu kritisieren. Stattdessen wandte er sich an Whelan.

«Das ist doch Blödsinn! Wie lange sollen wir hier eigentlich noch rumkriechen?»

Der Ermittler antwortete, ohne ihn anzusehen. «So lange, wie es dauert.»

«Ach, kommen Sie! Wir verschwenden nur unsere Zeit. Hier ist nichts.»

«Je schneller wir das bestätigen können, desto eher können Sie Ihre Bulldozer zurückholen und alles kaputt machen.»

«Finden Sie das etwa witzig?» Über dem Rand der Maske quollen Jessop fast die blutunterlaufenen Augen aus dem Kopf. «Euch geht's gut, oder? Die Zeit, die ihr hier rumsteht und euch den Arsch kratzt, kostet mich eine Riesenstange Geld!»

Whelan musterte ihn. «Nein, Mr. Jessop, ich finde das nicht witzig. Und es tut mir leid, wenn wir Ihnen Unannehmlichkeiten bereiten müssen, aber es handelt sich hier um eine Mordermittlung. Und die hat leider Priorität vor Ihrer Gewinnspanne.»

«*Gewinn...?*» Jessop lachte bitter auf und schüttelte den Kopf. «Himmel. Sie haben keinen blanken Schimmer, oder?»

Das Funkgerät ersparte Whelan die Antwort. Er warf Jessop einen finsteren Blick zu und ging zur Seite.

Wir verstummten. Die beiden Kriminaltechniker tauschten Blicke, und der Mann sah mich an und verdrehte die Augen. Der dicke Bauunternehmer stand mit hängenden Schultern da. Er schüttelte den gesenkten Kopf und murmelte vor sich hin.

«Wisst ihr was? Ich scheiß drauf!»

Plötzlich zerrte er sich die Kapuze vom Kopf und nahm den Mundschutz ab. Sein Gesicht war gerötet und schweißnass, die schütteren Haare klebten ihm am Schädel. Dort, wo die Maske ihm in die Haut geschnitten hatte, zogen sich rote Striemen über die Wangen.

«He! Das können Sie nicht machen», sagte die Kriminaltechnikerin zu ihm.

«Nicht? Dann pass mal auf! Dieser verfluchte Kasten hat mich schon genug Zeit gekostet!»

Er drehte sich um und stapfte durch den Flur in Richtung Treppenhaus. Whelan rief ihm mit scharfer Stimme hinterher.

«Mr. Jessop!»

Der Mann wurde langsamer, dann drehte er sich um. Sein Gesicht war wutverzerrt und entschlossen. Das von Whelan ebenfalls, als er wieder auf uns zukam.

«Das war Jackson. Sieht so aus, als wäre einer der Such-trupps im Keller auf Asbest gestoßen. Sie wissen nicht zufällig irgendwas darüber, oder?»

Mit Jessops Gesichtszügen ging eine Veränderung vor. Er fing an zu blinzeln, sein Mund bewegte sich, als würde er stimmlos Worte testen. «Was? Nein. Ich … ich habe nicht …»

Er verstummte. Whelan starrte ihn an, dann wandte er sich an uns.

«Okay. Wir unterbrechen.»

Ich saß bei geöffneter Autotür in meinem Wagen. Auf dem Armaturenbrett kühlte langsam ein dampfender Styropor-becher Tee ab. Es war jetzt fast eine Stunde her, seit wir das Krankenhaus verlassen hatten, und ich wartete noch immer auf die Information, wann – oder ob – wir wieder reingehen würden. Feiner Sprühregen sprenkelte die Windschutzschei-be. Ich trank einen Schluck Tee. Versuchte mich zu entspan-nen.

Das konnte dauern, sagte mir eine Ahnung.

Jessop hatte mitgenommen gewirkt, als wir aus dem düste-ren Gebäude ins Freie getreten waren, das Gesicht unter den Bartstoppeln aschfahl. Von seiner polternden Art war nichts übrig geblieben, was einem Schuldeingeständnis gleichkam. Seine Firma wäre verpflichtet gewesen, vor Beginn der Ab-rissarbeiten ein Gutachten zu erstellen. Das hätte auch die Suche nach Asbest in dem veralteten Krankenhaus beinhaltet, damit das Material gegebenenfalls im Vorfeld gefahrlos hätte entsorgt werden können. Im glimpflichsten Fall würde man Jessop Fahrlässigkeit vorwerfen. Im schlimmsten Fall hatte er von dem Asbest gewusst und absichtlich geschwiegen, das würde strafrechtliche Konsequenzen nach sich ziehen.

Kein Wunder, dass er so verzweifelt bestrebt gewesen war, das Gebäude endlich abzureißen.

Die polizeiliche Durchsuchung des St. Jude hing damit in der Luft, zumindest bis eine Risikoeinschätzung vorgenommen worden war. Möglicherweise musste das Gebäude abgesichert werden. So oder so, jetzt hieß es, auf eine Entscheidung warten.

Ich stieg aus und streckte mich, während ich darüber nachdachte, ob es sich überhaupt lohnte, zu bleiben. Ich glaubte nicht, dass an diesem Tag irgendwer zurück in das Gebäude gelassen würde, und es gab interessantere Arten, den Nachmittag zu verbringen, als auf einem Parkplatz rumzusitzen. Gerade als ich beschlossen hatte, mich auf die Suche nach Whelan zu machen, sah ich jemanden aus einem der Polizeianhänger kommen.

Es war Jessop.

Er sah eher noch schlechter aus als vorhin, so, als wäre er innerhalb einer Stunde um zehn Jahre gealtert. Ich hatte keine Lust, mit ihm zu sprechen, aber ich hätte mir keine Sorgen zu machen brauchen. Er war nicht in dem Zustand, irgendwen zu registrieren. Er schwankte leicht, als hätte er Probleme mit dem Gleichgewicht, und wirkte benommen. Ich fragte mich, ob er unter Schock stand. Einen Augenblick später beantwortete sich die Frage von selbst. Als er eine Reihe Einsatzfahrzeuge passierte, gaben plötzlich seine Beine nach. Er versuchte noch, sich an einem Auto abzustützen, doch er rutschte zu Boden und setzte sich mit einem dumpfen Schlag auf den nassen Asphalt.

Ich lief zu ihm. Er unternahm keinen Versuch, aufzustehen, blieb einfach, wo er war, einen Arm um den Kotflügel gelegt.

«Geht es Ihnen gut?», fragte ich. Er starrte nur zu mir hoch und blinzelte träge. *Das könnte mehr als nur ein Schock sein,* dachte ich und sah mich um. «Okay, bleiben Sie sitzen. Ich hole …»

«Nein!» Die Farbe kehrte in sein Gesicht zurück, die Wangen färbten sich rot. «Ich will mit den Schweinen nichts mehr zu tun haben!»

Er versuchte, auf die Beine zu kommen, und lehnte sich dabei gegen den Wagen. Nach kurzem Zögern schob ich ihm zur Unterstützung den Arm unter.

«Lassen Sie mich», sagte er dumpf.

Doch die Worte hatten keine Kraft, und er versuchte nicht, mich abzuschütteln. Er war genauso schwer, wie er aussah, zu schwer für mich. Doch er erholte sich bereits. Der Griff, mit dem er mich an der Schulter packte, war fest, und nach kurzem Schwanken hielt er das Gleichgewicht. *Wahrscheinlich doch nur ein Schock,* dachte ich, als er mich losließ und sich ohne Hilfe aufrichtete.

«Wo haben Sie geparkt?», fragte ich ihn.

«Ich schaffe das allein», murmelte er, dann fügte er hinzu: «Da drüben.»

Er fuhr einen alten Mercedes, der in besserem Zustand ein Sammlerstück hätte sein können. So jedoch sah er, genau wie sein Besitzer, aus, als gebe er jeden Moment den Geist auf. Jessop konnte wieder alleine gehen, doch ich blieb bei ihm, während er nach dem Schlüssel kramte und aufschloss.

«Sie sollten noch nicht fahren», sagte ich. Ich hoffte, er würde es nicht versuchen. Ich hatte keine Lust, ihm die Autoschlüssel abnehmen zu müssen.

«Mir geht es gut.»

Doch er machte keine Anstalten, einzusteigen. Als ich

noch überlegte, ob ich bleiben oder gehen sollte, fingen seine Schultern plötzlich an zu beben.

«Die haben mich abserviert», sagte er, über seine stoppeligen Wangen liefen Tränen. «Die Schweine haben mich gefeuert. Die wollen mich verklagen, haben sie gesagt.»

Er hatte sowieso gedroht, hinzuschmeißen, und er hatte sich die ganze Zeit nur beschwert. Selbst wenn er nichts von dem Asbest gewusst haben sollte, hatte seine Nachlässigkeit seine Angestellten und weitere Menschen in Gefahr gebracht. Egal wie man es betrachtete, das alles hatte Jessop sich selbst eingebrockt.

Doch ich bezweifelte, dass eine derartige Bemerkung jetzt hilfreich gewesen wäre. Und so sehr ich mir das auch gewünscht hätte, ich konnte ihn in diesem Zustand nicht alleinlassen.

«Hier. Setzen Sie sich erst mal.»

Das Erste, was ich sah, als ich die Autotür öffnete, war die Plastikflasche mit Orangensaft im Beifahrerfußraum. Daneben lag eine halbleere Wodkaflasche. Ich hielt Jessop bereits für einen Säufer. Er hatte heute Morgen nach Alkohol gestunken, und der Geruch haftete immer noch an ihm, als ich ihm eben zum Auto geholfen hatte. Ich war davon ausgegangen, dass er noch Restalkohol vom Vorabend in seinem System hatte, weil ich nie auf die Idee gekommen wäre, dass er dumm genug war, während eines polizeilichen Ermittlungseinsatzes zu trinken. Alles Mitleid, das ich womöglich mit ihm gehabt hatte, versiegte. Hier ging es nicht mehr allein darum, sicherzugehen, dass es Jessop wieder gutging. Meine Frau und meine Tochter waren von einem betrunkenen Autofahrer getötet worden. So einen würde ich mit Sicherheit nicht ans Steuer lassen.

Jessop ließ sich schwer hinters Lenkrad fallen, das Gesicht ins Freie gewandt, die Füße auf dem Parkplatz. Schlaff saß er da, die großen Hände baumelten zwischen seinen Knien, und auf seinem Gesicht lag ein verlorener Ausdruck.

«Das war's. Ich bin am Arsch.» Wenigstens hatte er inzwischen aufgehört zu weinen. «Es ist alles weg. Alles. Alles futsch.»

Dann hob er den Blick und sah zum St. Jude hinüber. Sein Gesicht wurde hart.

«Dieser Dreckskasten. Ich wünschte, ich hätte das Loch nie zu Gesicht bekommen. Die ganze Zeit, die viele Kohle; neue Geräte gekauft, Leute angeheuert. Verfluchte Scheiße! Ich hätte den Laden schon vor Wochen in die Luft jagen sollen.»

Ich sah mich um, halb in der Hoffnung, Whelan oder jemand anderen zu sehen, der in der Lage wäre, einzugreifen. Am anderen Ende des Parkplatzes waren ein paar weiß gekleidete Personen, aber niemand schaute in unsere Richtung.

«Wie wär's, wenn ich ein Taxi rufe …?», sagte ich, obwohl ich schon ahnte, wie er reagieren würde.

Er schielte zu mir hoch. «Was reden Sie für einen Mist? Ich will kein Taxi, ich habe ein Auto.»

Seine Streitlust war zurück. Mir war klar, dass ich ihn nicht würde überreden können, und noch ehe ich etwas sagen konnte, öffnete sich auf der anderen Seite des Parkplatzes die Tür eines Polizeianhängers. Erleichtert sah ich Ward herauskommen. Sie war in Begleitung einer Gruppe ranghoher Uniformierter. Ich erkannte Ainsley unter ihnen, doch erst als ich die Zivilisten aus dem Wagen treten sah, wurde mir klar, was vor sich ging.

Oh nein.

Ich hatte den Besuch von Christine Gorskis Angehörigen an diesem Nachmittag völlig vergessen. Ihre Eltern stützten einander beim Gehen, in die erschütterten Gesichter hatte sich tief die Trauer eingegraben. Sie waren feierlich gekleidet, wie zum Kirchgang oder zu einem förmlichen Ereignis. Ihr Sohn hielt sich ein Stück abseits. Er trug Jeans und ging mit gesenktem Kopf, die Hände in den Hosentaschen. Der Abstand zwischen ihm und seinen Eltern war auffällig.

Der vierte Zivilist war Adam Oduya.

Der Aktivist machte sich selbst in seiner Freizeitbekleidung gut zwischen den ranghohen Polizeibeamten in ihren makellosen dunklen Uniformen. Der Besuch war offenbar beendet. Ich war zu weit entfernt, um etwas zu verstehen, doch es gab Händeschütteln und ernstes Nicken seitens der Beamten. Dann zerstreute sich die Gruppe, und die meisten Polizisten steuerten auf ihre Fahrzeuge zu. Ward und Ainsley blieben bei Oduya und den Angehörigen von Christine Gorski, sie entfernten sich gemeinsam von dem Anhänger.

Und kamen direkt auf mich und Jessop zu.

Sie hatten uns noch nicht gesehen, und der Abrissunternehmer saß von ihnen abgewandt. Trotzdem war es nur eine Frage der Zeit. Ich sah mich verzweifelt um, versuchte zu verhindern, was gleich geschehen würde. Die Stimmen wurden klarer, als die Gruppe näher kam. Oduyas markanter Bariton übertönte die anderen. Jessop hob den Kopf. Er kam auf die Füße, seine dichten Augenbrauen stießen aneinander, als er das Grüppchen entdeckte.

«Was will dieses Schwein hier?»

Bis eben hatte ich mir lediglich Sorgen gemacht, die trauernde Familie würde auf den Bauunternehmer treffen. Mir war nicht in den Sinn gekommen, dass Jessop Oduya kennen könnte. Dabei lag es nahe: Der Aktivist hatte die Kampagne zur Rettung des St. Jude angeführt, er war für den Aufschub des Abbruchs wegen der Fledermäuse verantwortlich. Und nachdem er Christine Gorskis Familie so medienwirksam präsentiert hatte, war sein Gesicht in den letzten vierundzwanzig Stunden auf allen Kanälen und sämtlichen News-Seiten gewesen.

Jessop würde definitiv den Mann erkennen, der für die Verzögerungen verantwortlich gewesen war.

Ich legte ihm beschwichtigend die Hand auf die Schulter. «Sie sollten wieder in den Wagen steigen …»

«Dieser Wichser!», schnaubte er und starrte Oduya an.

Dann hievte er sich aus dem Wagen und setzte sich in Bewegung. Ich versuchte, mich ihm in den Weg zu stellen, doch er schob mich unsanft beiseite. Der Schwächeanfall war vergessen, verdrängt von Adrenalin und Wut. Wissend, dass wir haargenau die Szene lieferten, die ich hatte vermeiden wollen, machte ich einen letzten Versuch, ihn aufzuhalten.

«Nicht! Das ist ihre Familie …», fing ich an, aber er hörte mich nicht. Jessop war ein wuchtiger Mann und gewohnt, seine Statur einzusetzen. Er schüttelte mich einfach ab, als er jetzt hinter seinem Wagen hervortrat.

«Sie!»

Er zeigte auf Oduya. Die Gruppe war bereits auf uns aufmerksam geworden. Ich registrierte, wie Wards Augen weit wurden, während ein Ausdruck eisiger Verachtung Ainsleys Züge verzerrte. Die anderen starrten uns nur verständnislos an. Inklusive Oduya. Jessop mochte gute Gründe haben, ihn zu erkennen, doch das beruhte nicht auf Gegenseitigkeit. Der Aktivist hatte den Abbruchunternehmer wahrscheinlich nie zu Gesicht bekommen.

«Das ist alles Ihre Schuld!», spie Jessop ihm entgegen und stürmte auf Oduya zu. «Sind Sie jetzt zufrieden, Sie Arschloch?»

Oduya sah ihn fragend an. «Entschuldigung, ich … Kennen wir uns?»

«Okay. Das reicht.»

Ainsley steuerte direkt auf Jessop zu. Er wirkte beeindruckend, durchtrainiert, wie er war, dazu die Uniform. Doch der Bauunternehmer ignorierte ihn.

«Wissen Sie eigentlich, was Sie *getan* haben?», blaffte er Oduya an. «Für welches Leid Sie verantwortlich sind? Wer schert sich schon um ein paar Fledermäuse oder eine kleine Junkie-Hure, die …»

«Ich sagte, es *reicht*!» Ainsley stellte sich Jessop in den Weg und packte ihn am Arm. «DCI Ward, ich will, dass dieser Mann …»

Ich glaube nicht, dass Jessop die Absicht hatte, ihn zu schlagen, doch der massige Kerl war inzwischen weit jenseits vernünftiger Erwägungen. Er riss sich los, sein Arm schnellte in die Höhe und traf den Commander mitten ins Gesicht. Ainsleys Kopf flog in den Nacken, er stolperte rückwärts, und die Uniformmütze flog davon. Im Laufschritt kamen endlich ein paar Beamte herüber. Ich machte einen Satz, um Jessop zurückzuhalten, und sah Ward ebenfalls reagieren, während die Angehörigen von Christine Gorski nur schockiert zusahen.

Doch Oduya war ihm von uns allen am nächsten. Einen Ausdruck höchster Konzentration auf dem Gesicht, trat er Jessop in den Weg. Als der große Kerl auf ihn zustürmte, wich der Aktivist aus und packte den nach ihm ausgestreckten Arm, nutzte Jessops Schwung, ließ ihn an sich vorbei und riss ihm dann im richtigen Augenblick den Arm hinter den Rücken, bog ihn nach oben und hielt ihn dort fest. Fluchend geriet der Bauunternehmer ins Straucheln und fiel auf ein Knie, den Arm schmerzhaft auf den Rücken gedreht.

«Sie müssen sich beruhigen», sagte Oduya.

«Schwein! Lass mich los!», keuchte Jessop und versuchte, sich zu befreien. Zur Bekräftigung verdrehte Oduya den Arm noch weiter nach oben.

«Ich will Ihnen nicht weh tun.»

Ainsley war jetzt ebenfalls bei ihm, ohne Mütze, mit blutender Nase und mühsam im Zaum gehaltener Wut. «Okay. Wir haben ihn.»

Inzwischen waren auch die anderen Polizisten bei uns angekommen. Jessop wurde von Uniformierten umringt, und Oduya trat zurück. Lässig nickte er mir zu. Er war nicht mal außer Atem.

«Hallo, Dr. Hunter.»

Wie betäubt erwiderte ich den Gruß. Als der Bauunternehmer auf die Füße gezerrt wurde, kam Whelan keuchend auf uns zugerannt, völlig außer Atem. «Was zur Hölle …»

Ward schnitt ihm das Wort ab. «Später.» Sie sah mich wütend an und wandte sich ab. «Mr. und Mrs. Gorski, es tut mir unglaublich leid …»

Sie wurde von einem platschenden Geräusch unterbrochen. Ein wenig abseits, von allen vergessen, stand Christine Gorskis kleiner Bruder vornübergebeugt und erbrach sich auf den Asphalt. Kreidebleich richtete er sich langsam auf. Eine Sekunde lang wirkte es, als wollte er etwas sagen.

Dann gaben seine Beine nach, und er brach zusammen.

KAPITEL 16

Als ich das Apartment betrat, schaltete sich automatisch die Beleuchtung ein. Lampen und Deckenfluter wurden allmählich heller, bis ein warmer Schimmer sich ausbreitete. Wahrscheinlich war das Licht dazu entworfen, Stress und Mühsal eines langen Tages zu lindern – ein Hauch von Luxus, der einen zu Hause willkommen hieß. Aber mich nervte es nur, und ich wünschte, ich hätte einfach einen Lichtschalter zum Anknipsen.

Ich stellte den Transportkoffer neben der Wohnungstür auf dem Boden ab, zog den Mantel aus und ging in die Küche. Im Augenblick wollte ich über etwas zu essen und einen Drink nicht hinausdenken.

Definitiv einen Drink.

Ich öffnete den Kühlschrank, um nachzusehen, was sich finden ließ, und flirtete kurz mit dem Gedanken, mir etwas zu kochen, doch das war abwegig. Stattdessen holte ich ein Päckchen Schinken und ein Glas Essiggurken heraus, um mir ein Sandwich zu machen, während ich mich im Geiste stumm bei Anja entschuldigte. Wenigstens war es kein Omelett.

Mit der Hightech-Kaffeemaschine kam ich zwar immer noch nicht zurecht, aber wenigstens hatte ich inzwischen gelernt, das Soundsystem zu bedienen. Ich stellte die Musikwiedergabe auf Zufallsmodus, trug den Teller zum Esstisch und versuchte, den leeren Platz mir gegenüber zu ignorieren. Aus den Lautsprechern kam die melancholische Klage eines Jazz-Klaviers. Das wäre definitiv nicht meine erste Wahl gewesen, doch wenigstens vertrieb es die Stille.

Ich nahm einen Bissen und versuchte abzuschalten.

Nach dem Zusammenbruch von Christine Gorskis Bruder war die Hölle los gewesen. Noch während um mich nach Notarzt und Krankenwagen gerufen wurde, kam der junge Mann bereits wieder zu sich. Es sah nach einem Ohnmachtsanfall aus. Wahrscheinlich in Reaktion auf den Schock.

Das schien im Augenblick ständig zu passieren.

Jessop war eilig abgeführt worden und stand dabei sichtlich unter Schock. Sobald Ward sich vergewissert hatte, dass es Luke Gorski gutging und man sich um ihn kümmerte, kam sie zu mir. Sie packte mich am Arm und führte mich weg.

«Was war *das* denn, verdammt noch mal?», zischte sie.

Ich erzählte ihr, was ich wusste. Bleich um die Nase, hörte sie schweigend zu. Als ich fertig war, atmete sie wütend aus.

«Hätten Sie ihn nicht … keine Ahnung … *fernhalten* können oder so?»

«Ich hab's versucht. Sie haben doch gesehen, wie er drauf war.»

Sie kniff die Augen zusammen und massierte sich die Nasenwurzel. «Was für ein Schlamassel.»

«Tja. Was bedeutet das jetzt für die Durchsuchung des Gebäudes?»

Ward blickte über die Schulter zum St. Jude und schüttelte den Kopf. «Das weiß ich noch nicht. Ich muss erst mit Whelan und dem Suchexperten sprechen und mich nach dem

Stand der Dinge in Sachen Asbest erkundigen. Dann sehen wir weiter.»

«Und Jessop?»

«Von Rechts wegen könnten wir ihm problemlos eine Anzeige wegen Angriff auf einen Polizeibeamten verpassen, aber das ist Ainsleys Sache. Das wird ein Festtag für Oduya.»

«Tatsächlich?»

Die tiefe, sanfte Stimme ertönte direkt hinter uns. *Super Timing*, dachte ich, als ich mich zu dem Aktivisten umdrehte. Weder Ward noch ich hatten ihn kommen hören.

Ward straffte die Schultern und gab ihr Bestes. «Mr. Oduya, ich kann mich im Namen des Ermittlungsteams nur entschuldigen ...»

Er winkte ab. «Vergessen Sie's. Ich weiß, wann ich es mit einem Schläger zu tun habe. Welche Meinungsverschiedenheiten hinsichtlich des St. Jude zwischen uns auch bestehen mögen, das wird mich nicht dazu verleiten, Sie für die Handlungen von so einem Kerl verantwortlich zu machen. Mir tut nur leid, dass Tomas und Sandra das mit anhören mussten. Und Luke natürlich.»

«Um Keith Jessop kümmern wir uns, und falls Sie erwägen sollten, selbst Anzeige zu erstatten, haben Sie selbstverständlich unsere volle Unterstützung.»

«Danke, aber ich werde mit den Jessops dieser Welt nicht meine Zeit verschwenden. Dazu ist das Leben zu kurz.» Seine Mundwinkel kräuselten sich zu einem ironischen Lächeln. «Ganz abgesehen davon, dass ich von der Sache noch Jahre zehren werde. Ich meine, umringt von Polizisten angegriffen zu werden? Das hätte ich mir nicht besser ausdenken können.»

Ward bemühte sich zu lächeln, doch sie war nicht zu

Scherzen aufgelegt. «Das ist wirklich sehr großzügig von Ihnen, Mr. Oduya …»

«Adam. Nennen Sie mich bitte Adam.»

Sie nickte und umschiffte das Angebot diplomatisch. «Und jetzt müssen Sie mich entschuldigen, aber ich sollte nach Luke Gorski sehen.»

«Natürlich. Ich bin auch gleich bei ihm.»

Es war Ward anzusehen, dass ihr die Vorstellung, uns zwei allein zu lassen, nicht gefiel, doch sie konnte kaum etwas dagegen tun. Sie warf mir einen warnenden Blick zu und machte sich auf den Weg zu dem Jungen, dem gerade ein Sanitäter wieder auf die Beine half.

«Traurig, oder?», sagte Oduya und sah ebenfalls zu Luke hinüber. «Das Ganze war auch so schon hart genug für sie.»

«Sie hätten nicht herkommen sollen.»

Ich versuchte, nicht vorwurfsvoll zu klingen. Oduya nickte heftig.

«Ich stimme Ihnen zu. Ich habe versucht, es ihnen auszureden. Tomas wollte nicht herkommen, und Sie sehen ja, was es mit Luke gemacht hat. Doch Sandra bestand darauf, und ich werde mich hüten, mit einer Mutter zu diskutieren, deren Tochter ermordet wurde.» Jetzt sah er mich an. «Wie dem auch sei, danke für vorhin. Ich habe gesehen, dass Sie versucht haben, Jessop aufzuhalten.»

Aber nicht sehr effektiv. «Starke Nummer, die Sie da abgezogen haben.»

Er zuckte die Achseln. «In meiner Branche ist es von Vorteil, ein wenig Selbstverteidigung zu beherrschen.»

Wir beobachteten, wie Luke Gorski unter schwachem Protest zu einem wartenden Krankenwagen geführt wurde. «War es hart für ihn?», fragte ich.

«Sehr. Ich glaube, selbst seine Eltern waren überrascht, wie sehr es ihn getroffen hat. Zumal er und seine Schwester sich offenbar nicht besonders nahestanden.»

Das geschieht oft, wenn der Tod ins Spiel kommt. Wie viel ein Mensch einem tatsächlich bedeutet, begreift man manchmal erst, wenn es zu spät ist.

«Der Zeitpunkt ist zwar unpassend, aber es gibt etwas, worüber ich mit Ihnen gerne sprechen würde», fuhr Oduya fort. «Wenn ich Ihnen mein Wort gebe, dass es nichts mit diesem Fall zu tun hat, dürfte ich Sie dann bei Gelegenheit deswegen anrufen?»

Ich war gerade dabei gewesen, meine Habachtstellung zu lockern. Und machte sofort die Schotten wieder dicht. «Damit Sie mich als ‹zuverlässige Quelle› zitieren können?»

Er zuckte nicht mal mit der Wimper. «Ich habe getan, was ich tun musste, ich werde mich nicht dafür entschuldigen. Und ob es nun Absicht war oder nicht, Ihre Reaktion hat mir bestätigt, dass sie schwanger war. Ich würde jederzeit genau dasselbe wieder tun, wenn ich damit der Familie einer verschwundenen jungen Frau zu Gewissheit verhelfen könnte, was ihrer Tochter zugestoßen ist.»

Da war was dran. Auch wenn Christine Gorski über kurz oder lang sowieso identifiziert worden wäre, hatte Oduyas Intervention der schrecklichen Ungewissheit ihrer Eltern doch erheblich früher ein Ende gesetzt. Trotzdem, obwohl ich seine Motivation nachvollziehen konnte, hatte ich etwas dagegen, ausgenutzt zu werden. «Wie Sie schon sagten, der Zeitpunkt ist unpassend.»

«Ja natürlich.» Er lächelte mich bedauernd an. «Also vielleicht später.»

Sehr viel später, wenn es nach mir ging. Oduyas Motive

mochten löblich sein, und der Erfolg gab ihm recht. Aber für ihn würde am Ende immer der Zweck die Mittel heiligen.

Das machte es nicht leicht, ihm zu vertrauen.

Es war später Nachmittag geworden, als ich meine formale Aussage zu den Ereignissen zu Protokoll gegeben hatte. Es stand nicht zur Debatte, noch mal ins St. Jude zurückzukehren. Die Durchsuchungsaktion war wegen der Asbestproblematik verschoben worden. Auch wenn ich nicht gerade scharf drauf war, meine Zeit in dem alten Krankenhaus zu verbringen, war die neue Verzögerung trotzdem frustrierend. Zuerst der Dachboden, jetzt der Keller. Das St. Jude ließ an allen Ecken und Enden seine Fallen zuschnappen.

Um nach Ballard Court zurückzukehren, war es definitiv zu früh, und weil ich nichts Besseres zu tun hatte, fuhr ich noch an der Universität vorbei. Ich hatte seit dem Morgen meine E-Mails nicht mehr abgerufen, und als ich jetzt mein Postfach überprüfte, hatte ich schon wieder eine Nachricht von Francis Scott-Hayes im Posteingang. *Der Typ entwickelt sich langsam zur Nervensäge*, dachte ich und löschte sie. Der Rest war Routine. Trotzdem. Alles war besser, als den Abend allein in Ballard Court zu verbringen, und erst als mein knurrender Magen mich daran erinnerte, dass es Zeit war, etwas zu essen, machte ich widerstrebend Feierabend.

Der Grund für meine Rastlosigkeit war nicht allein die Arbeit. Ich vermisste Rachel. Natürlich war mir klar, dass sie mich mitten aus der Ägäis nicht ständig anrufen konnte, und wir hatten beide vorher gewusst, dass sie sich oft mehrere Tage am Stück nicht würde melden können, wenn nicht länger. Doch die Funkstille zwischen uns begann an mir zu nagen. Ich hatte mich daran gewöhnt, dass sie Teil meines

Lebens war. Wir hatten in den letzten Monaten praktisch zusammengelebt und waren selten mehr als ein paar Tage voneinander getrennt gewesen. Zu wissen, dass sie da war, hatte das seelenlose Apartment erträglicher gemacht. Zum ersten Mal seit Jahren hatte ich angefangen, *wir* statt *ich* zu denken.

Jetzt musste ich mich wieder daran gewöhnen, allein zu sein.

Hör sofort auf, dir selbst leidzutun. Sie hat einen Beruf. Genau wie du. Ich aß das Sandwich auf, leerte mein Bier und sah, dass es fast Zeit für die Spätnachrichten war. Ich spülte das bisschen Geschirr, dann nahm ich eins der lachhaft schweren Kristallgläser aus dem Schrank und schenkte mir einen Bourbon ein. Ich hatte mir angewöhnt, mir in Erinnerung an einen alten Freund ab und an ein Glas Blanton's zu gönnen, und hatte mir eine Flasche ins Apartment gestellt. Der Barschrank war vielseitig und edel bestückt, doch es hätte sich falsch angefühlt, mich einfach zu bedienen. Wie alles andere in der Wohnung gehörte er mir nicht.

Ich machte es mir in einem der tiefen Ledersessel bequem und schaltete den Fernseher ein. Das St. Jude schaffte es zwar immer noch in die Nachrichten, doch es war inzwischen weiter nach hinten gerutscht. Es gab ein paar Bilder von den Gorskis, wie sie durch die Zufahrt fuhren, die Gesichter blasse Ovale hinter getönten Scheiben, doch der Beitrag kam erst an dritter Stelle. Die Sache mit Jessop wurde mit keinem Wort erwähnt, zum Glück hatte der Vorfall sich auf dem Krankenhausgelände abgespielt, weitab von den neugierigen Blicken der Medien. Man musste Oduya zugutehalten, dass er der Presse offenbar wirklich nichts erzählt hatte, auch wenn mir klar war, dass es dabei eher um Rücksichtnahme gegenüber

Christine Gorskis Familie ging und weniger darum, die Polizeiarbeit nicht zu behindern.

Ward würde trotzdem erleichtert sein.

Als der Bericht über das St. Jude zu Ende war, fiel mir mein Bourbon wieder ein. Ich griff nach dem Glas und hätte es beinahe umgeworfen, als im gleichen Augenblick mein Telefon klingelte. In der Hoffnung, dass es Rachel war, obwohl das eigentlich nicht sein konnte, schnappte ich mir hastig das Telefon. Die Nummer auf dem Display war mir nicht bekannt.

«Spreche ich mit Dr. Hunter?»

Die Stimme klang vertraut, doch ich konnte sie nicht sofort zuordnen. Die Enttäuschung machte mich gereizt.

«Wer ist da?»

«Hier spricht, äh, Daniel Mears.»

Mears? Ich konnte mir nicht vorstellen, weshalb der forensische Taphonom ausgerechnet mich anrufen sollte, und noch dazu um diese Uhrzeit.

«Was kann ich für Sie tun?»

Ich hörte ihn atmen. «Nicht so wichtig. Vergessen Sie's.»

«Nein, warten Sie», sagte ich, ehe er auflegen konnte. «Was ist passiert?»

«Gar nichts.» Sofort war die Arroganz wieder da. Und genauso schnell verflogen. «Könnten Sie ins Leichenschauhaus kommen?»

«Meinen Sie, jetzt?»

«Ja, natürlich meine ich …» Er riss sich zusammen. «Falls es Ihnen nichts ausmacht.»

Alle Gedanken an Bourbon und daran, früh ins Bett zu gehen, waren vergessen. Ich setzte mich auf. «Warum? Was ist los?»

Es herrschte Stille. Schließlich fand Mears seine Stimme wieder.

«Ich benötige Ihre Hilfe.»

KAPITEL 17

Leichenschauhäuser sind schon bei Tag seltsame Orte. Nachts jedoch tritt ihre Eigenartigkeit noch stärker hervor. Nicht, weil dann etwas grundlegend anders wäre. Die meisten dieser Einrichtungen haben sowieso kaum Fenster, da man sich aus naheliegenden Gründen auf Kunstlicht verlässt. Außerdem wird in Leichenschauhäusern, genau wie in Krankenhäusern, rund um die Uhr gearbeitet.

Und dennoch hatte ich schon immer das Gefühl, etwas wäre nachts grundlegend anders. In Leichenschauhäusern ist es selbst bei Hochbetrieb nie laut oder hektisch, und bei Nacht verlangsamt sich der Rhythmus noch weiter. Die Stille, die auf allem ruht, hat eine andere Textur als tagsüber, ist besinnlich und noch gedämpfter. Sie hat ein fast spürbares Gewicht. Das Bewusstsein für die stummen Toten, die das Gebäude bewohnen, für die auf Metalltischen ausgebreiteten oder in kalten, dunklen Fächern ruhenden nackten Körper, scheint erhöht zu sein. Vielleicht ist es so etwas wie eine unterbewusste Reaktion auf den Einbruch der Nacht, gepaart mit der Nähe des Todes, die wir auf einer instinktiven Ebene noch immer scheuen. Oder es ist eine Reaktion unserer stets tickenden inneren Uhr auf die spätnächtlichen Stunden, ein psychologischer wie physiologischer Protest des Körpers gegen die Störung seines von Natur aus tagaktiven Rhythmus.

Vielleicht liegt es auch bloß an mir.

Meine Schuhe quietschten, als ich den Flur entlangging. Ein Sektionsassistent aus der Nachtschicht hatte mir den Weg gewiesen. Als ich ihm gesagt hatte, wen ich suchte, hatte er ein ärgerliches Schnauben von sich gegeben.

«Besser Sie als ich.»

Mears hat wirklich Talent, sich Freunde zu machen, dachte ich. *Und was willst du eigentlich hier?* Ich schuldete dem forensischen Taphonomen keinen Gefallen, und mein Tag war auch so schon lang genug gewesen. Doch ich hatte bereits einige Ermittlungen erlebt, bei denen die Egos der Beteiligten Schaden angerichtet hatten. Auch wenn Mears und ich einander nicht mochten, sollte die Ermittlung nicht darunter leiden müssen.

Außerdem war das die Gelegenheit, endlich einen Blick auf die Opfer aus der Kammer zu werfen.

Ich fand ihn in dem kleinen Untersuchungsraum, zu dem der Assistent mich geschickt hatte. Die erste Überraschung war sein Aufzug: Statt mit einem Laborkittel, wie ich ihn trug, war Mears mit voller OP-Ausrüstung samt Gummistiefeln bekleidet. Inzwischen hätte er eigentlich weit über die frühen Stadien des Untersuchungsprozesses hinaus sein müssen, die einen OP-Kittel erforderlich machten.

Er stand über ein Skelett gebeugt, das vor ihm auf dem Untersuchungstisch ausgelegt war, und korrigierte sorgsam die Position eines Knochens. Als ich eintrat, richtete er sich auf, und ich war schockiert von seinem Anblick. Das von Natur aus bleiche Gesicht war leichenblass und ließ die Sommersprossen und die roten Haare grell hervorstechen. Unrasiert und mit dunklen Ringen unter den Augen, sah er aus, als hätte er seit Tagen nicht geschlafen.

«Ah, Sie sind da!» Seine Erleichterung grenzte an Überschwang. «Das ging ja schnell.»

Es war spätabends, also hatte kaum Verkehr geherrscht. Ich trat zu dem Untersuchungstisch, an dem er stand. Die relativ geringe Größe des Skeletts verriet mir, um wen es sich handelte.

«Ist dies das weibliche Opfer?», fragte ich und zog Handschuhe aus dem Spender.

«Ja, äh, ich, ich war dabei, damit abzuschließen.»

Ich konnte nichts entdecken, das noch einen Abschluss gebraucht hätte. Er hatte im Grunde das gleiche Prozedere absolviert wie ich bei Christine Gorski, hatte die Knochen exartikuliert, von Weichgewebe befreit und wieder zusammengesetzt. Das war grundlegender Bestandteil unserer Arbeit, ein Prozess, der einem mit etwas Übung bald in Fleisch und Blut überging. Ich war inzwischen so damit vertraut, dass ich es fast mit verbundenen Augen tun konnte.

Obwohl ich zugegebenermaßen Schwierigkeiten damit hätte, an dem, was Mears hier geleistet hatte, noch etwas zu verbessern. Die Knochen der Unbekannten waren blitzsauber und makellos ausgelegt. Jeder einzelne lag in exakt demselben Abstand zu seinem Nachbarn, und zwar millimetergenau, soweit ich das beurteilen konnte. Es war ein beeindruckendes Stück Rekonstruktion, das jedem Lehrbuch als Paradebeispiel für die Auslegung im anatomischen Verband zur Zierde gereicht hätte und eine Symmetrie zur Schau stellte, die kein lebendiges Skelett je erreichte.

«Gute Arbeit», sagte ich und zog die Handschuhe an.

Im Stillen dachte ich, dass ein solcher Grad an Präzision

unnötig war, doch ich wollte nicht so kleinlich sein, ihm das vorzuhalten. Außerdem war ich viel mehr an den Verfärbungen interessiert, die ich auf den Knochen ausmachen konnte. Die kleinste hatte grob den Durchmesser eines Daumennagels und die umfangreichste – jene auf dem Schambein – die Größe eines kleinen Hühnereis. Sie waren von gelblich brauner Farbe, wie Spritzer von dünnem Kaffee auf einer Serviette.

Außerdem registrierte ich Fissuren, kaum sichtbare Haarrisse an linker Elle und Speiche sowie an mehreren Rippen. Ward hatte zwar Frakturen erwähnt, doch diese Verletzungen entsprachen nicht dem, was ich als Folge von Folter oder Schlägen erwartet hätte. Weder waren von einem Zentrum der Gewalteinwirkung ausgehende radiäre Frakturlinien vorhanden noch vollständige Frakturen mit durchtrennten Knochenenden.

Ich wandte meine Aufmerksamkeit wieder den Verfärbungen zu und nahm einen rechten Metakarpalknochen vom Tisch, einen der schmalen Mittelhandknochen. Auf der cremeweißen Oberfläche prangte ein schmutzig gelber Fleck.

«Sind das die Verbrennungen? Wie viele gibt es?»

«Dreizehn. An Armen, Beinen, Fußsohlen. Am Schädel.» Mears gewann langsam die Fassung zurück, entweder hatte mein Lob ihn wieder ins Gleichgewicht gebracht oder die Fachsimpelei. *Gut.* «Alles Stellen, wo nur wenig Gewebe den Knochen bedeckt. Außerdem habe ich zusätzliche Verbrennungen an der abgelösten Epidermis gefunden, wo kein Knochen drunterlag, wie am Abdomen und der Beinmuskulatur. Wirken wie zufällig platziert.»

«Und es handelt sich definitiv um Brandmale?» Die Flecken sahen absolut danach aus, doch Gewissheit brachte nur die Untersuchung von Proben des verfärbten Knochengewebes unter dem Mikroskop. Ich entdeckte Exzisionen in einigen Knochen, wo Mears genau das getan hatte.

«Es gibt Risse im Mikromaßstab, und die Knochenhaut ist geschädigt», sagte er mit einer gewissen Gereiztheit. «Zieht man außerdem die Verfärbung in Betracht, bleibt keine andere Schlussfolgerung.»

«Glauben Sie immer noch, die Male könnten von einem Lötkolben stammen?», fragte ich skeptisch.

«Oder etwas in der Art, ja, ohne Zweifel.» Jetzt, wo er auf vertrautem Terrain war, kehrte sein Selbstbewusstsein zurück. «Die Größe ließ mich zuerst an eine glühende Zigarette denken. Doch Zigarettenglut wäre nicht heiß genug. Damit die Hitze bis auf den Knochen hätte vordringen können, hätte man sie länger an Ort und Stelle halten müssen. Doch epidermale und dermale Schichten weisen lediglich Verbrennungen direkt über dem Knochen auf, sonst nirgendwo.»

Das ergab keinen Sinn. Hitze, die Verfärbungen an den Knochen verursachte, müsste den darüber liegenden Gewebeschichten weit größeren Schaden zugefügt haben, ganz gleich, welcher Quelle sie entstammte. «Wie stark lokal begrenzt?»

«In etwa dieselbe Größe wie die Verbrennungen auf den Knochen.» Mears war offensichtlich fast wieder er selbst, sein Lächeln grenzte jedenfalls an Herablassung. «Das bringt mich auf eine Hitzequelle, die in der Lage ist, hohe Temperaturen auf einen kleinen Bereich zu fokussieren, wie zum Beispiel ein Lötkolben.»

Für mich war das immer noch nicht stimmig, doch dies war Mears' Fall, nicht meiner. Außerdem klang er überzeugt. Ich legte den Metakarpalknochen zurück an seinen Platz. «Wie sieht es bei dem zweiten Opfer aus?»

Mears streckte die Hand aus, um minutiös die Lage des Knochens zu korrigieren, den ich betrachtet hatte, bis er wieder in perfekter Harmonie zu seinen Nachbarn lag. Er antwortete nicht sofort, und als ich den Blick hob, sah ich, dass er rot angelaufen war.

«Ich, äh, weiß es nicht. Ich ... ich glaube, genauso.»

«Aber Sie können es nicht mit Sicherheit sagen?», fragte ich überrascht.

«Doch, natürlich. Ich meine ... noch nicht.» Er räusperte sich. «Ich meine, deshalb habe ich Sie angerufen.»

«Okay.» Ich zuckte ratlos die Achseln. «Ich kann gerne eine zweite Meinung abgeben, wenn Sie das möchten.»

Wenn es nur darum ging, war mir nicht klar, weshalb er so nervös war. Es war nichts dabei, eine zweite Meinung einzuholen, wenn eine Situation nicht eindeutig war. Ich hatte selbst mehr als nur einmal auf die Meinung eines Kollegen zurückgegriffen, vor allem zu Beginn meiner Karriere, als ich noch dabei war, Fuß zu fassen.

Mears trat von einem Bein aufs andere. Er fühlte sich sichtlich unwohl. Wieder korrigierte er minimal die Lage eines Fingerglieds. «Äh, das ist nicht ... ich meine, darum geht es ...»

Er nahm die völlig unnötige Korrektur einer freien Rippe vor und machte dann dasselbe auf der Gegenseite. Ich legte meine Hand auf den Knochen, um ihn zu stoppen.

«Wieso zeigen Sie mir nicht, worum es geht?»

Er nickte, wurde dabei noch röter. «Ja. Ja, ist gut.»

Ich folgte ihm nach draußen auf den Gang, streifte im Hinausgehen die Handschuhe ab und warf sie in den Mülleimer. Er ging voraus und öffnete die Tür zu einem der größeren Untersuchungsräume, der im Dunkeln vor uns lag. Mears betätigte den Lichtschalter, und die Neonröhren erwachten flackernd und surrend zum Leben. Ich musste angesichts der plötzlichen Helligkeit blinzeln, dann sah ich, was uns erwartete.

Es sah aus wie im Schlachthaus.

Der Raum war mit drei Untersuchungstischen aus Edelstahl bestückt. Auf dem hintersten lag die Leiche des zweiten Opfers. Der Großteil des Weichgewebes war bereits entfernt, außerdem war damit begonnen worden, das Bindegewebe der Gelenke zu exartikulieren. Der linke Fuß war am Gelenk und der Unterschenkel säuberlich am Knie abgetrennt worden. Der Tisch hatte zwar oberflächlich Ähnlichkeit mit einer Schlachtbank, doch war hier gleichzeitig wunderschöne, akribische Arbeit geleistet worden.

Auch die Beckengelenke wiesen Schnitte auf, doch diese waren weit weniger sorgsam ausgeführt. Das zweite Opfer war entschieden größer als das andere und die Hauptgelenke dementsprechend schwieriger zu durchtrennen. Der cremeweiße Hüftkopf und die Gelenkpfanne lagen zwar frei, waren aber noch verbunden, die starken Sehnen und das Knorpelgewebe waren zerfasert und zerstückelt, als hätte jemand seine Wut daran ausgelassen. Direkt daneben auf dem Tisch lag wie hingeworfen ein Skalpell, zusammen mit diversen größeren Messern, alles war schmierig und verschmutzt. Bei näherem Hinsehen fielen mir weitere Gelenke auf, an denen der erfolglose Versuch unternommen worden war, sie zu durchtrennen.

Der Anblick hatte mich bestürzt erstarren lassen. Jetzt war mir klar, weshalb Mears mich angerufen hatte. Er hätte bereits viel weiter sein müssen. Ich war davon ausgegangen, dass er mit der Auslegung des zweiten Opfers so gut wie fertig war. Zumindest aber hätten die Knochen längst mazerieren müssen.

Ratlos sah ich Mears an. Er wand sich.

«Ich, äh … ich bin wohl zeitlich etwas in Rückstand geraten.»

Das war untertrieben. Doch mich schockierte weniger, wie lange er brauchte, als *warum* das so war. Er hatte sich bei der Säuberung und Auslegung des Skeletts der Frau selbst übertroffen, und es war nicht nachvollziehbar, weshalb es hier anders sein sollte. Die Prozedur war im Grunde Routine, und auch wenn die schiere Größe des Opfers die Sache rein körperlich herausfordernder machte, erklärte dies noch nicht das Chaos, in das Mears sich offensichtlich manövriert hatte.

«Was ist passiert?», fragte ich.

«Es ist gar nichts *passiert*! Es, ähm, es dauert nur einfach länger, als ich dachte.»

«Wieso haben Sie denn keinen Sektionsassistenten um Hilfe gebeten?»

Ich hätte zwar nicht gedacht, dass er bei etwas so Grundlegendem Hilfe benötigte, doch genau dazu waren die gerichtsmedizinischen Sektionsassistenten schließlich da. Mears wirkte jämmerlich, als er stammelnd nach einer Antwort suchte.

«Ich … ich dachte, ich kriege das hin.»

Langsam dämmerte mir, was los war. Ich musste an das perfekt arrangierte weibliche Skelett drüben in dem anderen Untersuchungsraum denken.

Zu perfekt.

«Wie lange haben Sie für das Skelett der Frau gebraucht?», fragte ich ihn.

Es war, als würde ich einem Ballon zusehen, dem die Luft entweicht. Er zuckte die Achseln, versuchte, lässig zu klingen: «Keine Ahnung. Sie wissen ja, wie das ist. Man darf diese Dinge nicht zu hastig angehen.»

Nein. Durfte man nicht. Doch es war ein himmelweiter Unterschied, ob man sich Zeit nahm, um gründlich zu arbeiten, oder ob man Zeit verschwendete. Parekh hatte eine Bemerkung darüber gemacht, wie methodisch er arbeitete, und die Auslegung des Skeletts der Frau bewies, dass er ein Perfektionist war. Doch das war nicht immer von Vorteil. Er war bei der Rekonstruktion viel zu detailversessen vorgegangen und hatte sich auf Kosten des Gesamtbilds in völlig unnötigen Einzelheiten verstrickt. Als er merkte, dass ihm die Zeit davonlief, hatte er Panik bekommen und die Dinge nur schlimmer gemacht.

«Weiß Ward davon?», fragte ich, obwohl ich mir die Antwort denken konnte.

«Nein!» Er sah mich entsetzt an. «Nein, ich, äh, ich wollte sie nicht damit belasten.»

Natürlich nicht. Und seinen Arbeitgeber mit Sicherheit auch nicht. Kein Wunder, dass der Assistent, mit dem ich vorhin kurz gesprochen hatte, in Bezug auf Mears so brüsk gewesen war. Mears hätte nie zugegeben, dass er ein Problem hatte, wahrscheinlich nicht mal sich selbst gegenüber. Inzwischen war die Verzweiflung groß genug, dass er mich angerufen hatte.

Was mich immer noch ratlos machte, war die Tatsache, dass er sich einen derart grundlegenden Fehler überhaupt geleistet hatte. Solche Fehler unterliefen eigentlich nur blutigen Anfängern, nicht jedoch erfahrenen …

Plötzlich war mir alles klar. Mears sah mich an. Er wirkte nervös und ängstlich. Und jünger denn je.

«Das ist Ihre erste Mordermittlung, habe ich recht?», fragte ich ihn.

«Was? Nein! Natürlich nicht!»

Doch er mied meinen Blick, und sein rotes Gesicht wurde noch röter. «Wie viele haben Sie schon absolviert?»

«Genug.» Er zuckte die Achseln. «Drei.»

«Selbständig?»

«Das spielt keine Rolle.»

Und ob das eine Rolle spielte. Der Druck einer tatsächlichen Mordermittlung konnte überwältigend sein. Nicht jeder war in der Lage, damit umzugehen. Tatsächlich war es ein riesiger Unterschied, ob man jemandem assistierte oder eigenverantwortlich an einer großen Ermittlung arbeitete. Ich konnte mich noch gut an mein erstes Mal erinnern, an die schweißtreibende Angst, mich zu blamieren. Darauf konnten einen kein Training und kein Studium vorbereiten.

Ich sah sein Verhalten in neuem Licht. Er mochte arrogant sein – das ließ sich schwer leugnen –, doch es war nur allzu offensichtlich, dass er versucht hatte, seine Unerfahrenheit zu kaschieren, indem er überkompensierte. Unter all dem Getöse verbarg sich ein Kern aus Selbstzweifeln.

«Ich hatte eigentlich Peter Madeley begleiten sollen», polterte Mears. «Doch dann gab es irgendein Zerwürfnis, und Madeley hat gekündigt. Weil nicht genug Zeit war, rechtzeitig Ersatz für ihn zu finden, sagte ich … sagte ich, ich könnte das übernehmen.»

Ich hatte von Madeley gehört. Er stand im Ruf, ein verlässlicher forensischer Anthropologe zu sein, auch wenn ich nicht gewusst hatte, dass er sich inzwischen der Privatwirtschaft zugewandt hatte. Jedenfalls ergab das Bild zunehmend Sinn. Talentiert oder nicht, Mears war nicht die erste Wahl gewesen. Er war ein Lückenbüßer, in letzter Sekunde ins Rennen geschickt, damit BioGen den Auftrag nicht verlor. Kein Wunder, dass ich noch nie von ihm gehört hatte.

Das hatte niemand.

Ich rieb mir die Augen und dachte nach. Wenn einer ihrer forensischen Berater seiner Aufgabe nicht gewachsen war, musste Ward davon erfahren. Auch wenn der Fehler nicht bei Mears allein lag, man durfte jemanden ohne jegliche Erfahrung nicht mit einer solchen Verantwortung betrauen. Dafür stand zu viel auf dem Spiel. Außerdem schuldete ich ihm nichts.

Trotzdem hatte er mit den Fingerabdrücken – und womöglich auch mit den Verbrennungen – bewiesen, dass er kompetent war. Sogar sehr kompetent. Möglicherweise war dies nur ein Anfall von Lampenfieber. Wenn ich jetzt damit zu Ward ging, würde er von den Ermittlungen suspendiert, und das könnte seiner Karriere erheblichen Schaden zufügen. Ich war mir nicht sicher, ob ich mein Gewissen damit belasten wollte.

Mears beobachtete mich besorgt. Er kaute auf seiner Unterlippe. «Ich werde Sie sicher nicht decken», sagte ich zu ihm. «Ward muss es erfahren.»

«Sie hat bestimmt zu viel zu tun, um …»

«Sie ist die leitende Ermittlerin. Wenn Sie ihr nichts sagen, tu ich's.»

Er wandte den Blick ab, kam aber nur bis zu dem Schlachtfeld auf dem Tisch. Er ließ die Schultern hängen. «Okay.»

«Und falls Ihnen so was noch mal passiert, müssen Sie es gleich jemandem sagen. Versuchen Sie nicht, sich durchzumogeln.»

«Ich mogle mich nicht …»

«Ich meine es ernst.»

Er presste den Mund zu einer schmalen Linie zusammen, dann nickte er. «Schön. Dazu wird es nicht kommen.»

Na, hoffentlich. Ich warf einen Blick auf die Wanduhr. Es war inzwischen nach Mitternacht. Ich seufzte.

«Ich gehe mich umziehen.»

Das Ganze sah auf den ersten Blick schlimmer aus, als es war. Mears' Nervenzusammenbruch hatte zu nichts Katastrophalem geführt. Die hektischen Versuche, die Gelenke zu durchtrennen, hatten den Knochen keine Verletzungen zugefügt, das Skelett wies keine post mortal entstandenen Traumata auf. Schaden war allein an Sehnen und Weichgewebe entstanden, doch beides würde sowieso entfernt werden. Hier war schlicht aus Panik geborene lausige Handwerksarbeit zu begutachten.

Mears war kleinlaut und still, als wir uns daranmachten, das restliche großteilige Weichgewebe von dem Leichnam zu entfernen. Auch wenn das freigelegte Skelett damit noch bei weitem nicht gereinigt war, konnte ich bereits erkennen, dass einige Knochen dieselben gelblich braunen Verbrennungen aufwiesen, wie wir sie bei dem weiblichen Opfer gesehen hatten. Ich hätte sie gerne eingehender untersucht, doch die Priorität lag jetzt darauf, die Knochen einzuweichen, damit Mears endlich eine anständige Begutachtung vornehmen konnte.

Er arbeitete quälend langsam, weniger aus Perfektionismus heraus als aus Nervosität. All der Blasiertheit zum Trotz war sein Selbstbewusstsein äußerst fragil. Das musste sich dringend ändern, falls er sich von dieser Sache erholen sollte, geschweige denn für die Ermittlungen von Nutzen sein wollte.

«Sieht nach einem großen Menschen aus», sagte ich. «Haben Sie schon eine ungefähre Vorstellung von der Körpergröße?»

«Ich habe eine Körpergröße von einhundertachtundsiebzig Zentimetern errechnet.»

Minimal über dem Durchschnitt eines männlichen Erwachsenen also, aber bei weitem kein Riese.

«Schließen Sie das aus der Länge des Oberschenkelknochens?» Ich versuchte, ihn aus der Reserve zu locken, erntete aber lediglich ein verstocktes Nicken. «Werden Sie Abmessungen des Skeletts vornehmen, wenn es wieder vollständig ausgelegt ist?»

«Vorher ist das wohl kaum möglich.»

Ich biss mir auf die Zunge. Er machte uns die Sache nicht leichter. «Schon eine Vorstellung hinsichtlich des Geschlechts?»

Ob ein Leichnam männlich oder weiblich war, ließ sich im fortgeschrittenen Stadium der Verwesung nicht immer eindeutig bestimmen. Waren die Genitalien bereits bis zur Unkenntlichkeit verwest, musste man die Knochen zu Rate ziehen. Und auch das war nicht ganz einfach, deshalb war es etwas unfair, Mears festzunageln.

Trotzdem war bereits genug Weichgewebe entfernt worden, um eine erste Einschätzung bestimmter Skelettmerkmale vorzunehmen, und ich erwartete ja kein abschließendes Urteil.

Mears seufzte, als fände er mich reichlich ermüdend.

«Nun, das kann ich offensichtlich zu diesem Zeitpunkt noch nicht sagen. Aber die Überaugenwulst ist ausgeprägt und der Warzenfortsatz eher breit. Ich glaube, es besteht kaum Zweifel, dass er männlich ist.»

Ich registrierte das «er», ein Hinweis darauf, dass Mears sich definitiv festgelegt hatte. Nicht dass ich ihm widersprochen hätte. Die Überaugenwülste und der Knochenvorsprung des Warzenfortsatzes unterhalb des Ohrs waren normalerweise verlässliche Geschlechtsindikatoren. Auch wenn das nicht immer gilt, manche Dinge sind exakt das, wonach sie aussehen. Wir wussten bereits, dass es sich bei dem kleineren Opfer, das gefoltert und hinter der falschen Wand eingemauert worden war, um eine Frau handelte. Es war zulässig, anzunehmen, dass die zweite Person, die mit ihr gestorben war, ein Mann war.

Allmählich ging Mears die Arbeit flüssiger von der Hand, bemerkte ich, und er führte Skalpell und Sägen zunehmend sicherer. Offenbar bedingten bei ihm harsches Benehmen und Selbstvertrauen einander, doch damit konnte ich leben. Unausstehlich und funktionierend war er mir lieber als leutselig und fahrlässig.

Ich begann, das Bindegewebe um die linke Hüfte zu durchtrennen. «Was ist mit dem Alter?»

Er zuckte gelangweilt die Achseln. «Nach den Zähnen zu urteilen zwischen fünfunddreißig und fünfzig.»

«In welchem Zustand ist das Gebiss?»

«Wieso sehen Sie nicht selbst nach?», fragte er barsch.

Ich hob den Blick nicht von meiner Arbeit. «Weil ich keine Zeit damit verschwenden will, etwas zu überprüfen, das bereits überprüft wurde. Ich gehe davon aus, dass Sie das erledigt haben.»

«Natürlich! Verfärbungen, die auf einen Raucher hinweisen, der Kaffee mochte, und ausreichend Füllungen, um zu sagen, dass seine Zahnhygiene mangelhaft war, er aber wenigstens zum Zahnarzt ging. Und jetzt würde ich mich gerne wieder konzentrieren, falls Sie nichts dagegen haben.»

Ich lächelte hinter meiner Maske.

Er vollzog die handwerklichen Aspekte seiner Arbeit mit

dem Geschick eines Chirurgen, und ich verstand, wie er zu derart glänzenden Empfehlungen gekommen war. Schon bald war es, als hätte es nie eine Panikattacke gegeben. Es dauerte nicht lange, und auch seine Überheblichkeit war zurück.

«Sie mazerieren bei höherer Temperatur, als mir lieb ist», sagte er verschnupft, als wir die ersten ausgelösten Knochen in Wannen mit warmer Reinigungslösung legten.

«Niedrige Temperaturen sind wunderbar, wenn man Zeit hat. Doch dieser Luxus ist einem bei polizeilichen Ermittlungen nicht immer vergönnt.»

«Und was, wenn die Knochen empfindlich sind?»

«Dann wägt man ab.» Ich bemühte mich, meine Gereiztheit zu zügeln. Schließlich war mein Vorgehen bei den empfindlichen Knochen des Fötus durchaus an den Umstand angepasst gewesen, dass eine gröbere Mazeration sie möglicherweise geschädigt hätte.

«Mhm», machte er ausdruckslos. «Jeder, wie er mag, nehme ich an.»

Ich sparte mir eine Antwort, schaltete die Abzugshaube ein und ließ das Zischen des Luftstroms alles andere übertönen.

Doch jetzt, wo sein Ego wiederhergestellt war, feuerte Mears noch eine letzte Salve ab. Wir befanden uns bereits im Umkleideraum. Sämtliche Knochen des zweiten Opfers lagen im Reinigungsbad und wären am nächsten Tag gegen Mittag bereit, gespült und untersucht zu werden. *Nein, nachher,* korrigierte ich mich mit einem Blick auf die Uhr. Ich hatte mich umgezogen und den OP-Kittel in den Wäschekorb geworfen. Seit wir den Untersuchungsraum verlassen hatten, hatte keiner von uns etwas gesagt, und ich hatte mich gefragt, ob Mears bei der Rekonstruktion Hilfe wollen würde.

Ab jetzt sollte es überschaubar sein, doch wenn die Chance

bestünde, hätte ich die Brandflecken auf den Knochen der Opfer gerne näher in Augenschein genommen.

Doch Mears machte keinerlei Anstalten, mir ein entsprechendes Angebot zu unterbreiten. Unangenehmes Schweigen machte sich zwischen uns breit. Der forensische Taphonom sah nicht einmal in meine Richtung, während er die Instrumente in seinem Transportkoffer verstaute – als ließe sich, indem er mich ignorierte, sein Gesichtsverlust wegwischen. Erst als ich den Mantel anzog, um zu gehen, ergriff er das Wort.

«Also, danke für die Assistenz, Hunter.» Er hatte mir den Rücken zugewandt und machte sich nicht die Mühe, sich umzudrehen. «Ich werde DCI Ward gegenüber erwähnen, dass Sie ausgeholfen haben. Lassen Sie es mich wissen, wenn ich mich revanchieren kann.»

Ich starrte ihn an. *Danke für die Assistenz?* Mears sah mich immer noch nicht an, offensichtlich sehr damit beschäftigt, sich die Schnürsenkel zu binden. Ich wartete noch einen Augenblick, aber mehr hatte er offensichtlich nicht zu sagen. *Unfassbar*, dachte ich im Hinausgehen und ließ die Tür hinter mir zuschwingen.

Ich kochte vor Wut, als ich durch die verlassenen Straßen fuhr. *Ich hätte Mears seinen Kram alleine machen lassen sollen*, sagte ich mir und knallte unsanft die Gänge rein. Ich wollte keine Dankbarkeit. Aber dass er so schnell zu seiner alten Form zurückkehrte, hatte ich auch nicht erwartet. Er dichtete, was geschehen war, jetzt schon um, brachte die Ereignisse in eine ihm angenehmere Version. Wenn es so weit war, dass er Ward davon erzählte – und jetzt würde ich definitiv dafür sorgen, dass das geschah –, würde es wahrscheinlich so klingen, als hätte er mir einen Gefallen getan.

Immer noch kochend, bog ich in die Sackgasse ein, die Ballard Court beherbergte, und sah Blaulichter vor dem Gebäude. Neben dem Apartmentblock parkte ein Feuerwehrfahrzeug. Es wirkte in der friedlichen Umgebung fehl am Platz. Das Gebäude selbst sah normal aus: Nirgendwo waren Flammen zu sehen, und in vielen Fenstern brannte noch Licht. Vor dem Haus standen ein paar Bewohner versammelt, einige in Schlafanzügen und Morgenmänteln, doch sie machten sich offensichtlich schon wieder auf den Rückweg.

Man versuchte nicht, mich aufzuhalten, als ich das Tor passierte, was ich als gutes Zeichen deutete. Ich konnte in dem Grüppchen, das langsam wieder ins Haus ging, niemanden entdecken, den ich kannte, also stellte ich den Wagen neben der Schranke zur Tiefgarage ab und stieg aus. In der kühlen Nachtluft hing der beißende Gestank von verbranntem Plastik. Ich ging zu den Feuerwehrleuten hinüber, die neben dem Löschfahrzeug versammelt standen. Zwei von ihnen waren, sichtlich ohne Eile, damit beschäftigt, einen Schlauch aufzurollen, die restlichen standen da und unterhielten sich.

«Was ist passiert?», fragte ich eine Feuerwehrfrau, deren Locken sich unter ihrem Helm hervorkringelten.

Sie sah mich skeptisch an. «Wohnen Sie hier?»

«Im fünften Stock.»

«Sicher?»

«Wollen Sie, dass ich Ihnen meinen Schlüssel zeige? Ich komme von der Arbeit. Ich arbeite für die Polizei.»

«Verbrecher machen auch nie Feierabend, oder?» Doch dann wurde sie etwas nachgiebiger. «Sorry, dass ich nachfrage, aber wir mussten bereits eine Ihrer Nachbarinnen wegbegleiten, weil sie zu neugierig war. Sie war nicht sonderlich begeistert. Wenn's brennt, kommen echt immer die Irren aus ihren Löchern gekrochen.»

Schönen Dank auch. «Was ist passiert?»

Sie deutete auf das Gebäude. «Irgendein Idiot hat versucht, die Müllcontainer anzuzünden. Der Schaden ist nicht der Rede wert, aber der Rauch ist durch die Müllschächte nach oben gezogen. Für die Sprinkleranlage hat es nicht gereicht, doch der Feueralarm wurde ausgelöst.»

In Ballard Court gab es auf jedem Stockwerk diskret versteckte Müllschächte. Diese Schächte hatten wohl wie Kamine den Rauch nach oben in die Wohnetagen geleitet.

«Wer war das?»

«Höchstwahrscheinlich irgendwelche Kids. Jedenfalls ziemlich dämlich. Wenigstens existieren in Häusern wie diesem ordentliche Sicherheitsmaßnahmen. Trotzdem sollte man meinen, die Leute heutzutage hätten mehr Verstand.»

Stimmt. Hatten sie aber nicht. Ballard Court war wirklich gesegnet. Neben elektronisch gesicherten Türen und Vierundzwanzig-Stunden-Conciergedienst war der Brandschutz auf dem neusten Stand der Technik.

«Kann ich rein?», fragte ich.

«Klar, warum nicht. Das Feuer ist gelöscht, wir haben noch eine Weile hier zu tun. Aber da Sie sowieso wach sind, gäbe es noch eine Sache, die Sie tun könnten.»

«Und das wäre?»

Sie grinste mich an. «Sie könnten nicht zufällig den Wasserkocher anstellen, oder?»

KAPITEL 18

꙳

Die Frau war ein von Sonnenlicht umrahmter schwarzer Schatten. Winzige Staubpartikel schwebten um sie herum, Lichttupfen, die sich kaum bewegten. Ich konnte in der Türöffnung nur die Silhouette sehen, aber ich wusste, wer sie war. Die Erkenntnis ließ mein Herz gefrieren. Sie kam näher, und langsam gewann ihr Gesicht an Kontur und Form. Langes, rabenschwarzes Haar. Dunkle Brauen über toten Augen, und eine Haut, weiß wie Knochen. Ihre Schönheit war furchterregend. Ich wollte schreien, wegrennen.

Doch ich konnte mich nicht bewegen.

Die vollen Lippen waren zu einem Lächeln verzogen. Sie neigte sich zu mir. Ich konnte ihren Duft riechen, subtil würzig und moschusartig. Ihr Atem streifte sanft meine Haut, als sie die Lippen an mein Ohr legte.

«Hallo, David.»

Sie war jetzt ganz nah und sah mich mit einem Blick an, der so leer war, dass ich zu Staub zu zerfallen drohte. Ich wusste, was geschehen würde. Hilflos sah ich zu, wie sie das Messer zückte. Die Klinge blitzte im Sonnenlicht.

«Du hast mich entkommen lassen», sagte Grace und stach mir das Messer in den Bauch …

Mit einem Schrei fuhr ich aus dem Schlaf hoch. Ein geisterhafter würziger Moschusduft schien noch in der Luft zu hängen, doch als ich mich bewusst darauf ausrichtete, war er schon wieder verschwunden. Keuchend und mit pochendem Herzen starrte ich in die Schatten in meinem Schlafzimmer. Vor dem Fenster herrschte Nacht, doch von der Straße drang Licht herauf, ich konnte sehen, dass das Zimmer leer war. Die Spannung floss mit einem tiefen Seufzer aus mir heraus.

Was zur Hölle hatte das denn ausgelöst? Die Leuchtziffern des Weckers zeigten, dass es nach fünf war. In dem Wissen, dass ich keinen Schlaf mehr finden würde, warf ich die Bettdecke zurück und stand auf. Schweiß trocknete auf meiner Haut, als ich zum Fenster ging und hinuntersah. Das Löschfahrzeug war verschwunden, doch in der Luft hing noch immer leichter Rauchgeruch.

Wahrscheinlich hatte das den Albtraum ausgelöst.

Dies war seit einiger Zeit das erste Mal, dass ich den Traum wieder gehabt hatte. Dabei hatte ich schon begonnen zu glauben, ich wäre darüber hinweg. Ich fuhr mir über das Gesicht, die Hände zittrig vor Adrenalin. Die Dämmerung war nicht mehr fern. Als ich am Fenster stand, fing auf einem Baum der erste Vogel an zu singen. Binnen weniger Augenblicke hatten andere mit eingestimmt, der Chor der Natur, der einen neuen Tag begrüßte.

Meine Füße versanken in dem hochflorigen Teppichboden, als ich nach nebenan ins Badezimmer ging und den Duschhahn aufdrehte. Ich stellte mich unter den dampfenden Strahl, bis auch die letzten Spuren des Traums fortgespült waren, dann ließ ich noch ein paar Minuten lang das kalte Wasser laufen.

Schon wacher, ging ich in die Küche und schaltete das Radio an, während ich mir Frühstück machte. Rührei, Toast, und Kaffee. Ich erwog, es noch einmal mit der raffinierten Kaffeemaschine zu versuchen, verlor aber schnell das Interesse: Löslicher Kaffee tat es auch.

Die Erinnerung an mein Erlebnis mit Mears letzte Nacht nagte an mir, aber nicht mehr so schlimm wie unmittelbar danach. Unterm Strich hatte ich mehr für die Ermittlungen – und für Ward – getan als er. Einmal war genug. Wenn er es noch mal vergeigte, war er auf sich gestellt.

Draußen trommelte der Regen gegen das Fenster, während ich an dem Granitküchenblock frühstückte. Das mit Schlafmangel verbundene vage Unwohlsein hatte mich noch nicht verlassen, aber als ich gegessen hatte, fühlte ich mich besser. Und meine Stimmung hellte sich noch weiter auf, als das St. Jude in den Morgennachrichten mit keinem Wort erwähnt wurde. Die Geschichte war offensichtlich nicht mehr interessant genug, und das war keine schlechte Sache.

Während ich das Frühstücksgeschirr abspülte, zog draußen ein trüber Tag herauf. Ich machte mir eine zweite Tasse Kaffee und überlegte, was ich mit meiner Zeit anfangen sollte. Es war noch zu früh, als dass ich mit einem Anruf bezüglich einer Fortsetzung der Durchsuchungsaktion rechnen durfte, aber es war sowieso unwahrscheinlich, dass wir bereits diesen Vormittag würden weitermachen können. Gut möglich, dass es auch nächste Woche nichts mehr werden würde. Das hing allein davon ab, wie großflächig der Asbest im Keller verteilt war, und wie schnell geeignete Sicherheitsmaßnahmen ergriffen würden. Sehr schnell, hoffte ich: Jessop war nicht der Einzige, den Verzögerungen frustrierten.

Natürlich könnte ich später ins Institut fahren, doch wenn ich schon unerwartet einen freien Vormittag hatte, konnte ich ihn genauso gut nutzen. Lola und ihr Sohn waren mir nicht mehr aus dem Kopf gegangen. Sie brauchten offensichtlich Hilfe in irgendeiner Form, aber mir war noch immer nicht klar, wie ich diesbezüglich vorgehen sollte. Lola würde sich jegliche Einmischung verbitten, ob von mir oder von irgendjemand anderem, und ich hatte Hemmungen, sie einfach beim Sozialdienst zu melden. Doch es lag auf der Hand, dass sie große Mühe hatte, allein mit ihrem kranken Sohn zurechtzukommen, und in ihrem Alter würde sich daran auch nichts mehr ändern.

Dann war da noch die Geschichte der Nachbarin. Je länger ich darüber nachdachte, desto unglaubwürdiger erschien sie mir. Vielleicht konnte ein erneuter Besuch bei Lola mir helfen, zu entscheiden, ob ich Ward nun davon erzählen sollte oder nicht.

Vorausgesetzt, Lola ließ mich rein.

An diesem wolkenverhangenen Morgen wirkte die Straße mit den verrammelten Reihenhäusern noch trostloser. Ich parkte am Straßenrand vor Lolas Haus. Durch die Ritzen der Jalousie drang Licht, und so wusste ich wenigstens, dass sie zu Hause war. Natürlich war es auch möglich, dass sie es für ihren Sohn hatte brennen lassen, während sie unterwegs war, doch an dem verregneten Abend, an dem ich sie nach Hause gefahren hatte, hatte sie sich auch nicht die Mühe gemacht. Ein Gefühl sagte mir, dass das in ihren Augen Stromverschwendung wäre.

Beim Aussteigen warf ich einen Blick zu dem Haus der Nachbarin hinüber. Still und dunkel lag es da, leider. Ich hätte gern noch einmal mit ihr gesprochen.

Ich stieg die Stufen hoch und klopfte an Lolas Haustür. Dabei ließ ich die Jalousie nicht aus den Augen. Und tatsächlich, ein paar Sekunden später bewegten sich die Lamellen, und jemand spähte heraus. In der Hoffnung, dass die Neugier den Wunsch, mich einfach vor der Tür stehen zu lassen, besiegen würde, hielt ich eine braune Papiertüte hoch.

Die Lamellen schlossen sich, doch sonst passierte nichts. Ich ließ den Blick durch die öde Straße mit den heruntergekommenen Häusern schweifen, hier kümmerte sich keiner mehr um irgendwas. Gerade als ich die Hand hob, um ein zweites Mal zu klopfen, hörte ich, wie aufgeschlossen wurde. Wie bei meinem ersten Besuch öffnete sich die Haustür ein paar Zentimeter weit, dann erschien Lolas unfreundliches Gesicht über der Kette.

«Was wollen Sie?»

«Ich haben Ihnen was mitgebracht.» Ich zeigte ihr die braune Tüte.

Missmutig spähte sie durch den Türschlitz. «Was ist das?»

Ich öffnete die Tüte, nicht so sehr, um den Inhalt zu zeigen, als dass sie ihn riechen sollte. «Ein Grillhähnchen.»

Ich hatte auf dem Weg bei einem Feinkostladen neben Ballard Court angehalten. Die Preise waren zwar eher für die gut betuchte Nachbarschaft als für einen umquartierten forensischen Anthropologen gemacht, doch ich hatte trotzdem ab und zu mit Rachel dort eingekauft. Neben der Auslage mit Sennereikäse und hausgemachter Sülze gab es einen verglasten Grillspieß, an dem sich knusprig-fettige Hähnchen drehten, jeden Morgen frisch zubereitet. Der Duft drang bis auf die Straße, und mir war klargeworden, dass Lolas Einkäufe praktisch ausschließlich aus Fertigmahlzeiten oder Dosen bestanden. Jedenfalls sicher nichts wie das immer noch warme Hähnchen, dessen Duft ihr gerade in die Nase stieg.

Ich sah ihre Nasenflügel beben, als der pikante Geruch sie erreichte. Zwar war ich nicht stolz darauf, eine alte Frau zu manipulieren, doch ich redete mir ein, dass es einem guten Zweck diente. Es war natürlich denkbar, dass sie das Hähnchen nahm und mir die Tür vor der Nase zuschlug. In dem Fall blieb mir wenigstens die Gewissheit, dass sie und ihr Sohn etwas Gutes zu essen hatten.

Sie sah wieder zu der Tüte hin. Die Tür ging zu, und ich hörte, wie die Kette gelöst wurde. Dann ging sie wieder auf, ein ganzes Stück weiter diesmal, und Lola streckte den Arm nach der Tüte aus.

«Kann ich reinkommen?», fragte ich ohne loszulassen.

Sie starrte mich böse an, doch ihr Blick wanderte immer wieder zu der Tüte. «Wozu das denn?»

Ich wagte ein Lächeln. «Eine Tasse Tee wäre schön.»

Ich wartete darauf, dass die Tür zuflog, doch das geschah nicht. Die kleinen Augen musterten mich prüfend, dann drehte Lola sich um und ließ die Tür offen stehen. Ich folgte der Einladung, ehe sie es sich anders überlegen konnte.

Der Mief aus Müll und ungewaschenem Menschen hüllte mich ein. Aus einem uralten CD-Spieler auf dem Sideboard tönte Musik, irgendein pseudoklassisches Klaviergeklimper, und verbündete sich mit dem stetigen Ticken der Uhr, um mich in den Wahnsinn zu treiben. An dem trostlosen Chaos in der Wohnung hatte sich nichts geändert. Eine einzelne Glühbirne an der Decke verbreitete blässliches Licht, das das stickig warme Zimmer seltsam kalt erscheinen ließ.

Der Mann im Bett beobachtete mich. Das Gesicht war schlaff, doch seine Augen waren hellwach. In seinem Bart hingen Essensreste, und der Kinderbecher aus Plastik mit Deckel und Trinkschnabel lag leer auf dem knittrigen Laken. Das Schränkchen am Fußende, mit den Fotos von dem Jungen, der er einst gewesen war, sah aus wie ein vorzeitiger Schrein.

«Hallo, Gary», sagte ich. «Ich habe was zu essen mitgebracht.»

Die Tüte wurde mir aus der Hand genommen. Lola stellte sie neben die überquellende Spüle auf die Arbeitsplatte und fing an, darin herumzukramen. Neben ihr zischte der Wasserkocher.

«Es sind noch ein paar andere Sachen dabei», sagte ich, als sie das Hähnchen herauszog.

«Seh ich selbst», blaffte sie und hielt inne, um an dem fettigen Einwickelpapier zu riechen, ehe sie das Hähnchen beiseitelegte. Ich musste mir ein Lächeln verkneifen, während sie weiter in der braunen Einkaufstüte herumwühlte, vertieft wie ein Kind zu Weihnachten. Pochierter Lachs, ein Stück Bauerncheddar und Schweinepastete folgten dem Hähnchen auf die Arbeitsplatte. Nicht gerade die Sorte Essen, die ein Ernährungsberater gutheißen würde oder die ich in meiner Zeit als Arzt empfohlen hätte. Aber Lola und ihr Sohn sahen aus, als könnten sie einen Leckerbissen vertragen. Manchmal braucht die Seele genauso Nahrung wie der Körper.

Ich beobachtete, wie Lola das warme Hähnchen auswickelte und mit den Fingern ein Stückchen Haut abriss. Mit einem leisen Schmatzen schob sie es sich in den Mund und schloss beim Kauen tatsächlich die Augen. Ich sah zu ihrem Sohn hinüber. Gut möglich, dass er keine feste Nahrung zu sich nehmen konnte, und ich sah nirgendwo einen Pürierstab. Vielleicht war das auch etwas, worum man sich kümmern musste.

Der Wasserkocher fing an zu blubbern und übertönte gnädig das blecherne Geklimper der Musik. Lola stopfte sich noch ein Stück Fleisch in den Mund, dann wickelte sie das Hähnchen wieder ein. Sie lutschte sich das Fett von den Fingern und wischte sich die Hände an der Strickjacke ab. Dann sah sie mich an.

«Was wollen Sie?»

Gern geschehen. «Gar nichts.»

«Ich bin nicht blöd. Sie bringen den ganzen Krempel nicht einfach so vorbei. Wenn ich jünger wäre, würde ich denken, Sie wollen mir unter den Rock.»

«Nein. Will ich nicht.»

Mir gelang es, keine Miene zu verziehen, und ich fragte mich, was ihr Sohn von dieser Unterhaltung hielt. Lola gab ein pfeifendes Geräusch von sich. Mir wurde klar, dass sie lachte.

«Keine Sorge, ich weiß, wie ich aussteh.» Das Lachen erstarb, als hätte jemand einen Schalter umgelegt. «Ich habe Ihnen schon mal gesagt, ich will keine Almosen.»

«Das sind keine Almosen. Ich dachte, Sie und Ihr Sohn würden sich vielleicht freuen.»

Ich hatte offensichtlich das Falsche gesagt. Ihr Gesicht versteinerte. Hinter ihr stellte sich mit lautem *Klick* der Wasserkocher ab. Lola starrte mich weiter an, dann drehte sie sich um und machte sich am Wasserkocher zu schaffen.

«Sie können sich auch setzen, wo Sie schon mal da sind. Milch und Zucker?»

«Nur Milch», sagte ich verblüfft.

Ich trat an den kleinen Küchentisch. Die Klaviermusik und die Uhr gaben ihr Bestes. Gary ließ mich nicht aus den Augen. Ich zog einen Stuhl heraus und setzte mich.

«Gehen Sie heute wieder hin?», fragte Lola und goss Wasser in zwei Tassen.

Ich verstand nicht, was sie meinte. «Wohin?»

«Ins St. Jude natürlich. Wohin denn sonst?» Sie bedachte

mich mit einem listigen Blick. «Ich hab Ihnen doch gesagt, ich bin nicht blöd. Ich sehe, dass Sie nicht aus der Gegend sind, und welchen Grund sollten Sie sonst haben, sich hier rumzutreiben?»

Als sie mich neulich an der verfallenen Kirche gefragt hatte, war ich ausgewichen. Aber das hatte jetzt keinen Sinn mehr.

«Nein. Heute nicht.»

«Sind Sie wirklich nicht von der Polizei?»

«Nein.»

«Was sind Sie dann? Einer von diesen Forensikheinis? Tatortermittler, oder wie die heißen?»

«So was in der Art.»

Sie nickte zufrieden. «Dachte ich mir. So sehen Sie auch aus.»

Ich wusste zwar nicht, was sie damit meinte, aber ich fragte lieber nicht nach. «Und Sie?»

«Was meinen Sie?» Das Misstrauen war zurück.

«Als ich Sie neulich gesehen habe, haben Sie in dem Wald hinter dem St. Jude Müll eingesammelt. Machen Sie das öfter?»

«Bei so einem Wetter nicht. Mein Ischias ist schon schlimm genug, ohne dass ich da rumstolpere.» Sie drückte mit einem Löffel die Teebeutel an den Tassenrändern aus. «Ich mag es da. Ist mal was anderes. Da hat man das Gefühl, meilenweit weg zu sein.»

Ich wusste, was sie meinte. Das dicht bewachsene Waldgelände mit der alten Kirchenruine wirkte im Vergleich zu dieser heruntergekommenen Gegend wie eine andere Welt.

«Wie lange haben Sie als Krankenschwester gearbeitet?», fragte ich in der Hoffnung, das Gespräch auf einen der Gründe zu lenken, die mich hergeführt hatten.

«Lange genug.»

«Und wo haben Sie gearbeitet? Nicht im St. Jude, haben Sie mir erzählt.»

Sie starrte mich an. «Warum sind Sie eigentlich so neugierig?»

«Ich will mich nur unterhalten.»

Lola bedachte mich mit einem finsteren Blick, ehe sie drei gehäufte Teelöffel Zucker in eine der Tassen gab. «Ich habe überall und nirgends gearbeitet. Und Sie? Verheiratet?»

Der abrupte Themenwechsel überraschte mich. «Nein.»

«Sollten Sie aber, ein Mann in Ihrem Alter. Stimmt was nicht mit Ihnen?»

Ich wollte nicht über mein Privatleben sprechen, aber schließlich hatte ich gerade versucht, Lola über ihres auszuquetschen. «Ich bin Witwer.»

Das war ein Satz, der alle möglichen Reaktionen auslösen konnte, von betretenem Schweigen bis Mitgefühl. Lolas Antwort war keins von beidem.

«Wie ist sie gestorben?»

Ihr Tonfall war so gleichgültig wie bei der Frage, ob ich Milch in den Tee wollte. Aber wenigstens konnte ich so antworten, ohne mir Sorgen zu machen, wie sie es aufnahm.

«Es war ein Autounfall», sagte ich mit dem vertrauten Gefühl der Unwirklichkeit, das diesen Satz selbst heute noch begleitete. «Und Sie? Sind Sie verheiratet?»

«War ich mal. Bin's wahrscheinlich immer noch.» Sie zuckte verächtlich die Achseln. «Mein Mann hat sich vor Jahren vom Acker gemacht. Und tschüs! Arbeitete bei der Handelsmarine, war also sowieso nie da, und wenn, dann war er stockbesoffen. Mieser Dreckskerl. Der war schon nüchtern für meinen Gary 'ne echte Qual, und wenn er betrunken war, war's noch schlimmer. Ohne ihn sind wir besser dran.»

So viel am Stück hatte ich sie noch nie reden hören. Als sie die Milch aus dem Kühlschrank holte, lag eine seltsame Steifheit in ihren Bewegungen, als sei ihr der Ausbruch peinlich.

«Haben Sie Kinder?», fragte sie und goss Milch in den Tee.

«Wir hatten eine Tochter. Sie war mit meiner Frau im Auto.»

Lola drehte sich um und sah mich an, den Milchkarton in der Hand. Dann setzte sie ihn ab und fing an, in der Tasse zu rühren.

«Dann wissen Sie ja, wie das ist, Sie sind mit Leib und Seele für Ihre Kinder da. Geben Ihr Bestes, versuchen, sie zu beschützen. Dann passiert irgendwas, und das war's dann. Alles vorbei.»

Sie warf die Teebeutel mit einem klatschenden Geräusch in den Ausguss. Ich blickte zu ihrem Sohn hinüber. Dieses Gespräch in seiner Hörweite war mir unangenehm. Sein Kiefer mahlte kraftlos, während er uns beobachtete. In dem Moment konnte ich nicht sagen, wer mir mehr leidtat, er oder seine Mutter.

«Kümmern Sie sich nicht um ihn, ich sage nichts, was er nicht weiß», sagte Lola. Sie wandte sich an Gary. «Er weiß, wie's aussieht. Stimmt's?»

Ihr Sohn starrte sie an.

«Wann ist der Schlaganfall passiert?», fragte ich, an beide gewandt, als Lola den Tee brachte.

«Das muss … nein, Moment mal.» Sie runzelte die Stirn, stellte die Tassen auf den Tisch. Der Rand von meiner war angeschlagen und braun verfärbt von altem Tannin, und auf dem Tee lag ein glänzender Film. «Das muss jetzt achtzehn Monate her sein. Einfach so, aus heiterem Himmel. Ohne

Vorwarnung. In der einen Minute ging es ihm noch gut, und in der nächsten …»

Sie trat an das Schränkchen und nahm das größte gerahmte Bild zur Hand. Es zeigte sie und ihren Sohn an einer windgepeitschten Küste, die Haare zur Seite geweht, die Mäntel bis obenhin zugeknöpft.

«Das ist mein Lieblingsfoto. Damals war er fünfzehn, in Southend war das», sagte sie und hielt mir das Foto hin. «Da können Sie sehen, was für ein großer Kerl er war, mein Gary. Stark wie ein Ochse. Hat körperliche Arbeit geliebt. Er hatte für alles ein Händchen. Hat die ganze Küche hier selbst gebaut. Wasseranschluss, Elektrik, egal, was.»

Ich studierte das Foto, um mir die Wirkung ihrer Worte nicht anmerken zu lassen. Ihr Sohn stand mit gesenktem Blick da, ein hünenhafter, übergewichtiger Teenager mit schiefen Zähnen. Das scheue Lächeln wirkte seltsam entschuldigend. Neben ihm blickte seine Mutter mit an Trotz grenzendem Stolz in die Kamera.

«Hat er sich damit seinen Lebensunterhalt verdient?», fragte ich mit einem Blick zu dem Mann im Bett. Seine tief liegenden Augen waren auf mich gerichtet, sein Mund ein nasser Schlitz in dem struppigen Bart. Die Kluft zwischen dem hünenhaften Teenager und dem Wrack, das da lag, war schockierend.

«Geld hat er keins dafür gekriegt, wenn Sie das meinen. Die Scheißausländer nehmen einem doch alle Jobs weg.» Sie stellte das Bild zurück auf seinen Platz. «Hätte er, wenn er mehr hinterher gewesen wäre. War er aber nicht. Zu weich, das war sein Problem. Ich hab ihm immer gesagt, dass er für sich einstehen muss, dass er sich von den Leuten nicht … Na ja, das nur nebenbei.»

Das klang nach einer tausendmal wiederholten Klage, doch mir war noch etwas aufgefallen. Ich hatte mir die anderen Fotos angesehen, diesmal genauer. Auf einem stand ihr Sohn in dem Zimmer, in dem wir jetzt waren, neben dem Gasofen. Er war vielleicht Anfang zwanzig und trug ein königsblaues Oberteil und eine schwarze Hose. Es war eine Variante der Uniform, die ich, ehe ich von der Medizin zur Forensik gewechselt war, tagtäglich zu Gesicht bekommen hatte.

Ich deutete mit dem Kinn darauf. «Hat Gary mal als Pflegehelfer gearbeitet?»

«Er hatte viele Jobs», blaffte Lola. «Was geht Sie das überhaupt an?»

«Nichts, ich wollte …»

«Es wird Zeit, dass Sie gehen.» Sie stand auf. Ihr Gesicht war abweisend und hart. «Zeit, dass ich ihn sauber mache.»

Ich stand auf, Lola war bereits an der Tür. Ich wusste, dass ich zu weit gegangen war.

Sie öffnete, trat beiseite und hielt sie mir auf.

Ich blieb in der Tür stehen, wollte nicht einfach so gehen.

«Danke für den Tee. Wenn Sie möchten, kann ich noch mal für Sie einkaufen gehen …»

«Ich brauche nichts.»

Sie machte die Tür bereits wieder zu, zwang mich nach draußen auf die Stufen. Ihr Sohn gab ein leises Stöhnen von sich.

«Und du, fang ja nicht an …», hörte ich sie sagen, dann schloss sich die Haustür endgültig.

Ich sah mich um. Die magere Katze beobachtete mich vom selben Fensterbrett wie neulich, ansonsten war die Straße verlassen.

Meine Gedanken waren in Aufruhr, als ich zu meinem

Wagen zurückging. Ich hatte das Gefühl, etwas Unumkehrbares getan zu haben, und hatte keine Ahnung, ob es nun gut oder schlecht war. Ich fuhr los, doch nur ein paar Straßen weiter hielt ich an. Ich hatte aus Sorge um das Wohlergehen einer alten Frau und deren bettlägerigen Sohns an diese Tür geklopft und hatte außerdem gehofft, das Gerücht entkräften zu können, dass sie für den Tod eines Patienten verantwortlich gewesen war. Stattdessen hatte ich erfahren, dass Gary Lennox früher Krankenhaushilfskraft mit einem Händchen fürs Heimwerken gewesen war.

Ich fragte mich, ob seine Fähigkeiten ausreichten, um eine falsche Wand zu errichten.

Ich ermahnte mich, mich nicht zu verrennen. Gary hatte vielleicht nie im St. Jude gearbeitet, und all das war reiner Zufall. Seine Mutter hatte gesagt, den Schlaganfall hätte er vor anderthalb Jahren erlitten. Das würde Gary als Mörder von Christine Gorski ausschließen, denn die war, als wir ihre Leiche fanden, erst seit fünfzehn Monaten vermisst gemeldet.

Aber wir konnten nicht mit Sicherheit sagen, wo die beiden eingemauerten Opfer gestorben waren. Außerdem ging es damit endgültig nicht mehr um die Frage, ob ich Ward womöglich ihre Zeit raubte: Sie musste Bescheid wissen.

Als ich das Handy aus der Tasche holte, fing es in meiner Hand an zu klingeln, und ich schrak zusammen. Es war Whelan.

«Wir machen mit der Durchsuchung weiter», sagte er.

KAPITEL 19

Jegliche Illusion, Ward würde froh sein, von Gary Lennox zu erfahren, wurde schnell zerschlagen. Nachdem ich Whelan am Telefon kurz Bericht erstattet hatte, fluchte er leise.

«Sie wird mit Ihnen reden wollen», sagte er.

Von Lola bis zum Krankenhaus war es nicht weit, aber wegen des Gewirrs aus Einbahnstraßen musste ich Umwege fahren. Whelan hatte nicht viel gesagt, außer dass der Leichenspürhund die Suche wieder aufgenommen hatte. Damit hatte ich so schnell nicht gerechnet, entweder war der Asbest falscher Alarm gewesen oder nicht so großflächig verteilt wie gedacht. Die Pressemeute vor dem St. Jude war stark ausgedünnt, ihre Anwesenheit eher symbolisch, seit die Ermittlung aus den Schlagzeilen gerutscht war. Kurz vor dem Eingangstor kam mir ein Bus entgegen. An der Bushaltestelle stand eine einsame Gestalt, gab dem Bus jedoch nicht das Zeichen zum Anhalten, woraufhin er weiterfuhr. Erst beim Abbiegen in die Auffahrt sah ich die Kapuze und begriff, um wen es sich handelte.

Es war der junge Mann, der mir vors Auto gelaufen war.

Mir ging auf, dass ich ihn schon vorher an der Bushaltestelle hatte stehen sehen. Das war ja nicht verboten, allerdings hatte er gerade den Bus vorbeifahren lassen. *Jetzt wirst du paranoid*. Nach dem, was ich bei Lola erfahren hatte, war ich vermutlich einfach überreizt. Ich hielt am Tor an und ließ das Fenster herunter, die wachhabende Polizistin kam auf mich zu. Es war die Frau mit dem runden Gesicht, die bei meinen bisherigen Aufenthalten im St. Jude immer Dienst gehabt hatte.

«Wieder da?», fragte sie fröhlich. «Okay, fahren Sie durch.»

Ich lächelte. «Wissen Sie, wie viele Busse hier halten?»

Sie sah mich verblüfft an. «Nur einer, glaube ich. Einmal pro Stunde. Warum?»

Lass es gut sein. Ich klopfte mit den Fingern aufs Lenkrad und schaute in den Rückspiegel. Die Bushaltestelle und die einsame Gestalt waren außerhalb meines Blickfelds.

«Wahrscheinlich ist es nichts, aber ich habe den Mann da auf der anderen Straßenseite schon mal gesehen. Jung, um die zwanzig. Er hat gerade den Bus vorbeifahren lassen.»

«Vielleicht hat er nichts Besseres zu tun. Wenn man arbeitslos ist, kann man hier nicht viel machen.»

Ich nickte und bedauerte, es erwähnt zu haben. Aber sie schaute jetzt zur Bushaltestelle hinüber und trat ein paar Schritte zurück, um besser sehen zu können.

«Von hier kann ich nichts erkennen.» Sie wandte sich an ihren Kollegen, der für einen Polizisten in Uniform ziemlich alt war, alles andere als fit und wohl kurz vor der Pensionierung. «Hey, Carl, kannst du kurz die Stellung halten? Ich sehe mir mal jemanden auf der anderen Straßenseite an.»

«Soll ich gehen?»

Sie grinste. «So weit schaffst du es nicht.»

Ich stieg aus dem Wagen und stellte mich so, dass ich die Haltestelle sehen konnte. Die junge Polizistin überquerte die Straße, aber sobald der junge Mann mit der Kapuze sie bemerkte, nahm er die Beine in die Hand. Sie sah ihm nach, wandte sich um und kam zurück.

«Will nicht hallo sagen.» Sie zuckte die Achseln. «Könnte ein Junkie sein, der darauf wartet, dass wir abhauen. Ich halte die Augen offen, falls er zurückkommt.»

«Sicher nicht», sagte der ältere Polizist. «Der macht sich bestimmt rar, jetzt, wo du ihn verschreckt hast.»

«Ein Glück, dass er dich nicht gesehen hat, dann wäre er meilenweit gelaufen.»

Das Geplänkel zeugte von der Vertrautheit zweier Menschen, die viele Stunden miteinander verbringen. Wenigstens habe ich ihre Monotonie unterbrochen, dachte ich, als ich weiterfuhr.

Ward war in dem Anhänger, in dem die Besprechungen abgehalten wurden. Bei ihr waren Whelan und Jackson, der Suchexperte, und mehrere andere Polizisten, die ich nicht kannte.

«Kommen Sie rein, wir sind fertig», sagte sie und winkte mich herein, als ich zögernd in der Tür stand.

Jackson nickte mir im Hinausgehen zu, Whelan warf mir einen Blick zu, den ich nicht deuten konnte. Ward saß am Tisch, um den herum unordentlich verteilt Plastikstapelstühle standen.

«Setzen Sie sich.» Sie wirkte müde und gereizt, ihr Gesicht war aufgedunsen, unter den Augen hatte sie Ringe. Ein Pappbecher mit etwas, das nach Minztee roch, stand auf dem Tisch, die Schnur des Teebeutels hing über den Rand. Sie wartete, bis ich mich gesetzt hatte. «Jack sagt, Sie sind umtriebig gewesen.»

Ich berichtete ihr von Lola und ihrem Sohn, angefangen mit der Zufallsbegegnung im Wald hinter dem St. Jude und endend mit dem Gespräch vom Morgen. Ward starrte in ihren Teebecher. Erst als ich fertig war, blickte sie auf.

«Und warum höre ich zum ersten Mal davon?»

«Es schien bisher nicht wichtig.»

«Seit wann entscheiden Sie, was wichtig ist und was nicht?»

«Es waren unbestätigte Gerüchte. Ich habe erst vor einer Stunde überhaupt von Gary Lennox erfahren und es DI Whelan sofort gesagt.»

«Sie hätten gar nicht in dem Haus sein dürfen. Was zum Teufel haben Sie sich dabei gedacht?»

«Dass ich eine alte Frau und ihren Sohn besuche, die in Schwierigkeiten stecken», schoss ich zurück, jetzt selbst verärgert. «Wenn mir das alles vorher bekannt gewesen wäre, hätte ich mich anders verhalten, aber dem war nicht so. Hätte ich sie einfach sich selbst überlassen sollen?»

«Im Moment ja! Und ich hoffe sehr, das ist nicht bloß ein Trick, damit sich die Sozialdienste um die beiden kümmern.» Sie gebot meinem Protest mit einer Geste Einhalt. «Gut, das war nicht fair. Aber Sie sollten nicht hinter meinem Rücken mit potenziellen Zeugen, vielleicht sogar *Verdächtigen*, sprechen. Das mit Oduya war schlimm genug, aber nach dieser Sache wünschte ich fast, ich hätte Mears …»

Sie sprach nicht zu Ende, das brauchte sie auch nicht. «Sie hätten Mears *was*?», fragte ich. «Auch Christine Gorski untersuchen lassen?»

Na, viel Glück, dachte ich, jetzt richtig wütend. Mears war schon mit zwei Leichen völlig überfordert gewesen, nicht auszudenken, welches Chaos er mit dreien angerichtet hätte. Aber das konnte ich nicht laut aussprechen, ohne die Situation zu verschlimmern. Auch Ward schien ihren Ausbruch zu bereuen. Sie bemühte sich deutlich um Contenance.

«Okay, beruhigen wir uns. Ich weiß, dass Sie das nicht mit Absicht getan haben. Und ich weiß zu schätzen, dass Sie Mears Ihre Hilfe angeboten haben.»

Ich dachte, ich hätte mich verhört. «Wie bitte?»

«Verstehen Sie mich nicht falsch, ich weiß, Sie haben es gut gemeint. Aber Mears ist ein großer Junge, er braucht keine Hilfe. In Zukunft sollten Sie sich an Ihre eigenen Aufgaben halten.»

Herrgott. «Was genau hat er gesagt?»

«Nur dass Sie im Leichenschauhaus vorbeigekommen sind und Ihre Unterstützung angeboten haben. Er hat sich darüber nicht im eigentlichen Sinn beschwert. Er war sehr höflich.»

Jede Wette. Ich bemühte mich, die Fassung zu bewahren. «Glauben Sie ernsthaft, ich würde um elf Uhr abends einfach mal so im Leichenschauhaus vorbeischauen?»

Ward musterte mich einen Moment lang. «Okay, wahrscheinlich nicht. Aber was auch immer da zwischen Ihnen beiden läuft, klären Sie es, oder behalten Sie es für sich. Wir haben schon genug Probleme, ohne dass Sie beide rausfinden müssen, wer den Längeren hat.»

Ich wagte nicht, etwas zu sagen. *Verdammter Mears.* «Wollen Sie mich noch bei der Suche mit dem Leichenspürhund dabeihaben?»

«Sonst wären Sie nicht hier. Ich will nur, dass Sie diese ganzen Extra-Aktivitäten einstellen, die Ihnen so zu gefallen scheinen.»

«Ich suche nicht danach.»

«Vielleicht nicht, trotzdem geraten Sie ständig in irgendetwas hinein.» Sie seufzte. «Hören Sie, wir stehen unter immensem Druck. *Ich* stehe unter immensem Druck. Ainsley ist wegen gestern immer noch stocksauer, erst dreht Jessop durch, dann kippt Luke Gorski um.»

Ich war froh über den Themenwechsel. «Wie geht es ihm?»

«Wenn Sie den Bruder meinen, es war nur ein Schwächeanfall. Seine Schwester ist hier ermordet worden, es ist sein gutes Recht, ein bisschen hysterisch zu werden. Ich will damit sagen, es ist schon genug schiefgelaufen, manches war unsere Schuld, anderes nicht. Das reicht jetzt, klar?»

Ich hatte den Eindruck, Ward wollte mir nicht alles über Luke Gorski erzählen. Aber ich hatte verstanden: Ich bewegte mich auf dünnem Eis.

«Was ist denn aus dem Asbest geworden?»

Whelan hatte keine Einzelheiten genannt, lediglich gesagt, die Suche würde fortgesetzt. Ward rieb sich den Nacken. «Es gibt einen Zugangstunnel zu der früheren Leichenhalle hinter dem Krankenhaus, der seit deren Abriss durch Schutt blockiert war. Wie sich herausgestellt hat, ist die Decke voller Asbest, der vor Beginn der Abrissarbeiten hätte entfernt werden sollen. Immerhin scheint sich das aber auf den Tunnel zu beschränken, den können wir erst mal absperren. Solange da unten alle Masken und Schutzkleidung tragen, sollte es keine Probleme geben.»

Ich hatte die Überreste der Leichenhalle des St. Jude hinter dem Hauptgebäude gesehen, ein Hügel aus Ziegelsteinen und Zement, von Unkraut überwuchert. Der Tunnel musste dazu gedient haben, Leichen aus dem Keller ungesehen dorthin zu transportieren.

«Wusste Jessop davon?»

Wards Lächeln war hart. «Er sagt nein, aber ich glaube ihm kein Wort. Wir haben rausgefunden, dass er die Genehmigung zur Asbestbeseitigung vor sechs Monaten verloren hat. Irgendein Bürokratiemist, weil er nicht die richtigen Formulare ausgefüllt hatte oder so, wundert mich gar nicht. Das bedeutet, eine andere Firma hätte die Asbestbeseitigung übernehmen müssen, was Jessop wahrscheinlich den ganzen Auftrag gekostet hätte. Zumindest wäre es zu Verzögerungen gekommen, und die kann er sich nicht leisten. Er hat die Kosten knallhart kalkuliert, um die Ausschreibung zu gewinnen, und für neue Geräte sogar eine Hypothek auf sein Haus aufgenommen. Es hätte ihn ruiniert.»

«Zu Verzögerungen kam es nun trotzdem», sagte ich.

«Das ist sein Problem», erwiderte Ward ohne Mitleid. «Mich beschäftigt eher, was das für die Ermittlung bedeutet. Und ich frage mich, was er sonst noch angerichtet haben könnte.»

«Zum Beispiel?»

Doch sie schüttelte den Kopf. «Egal. Ich muss weitermachen.»

Mit Mühe schob sie sich vom Stuhl hoch, verzog das Gesicht und rieb sich den unteren Rücken.

«Wie geht es Ihnen?» Ich stand ebenfalls auf.

«Meinen Sie das?» Ward legte die Hand auf ihren Bauch. «Super. Mein Rücken tut weh, meine Blase führt ein Eigenleben, und ich habe diesen nervigen forensischen Berater an der Backe, der einfach nicht tut, was man ihm sagt. Abgesehen davon ist alles toll.»

«Also alles wie immer.»

«Mehr oder weniger.» Ihr Lächeln erstarb. Die Spannung zwischen uns war ein bisschen abgeflaut, aber noch nicht verflogen. «Ernsthaft, mehr darf nicht schiefgehen. Ich kann mir das nicht mehr leisten. Bleiben wir konzentriert, in Ordnung?»

Ich hatte nicht gedacht, unkonzentriert gewesen zu sein, doch ich wollte mich nicht streiten. «Kann ich wenigstens erfahren, was mit Lola und ihrem Sohn passieren wird?», fragte ich, als wir den Anhänger verließen.

«Wir kümmern uns darum.» Wards Tonfall machte klar, dass das Gespräch beendet war, doch dann hielt sie inne. «Diese Lennox und ihr Sohn, haben die einen Hund?»

«Ich habe keinen gesehen.» Gerade wollte ich fragen, warum, aber dann ging mir ein Licht auf. Auf der Plastikplane um Christine Gorskis Leiche waren Hundehaare gefunden worden.

«Ach, nur so ein Gedanke», sagte Ward.

Mit nachdenklicher Miene ging sie.

Zurück im St. Jude hatte ich das Gefühl, nie weg gewesen zu sein. Das Gebäude schien in einer Blase zu existieren, von der Außenwelt abgetrennt. Das Innere war seit Jahren nicht mehr von frischer Luft oder Sonnenlicht berührt worden, Feuchtigkeit war in die Steine gedrungen. Nicht einmal der Labrador war mehr immun gegen die bedrückende Atmosphäre. Er winselte immer öfter und sah seine Trainerin ängstlich an, bevor er sich um die nächste Ecke wagte. Selbst der zerkaute Tennisball, den er zur Belohnung bekam, schien kein Trost mehr zu sein.

Zumindest kamen wir jetzt schneller voran. Am späten Nachmittag hatten wir den Rest des oberen Stockwerks durchsucht und waren jetzt im mittleren angelangt. Hier gab es weniger häufig falschen Alarm, wahrscheinlich kamen die Vögel und Nagetiere vom Dachboden nicht so leicht hierher. Ein Tatortermittler hatte, mit Werkzeug und einem Endoskop ausgestattet, Jessops Platz eingenommen, falls irgendwo noch falsche Wände wären. Bisher war das nicht der Fall gewesen.

Wir hatten gerade die Krankenhauskapelle erreicht, als Whelan einen Anruf bekam.

«Im Keller ist etwas gefunden worden», sagte er dann. «Der Hund wird nicht gebraucht. Ich gehe mit Dr. Hunter runter, um einen Blick darauf zu werfen.»

«Wieso ohne den Hund?» Wir waren im Treppenhaus nach unten, meine Stimme warf ein Echo.

«Der nützt uns in diesem Fall nichts. Es ist schwer zu erreichen, aber man kann es sehen.»

«Was kann man sehen?»

«Anscheinend einen Arm.»

Die Keller von Krankenhäusern sind eine eigene Welt. Hier schlägt das Herz des Gebäudes, hier befinden sich, vor Blicken verborgen, die Boiler und Pumpen, die das Ganze am Leben halten. Das St. Jude mochte seit Jahren verlassen sein, doch seine Unterwelt war erhalten geblieben. Die Mechanismen, die das Haus einst gewärmt und am Leben gehalten hatten, existierten weiter, wie versteinerte Organe eines lange verendeten Tieres.

Ich war zum ersten Mal im Keller und spürte den Unterschied sofort. Je weiter wir nach unten kamen, desto stärker wurde der Geruch von Feuchtigkeit und Schimmel. Oben war es unangenehm gewesen, hier unten tat sich eine andere Dimension auf. Die höheren Stockwerke waren das öffentliche Gesicht des St. Jude, dort war im Laufe der Jahre einiges unternommen worden, um die Greisenhaftigkeit des Gebäudes zu übertünchen. Unten, wo nie ein Patient hinkam, hatte man sich diese Mühe gespart. Hier zeigte sich das wahre Alter des St. Jude.

Im Keller waren die Flure nicht lang und breit. Die Treppe endete an einer Kreuzung, von dort gingen mehrere Gänge ab wie in einem Kaninchenbau, an den Ziegelwänden hingen Rohre und Leitungen. Oben war es ebenfalls kalt und feucht, doch zumindest gab es dort einen Luftzug. Der Keller dagegen war von Erde umgeben, seit Jahren unbeheizt und abgeriegelt und im Laufe der Zeit zu einer Wasserlandschaft geworden. Wasser tropfte von der Decke, stand in Lachen auf dem Boden und perlte wie dicke Tränen von den Wänden.

«Herrlich, was?», sagte Whelan.

Wir folgten der Flutlichtschnur in einen der Gänge, das Wasser spiegelte den Lichtschein und spritzte unter unseren Füßen auf. Hin und wieder mussten wir uns unter einer niedrig hängenden Leitung hindurchducken. Früher wäre hier das laute Summen der Boiler, Pumpen und Ventilatoren zu hören gewesen, der Pulsschlag des Krankenhauses. Jetzt war bis auf die Geräusche, die wir verursachten, alles still.

Nach ein paar Minuten erreichten wir einen Betriebsschacht, die Metalltür stand offen, dahinter lag Müll. Ein Stück weiter klaffte der Schlund des nächsten Gangs. Er war diagonal mit gelbem Flatterband abgesperrt worden, an dem ein Schild hing: *Gefahr! Kein Zutritt!*

«Haben Sie da den Asbest gefunden?», fragte ich und spähte in das schwarze Loch hinein.

«Keine Sorge, ganz am anderen Ende. Beim Abriss der Leichenhalle kam ein Teil der Decke runter. Der Gang ist mit Schutt verstopft, sodass man nicht mehr zur Leichenhalle durchkommt. Jedenfalls nicht zu der.»

Mir war nicht klar, was er damit meinte, bis er zu einer Doppeltür trat. Darüber war ein Schild angebracht, so alt wie das Krankenhaus selbst, auf dem ein einziges ausgeblichenes Wort stand, das kaum noch zu lesen war.

Leichenhalle.

«Es gab zwei Leichenhallen?», fragte ich.

Whelan nickte. «Das ist die ursprüngliche. Der Gang führt zu der größeren, die in den 1960ern gebaut wurde. Wahrscheinlich hätte es zu viel Mühe gemacht, hier unten alles rauszureißen, also hat man es einfach so gelassen. Aus den Augen, aus dem Sinn.»

Das hätte das Motto des St. Jude sein können. Als Whelan die Doppeltür aufstieß, bot sich uns ein Blick in die Vergangenheit. Drei alte Obduktionstische standen dort nebeneinander, von einer dicken Staub- und Dreckschicht bedeckt. Über jedem hing eine überdimensionale Deckenleuchte, konische Metallschirme, aus denen uralte, verbogene Drähte ragten. Verrostete Wasserhähne beugten sich über ausgetrocknete, angeschlagene Waschbecken, außerdem war da noch ein alter Leichenschrank, dessen Türen offen standen wie bei einem riesigen Kühlschrank, die Regale waren leer.

Die Leichenhalle war ein Relikt aus der Vergangenheit, seit mindestens einem halben Jahrhundert war hier nichts mehr angerührt worden. Man hatte irgendwann einfach die Tür zugemacht und den Raum dem Vergessen überlassen, seitdem war er zu einer Zeitkapsel der Sterblichkeit geworden, auf die sich langsam der Staub gesenkt hatte. Tote Spinnen lagen auf den gesprungenen Keramikflächen der Obduktionstische.

Ich wandte mich dem Suchtrupp zu, um zu erfahren, was sie gefunden hatten.

Sie standen in einem kleinen Büro am anderen Ende des Obduktionsraums und wirkten in ihren weißen Anzügen wie Gespenster. Hinter einem Metallschreibtisch lag ein umgefallener Stuhl. Sie hatten sich um einen großen, rostigen Aktenschrank versammelt, der leicht angekippt worden war. Ich erkannte Jackson, den Suchexperten.

«Er liegt hinter dem Schrank auf dem Boden», sagte er. «Das Ding wiegt eine Tonne und ist an der Wand angebracht. Bevor wir es wegbewegen, sollten Sie zuerst einen Blick darauf werfen.»

«Schauen wir mal.» Whelan ging auf die Knie und leuchtete mit der Taschenlampe in den schmalen Spalt zwischen Schrank und Wand, dabei drückte er die Wange gegen die Mauer. «Das ist ein Arm, kein Zweifel. Dr. Hunter, wollen Sie mal gucken?»

Er stand auf und machte mir Platz. Ich hatte mich im Raum umgesehen und nach etwas gehorcht, das hätte zu hören sein müssen, aber fehlte. Jetzt kauerte ich mich neben den Aktenschrank.

Der schmale Spalt war schwer einsehbar, Leitungen verliefen an der Wand entlang, zunächst konnte ich nicht erkennen, was dort lag. Dann fiel das Licht meiner Lampe auf etwas Bleiches. Eine dreckige Hand lag, die Handfläche nach unten, auf dem Boden, die Finger gekrümmt, ein schmales Handgelenk und ein Unterarm verschwanden halb unter dem Schrank.

«Keine Anzeichen von Blut oder Verfärbung», sagte ich und drückte das Gesicht an die Wand. «Und von Verwesung ist auch nichts zu sehen.»

«Dann liegt sie wohl noch nicht lange da», sagte jemand aus dem Suchtrupp.

«Na, mindestens seit einer Woche», gab Whelan zurück. «Seitdem wir da sind, wäre niemand mehr unbemerkt hier runtergekommen. Aber es ist ziemlich kühl. Könnte das den Arm vor Verwesung geschützt haben?»

«Nicht in diesem Ausmaß.» Ich hielt die Nase in die Spalte und schnüffelte. Zwar war die Maske im Weg, aber es war kein Geruch zu bemerken.

«Könnte sie einbalsamiert worden sein?», schlug ein anderer aus dem Trupp vor. «Die Leichenhalle ist ja ganz in der Nähe. Vielleicht war es ein Präparat, das vergessen wurde.»

«Wer zum Teufel würde einen Arm vergessen?», fragte Whelan genervt. «Das würde bedeuten, er liegt seit Jahren hier.»

«Ich glaube, das tut er», sagte ich. Ich hatte auch an Einbalsamierung gedacht, konnte aber kein Formaldehyd riechen.

Ich stand auf und ging auf die andere Seite des Schranks, um vielleicht von dort mehr erkennen zu können, und sah, dass der Arm knapp unterhalb des Ellbogens endete. Ein glatter, gerader Schnitt, keine Hautfetzen oder Rissspuren.

«Sind Ihnen Fliegen aufgefallen?», fragte ich.

Keiner hatte welche gesehen. Ein frisch abgetrennter Arm hätte sie in Scharen angelockt, auch hier unten noch. Anders als oben wurden sie nicht von einer falschen Wand abgehalten.

Ich schob die Hand in den Spalt zwischen Wand und Schrank und berührte vorsichtig den Arm.

«Sollen wir Dr. Parekh dazurufen?», fragte Whelan unbehaglich.

«Nicht nötig», sagte ich. Ich packte den Arm am Handgelenk und zog kräftig.

«Halt!», rief Whelan.

Aber der Arm war bereits aus dem Spalt herausgeglitten, begleitet von einem Rostregen. Ich betrachtete das stumpfe Ende unter dem Ellbogen und schlug damit gegen den Aktenschrank. Ein solides *Klonk*.

«Er ist aus Gips», sagte ich. «Ich glaube nicht mal, dass er für medizinische Zwecke verwendet wurde. Sieht eher nach einer alten Schaufensterpuppe aus.»

Whelan nahm mir den Arm ab und drehte und wendete ihn, als wäre er immer noch nicht ganz überzeugt.

«Krasser Fall von Totenstarre», sagte einer aus dem Suchtrupp.

Whelan warf dem Mann einen unheilvollen Blick zu und schlug ihm den falschen Arm vor die Brust. «Sehr witzig. Das nächste Mal, wenn ihr uns für nichts und wieder nichts hier runterruft, stecke ich euch das Ding in den Arsch.»

Er drehte sich um und durchquerte die alte Leichenhalle, ohne auf mich zu warten.

KAPITEL 20

Den nächsten Tag begann ich gut gelaunt. Ich hatte fest geschlafen, ohne durch nächtliche Hilferufe von Mears gestört zu werden. Außerdem war ich beschwingt zu Bett gegangen, nachdem Rachel unerwartet angerufen hatte. Das Forschungsschiff hatte wegen schlechten Wetters einen Hafen anlaufen müssen. Mobilen Empfang gab es dort nicht, aber sie rief aus dem Festnetz an.

Sobald ich ihre Stimme hörte, war es mir bessergegangen. Die Leitung klang blechern, es gab eine kurze Zeitverzögerung.

«Wie ist es da draußen?», fragte ich.

«Gestern haben wir eine Schule Tümmler getaggt und sind über Nacht an einer unbewohnten Insel vor Anker gegangen. Heute Nachmittag gab es dann ein Riesengewitter, also verbringen wir den Abend in der Taverne.»

«Klingt furchtbar.»

«Ein Albtraum. Was gibt es bei dir Neues?»

«Ach, das Übliche.»

«Das Übliche», äffte sie mich nach. «Wir haben hier kein Internet, aber Dimitri hat heute Nachmittag eine zwei Tage alte *Times* mitgebracht. Ich habe das mit den Leichen in dem alten Krankenhaus gelesen. An dem Fall arbeitest du doch, stimmt's?»

«Wir sind fast fertig.» Ich wollte nicht über das St. Jude sprechen. *Dimitri?* «Weißt du, wie lange ihr noch unterwegs sein werdet?»

«Mindestens drei Wochen, dann kehren wir ans Festland zurück. Aber wir machen an mehreren größeren Inseln halt, also kann ich mich zwischendurch melden. Im Ernst, wir müssen hier mal zusammen her. Ich kann dir gar nicht beschreiben, wie *blau* das Meer ist …»

Sie versuchte es trotzdem. Zufrieden hörte ich zu, genoss den Klang ihrer Stimme. Dann rief im Hintergrund jemand nach ihr. «Ja, ich komme», erwiderte sie. «Ich muss aufhören. Ich rufe dich in ein paar Tagen wieder an. Bitte pass auf dich auf, ja?»

«Du bist diejenige, die mitten auf der Ägäis rumdümpelt. Ich hocke in London.»

«Ich weiß, aber … Überlass das Risiko mal den anderen, ja?»

Ich wusste, dass sie an die Zeit vor einigen Monaten dachte, als ihre Schwester ermordet worden war und ihre Familie und Rachel auch fast ums Leben gekommen wären. Diese Art Trauma löste sich nicht so leicht auf, da mochte das Meer noch so blau sein.

«Ich bin von Polizisten umzingelt. Das einzige Risiko besteht darin, sich beim Rumstehen eine Erkältung einzufangen», sagte ich.

Eine Pause, ich konnte die nachdenkliche Falte zwischen ihren Augen förmlich sehen. «Okay, aber …»

Wieder eine Stimme im Hintergrund. Ich verstand die Worte nicht, aber sie war männlich, tief und sprach mit schwerem Akzent.

«Wenn das Dimitri ist, sag ihm, er soll warten.»

Rachel lachte, einen Moment lang verschwand die Sorgenschwere. «Nein, das ist Alain.»

«Es gibt einen Alain *und* einen Dimitri?»

«Was soll ich sagen? Die Crew ist multikulti», sagte sie, noch immer lachend. «Und die anderen wollen auch telefonieren, ich muss also wirklich auflegen. Wir reden bald wieder.»

Aufgemuntert durch das Gespräch, schenkte ich ein Glas Banton's ein und wollte fast glauben, dass wahr wäre, was ich zu Rachel gesagt hatte: dass die St.-Jude-Ermittlung sich dem Ende zuneigte. Der Suchtrupp der Polizei hatte keine weiteren Opfer gefunden, und es blieb nur noch ein kleiner Teil des Kellers zu überprüfen. In den vielen engen Gängen und Röhren würde der Leichenspürhund länger brauchen, trotzdem müssten wir in ein, zwei Tagen fertig sein. Als ich ins Bett ging, nahm ich an, dass das alte Krankenhaus all seine Geheimnisse preisgegeben hätte.

Wie zur Bestätigung schien nun, als ich mich am Morgen ins Auto setzte, die Sonne. Sie war eher diesig-herbstlich, strahlte nicht mehr, wie vergangene Woche noch, die Hitze des Sommers aus, aber war nach den grauen Wolken und dem Regen der letzten Tage eine willkommene Abwechslung. Als ich vor dem Tor von St. Jude hielt, sah ich, dass an der Bushaltestelle gegenüber niemand stand. Es schien wie ein Zeichen, dass von nun an alles glattgehen würde, und als ich vor dem Krankenhaus parkte, konnte selbst der Anblick der geschwärzten Mauern und der zugenagelten Fenster mir die Laune nicht verderben.

Das hielt nicht lange an.

Whelan erwartete mich. «Sie brauchen sich nicht umzuziehen. Die leitende Ermittlerin will Sie sprechen.»

Was habe ich jetzt schon wieder gemacht? «Warum, ist etwas passiert?»

«Das soll sie Ihnen selber sagen.»

Er hatte mir die Schmach mit dem Arm der Schaufensterpuppe noch nicht verziehen. Das Krankenhaus warf lange Schatten auf den Asphalt, als ich zu dem Anhänger ging, in dem ich am Vortag mit Ward geredet hatte. Dort endete gerade eine Besprechung. Beamte kamen heraus, außerdem ein paar Personen in Zivil, die eindeutig keine Polizisten waren. Ich wartete draußen, bis Ward auftauchte, die mit ihrem flatternden Regenmantel und der Aktentasche über der Schulter sehr geschäftsmäßig wirkte.

«Gut, dass Sie rechtzeitig hier sind. Sie können mit mir fahren.»

«Wohin?» Ich war verwirrt.

Sie ging mit schnellen Schritten auf die Polizeiautos zu. «Hat Jack nichts gesagt? Wir verhaften Gary Lennox.»

Auf der Fahrt teilte sie mir die Einzelheiten mit. Nach unserem Gespräch hatte ihr Team Lolas Sohn überprüft.

«Sie hatten recht mit Lennox», berichtete sie. «Er hat, seit er achtzehn war, als Pflegehelfer im St. Jude gearbeitet. Im Jahr vor der Schließung wurde er entlassen, aber natürlich kannte er das Krankenhaus wie seine Westentasche. Und was das Bauen von Mauern angeht, vorher hatte er eine Ausbildung zum Maurer angefangen. Der Theorie-Teil ist ihm schwergefallen, deswegen hat er nie seinen Abschluss gemacht, aber in allen Praxisfächern hatte er Bestnoten. Ganz sicher weiß er, wie man aus Porenbetonsteinen eine Wand baut.»

Ich erinnerte mich, wie Lola stolz gesagt hatte, ihr Sohn

habe ein Händchen fürs Praktische. Vielleicht mehr, als sie ahnte. «Warum wurde er entlassen?»

«Da steht nicht viel, aber es gab wohl Ärger wegen Medikamenten, die aus der Krankenhausapotheke verschwunden waren. Schmerztabletten, Beruhigungsmittel, Steroide, all das Zeug, das sich leicht verkaufen lässt. Es kam nie zu einer Anzeige, aber der Ärger war groß genug, um ihn zu feuern. Was zu der Theorie passt, dass die Morde mit Drogen zu tun haben. Vielleicht hatte er irgendwas mit geklauten Medikamenten aus dem St. Jude am Laufen, und nachdem das Krankenhaus geschlossen worden war, hat er das Geschäft an seiner alten Wirkungsstätte wiederaufgenommen. Bisher sind das nur Indizien, aber wenn man sich Gary Lennox genauer ansieht, passt einiges zusammen.»

Das stimmte, trotzdem fühlte ich mich unwohl. «Wie wollen Sie ihn befragen, wenn er nicht sprechen kann?»

«Wir müssen ihn ärztlich untersuchen lassen und dann weitersehen. Wenn wir genug Beweise für eine Anklage finden, können wir prüfen, ob seine Fingerabdrücke denen an den Farbeimern und im Mörtel entsprechen. Falls ja, ist es nicht ausschlaggebend, ob er reden kann oder nicht. Und vielleicht lässt sich über seine Tätigkeit als Maurer eine Verbindung zu der Plane herstellen, in die Christine Gorskis Leiche eingewickelt gewesen ist. Wenn seine DNA zu dem Haar passt, das wir darauf gefunden haben, können wir ihn auch für diesen Mord belangen.» Sie sah mich fragend an. «Was ist los? Sie wirken nicht sehr froh.»

Ich wusste nicht, was ich denken sollte. Zwar hatte ich selbst Ward auf Gary Lennox hingewiesen, aber nicht geglaubt, dass sich daraus etwas ergeben würde. Natürlich wollte ich denjenigen finden, der für die Gräueltaten im St. Jude verantwortlich war, doch fühlte ich mich nicht wohl bei dem Gedanken, Lola und ihrem Sohn das Leben noch schwerer zu machen.

«Ich hatte nicht erwartet, dass alles so schnell gehen würde», gab ich zu.

«Ich auch nicht, aber ich greife zu. Und das Beste habe ich Ihnen noch gar nicht gesagt.» Ward war sichtlich aufgeregt. «Wir haben die Fingerabdrücke identifizieren können, die Mears von dem einen eingemauerten Opfer genommen hat. Sein Name ist Darren Crossly, sechsunddreißig Jahre alt, mit achtzehn wegen Cannabisbesitz verurteilt, sonst ist die Akte sauber. Aber auch er war mal Pflegehelfer im St. Jude, bis zur Schließung. Er muss Gary Lennox gekannt haben.»

Das gibt's doch nicht. Schweigend versuchte ich, die Informationen zu verarbeiten.

«Na los, sagen Sie was», forderte Ward mich auf. «Ich habe ja keine Jubelschreie erwartet, aber doch ein bisschen mehr Begeisterung.»

«Was ist mit der Frau, die mit ihm eingemauert war?», fragte ich.

«Da haben wir noch nichts. Zu ihren Fingerabdrücken gibt es keinen Treffer, wahrscheinlich war sie nicht aktenkundig. Wir warten noch auf die DNA und die zahnmedizinische Analyse, aber da wir jetzt Crossly identifiziert haben, können wir in seinem Umkreis fragen. Mal sehen, ob sie eine Bekannte von ihm war.»

«Wann ist er verschwunden?»

Ward zögerte. «Er wurde vor dreizehn Monaten als vermisst gemeldet.»

Ich sah sie an. «Lola sagt, ihr Sohn habe den Schlaganfall vor achtzehn Monaten erlitten. Also fünf Monate, bevor Darren Crossly verschwunden ist.»

«Ich habe gesagt, da wurde es gemeldet.» Ward klang leicht verärgert. «Er kann auch länger verschwunden gewesen sein. Er hat keine Familie und war seit der Schließung des St. Jude arbeitslos. Die Vermisstenmeldung kam nur rein, weil er Sozialhilfe bezog und sein Vermieter sich beschwerte, als er die Miete nicht mehr zahlte. Und wir haben nur die Aussage von Garys Mutter dazu, wann er tatsächlich den Schlaganfall erlitten hat.»

«Sie glauben, sie deckt ihn?»

Ward zuckte die Achseln. «Sie wäre nicht die erste Mutter, die lügt, und sie hat selber keine weiße Weste. Wir haben nachgeprüft, was die Nachbarin über den toten Patienten gesagt hat. Wie sich herausstellte, ist vor zweiundzwanzig Jahren ein vierzehnjähriger Junge an einer Insulinüberdosis gestorben, während Lola Lennox Schicht hatte.»

«Dann stimmt es also?» Obwohl ich mich verpflichtet gefühlt hatte, Ward davon zu erzählen, hatte ich der Geschichte der Nachbarin nicht viel Glauben geschenkt.

«Nun, im Wesentlichen schon. Die interne Ermittlung hat zwar ergeben, dass es ein Unfall war, doch Lola wurde entlassen und hat nie wieder als Krankenschwester gearbeitet. Das ist nicht am St. Jude passiert, aber von Krankenhäusern gefeuert zu werden, scheint in der Familie zu liegen.»

Danach schwieg Ward und überließ mich meinen Gedanken, bis sie in Lolas Wohnstraße abbog. Mir fiel es immer noch schwer, all das zu verstehen, und mein Magen verknotete sich bei dem Gedanken an das, was gleich passieren würde.

«Sie haben mir noch nicht gesagt, warum ich dabei sein soll», sagte ich.

«Abgesehen davon, dass Sie das Ganze in Gang gesetzt haben, meinen Sie?» Sie lächelte. «Keine Sorge, das ist keine

Strafe. Gary Lennox' Mutter kennt Sie, und es schadet nicht, ein bekanntes Gesicht dabeizuhaben.»

«Ich bin nicht sicher, ob das etwas ändern wird.»

«Vielleicht nicht, aber es ist besser als ein Haus voller Fremder. Und sie scheint Ihnen ja zu vertrauen.»

Bis jetzt, dachte ich.

Wir hielten vor Lolas Haus, wo schon mehrere andere Autos und ein Krankenwagen eingetroffen waren. Gary Lennox mochte verdächtig sein, aber da er ein Pflegefall war, wurde die Polizei von Mitarbeitern der Sozialdienste und von Sanitätern begleitet, die Lennox' körperliche Verfassung begutachten und ihn ins Krankenhaus bringen sollten. Ich spürte die Verantwortung schwer auf meinen Schultern lasten. Ich hatte Lola und ihrem Sohn helfen wollen. Mit dem hier hatte ich nicht gerechnet.

Der Lärm der eintreffenden Wagen und zugeschlagenen Autotüren lockte Gesichter an die Fenster jener Häuser, die noch bewohnt waren. Ein paar Nachbarn kamen auf die Straße, um das unerwartete Spektakel zu begaffen.

Whelan stieg aus einem der Wagen, ging zur Haustür und klopfte. Ich beobachtete die Jalousie in Lolas Fenster, ob eine Bewegung ihre Anwesenheit verraten würde. Nichts regte sich. Whelan wartete ein paar Sekunden und klopfte erneut, diesmal kräftiger.

«Sie ist nicht da.»

Das kam von derselben Nachbarin, die schon einmal mit mir gesprochen hatte. Sie stand in ihrer Haustür, eingehüllt in einen Bademantel, eine Zigarette in der Hand und sah aus, als wäre sie gerade erst aus dem Bett gekommen. Ohne die dicke Schminkschicht wirkte ihr Gesicht älter und seltsam unfertig.

«Wissen Sie, wo sie hingegangen ist?», fragte Whelan.

Sie zog eine Schulter hoch. «Woher soll ich das wissen?»

«Wissen Sie, wie lange sie schon weg ist?»

«Keine Ahnung. 'ne Stunde, anderthalb.» Sie zog an der Zigarette und sah mich mit einem ironischen Grinsen an. «Sie haben Verstärkung mitgebracht, wie?»

Whelan wandte sich an Ward. «Was meinen Sie, Ma'am? Sollen wir …»

«Sir.»

Einer der uniformierten Polizisten deutete die Straße hinunter. Auf dem Gehweg schlurfte eine verlorene Gestalt auf uns zu, in beiden Händen Einkaufstaschen, hinkend, mit gesenktem Kopf und ganz darauf konzentriert, mühevoll einen Fuß vor den anderen zu setzen. Doch plötzlich schaute sie auf und blieb beim Anblick des Polizeitrupps vor ihrem Haus abrupt stehen. Ein paar Sekunden lang rührte sie sich nicht. Ihr Blick blieb kurz an mir hängen. Dann raffte sie mit grimmig zusammengekniffenem Mund die Taschen zusammen und setzte ihren Weg in demselben langsamen Tempo wie bisher fort.

Ward ging ihr entgegen. «Lola Lennox? Ich bin DCI Sharon Ward. Wir sind wegen Gary hier.»

Lola ignorierte es, schlurfte an ihr und den anderen vorbei, als wären wir nicht da.

«Haben Sie mich gehört, Mrs. Lennox? Ich habe gesagt, wir möchten mit Ihnen über Ihren …»

«Hab ich gehört. Verpissen Sie sich.»

«Mrs. Lennox, wir haben einen Haftbefehl für Ihren Sohn.»

«Können Sie sich sonst wohin stecken.»

Ohne die Einkaufstüten abzusetzen – in denen sich Inkontinenzeinlagen befanden, wie ich sah –, fummelte Lola mit ihrem Hausschlüssel herum.

Ward versuchte es erneut, bemühte sich um Geduld. «Wir möchten Ihnen keine unnötigen Schwierigkeiten bereiten, aber es ist in Ihrem Interesse und dem Ihres Sohnes, mit uns zu kooperieren.»

Sie hätte auch gegen die Wand anreden können. Lola, die Tüten immer noch in der Hand, setzte ihren Kampf mit dem Schlüssel fort, ihr Gesicht wurde vor Anstrengung zunehmend rot.

Whelan wollte ihr zu Hilfe kommen. «Lassen Sie mich …»

«Nehmen Sie Ihre Scheißhände von mir!», fauchte Lola und sah ihn wütend an.

«Okay, jetzt beruhigen wir uns alle mal», sagte Ward, als Whelan mit beschwichtigend erhobenen Händen zurückwich. Sie winkte mich nach vorne. «Ich glaube, Sie kennen Dr. Hunter …»

«Der hinterfotzige Mistkerl kann mich mal.»

So viel zu einem bekannten Gesicht. Ich atmete durch. «Es tut mir leid, Lola, ich wollte nicht …»

«Hauen Sie ab!»

Sie hatte es geschafft, den Schlüssel ins Schloss zu stecken, war aber zu sehr bepackt, um ihn drehen zu können. Immer mehr Menschen waren auf die Straße gekommen, um sich das Ereignis nicht entgehen zu lassen.

«Sie sollten sich schämen!», rief eine Frau von der anderen Straßenseite. «Sie ist eine alte Frau, lassen Sie sie in Ruhe!»

Ich sah Ward die Unschlüssigkeit an. Den Vorwurf, rücksichtslos und unbeholfen vorgegangen zu sein, zumal gegenüber der alten Mutter eines kranken Mannes, wollte sie sich ersparen. Aber je länger das Ganze dauerte, desto mehr lief sie Gefahr, ihre Autorität zu verlieren.

Die Haustür ging mit einem plötzlichen Klicken auf. Lola

quetschte sich durch den Spalt und versperrte ihn mit den Tüten.

«Sie dürfen hier nicht rein!», schrie sie und versuchte, die Tür zuzudrücken. «Das ist mein Haus, dazu haben Sie kein Recht!»

Doch das hatten sie. Lola gab auf und eilte ins Haus, die Tür blieb offen. Ich ließ die Polizisten und Sozialarbeiter vorgehen und sah Whelan zurückzucken, als der Geruch des Krankenzimmers in seine Nase drang.

«Du liebe Güte», murmelte er.

Lola stand vor dem Bett, als wollte sie ihren Sohn verteidigen. «Ich will euch hier nicht haben! Raus hier, haut ab!»

Eine Sanitäterin näherte sich mit einem beschwichtigenden Lächeln. «Schon gut, wir wollen uns Ihren Sohn nur mal ansehen.»

«Bleibt weg vom ihm!»

Lola wollte der Sanitäterin die Tüte mit den Inkontinenzeinlagen um die Ohren schlagen, aber Whelan ging dazwischen und nahm sie ihr ab. Währenddessen schossen Gary Lennox' Blicke wild von einem zum anderen, das einzig sichtbare Zeichen seiner Erregung. Die Sanitäterin lächelte ihn an.

«Alles gut, Gary. Wie geht es Ihnen? Ich heiße Kalinda, ich bin Sanitäterin. Ich würde Sie gerne kurz untersuchen …»

«Nein!», heulte Lola und versuchte, an Whelan und dem PC vorbeizukommen, die sie aufhielten. «Nein, das dürfen Sie nicht, das lasse ich nicht zu!»

Ich versuchte es erneut. «Lola, warum kommen Sie nicht mit mir …»

«Verpissen Sie sich», spie sie mir entgegen, die kleinen Augen loderten vor Wut. «Sie hinterhältiger Judas, das ist alles Ihre Schuld!»

«Lassen Sie, Sie machen es nur schlimmer», sagte Whelan über die Schulter hinweg zu mir. Er hatte recht, ich überließ einem Sozialarbeiter das Feld. Hinter mir war neue Unruhe entstanden. Von draußen drangen Stimmen herein, einer der uniformierten Polizisten versperrte jemandem die Tür.

Es war Adam Oduya.

«Ich will mit Lola und Gary Lennox sprechen.» Er redete nicht laut, aber das brauchte er auch nicht. «Lassen Sie mich zu ihnen.»

«Na, toll», zischte Ward. «Jack, schaffen Sie ihn weg.»

Whelan überließ Lola den PCs und ging zur Tür. «Das hier geht Sie nichts an. Verschwinden Sie.»

«Alles, was diese Gemeinde betrifft, geht mich etwas an», erwiderte Oduya. «Warum belästigen Sie eine alte Dame in ihrem eigenen Haus?»

«Wir belästigen niemanden. Dies ist ein Polizeieinsatz, wir sind mit den Sozialdiensten hier und …»

«Das nennen Sie keine Belästigung? Wenn Sie brutal in das Haus einer alten Frau und ihres Sohnes eindringen? Die beiden haben Rechte.»

«Ich habe Sie gebeten zu gehen, ich sage es nicht noch einmal …»

«Mrs. Lennox?», rief Oduya an Whelan vorbei ins Haus. «Lola Lennox? Ich bin Anwalt, ich kann Ihnen helfen!»

«Okay, bringen Sie ihn weg», befahl Whelan einem Police Constable.

Doch Lola hatte Oduya gehört. «Wer ist das?», verlangte sie zu wissen und drehte sich um, während der PC versuchte, Oduya abzudrängen.

«Mein Name ist Adam Oduya», rief der. «Wenn die Polizei gegen Ihren Willen hier ist, kann ich Ihnen helfen. Sagen Sie denen einfach, ich vertrete Sie und Sie wollen mit mir reden!»

Das Gesicht der alten Frau nahm einen listigen Ausdruck an. Sie wandte sich an Whelan.

«Sie haben ihn gehört.»

«Mrs. Lennox, es gibt keinen Grund ...»

«Ich will mit ihm sprechen!»

Whelan sah Ward fragend an. Sie nickte genervt. «Also gut, lassen Sie ihn rein.»

Widerwillig gaben Whelan und der PC den Weg frei. Oduya zog gelassen sein Jackett zurecht und trat ins Haus. Er schien nicht überrascht, mich dort zu sehen.

«Hallo, Dr. Hunter ...», sagte er und verstummte dann, als er den kranken Mann inmitten des Elends wahrnahm.

«Finden Sie immer noch, wir verletzen hier Bürgerrechte?», fragte Whelan.

Aber Oduya hatte die Fassung wiedergewonnen. Mit ausgestreckter Hand ging er auf Lola zu. «Danke, dass Sie mich hereingebeten haben, Mrs. Lennox.»

Sie ignorierte seine Hand und starrte ihn mit offensichtlicher Abneigung an. Mir wurde klar, dass sie ihn bisher nur gehört, nicht gesehen hatte.

«Sie sind so einer.»

«Ich bin Rechtsanwalt, ja», erwiderte Oduya und zog mit einer eleganten Bewegung der soeben ausgeschlagenen Hand eine Visitenkarte aus der Brusttasche. «Mein Name ist Adam Oduya, und wenn Sie es wünschen, vertrete ich gerne Sie und Ihren Sohn.»

«Ich zahle nichts.»

«Das brauchen Sie auch nicht. Ich arbeite für eine gemeinnützige Organisation. Wir bieten Menschen, die Rechtsberatung und Beistand benötigen, Hilfe an.»

«Sie braucht keinen Beistand», sagte Whelan verärgert.

«Aber ihr Sohn schon. Oder wollen Sie ihm aufgrund seiner Behinderung rechtlichen Beistand verweigern?»

Ward trat vor. «Mr. Oduya, wir möchten einzig und allein sicherstellen, dass Gary Lennox in gutem gesundheitlichen Zustand ist und keine ärztliche Hilfe benötigt. Er hätte in Kürze einen Rechtsbeistand bekommen, aber jetzt, wo Sie da sind, wird das nicht mehr nötig sein. Nur, *warum* sind Sie eigentlich hier? Und sagen Sie nicht, Sie wären zufällig in der Nähe gewesen.»

Er lächelte sie an. Freundlich, aber sie verstanden einander. «Wie ich bereits gesagt habe, ich habe meine Quellen. Keine davon ist derzeit anwesend, wie ich versichern kann.»

Das galt mir. Whelan hatte es natürlich mitbekommen und warf mir einen harten Blick zu.

«Was stehen Sie hier rum?», schimpfte Lola. «Das ist mein Haus, wenn Sie Anwalt sind, sagen Sie denen, sie sollen verschwinden.»

Ich fragte mich, wie lange es dauern würde, bis der Anwalt seine Hilfsbereitschaft bereute.

«Ich tue mein Bestes, aber erst mal sollte ich …»

«Wir müssen ihn ins Krankenhaus bringen.»

Die Stimme der Sanitäterin brachte alle zum Schweigen. Während der ganzen Diskussionen hatte sie Gary Lennox untersucht. Seine Augen waren aufgerissen, der Blick schwenkte wild von einem zum anderen. Seine Atmung war schnell und flatternd und im jetzt stillen Raum deutlich zu hören.

«Seine Werte gehen drunter und drüber», fuhr die Sanitäterin fort. Mit einem lauten Ratschen öffnete sie die Manschette des Blutdruckmessgerätes um Garys ausgemergelten Arm. «Der Sauerstoff ist viel zu niedrig, sein Blutdruck und Puls sind …»

«Nein!» Lola klang, als wäre sie geschlagen worden. «Er braucht kein Krankenhaus! Ich kann ihn versorgen!»

Energisch rollte die Sanitäterin die Manschette zusammen. «Tut mir leid, er kann nicht hierbleiben. Er wirkt unterernährt und dehydriert, und ich vermute Leber- und Nierenprobleme. Er muss ärztlich behandelt werden.»

«Das dürfen Sie nicht! Ich lasse das nicht zu!»

«Mrs. Lennox, Sie sollten vielleicht auf die Sanitäter hören», sagte Oduya in beruhigendem Ton. «Ich begleite Sie ins Krankenhaus und …»

«*Nein!* Bitte!» Lola wirkte nicht länger aggressiv, nur noch verzweifelt. Und verängstigt. «Nehmen Sie ihn mir nicht auch noch weg! Er ist alles, was ich noch habe!»

Sie begann zu weinen, als ihrem Sohn eine Sauerstoffmaske über das Gesicht gezogen wurde, und hörte weder Oduyas Worte noch die der Sozialarbeiter. Das Zimmer war überfüllt, ich stand im Weg. Unbemerkt trat ich nach draußen und sah, dass eine Trage aus dem Krankenwagen über den Gehweg gerollt wurde.

«Sagen Sie DCI Ward, dass ich zum St. Jude zurückgegangen bin», bat ich einen der Polizisten an der Haustür. Dann drängte ich mich durch die kleine Schar der Gaffenden, die sich eingefunden hatte, und machte mich auf den Weg zum Krankenhaus.

Hinter mir hörte ich noch immer Lola jammern.

KAPITEL 21

In meiner Abwesenheit war die Suche mit dem Leichen-spürhund gut vorangekommen. Falschen Alarm hatte es nicht mehr gegeben, und im mittleren Stockwerk lagen vornehm-lich weitläufige Stationen, die für den Hund leichter zu durch-suchen waren als die Nischen und Winkel im Stock darüber.

Ich gesellte mich nach dem Mittagessen wieder dazu. Der Rückweg zum St. Jude hatte zu Fuß länger gedauert als gedacht, und ich hatte mich auch nicht gerade beeilt. Der Suchtrupp würde anrufen, sollte er etwas finden, und nach den Geschehnissen bei Lola brauchte ich Zeit, um wieder ei-nen klaren Kopf zu bekommen. Ich war diese Strecke schon mit dem Auto gefahren, aber nie gelaufen, und obwohl ich gewusst hatte, dass es eine Abkürzung durch den Wald gab, war sie nicht so leicht zu finden gewesen. Die Straßen sahen alle gleich aus, heruntergekommene Reihenhäuser und leer-stehende, graffitibeschmierte Gebäude. Ich hatte schon ge-glaubt, mich verlaufen zu haben, als ich um eine Ecke bog und am Ende der Straße Bäume erblickte, eine dunkelgrüne Grenzlinie in dieser Landschaft aus verwitterten Ziegeln und Beton.

Der Wald war von einem maroden Metallzaun begrenzt. Ich stieg durch eine Lücke und war schnell von knorrigen

Stämmen und schiefen Ästen umgeben, schon was wenige Meter vor mir lag, war nicht mehr zu erkennen. Ich ging ein Stück weiter, hielt an, atmete ein und genoss den Duft von Erde und Laub. Vor mir wand sich ein schlammiger, halb von Weißdorn überwucherter Pfad zwischen den Bäumen hindurch. Ich wusste nicht, wohin er mich führen würde, hatte aber eine Ahnung und war nicht überrascht, auf die Lichtung mit der vom Blitz gefällten Eiche in der alten Kirchenruine zu stoßen.

Dabei ging mir auf, dass ich wohl denselben Weg genommen hatte wie Lola bei unserer ersten Begegnung. Eine einsame Krähe erhob sich von den efeuüberwucherten Steinen in die Luft, das einzige Lebenszeichen auf der Lichtung. Der Regen der letzten Tage hatte die Blätter von den Bäumen gerissen. Die verfallene Giebelwand wirkte vor den dunklen Ästen noch kahler.

Ich ging zu dem Steinhaufen vom letzten Mal und setzte mich. Die Erinnerung an die hässliche Szene bei Lola schmerzte mich. Ward hatte recht. Die Indizienbeweise gegen Gary Lennox waren überzeugend. Er hatte mindestens eines der beiden eingemauerten Opfer gekannt, wusste, wie man eine Wand hochzog, und hatte den Pflegehelferjob am St. Jude wegen verschwundener Medikamente verloren. Aber das wäre alles bedeutungslos, wenn sein Schlaganfall eineinhalb Jahre zurücklag. Dann käme er nicht für die Morde an Darren Crossly und der unbekannten Frau in Frage und auch nicht für Christine Gorskis Tod. Als bettlägeriger Pflegefall konnte er nicht der Täter sein.

Es sei denn, seine Mutter hatte gelogen.

Ich hatte versucht, mich an Lolas genaue Worte zu erinnern, aber so wichtig war das nicht. Das Datum von Gary

Lennox' Schlaganfall ließe sich anhand von Krankenhaus- und Hausarztakten leicht herausfinden. Und selbst wenn die nicht sofort zugänglich sein sollten, würden die Fingerabdrücke Klarheit bringen. Wenn sie denen am Tatort entsprachen, wäre das für Ward bei ihrer ersten eigenen Ermittlung ein Riesencoup. Wenn nicht, dann würden sie Gary Lennox' Unschuld beweisen.

Und ich hätte völlig umsonst neues Elend über Lola und ihren Sohn gebracht.

Mir einzureden, ich hätte keine Wahl gehabt, machte es nicht besser. Auch nicht, dass Gary Lennox wirklich medizinische Hilfe benötigt hatte. Die hätte man auch ohne Polizeiaktion organisieren können.

Aber ich grübelte schon zu lange. Ich stand auf, klopfte mir den Schmutz von der Hose und setzte meinen Weg durch den Wald fort. Der Polizist am Zaun auf der Rückseite des Krankenhauses wollte mich erst nicht durchlassen und musterte mich unfreundlich, während er per Funk die Genehmigung einholte. Wolken waren herangezogen, ich durchquerte die Schuttwüste der abgerissenen Nebengebäude hinter dem St. Jude und kam an dem Haufen vorbei, der einst die Leichenhalle gewesen war. Die *neue* Leichenhalle, wie mir bei dem Gedanken an den spinnwebenverhangenen Kellerraum einfiel. Der Berg aus kaputtem Beton und Ziegelsteinen war höher als ich. Als ich ihn betrachtete, fielen die ersten dicken Tropfen herab. Ende der Regenpause.

Ich ließ die Reste der Leichenhalle hinter mir und ging mich umziehen.

Ward kehrte erst am späten Nachmittag zum St. Jude zurück. Der Leichenspürhund hatte sich inzwischen bis zum Erdgeschoss durchgearbeitet, wo die große Eingangstür wenigstens ein bisschen frische Luft und Tageslicht hereinließ. Zwar musste der Labrador noch den Keller absuchen, aber wegen der Leitungen und Rohre dort unten wäre jede falsche Wand sofort aufgefallen. Es herrschte allgemein der Eindruck, dass die Suche sich dem Ende zuneigte, dass das St. Jude keine weiteren Überraschungen mehr bereithielt.

Ich hätte es besser wissen sollen.

Wir waren im Röntgenraum, aus dem die Apparaturen entfernt worden waren. An den Wänden hingen eingerissene Zettel mit der Aufforderung, die Handys auszuschalten, die Türen der leeren Umkleidekabinen standen offen wie bei geplünderten Grabkammern.

«Dr. Hunter?»

Whelan stand in der Tür. Selbst mit Maske war zu sehen, dass er nicht glücklich wirkte.

«Sie werden im Keller gebraucht», sagte er, drehte sich um und marschierte los, ohne auf mich zu warten.

Erst an der Treppe nach unten holte ich ihn ein. «Hat der Suchtrupp was gefunden?», fragte ich.

«Sie haben im Heizungsraum ein verbranntes Knochenstück gefunden, können aber nicht sagen, ob es von einem Menschen stammt.» Ich ging hinter ihm die Treppe hinunter, aber er wandte mir nicht das Gesicht zu. «Wir haben uns gefragt, wo Sie vorhin abgeblieben waren.»

«Haben Sie meine Nachricht nicht bekommen?»

«Das ist nicht der Punkt. Sie hätten uns Bescheid sagen müssen.»

«Sie hatten zu tun, und ich stand nur im Weg», sagte ich verärgert. «Ich dachte, ich mache mich besser nützlich.»

«Sprechen Sie sich das nächste Mal mit uns ab.»

Wenn es nach mir ging, würde es kein nächstes Mal geben. Aber ich vermutete, dass das nicht der eigentliche Grund für Whelans schlechte Laune war. «Was ist passiert, nachdem ich weg war?»

Sein Seufzer war Antwort genug. «Oduya macht Probleme. Er hat Lennox' Mutter geraten, der Abnahme von Fingerabdrücken nicht zuzustimmen. Weder bei ihrem Sohn noch bei ihr. Er sagt, wenn wir die Abdrücke wollen, müssen wir zuerst Anklage erheben. So viel dazu, dass er helfen will.»

Das musste für Ward ein ziemlicher Schlag sein. Wenn Fingerabdrücke nicht freiwillig abgegeben werden, darf die Polizei sie erst nach einer formalen Anklageerhebung nehmen. Gary Lennox war nicht in der Lage, sein Einverständnis zu geben, also musste seine Mutter das tun. Wenn sie ablehnte, hatte die Polizei nicht das Recht, die Fingerabdrücke ihres Sohns mit den im St. Jude gefundenen abzugleichen. Die Ermittlung käme zum Stillstand.

«Was verspricht sich Oduya davon?», fragte ich, als wir am Fuß der Treppe ankamen.

«Nichts, das sind nur Machtspielchen.» Whelan bog in einen Gang ein, auf dessen Boden wieder in gleichmäßigem Abstand Lampen aufgestellt waren. An der Decke und den Wänden verliefen Rohre und Leitungen. «Er meint, wenn wir Beweise hätten, sollten wir sie vorlegen, ansonsten sollten wir aufhören, einen kranken Mann zu belästigen.»

«Aber wenn Lennox unschuldig ist, wäre es doch in seinem Interesse, das zu beweisen.»

«Sagen Sie das Ihrem Freund.»

Er ist nicht mein Freund. Ich verstand Whelans Ärger. Sollten die Fingerabdrücke am Farbeimer und im Mörtel von Gary stammen, würde das seine Schuld so gut wie beweisen.

Und es nicht überprüfen zu dürfen, musste für die Polizei unglaublich frustrierend sein.

Aber ich verstand auch Oduya. Gary Lennox konnte nicht für sich selbst sprechen, also übernahm sein Anwalt diese Aufgabe und vertrat seinen Mandanten so gut wie möglich, auch wenn das die Polizeiarbeit verlangsamte. Bei aller Selbstdarstellung schien es mir doch so, als glaubte Oduya an das, was er tat, und war nicht nur auf Effekthascherei aus. Allerdings machte er sich damit nicht gerade beliebt.

«Haben Sie für eine Anklage gegen Lennox nicht genug in der Hand?», fragte ich.

Whelan schüttelte den Kopf. «Verhaftung, ja. Anklage, nein. Ohne die Fingerabdrücke sind das alles nur Indizien.»

«Haben Sie im Haus sonst nichts gefunden?» Nach der Verhaftung hatten sie Lolas Haus sicherlich nach belastendem Material durchsucht.

«Einen Stapel alter Comics und Ornithologiezeitschriften, das war alles. Lennox war Einzelgänger und besaß weder einen Computer noch ein Handy.»

«Wie geht es ihm?»

«Nicht gut. Im Krankenhaus wird er mit Flüssigkeit, Antibiotika und weiß Gott was noch versorgt und eingehend untersucht, aber er ist in keinem guten Zustand. Wir haben ihm in jedem Fall einen Gefallen getan, ihn da rauszuholen. Krankenschwester hin oder her, so wie sie für ihren eigenen Sohn sorgt, würde ich nicht wollen, dass sie sich um mich kümmert.»

«Hat sie irgendwas gesagt?»

«Vor allem Schimpfworte. Sie hat wirklich ein dreckiges Mundwerk. Als sie von Ihnen gesprochen hat, musste man hinterher lüften.» Wenigstens das heiterte Whelan auf. «Ich glaube nicht, dass Sie Ihnen eine Weihnachtskarte schicken wird.»

Er bog in einen anderen Gang ab, von dessen niedriger Decke Wasser tropfte, die Wände waren nass. Am Ende lag hinter einer schweren Metalltür der Heizungsraum, darin eine komplizierte Anordnung von Boilern, Rohren und Pumpen, halb von der Dunkelheit verschluckt. Zu Betriebszeiten war es hier unten sicher heiß wie im Backofen gewesen, das Feuer musste geflackert und der Dampf gezischt haben wie auf einem alten Dampfschiff. Jetzt stand die Maschinerie still und erkaltet da. Unter dem Geruch von Korrosion war ein Hauch von altem Öl auszumachen, kaum wahrnehmbar. Doch je weiter wir vordrangen, desto deutlicher wurde ein anderer Geruch. Ruß und kalte Asche. Etwas war hier verbrannt worden. Nicht vor kurzem, aber auch nicht vor langer Zeit.

Der Suchtrupp wartete neben dem Boiler. Der rostige Metallzylinder maß gute zweieinhalb Meter im Durchmesser und sah aus wie eine riesige, auf die Seite gelegte Blechbüchse. An einem Ende, dicht über dem Boden, befand sich eine offene kreisrunde Klappe. Um den Boiler waren Flutlampen aufgestellt worden, es sah aus, als würden die geisterhaft weißen Gestalten des Suchtrupps um ein Lagerfeuer herumstehen.

«Dann zeigen Sie mal her», sagte Whelan.

Eine der Gestalten, unter dem Schutzanzug und der Maske kaum als weiblich erkennbar, trat auf uns zu. «Das hier war in der Asche im Boiler begraben. Mit ziemlicher Sicherheit ein Knochen, aber ich weiß nicht, ob menschlich oder nicht.»

Sie reichte Whelan einen Beweismittelbeutel mit einem kleinen, dunklen Gegenstand. Whelan betrachtete ihn im Licht und reichte ihn an mich weiter.

«Was denken Sie?»

Der Gegenstand ähnelte einer verbrannten Erdnussschale. Er war röhrenförmig, keine zwei Zentimeter lang, die Enden leicht nach außen gebogen. Die Oberfläche war verkohlt und schwarz, verbrannte Hautfetzen und Weichgewebeteile hingen daran.

«Das ist ein mittlerer Fingerknochen», sagte ich.

«Von einem Menschen?»

«Falls sich in North London nicht Schimpansen und Braunbären rumtreiben, stammt er von einem Menschen, ja.»

Whelan warf mir einen säuerlichen Blick zu, aber ich meinte es nicht flapsig. Die Fingerknochen von Braunbären und einigen Primaten waren unseren oberflächlich gesehen ähnlich, und ich hatte schon an Fällen gearbeitet, bei denen tierische Knochen irrtümlich für menschliche gehalten worden waren. Trotzdem hatte ich keinen Zweifel, was wir hier gefunden hatten.

«In Krankenhäusern werden doch Körperteile verbrannt, oder?», fragte die Frau aus dem Suchtrupp. «Könnte das von einer Amputation stammen?»

«Dafür gäbe es richtige Verbrennungsöfen», erwiderte Whelan und betrachtete den Metallzylinder. «Das ist ein alter Kohlenboiler. Damit heizt man oder wärmt Wasser auf, aber verbrennt keine Krankenhausabfälle.»

«Der Knochen stammt nicht aus der Zeit, als der Boiler noch in Betrieb war», sagte ich. «Kohle verbrennt bei hohen Temperaturen. Es wäre so heiß wie in einem Krematorium gewesen, der Knochen wäre kalziniert. Er wäre weiß, nicht schwarz. Der hier wurde bei einer niedrigeren Temperatur verbrannt.»

Knochen verhalten sich bei Verbrennung immer gleich. Sie

wechseln die ursprünglich matte Cremefarbe, werden dunkel, erst braun und dann schwarz. Dann, wenn das Feuer heiß genug ist, werden sie grau und am Ende kreideweiß und leicht wie Bimsstein, wenn die natürlichen Fette verbrannt sind und nur noch die Kalziumkristalle übrig bleiben.

Whelan spähte in die Luke. «Ist da noch mehr drin?»

«Wissen wir noch nicht», sagte die Frau. «Zur Sicherheit haben wir erst mal aufgehört. Mit bloßem Auge sind keine Körperteile zu sehen, aber da liegt so viel Asche und Schlacke, dass sich nicht sagen lässt, was darunter noch alles begraben sein könnte.»

Whelan betrachtete den Boden vor der Luke, auf dem dreckigen Beton waren graue Schlieren zu sehen. «Da ist Asche auf dem Boden. Wart ihr das?»

«Nein, die lag schon da.» Die Frau klang gekränkt.

«War die Luke auf oder zu?»

«Zu.»

Whelan betrachtete den Boden noch einen Augenblick länger und steckte dann den Kopf in die Luke.

«Ich kann nicht viel sehen.» Seine Stimme dröhnte in dem Boiler. «Gebt mir eine Taschenlampe.»

Jemand trat vor und reichte ihm eine. Whelan beugte sich wieder in den Boiler, der gesamte Oberkörper verschwand in der Luke.

«Schwer zu sagen, was hier verbrannt worden ist. Jede Menge Asche, aber die könnte noch von früher stammen.»

Umständlich kam er wieder zum Vorschein und richtete sich auf. Auf seiner Handfläche lag ein kleines, schwarzes Schlackestück.

«Das ist kein Knochen», sagte ich.

«Nein, aber auch keine Steinkohle. Sieht aus wie Holzkohle. Davon liegt da drin ein ganzer Haufen. Jemand hat Holz verbrannt.»

«Darf ich mal sehen?»

Whelan gab mir die Taschenlampe und trat beiseite. Ich hockte mich hin und beugte mich in die Luke. Rußig-metallischer Brandgeruch drang durch die Maske in meine Nase. Mein Kopf und die Schultern verdeckten das Flutlicht der Lampen hinter mir, aber der Schein der Taschenlampe enthüllte einen Haufen kalter Asche und Schlacke, schwarze Inseln in einem grauen Meer. Whelan hatte recht: Es sah ganz danach aus, als wäre hier Holz verbrannt worden. Möglicherweise lagen weitere Knochenstücke dazwischen, auch wenn auf den ersten Blick nichts erkennbar Menschliches zu sehen war. Ich wollte gerade den Kopf wieder aus dem Boiler ziehen, als mir etwas ins Auge fiel.

«Da ist noch was.»

Ich richtete die Taschenlampe auf die Rückwand des Boilers. Ein Gegenstand lag teilweise unter Asche vergraben. Nur die Spitze war sichtbar, flach und in etwa dreieckig. Man hätte es für ein weiteres verkohltes Holzstück halten können, aber ich war anderer Meinung.

«Ich glaube, das ist ein Schulterblatt», sagte ich.

Die Kriminaltechnik machte Fotos, dann beugte ich mich wieder durch die Luke, deren gebogener Rand mir in die Schulter schnitt, als ich die Hand ausstreckte und nach dem Gegenstand griff. Beim Herausziehen fiel Asche ab, das Dreieck kam wie eine Haifischflosse aus der Schlacke hervor. Ich schüttelte die letzte noch festhängende Asche ab, zog mich aus dem Boiler zurück und drehte mich zu Whelan um.

«Es ist eine Scapula. Menschlich», setzte ich hinzu, bevor er fragen konnte.

Die Oberfläche des Schulterblatts war geschwärzt, aber wie auch der Fingerknochen hatte es immer noch Gewicht. Das Feuer war heiß genug gewesen, um den Großteil des Weichgewebes zu verbrennen, hatte aber den Knochen nicht kalzifiziert.

Whelan betrachtete ihn. «Krankenhausabfall können wir auf jeden Fall ausschließen. Einen Finger oder so kann ich mir ja noch vorstellen, aber nicht etwas so Großes. Die Frage ist, wo ist der Rest des Körpers? Falls er nicht zerstückelt und nur ein Teil davon in dem Boiler verbrannt wurde.»

Das war eine Möglichkeit. Es wäre nicht der erste Mord, bei dem das Opfer zerstückelt und in Einzelteilen an verschiedenen Orten entsorgt worden ist. Aber in diesem Fall glaubte ich nicht daran.

Ich nahm Whelan die Scapula wieder ab. «Eine Schulter zu zerschneiden, ist etwas anderes, als einen Arm, ein Bein oder sogar den Kopf abzutrennen. Dazu muss man den Torso aufsägen, was ein schwieriges und blutiges Unterfangen ist, und ich sehe hier keine Schnittspuren. Der Körper kann auch nicht verbrannt worden sein. Das Feuer wäre nicht heiß genug gewesen, selbst mit einem Brandbeschleuniger.»

«Was ist mit dem Docht-Effekt?», fragte der Kriminaltechniker, der die Fotos gemacht hatte. «Wenn das Körperfett Feuer fängt und wie eine Kerze verbrennt, bis fast nichts mehr übrig ist. Ich hab von so was gehört.»

Ich ebenfalls, einmal war ich dem grausigen Phänomen sogar selbst begegnet. Unter bestimmten Bedingungen kann das subkutane Fett unter der Haut schmelzen und in die Kleidung sickern. Der Stoff wirkt dann wie der Docht einer Kerze, und der Körper verbrennt langsam, bis kaum mehr als Asche übrig ist.

Doch das kam überaus selten vor, und ich glaubte in diesem Fall nicht daran. «Dafür braucht es eine Menge Körperfett, und selbst dann verbrennt nicht alles. Die größeren Knochen und Extremitäten – Füße, Schädel, Becken – bleiben normalerweise erhalten.»

«Die könnten unter der Asche liegen», wandte der Kriminaltechniker ein.

«Das ist kein ganzer Körper», sagte ich. «Sonst würden wir mehr sehen.»

Aasfresser ließen sich ebenfalls ausschließen. Tiere hätten bei geschlossener Luke nicht in den Boiler eindringen können und es wahrscheinlich auch nicht versucht. Selbst wenn sich ein größeres Tier, sagen wir, ein Fuchs, so weit in den Keller vorgewagt hätte, die Knochen waren so verbrannt, dass sie nicht mehr von Interesse gewesen wären.

Whelan war in die Hocke gegangen, um sich die vor dem Boiler auf dem Boden verschmierte Asche anzusehen. «Sie meinen also, jemand hat hier eine Leiche verbrannt und ist dann zurückgekommen und hat die Überreste geholt.»

«Nicht alle», sagte ich und schob die Scapula in einen Beweismittelbeutel.

KAPITEL 22

Die Suche mit dem Leichenspürhund wurde ohne mich fortgesetzt, während ich im Keller gemeinsam mit den Kriminal-
technikern die kalte Asche im Boiler durchsiebte. Falls nötig,
würde man mich holen, einstweilen war ich hier unten von
größerem Nutzen. Hauptsächlich stießen wir auf Holzkohle-
stücke, die im Feuer nicht gänzlich verbrannt waren, aber
dazwischen fanden wir tatsächlich weitere Knochen aus den
Fingern und auch Füßen, und dann lagen unter der Asche
auch noch einige größere Knochen verborgen, alle durch die
Hitze beschädigt und verzogen. Außerdem entdeckten wir
zwei Rippenfragmente, und etwas, das auf den ersten Blick
wie ein Stück Klinker aussah, entpuppte sich als der Kopf der
rechten Tibia, der Rest des Schienbeinknochens war unter
der Asche vergraben. Ganz in der Nähe lag das abgerundete
Dreieck einer Patella, allerdings stammte diese vom linken
Bein.

Im Laufe der Arbeit ergab sich ein klareres Bild von dem,
was hier geschehen war, wenn auch der Grund unbekannt
blieb. Wie Whelan richtig bemerkt hatte, bestand die obere
Ascheschicht größtenteils aus verbranntem Holz, vermischt
mit schwarzen Holzkohlestücken. Darunter lag eine ältere
Schicht aus Asche und Schlacke, Überbleibsel der Steinkohle,

mit der das Krankenhaus einst beheizt worden war. Das ließ vermuten, dass die Leiche in den Boiler gesteckt, mit Holz bedeckt und angezündet worden war. Zwar hatte das nicht die Temperatur eines Kohlenfeuers erzeugt, aber ausgereicht, um das weiche und verbindende Gewebe zu verbrennen, bis nur das verkohlte Skelett übrig war.

Dann, als das Feuer erloschen und die Knochen erkaltet waren, war der Täter zurückgekommen, um sie wegzuschaffen.

Die Kriminaltechnik hatte in der Nähe des Boilers eine aschebedeckte Harke und eine Schaufel entdeckt, wahrscheinlich aus der Zeit, als das Krankenhaus noch in Betrieb gewesen war. Die verbliebenen Bänder und Sehnen wären nach dem Feuer zu brüchig gewesen, um das Skelett zusammenzuhalten, es musste beim Versuch, es zu bewegen, unweigerlich auseinandergefallen sein. Spuren in der Asche wiesen darauf hin, dass Harke und Schaufel dazu benutzt worden waren, die Überreste an die Luke heranzuziehen, wobei die Knochen durcheinandergerieten und einige unter der Asche begraben wurden.

Und nicht nur Knochen. Es gab noch andere, nicht organische Funde. Eine Gürtelschnalle aus Metall, ein Reißverschluss und Ösen, die von Schuhen oder Stiefeln stammten, womit klar war, dass der hier verbrannte Körper bekleidet gewesen war.

Parekh war am Anfang dazugekommen, aber nicht lange geblieben. Außer zu bestätigen, dass die Knochen menschlichen Ursprungs waren, konnte sie wenig tun, und als sie zu einem Todesfall am anderen Ende der Stadt gerufen wurde, verließ sie uns. Ward war ebenfalls aufgetaucht, schien sich in ihrem Schutzanzug plump und unwohl zu fühlen, das Gesicht war blass und angestrengt.

«Haben wir es hier mit einer oder mehreren Leichen zu tun?» Sie betrachtete die in Kartons liegenden Knochenteile.

«Kann ich noch nicht mit Sicherheit sagen», erwiderte ich. «Ich habe noch keine Doppelung gesehen, aber ...»

«Eine oder zwei, sagen Sie es einfach.»

Ihr scharfer Tonfall verriet ihre Anspannung. Die frühere Begeisterung über Gary Lennox' Verhaftung war verflogen. Erst hatte Oduyas Eingreifen ihre Hoffnung auf ein schnelles Ergebnis mittels der Fingerabdrücke vereitelt, jetzt hatten wir allem Anschein nach ein viertes Opfer gefunden.

Der Tag verlief nicht, wie sie gehofft hatte.

«Eine. Bisher», fügte ich hinzu.

Wenn wir doppelte Knochen gefunden hätten – zwei rechte Tibiae beispielsweise –, würde das bedeuten, wir hätten es mit den vermischten Überresten zweier Menschen zu tun. Doch bisher deutete nichts darauf hin.

«Was können Sie mir sonst noch sagen?»

«Die gefundenen Knochen sind alle groß und schwer, auch wenn sie im Feuer geschrumpft sind. Ich tippe auf einen Mann, aber das ist nur ein erster Eindruck.»

«Größe? Alter?»

«Sie wissen, dass ich das nicht ...»

«Ich muss Ainsley Bericht erstatten und mich später vor das Pressepack stellen. Geben Sie mir irgendwas.»

Ich wollte gerade erwidern, dass es viel zu früh wäre, um über Größe und Alter zu spekulieren, solange wir noch die Asche und Schlacke durchsiebten, bemerkte aber die tiefen Schatten um Wards Augen.

«Ich würde sagen, es handelt sich um einen erwachsenen Mann, schwer gebaut und zwischen eins vierundachtzig und eins achtundachtzig groß, der Länge der Tibia nach. Wenn ich alles ausgemessen und berechnet habe, kann ich das noch genauer sagen. Wahrscheinlich.»

Das letzte Wort betonte ich, damit sie wusste, ich war mit dieser verfrühten Auskunft nicht glücklich.

«Und das Alter?»

«Schwer zu sagen.»

«Geben Sie mir Ihre Einschätzung.»

«Das habe ich gerade.» Ich verstand Wards Ungeduld, aber mehr ließ sich aus ein paar verbrannten Knochen nun mal nicht ablesen.

«Gut, wenn Sie das nicht können, frage ich Mears», bellte sie.

Sie wandte sich ab und ging. Ich starrte ihr nach, meine Wangen brannten. Keiner der Kriminaltechniker wollte mir in die Augen sehen. Ich nahm das Sieb, legte es dann wieder weg.

«Ich mache eine Pause», sagte ich.

Wütend verließ ich den Heizungsraum. Ward und ich waren nicht befreundet, aber immer gut miteinander klargekommen. Bei unserer früheren Zusammenarbeit hatte es nie Spannungen gegeben, und als Anfang des Jahres der Verdacht bestand, Grace Strachan wäre zurück, hatte sich Ward ehrlich besorgt gezeigt. Der Druck musste unerträglich auf ihr lasten, aber das rechtfertigte nicht, mich vor anderen so herunterzuputzen. Gekränkt lief ich durch den schwach beleuchteten Gang. Meine Schritte hallten von den feuchten Wänden wider, das Echo bildete einen stakkatohaften Kontrapunkt. Erst als ich um eine Ecke bog und plötzlich keine Lampen mehr die Dunkelheit vertrieben, ging mir auf, dass ich mich verirrt hatte.

Der Gang vor mir verschwand in der Finsternis. Nur noch meine Atemzüge waren zu hören, als ich versuchte nachzuvollziehen, wo ich war. Vor mir lag die schwarze Öffnung eines größeren Gangs, und als ich das kreuzweise gezogene Flatterband sah, begriff ich, dass dies der abgesperrte Tunnel zu der abgerissenen Leichenhalle war. Gegenüber im Schatten lag kaum erkennbar die Tür zur alten Leichenhalle.

Mein Atem dampfte in der kalten, unterirdischen Luft, und mir wurde bewusst, dass außer mir keine Menschenseele hier war. *Sei nicht albern*, ermahnte ich mich. Der Heizungsraum, den ich eben verlassen hatte, war voller Kriminaltechniker, und überall schwirrten Polizisten herum. Doch hier im dunklen Gang kam es mir vor, als wäre ich der einzige Mensch in dem riesigen Gebäude.

Du Idiot. Jetzt jagst du dir schon selber Angst ein. Vor mir musste der Weg liegen, den ich mit Whelan gekommen war, nur waren die Flutlampen abgebaut worden. Ich hatte in meinem Handy eine Taschenlampe. Wenn ich hier weiterging, würde ich bestimmt die Treppe finden.

Doch dem war nicht so. Ich ignorierte den Drang, mich ängstlich umzuschauen, kehrte um und nahm den Weg zurück, den ich gekommen war. Auch wenn ich es mir nicht eingestehen wollte, das Geräusch meiner durch die Pfützen platschenden Schritte war nach der tiefen Stille eine Erleichterung. Ich lief schneller, redete mir ein, dass ich rasch wieder an die Arbeit gehen wollte, und prallte hinter der nächsten Ecke gegen Whelan.

«Herrgott, lassen Sie den Quatsch!», sagte er und legte eine Hand auf seine Brust. «Was machen Sie hier hinten?»

«Ich bin falsch abgebogen.»

Mein Herz klopfte noch, aber das Gefühl, das mich bei der alten Leichenhalle überkommen hatte, ebbte ab. Gemeinsam gingen wir weiter.

«Im Heizungsraum hieß es, Sie wären nach oben gegangen, aber weil Sie mir nicht entgegengekommen sind, habe ich angenommen, Sie hätten sich die Füße vertreten», sagte Whelan.

«Ich wollte an die frische Luft.»

Er wurde langsamer. «Ich habe gehört, was passiert ist. Die Chefin ... steht echt unter Druck. Nehmen Sie's nicht persönlich.»

Das war eine Überraschung. Whelan entschuldigte sich zwar nicht direkt für Ward, war aber nahe dran. «Meint sie das ernst, dass sie Mears holen will?»

«Sie hat nur Dampf abgelassen. Heute Morgen dachten wir, mit Lennox hätten wir den Durchbruch. Das ist jetzt unter anderem an den verdammten Fingerabdrücken gescheitert, und wir haben noch eine Leiche mehr.» Sein Tonfall änderte sich. «Glauben Sie mir, sie wird Mears nicht mal in die Nähe lassen.»

Wir hatten die Kreuzung erreicht, an der ich vorhin falsch abgebogen war. Auf der einen Seite führten Flutlampen zum Heizungsraum, auf der anderen zur Treppe. Ich sah Whelan an und fragte mich, was sein letzter Satz zu bedeuten hatte.

Aber er gab sich wieder zugeknöpft. «Holen Sie sich einen Tee, dann kommen Sie zurück und machen weiter. Das wird ein langer Tag.»

Damit verschwand er im Gang.

Es dauerte noch mehrere Stunden, die Asche aus dem Boiler durchzusieben. Am Ende klebten nur noch helle Schmierstreifen am Metallboden. Die gefundenen Knochen waren ins Leichenschauhaus gebracht worden und sollten am nächsten Morgen von Parekh untersucht werden, zumindest soweit das möglich war. Wenn ich Glück hatte, konnte ich auch einen Blick darauf werfen.

Falls mich Ward nicht austauschte.

Nach einem ersten Blick ging ich nicht davon aus, dass die Knochen viel hergeben würden. Doch wir hatten etwas anderes gefunden, das vielversprechend war. Zwar gab es keinen Schädel, aber wir hatten in der Asche eine geschmolzene Zahnprothese entdeckt. Eine partielle Oberkieferprothese, ein verzogener, schwarzer Klumpen aus Plastik und Metall, an dem noch abgebrochene Keramikzahnstümpfe hingen, der Rest der Zähne blieb verschwunden. Das war zwar möglicherweise ein wichtiger Fund, aber ohne passenden Gaumen konnten wir nicht sicher sein, ob die Prothese vom Opfer stammte. Genauso gut konnte sie auch von jemand anderem weggeworfen und irgendwie in den Boiler geraten sein.

Aber daran glaubte ich nicht. Wie auch die Knochen war die Prothese nicht so stark beschädigt, wie es bei normaler Betriebstemperatur des Boilers der Fall gewesen wäre. Denn dann wäre das Plastik aufgelöst und die Keramik zersplittert gewesen. Die Zähne schienen aber eher abgebrochen als gesprungen zu sein, und die Schäden an der Prothese deuteten nicht auf eine derartige Hitze hin. Was vermuten ließ, dass sie dem Opfer gehört hatte und für die Identifizierung von Bedeutung sein konnte.

Wir wurden erst spät fertig. Whelan hatte recht behalten: Es war ein langer Tag geworden. Als ich in Ballard Court durch das Tor fuhr, überlegte ich, ob ich mir ein spätes Abendessen machen oder es bei einem Glas Blanton's belassen und früh ins Bett gehen sollte. Ich hatte im St. Jude ein Sandwich gegessen, ein labbriges Ding mit welken Salatblättern und Gummikäse, daher tendierte ich gerade zu Bourbon und viel Schlaf, als ich einen meiner Nachbarn an seinem Auto bemerkte.

Nur die Apartments ab dem ersten Stock und höher hatten Plätze in der Tiefgarage. Alle anderen parkten auf dem Grundstück. Ich kannte den Namen des Nachbarn nicht, hatte ihm aber schon ein paarmal zugenickt. Er stand gebückt neben der Fahrerseite seines Autos, ein wesentlich neueres und höherklassiges Modell als mein Allradwagen.

«Ist alles in Ordnung?» Ich hatte angehalten und mein Fenster heruntergelassen.

«Irgendein Schwein hat mein Auto zerkratzt, mit einem Schlüssel.» Seine Stimme war vor Wut heiser. «An beiden Türen, bis aufs Metall.»

«Kinder?», fragte ich und dachte an das, was die Feuerwehrfrau gesagt hatte, als die Müllcontainer angezündet worden waren.

«Oder jemand, der hier wohnt. Seitdem die Apartments untervermietet werden, geht die Anlage den Bach runter, das ist das Problem. Wenn ich den in die Finger kriege …»

Ich äußerte etwas vage Mitfühlendes und überließ ihn sich selbst. Bis ich geparkt hatte und mit dem Aufzug nach oben gefahren war, hatte sich die Essensfrage erledigt. Ich schenkte mir ein Glas Bourbon ein, merkte, dass ich für den Tag genug schlechte Nachrichten gehört hatte, stellte das Soundsystem an und versank im Ledersessel.

Kaum saß ich, summte die Gegensprechanlage.

Ich legte den Kopf zurück und schloss die Augen. Wenn das mein Nachbar war, der sich auskotzen wollte … Seufzend ging ich in den Flur und drückte den Knopf. Die Stimme des Nachtconcierge ertönte aus dem Lautsprecher.

«Hier ist eine DCI Ward für Sie.»

Das würde die Nachbarn wirklich vergrätzen, dachte ich bei einem Blick auf die Uhr. Es war fast Mitternacht. Was wollte Ward so spät? Ich bat den Concierge, sie hochzulassen, öffnete die Tür und wartete angespannt auf den Aufzug. Wenn sie meine Aufgaben Mears übertragen wollte, dann würde sie mir das wenigstens persönlich mitteilen.

Der Aufzug öffnete sich mit einem Klingeln, Ward kam heraus, mit offenem Regenmantel, die Tasche über der Schulter. Sie sah mich erschöpft an, als sie vor mir an der Tür stand.

«Kann ich reinkommen, oder reden wir nicht miteinander?»

Ich trat zurück, um sie hereinzulassen. Sie zog im Flur die Schuhe aus.

«Gott, ich hatte vergessen, wie dick dieser Teppich ist. Weicher als mein Bett.» Sie grub die Zehen in den Flor.

Ward war kurz nach meinem Einzug einmal hier gewesen, um die Sicherheitsvorkehrungen zu überprüfen. Wir durchquerten die Küche und das Esszimmer, verlegen sah ich, wie sie die opulente Einrichtung bewunderte.

«Kann ich Ihnen was zu trinken anbieten?», fragte ich.

«Ein Gin wäre toll.» Sie lächelte müde. «Kleiner Scherz. Na ja, eigentlich kein Scherz, aber ich begnüge mich wohl besser mit irgendwas Koffeinfreiem. Früchtetee, Kamille. Sonst Wasser.»

«Ich glaube, es ist Minztee da.» Die Schachtel hatte bei meinem Einzug im Küchenschrank gestanden, und ich glaubte nicht, dass mein Vermieter einen Beutel vermissen würde.

«Perfekt.» Mit einem Seufzen ließ sie sich auf einen Stuhl am Esstisch sinken. «Tut mir leid, dass ich so spät noch reinschneie. Ich war auf dem Weg nach Hause und … Tja, ich hätte Ihnen vorhin nicht so den Kopf abreißen dürfen. Das war unprofessionell und unfair, daher ... na ja, so eben.»

Ich schaltete den Wasserkocher an. «Dafür hätten Sie nicht extra kommen müssen.»

«Ich wollte es Ihnen persönlich sagen. Da konnte ich auch gleich auf dem Weg bei Ihnen vorbeikommen.»

Sie klang so müde, wie sie aussah.

«Harter Abend?», fragte ich.

«Harter Tag trifft es wohl besser. Zu allem Überfluss hatte ich noch ein Gespräch mit Luke Gorski. Wir wissen nun, warum er sich vor dem St. Jude übergeben hat.»

Den Teebeutel in der Hand, hielt ich inne. «Jetzt sagen Sie nicht, er hatte was mit dem Mord an seiner Schwester zu tun?»

«Nein, Gott sei Dank nicht. Jedenfalls nicht direkt. Aber er hat zugegeben, ihr Geld für einen letzten Schuss gegeben zu haben, bevor sie in den Entzug gehen sollte. Sie hat ihm versprochen, es wäre das allerletzte Mal, aber sie bräuchte noch was, um sich bis zum Kliniktermin über Wasser zu halten. Der Idiot hat ihr geglaubt. Wenigstens wissen wir jetzt, was sie im St. Jude wollte.»

Wir hatten ja vermutet, dass sie sich dort Drogen hatte besorgen wollen, jetzt war es bestätigt. Kein Wunder, dass ihr Bruder so verzweifelt gewesen war. «Wie haben die Eltern reagiert?»

«Wie man erwarten würde.» Sie rieb sich die Augen. «Sie haben nicht zufällig Kekse oder Schokolade da? Macht nichts. Dumme Frage.»

«Ich kann Ihnen ein Sandwich machen.» Schon während ich es anbot, wurde mir klar, dass auch dafür kaum genug Zutaten im Kühlschrank waren. Als ich für Lola einkaufen gegangen war, hätte ich für mich selbst etwas besorgen sollen.

«Nein, schon gut.» Sie ließ die Hände sinken und richtete sich auf, ein müder Versuch, wieder zum Thema zu kommen. «Also, könnten Sie morgen die Knochen aus dem Boiler untersuchen?»

«Was ist mit der Leichenhundsuche?» Ich goss Wasser auf den Teebeutel.

«Wichtiger ist jetzt, so viel wie möglich über das neue Opfer herauszufinden. Wenn Sie im St. Jude gebraucht werden, melden wir uns.»

Ich konnte mir eine letzte Bemerkung nicht verkneifen. «Wollten Sie nicht Mears nehmen?»

Ward verzog das Gesicht. «Okay, das habe ich verdient, aber ich habe bloß Dampf abgelassen. Abgesehen davon hat Mears eigene Probleme.»

Ach ja? «Was für welche denn?»

Aber sie schüttelte den Kopf. «Wechseln wir das Thema.»

Wieder war ihr der Ärger anzusehen, aber wenigstens war er diesmal nicht gegen mich gerichtet. Ich brachte ihr den Minztee, holte meinen Bourbon aus dem Wohnzimmer und setzte mich zu ihr.

«Das ist gemein.» Ward sah erst mein Glas, dann ihre Tasse an.

«Wenn ich gewusst hätte, dass Sie kommen, hätte ich mir keinen eingeschenkt.» Ich trank einen Schluck und stellte das Glas ab. «Wie geht es Gary Lennox?»

«Sie versuchen immer noch, ihn zu stabilisieren. Sein Herzschlag ist arrhythmisch, Leber und Niere sind geschädigt, in beiden Lungenflügeln ist Flüssigkeit, und er leidet unter Mangelernährung und Dehydrierung. Die Ärzte meinen, er war mindestens einem massiven neurologischen ‹Ereignis› ausgesetzt, wie sie das nennen, wahrscheinlich mehreren, aber sie wissen nicht genau, was es war. Morgen ist er hoffentlich stabiler, dann machen sie weitere Scans, aber sie können immer noch nicht sagen, wie lange der Schlaganfall, oder was immer das sonst war, her ist. Anscheinend gibt es irgendwelche Unklarheiten bezüglich seiner Krankenakte.»

«Ist sie verlorengegangen?»

Das passierte manchmal, selbst im Computerzeitalter. Ward schüttelte den Kopf. «Nein, aber es gibt wohl Lücken. Mit neunzehn wurde bei Lennox ein Herzfehler diagnostiziert, aber es steht nichts von einem Schlaganfall da. Keine Krankenhauseinweisung, keine Behandlung, nichts. Soweit wir wissen, hat er in den letzten drei Jahren nicht mal einen Hausarzt besucht.»

«Das kann nicht stimmen.»

«Nicht bei seinem Zustand, nein. Die Ärzte prüfen noch, aber es sieht im Moment so aus, als wäre er nie im Krankenhaus gewesen. Was immer ihm auch widerfahren ist, seine Mutter hat anscheinend entschieden, ihn zu Hause zu behalten und selbst zu pflegen.» Ward schüttelte den Kopf und legte, vielleicht unbewusst, die Hand auf ihren Bauch. «Das ist mal Mutterliebe, was?»

Ich war schockiert. Wenn das stimmte, war Lennox in einem viel schlimmeren Fegefeuer gefangen gewesen, als ich geahnt hatte. Ich hatte ja miterlebt, wie verzweifelt seine Mutter sich dagegen gewehrt hatte, dass man ihn mitnahm, aber dass sie so weit gehen würde, hätte ich nicht gedacht. Und es bedeutete, dass sich das Alibi, das sie ihrem Sohn gegeben hatte, nicht überprüfen ließ: Wir hatten nur ihre Behauptung, dass er bereits invalid war, als Darren Crossly verschwand.

«Hat sie irgendwas gesagt?», fragte ich.

«Nichts Druckfähiges. Sie weigert sich immer noch, mit

uns zu kooperieren und Fingerabdrücke nehmen zu lassen. Sowohl von ihm als auch von ihr. Vielleicht ist sie einfach nur widerspenstig, aber irgendwie glaube ich, da steckt mehr dahinter. Natürlich hätte sie die Wand nicht selbst bauen können, aber wenn sie ihrem schwerkranken Sohn medizinische Hilfe vorenthält, frage ich mich, wozu sie sonst noch fähig ist.»

Genauso ging es mir auch. Trotzdem fiel es mir schwer zu glauben, dass Lola so egoistisch war, bewusst das Leben ihres Sohnes aufs Spiel zu setzen. «Sie klingen, als seien Sie von Lennox' Schuld überzeugt.»

Ward zuckte die Achseln. «Bisher sind alles nur Indizien, aber je mehr wir herausfinden, desto wahrscheinlicher wird es. Wir haben bei Darren Crosslys Bekannten herumgefragt und haben eine Vermutung, wer die Frau ist, die mit ihm eingemauert war. Er hatte eine On-off-Freundin namens Maria de Souza, die seit Monaten nicht mehr gesehen worden ist. Sie wurde nie als vermisst gemeldet, war arbeitslos und hat sich mal hier, mal da aufgehalten, also vielleicht auch so ein Fall, bei dem niemand etwas gemerkt hat. Wir wissen, dass sie oft bei Crossly übernachtet hat, also sind die beiden möglicherweise gleichzeitig verschwunden. Und sie hat keine Polizeiakte, was erklären würde, warum es keine Treffer bei ihren Fingerabdrücken gegeben hat.»

«Wenn sie nur eine On-off-Beziehung mit Crossly hatte, hätte Lennox sie dann gekannt?»

Ward rieb sich wieder die Augen. «Tut mir leid, habe ich das nicht erwähnt? De Souza war im St. Jude Putzkraft. Fünf Jahre lang, bis zur Schließung. Wenn wir beweisen können, dass sie die Frau ist, die wir mit Crossly zusammen gefunden haben, bedeutet das, Lennox hätte beide Opfer gekannt. Nimmt man dazu noch seine Entlassung wegen der ver-

schwundenen Krankenhausmedikamente und Darren Crosslys Verurteilung wegen Cannabisbesitz, dann ergibt sich langsam ein Bild.»

Wieder das St. Jude. Alles schien dort zusammenzulaufen.

«Sie meinen, die drei haben Geschäfte gemacht, und es kam
zu einem Zerwürfnis?»

«Ich finde ‹Zerwürfnis› mild ausgedrückt, aber ja. Und
vielleicht tauchte mittendrin Christine Gorski auf, um sich
Stoff zu besorgen. Allerdings ...»

«Allerdings?», ermunterte ich sie.

Sie schüttelte nachdenklich den Kopf. «Ich weiß nicht.
Lennox passt einfach nicht ins Profil. Ich meine, wie viele
Drogendealer Mitte dreißig leben zu Hause bei ihrer Mutter?»

«Mit nichts Schlimmerem als Comics und Ornithologiezeitschriften, meinen Sie?»

«Jack hat Ihnen davon erzählt?» Wards Lächeln verflog.
«Gut, möglicherweise hat Lennox noch irgendwo ein Versteck, von dem wir nichts wissen. Und hat es immer geschafft,
unserer Aufmerksamkeit zu entgehen. Trotzdem passt das
irgendwie nicht. Abgesehen von der Entlassung deutet nichts
darauf hin, dass er Drogendealer war, erst recht kein brutaler
Sadist. Die Sozialdienste hatten ihn schon als Kind im Blick.
Die Sozialarbeiter beschrieben ihn als groß und kräftig, aber
mit mangelndem Selbstbewusstsein und teilweise lernbehin-
dert. Er wurde in der Schule gemobbt und wäre fast in Pflege
genommen worden, weil sein Vater ihn misshandelte.»

«Das hat Lola im Großen und Ganzen auch gesagt. Nicht
das mit der Pflege, aber über ihren Mann», sagte ich. Allerdings war Lolas Ausdrucksweise plastischer gewesen. *Mieser
Dreckskerl. Der war schon nüchtern für meinen Gary 'ne echte
Qual, wenn er betrunken war, war's noch schlimmer.*

«Wenigstens da hat sie nicht gelogen», sagte Ward. «Allem Anschein nach war Desmond Lennox ein richtiger Sadist. Er hat auf Frachtschiffen Richtung Südamerika gearbeitet, daher war er nicht oft zu Hause. Und wenn doch, hat er gesoffen und die Fäuste benutzt. Vor allem gegenüber seinem Sohn. Das hat erst aufgehört, als Gary sechzehn war.»

Das passte ebenfalls zu dem, was mir Lola erzählt hatte. «Wo ist er jetzt?»

«Im Ausland, nehmen wir an. Wir haben ihn nicht ausfindig machen können, aber ich kann mir nicht vorstellen, dass er mit der Sache was zu tun hat. Außer vielleicht im prägenden Sinne.»

«Opfer werden selber zu Tätern?»

Ward zuckte die Achseln. «Wir kennen das zur Genüge. Dass Gary Lennox vor zwanzig Jahren verprügelt wurde, kann gut bedeuten, dass er später das Gleiche getan hat. Vielleicht war er gekränkt.»

«Wer drückt es jetzt milde aus?», fragte ich.

«Sie wissen, was ich meine. Wie dem auch sei, ich muss los.» Sie trank den letzten Schluck und erhob sich mühsam. «Danke für den Tee. In Zukunft sollten Sie vielleicht nachsehen, was für Beutel da tatsächlich in der Schachtel sind.»

«Das war nicht Minze?»

Sie lächelte. «Was immer es war, es hat gut geschmeckt.»

«Was wird aus Lola?», fragte ich auf dem Weg zur Tür.

«Lässt sich noch nicht sagen. Sie könnte wegen unterlassener Hilfeleistung vor Gericht kommen, wenn sich bewahrheitet, was wir vermuten. Aber viel hängt von den Fingerabdrücken ab.»

«Haben Sie genug zusammen, um Gary Lennox auch ohne die Abdrücke anzuklagen?»

«Nein, aber vielleicht gibt es einen Weg», sagte sie kryptisch. «Ansonsten hatte ich gehofft, Ihr Freund Oduya könnte auf meine Bitte hin die Mutter überzeugen, dass eine Einwilligung in ihrem eigenen Interesse ist. Um die Unschuld zu beweisen. Aber das geht jetzt nicht mehr.»

«Er ist nicht mein Freund», sagte ich seufzend, dann stutzte ich. «Warum geht das nicht?»

«Weil er auch nicht mehr Lolas Freund ist», sagte Ward, als ich die Tür öffnete. «Sie hat ihn heute Nachmittag gefeuert.»

KAPITEL 23

Nach einem kurzen Etappensieg hatte die Sonne sich am nächsten Morgen schon wieder geschlagen gegeben. Auf dem Weg ins Leichenschauhaus spiegelten sich die Scheinwerfer der Autos noch auf regennassem Asphalt, als es schon längst hätte hell sein sollen. Ich war früh losgefahren. Ich war mit Parekh zur Untersuchung der Knochenfunde aus dem Heizkessel verabredet, doch vorher musste ich mich um etwas anderes kümmern.

Die winzigen Knochen des Fötus hatten nun mehrere Tage im Wasserbad verbracht. Jeden Morgen war ich kurz im Leichenschauhaus vorbeigefahren, um nach dem Rechten zu sehen und das Wasser zu wechseln. An den Knochen war von Anfang an nicht viel Weichgewebe gewesen, jetzt hatten sich auch die letzten Reste gelöst. Der Untersuchung stand nichts mehr im Wege, doch ich wusste, dass Ward zuerst den Bericht über die verkohlten Überreste aus dem Heizkessel würde haben wollen. Das Skelett des Fötus würde warten müssen.

Die Zartheit der winzigen Knochen war von ergreifender Traurigkeit. Behutsam barg ich sie aus dem Wasserbad. Einige Exemplare waren so klein, dass ich die Pinzette benutzen musste. Die Röntgenaufnahmen hatten winzige Haarrisse in beiden Unterarmen enthüllt, mit bloßem Auge nicht zu erkennen, so klein waren sie. Ich versuchte es trotzdem. Möglicherweise stammten sie von Aasfressern, oder sie waren – was angesichts ihrer Feinheit naheliegender war – entstanden, als die mumifizierte Leiche der Mutter weiter ins Innere des Dachbodens geschleppt worden war.

Doch die Fissuren waren tatsächlich zu fein, um sie zu erkennen, unsichtbare Linien in den weißen Knöchelchen. Ich legte die Knochen in frisches Wasser, wo sie langsam wieder absinken würden, und ging hinaus.

Die Autopsiebesprechung zu den verkohlten Knochen aus dem Heizkessel dauerte nicht lange. Mit nur einem einzelnen linken Schienbeinknochen, einem Schulterblatt und ein paar wenigen Hand- und Fußknochen gab es für einen Gerichtsmediziner wenig zu tun – eine Tatsache, der Parekh sich offenbar nur allzu bewusst war, als sie mit einem lässigen «Morgen, Morgen, dann wollen wir mal, ja?» ins Besprechungszimmer gefegt kam.

Die Besprechung selbst war eine Routineangelegenheit, und als wir den Raum kurz darauf verließen, ging Parekh neben mir.

«Hast du deinen Kollegen in letzter Zeit mal gesehen?», fragte sie mich.

«Wen meinst du?»

«Also, ich spreche nicht vom Leichenspürhund. Unseren hochgeschätzten forensischen Taphonomen, Daniel Mears.»

Ich hatte Mears das letzte Mal gesehen, als er mich um Hilfe gebeten hatte. Ich war davon ausgegangen, dass er seine Arbeit inzwischen beendet hatte, doch da Ward gedroht hatte, ihn an meiner Stelle hinzuzuziehen, um die verkohlten Knochen zu untersuchen, war er offensichtlich immer noch da.

«Nein, das letzte Mal vor ein paar Tagen. Warum?»

«Ach, nur so.» Die klugen Augen hielten einen Moment lang meinen Blick. «Ich dachte, wenn du schon mal hier bist, könntest du eigentlich kurz bei ihm vorbeischauen und fragen, wie es ihm geht.»

Sie schob die Schwingtür auf und ließ mich mit meiner Frage, was sie damit sagen wollte, stehen. Ward hatte sich am Vorabend mit ihrer Bemerkung, Mears hätte Probleme, ähnlich kryptisch geäußert. Vermutlich hatte es mit der Untersuchung dessen zu tun, ob es sich bei der zusammen mit Crossly eingemauerten Frau tatsächlich um Maria de Souza handelte, wahrscheinlich saß er über dem Abgleich der Knochen mit den medizinischen Daten de Souzas.

Doch dazu dürfte er mich eigentlich nicht brauchen. Und selbst wenn, ich hatte mir die Finger bereits einmal verbrannt. Auch wenn Parekh nichts davon wusste, ich würde denselben Fehler jedenfalls kein zweites Mal machen. Welche Probleme Mears auch haben mochte, diesmal war er auf sich gestellt.

Die Autopsie der Knochen war wie erwartet reine Routine gewesen. Die Röntgenaufnahmen zeigten keinerlei verheilte Brüche, die bei einer Identifizierung hätten helfen können, und bei allem Übrigen ging es in erster Linie darum, zu bestätigen, was ich bei der Bergung der Knochen am Fundort bereits erkannt hatte. Es handelte sich um ein Individuum von großer Statur und deshalb vermutlich – wenn auch noch nicht definitiv – männlich. Mit Hilfe der Tibia-Abmessungen hatte ich meine anfängliche Schätzung verfeinert und eine Körpergröße von ungefähr einhundertfünfundachtzig Zentimetern berechnet. Dennoch war das immer noch eine vergleichsweise grobe Schätzung. Obwohl der Schienbeinknochen ein nützlicher Indikator für die Körpergröße war, stützte man sich idealerweise zusätzlich auf das Maß mindestens eines weiteren Langknochens.

Doch das war alles, was ich tun konnte, und weder Parekh noch ich vermochten eine mögliche Todesursache auch nur zu erraten. Die beiden Rippenfragmente waren zwar offensichtlich durch ein stumpfes Trauma verursacht worden, doch es ließ sich nicht sagen, ob es sich um einen zum Tode führenden Zusatzfaktor handelte oder nicht. Die Rippen waren beide in der Diagonale gebrochen, sogenannte Einzelfrakturen. Wie bei einem Sturz üblich, war der Knochen sauber abgebrochen, mit schartiger, messerartiger Bruchstelle. Eine solche Verletzung konnte tödlich gewesen sein, falls das scharfe Knochenende sich ins Herz gebohrt, eine Arterie verletzt oder gar einen Lungenflügel perforiert hatte, auch wenn Letzteres weniger unmittelbare Folgen gehabt hätte.

Doch ich konnte nicht mit Sicherheit sagen, ob es sich so zugetragen hatte. Die Verletzungen konnten auch postmortal entstanden sein. Das Einzige, was ich mit Sicherheit sagen konnte, war, dass die Rippen bereits gebrochen waren, als der Körper verbrannt wurde. Die Bruchstellen waren ebenso geschwärzt und verkohlt wie der übrige Knochen, ein sicheres Zeichen dafür, dass sie dem Feuer ausgesetzt gewesen waren. Wären sie erst hinterher beschädigt worden – sagen wir, als die spröden Überreste aus dem Kessel geholt wurden –, wäre an den Bruchstellen das hellere, eher elfenbeinfarbene Knocheninnere zu sehen gewesen.

Trotzdem traten ein paar interessante Fakten zutage. Umsichtig von Ruß befreit, zeigten sich sowohl am Kopf des rechten Schienbeinknochens als auch an dem Schulterblatt Abnutzungsspuren, wenn auch nicht sehr ausgeprägt. Die Hand- und Fußknochen sprachen eine ähnliche Sprache: Wir hatten es mit einem Erwachsenen zu tun, der zwar alt genug für erste degenerative Veränderungen an den Gelenken gewesen war, doch auf wirklich fortgeschrittenes Alter deutete die Abnutzung nicht hin.

«Darauf basierend, würde ich auf Mitte dreißig bis Anfang, allerhöchstens Mitte vierzig tippen», sagte ich zu Whelan. Ward war direkt nach der Obduktion wieder gegangen, Ainsley hatte sie zur nächsten Besprechung zitiert. Ihr Stellvertreter sah erschöpft aus, als hätte auch er mal wieder eine lange Nacht gehabt.

«Wie sicher sind Sie, was die Körpergröße anbelangt?»

«Mir wäre lieber, ich könnte mich dabei auf mehr als einen einzelnen Knochen stützen, aber die Länge der Tibia ist normalerweise ziemlich zuverlässig. Wieso? Glauben Sie, Sie wissen, wer es ist?»

«Vielleicht.» Er schien zu überlegen, wie viel er sagen durfte, doch dann zuckte er die Achseln. «Wir beschäftigen uns gerade mit Darren Crosslys Kollegen, vor allem mit einem ehemaligen Mitarbeiter aus dem St. Jude. Wir haben jemanden gefunden, der mehr oder weniger ins Bild passen könnte. Sein Name ist Wayne Booth, er hat zusammen mit Crossly als Pflegehelfer gearbeitet. Fünfundvierzig Jahre alt, Single, knapp eins dreiundachtzig groß und von schwerem Körperbau.»

Das lag, was Alter und Statur betraf, zwar nicht weit von meiner Einschätzung entfernt, aber doch weniger nah dran, als mir lieb gewesen wäre.

«Fünfundvierzig ist definitiv das obere Ende der Skala, aber trotzdem denkbar. Ich hätte allerdings mit jemand Größerem gerechnet. Wann ist er verschwunden?»

«Vor elf Monaten.»

Das war sieben Monate nach dem Zeitpunkt, an dem Gary laut Lola seinen Schlaganfall erlitten hatte und eine entschieden kürzere Zeitspanne als die fünfzehn Monate seit Darren Crossly, Maria de Souza und Christine Gorski zuletzt lebend gesehen wurden. Doch Whelan hatte meinen Einwand geahnt.

«Was Lennox' Zustand betrifft, haben wir nur die Aussage seiner Mutter, und nach allem, was wir bis jetzt über die Frau wissen, würde ich sagen, die ist von A bis Z erlogen. Außerdem haben Sie selbst gesagt, Alter und Größe seien lediglich Schätzungen. Ich will Ihnen nicht zu nahe treten, aber was kann man schon anhand eines Schienbeinknochens und eines Schulterblatts sagen?»

An dem Argument war was dran. Ich hielt mir zugute, dass meine Schätzungen normalerweise ziemlich zuverlässig waren, doch sollten die Fakten tatsächlich in eine andere Richtung weisen, wäre ich der Letzte, der seine Einschätzung nicht revidieren würde.

Aber völlig überzeugt war ich noch immer nicht. «Was wissen Sie sonst noch über ihn?»

Whelan fing an zu grinsen. «Jetzt wird's interessant. Nachdem er bei der Schließung als Hilfskraft entlassen wurde, heuerte er als Wachmann an. Und raten Sie mal, wo.»

«Sie machen Witze! Im St. Jude?»

«Nachtwächter, ob Sie's glauben oder nicht. Aber nicht lange, weil sie nach ein paar Monaten beschlossen, auf Personal zu verzichten und stattdessen mit Attrappen von Überwachungskameras zu arbeiten. Trotzdem würde ich sagen, Booth ist der klare Favorit für die Überreste aus dem Heizkessel.»

«Hatte er eine Zahnprothese?» Ich musste an das verschmurgelte Stück Draht und Plastik mit den Porzellanzähnen denken, das wir aus der Asche geborgen hatten.

Whelan schüttelte frustriert den Kopf. «Darüber sagt die Personenbeschreibung nichts. Wir überprüfen gerade, ob er bei einem Zahnarzt in der Gegend registriert war, aber bis jetzt sind wir noch nicht fündig geworden.»

Das war nicht ungewöhnlich. Eine nationale Datenbank zur Registrierung von Gebissbefunden existierte nicht, deshalb musste man die Zahnarztpraxen einzeln abklappern, in der Hoffnung, die richtige zu finden. Ich hatte schon Ermittlungen erlebt, wo die Polizei in zahnärztlichen Fachzeitschriften inseriert hatte.

Die Fäden zu einem hübschen kleinen Knäuel zu wickeln, war überaus verlockend – Gary Lennox, gemeinsam mit den drei anderen am Diebstahl von Medikamenten und dem nachfolgenden Handel beteiligt gewesen, wandte sich schließlich gegen sie, ermordete sie und versteckte ihre Leichen in dem ehemaligen, zum Abriss vorgesehenen Krankenhaus. In diesem Szenario hatte sogar Christine Gorski Platz: Von ihrem Bruder mit Geld für einen allerletzten Schuss versorgt, war sie im St. Jude gewesen, um sich Stoff zu besorgen, und dabei in eine Situation gestolpert, die dazu führte, dass auch sie ermordet wurde.

Und doch war dies, so verlockend es auch klang, reine Hypothese. Und falls der Verdacht gegen Gary Lennox sich zerstreute, würde auch der Rest dieser Theorie in sich zusammenstürzen wie ein Kartenhaus.

Ich arbeitete bis Mittag. Whelan war längst wieder weg und Parekh ebenso. Im Grunde hätte ich selbst schon früher fertig sein können. Ich hatte die verkohlten Knochen bereits bei der Autopsie gründlich in Augenschein genommen. Anders als bei Überresten, wo Fleisch und Knochen noch zusammenhingen, waren diese Knochen zu brüchig, als dass ich ein Wasserbad riskiert hätte, andererseits bedurfte es, abgesehen von einer vorsichtigen Behandlung mit der Bürste, keiner weiteren Reinigung. Der Großteil der Gelenkoberflächen war bereits sichtbar, und die paar wenigen gerösteten Gewebereste lösten sich entweder zusammen mit dem Ruß oder waren so klein, dass sie nicht störten.

Doch das, was Whelan mir über Wayne Booth erzählt hatte, stieß mir immer noch auf. Er mochte zwar ein naheliegender Kandidat für die in dem Kessel verkohlten Knochen sein, doch die Diskrepanz zwischen seinen Daten und meinen Schätzungen ließ mir keine Ruhe. Ich wäre der Erste, der zugeben würde, dass es sich hier keineswegs um exakte Wissenschaft handelte, weil natürlich auch Gene und Lebensgewohnheiten eine große Rolle spielten. Bei manchen Menschen setzte der Gelenkverschleiß früher ein als bei anderen, und nicht jedermanns Gliedmaßen lagen in harmonischen Proportionen zum Rest des Körpers.

Doch die Vorstellung, derart weit danebenzuliegen, missfiel mir trotzdem. Ich verbrachte also ein paar weitere fruchtlose Stunden grübelnd über den Knochen und rechnete immer wieder nach, um zu überprüfen, ob es doch etwas gab, das ich beim ersten Mal übersehen hatte.

Da war nichts.

Schließlich sah ich ein, dass ich getan hatte, was ich konnte, und machte Mittagspause. Eine reichlich späte, wie ich beim Blick auf die Uhr sah. Die Knochen mussten vor dem Verpacken noch gesäubert werden, und zur Begutachtung der gefundenen Zahnprothese war ich auch noch nicht gekommen. Ein forensischer Odontologe würde sich zu gegebener Zeit damit befassen, aber ich wollte sie gern selbst näher in Augenschein nehmen.

Doch das konnte bis nach dem Mittagessen warten. Im Leichenschauhaus gab es keine Kantine, und ich hatte mir diesmal kein Sandwich mitgebracht, also ging ich nach draußen, um mir etwas zu suchen. In der Nähe gab es zwar keine Einkaufsmöglichkeiten, aber wenigstens einen Pub, in dem ich schon einmal gewesen war. Es waren nur fünf Minuten zu Fuß, also machte ich mich auf den Weg.

Es herrschte Hochbetrieb, und es roch nach feuchten Mänteln, Bier und Essen. In der Nähe lag ein Gerichtsgebäude, und die Klientel bestand hauptsächlich aus Anwälten und anderen Juristen, deren gepflegter, selbstgewisser Tonfall eine laute Geräuschkulisse bildete. Ich bestellte mir an der Bar ein Sandwich und eine Tasse Kaffee und sah mich nach einem Platz um. Die meisten Tische waren besetzt, doch hinten in einer Ecke entdeckte ich einen freien Stuhl. Vorsichtig, um den Kaffee nicht zu verschütten, ging ich darauf zu. An dem Tisch saß bereits jemand, doch ich erkannte ihn erst, als ich näher kam.

Mears, ausgerechnet.

Es gab kaum Menschen, mit denen ich meine Mittagspause noch weniger gern verbringen wollte. Doch der Stuhl an seinem Tisch war der einzige freie Platz, und während ich noch zögerte, hob er den Kopf und entdeckte mich. Seinem Blick nach zu urteilen, war er mindestens genauso begeistert von der Vorstellung, seinen Tisch mit mir zu teilen, wie ich, doch ich hatte kaum eine andere Wahl.

«Sitzt da schon jemand?», fragte ich und deutete auf den leeren Stuhl.

Er zögerte eine Sekunde, ehe er antwortete, fast als würde er eine Lüge in Betracht ziehen, dann zuckte er lustlos die Achseln. «Nein.»

Vor ihm standen ein Teller mit einem halb gegessenen Sandwich und ein Glas Bier. Daneben ein leeres Glas, und als ich mich setzte, schob er es verstohlen ein Stückchen weg.

«Wie läuft's?», fragte ich, um das Schweigen zu brechen.

«Okay.» Wieder ein Achselzucken. «Alles gut.»

Er fühlte sich sichtlich unwohl, wie er so dasaß und mit den Händen das Glas auf dem Tisch rotieren ließ. Er wirkte, als hätte er es am liebsten in einem Zug ausgetrunken. Ich sah mich in dem Gedränge um, um mich zu vergewissern, dass niemand uns zuhörte. Doch der Geräuschpegel machte es schwer genug, sein eigenes Wort zu verstehen.

«Hat Ward Sie mit der Identifizierung beauftragt?», fragte ich, die Stimme trotzdem gesenkt.

«Wer hat Ihnen das erzählt?»

«Niemand. Das war reine Vermutung, sonst nichts.» Gott, er war wirklich eine Mimose. Ich hoffte, dass mein Essen nicht zu lange auf sich warten ließ.

«Oh, ach so. Ja, also, ich, äh, ich arbeite gerade daran.»

Er trank von seinem Bier, verschluckte sich fast daran. Ward hatte angedeutet, dass er Schwierigkeiten hatte, genauso wie Parekh mit ihrem kaum verschleierten Hinweis heute Morgen. So, wie er jetzt vor mir saß, war es offensichtlich, dass etwas nicht stimmte, doch Mears' Probleme gingen mich nichts an. Ich war schließlich nicht sein Kindermädchen. Doch dann sah ich in sein lächerlich junges Gesicht und versuchte, nicht zu seufzen.

«Ist alles in Ordnung?», fragte ich.

«Was soll denn nicht in Ordnung sein?»

«Ich wollte nur sichergehen. Als ich Sie das letzte Mal sah …»

«Alles bestens! Es ist einfach nur viel zu tun! Wenn Ward mir die Chance geben würde, einen Job zu Ende zu machen, ehe sie mir den nächsten auf den Tisch knallt, könnte ich …»

Er verkniff sich den Rest und wurde rot. Es war wie neulich, als er mich um meine Hilfe gebeten hatte. *Wären wir also wieder mal so weit*, dachte ich resigniert.

«Gibt es vielleicht etwas, wozu Sie gern eine zweite Meinung hätten?», fragte ich leise.

Er biss sich auf die Lippe, blinzelte hektisch und starrte wieder in sein Glas. «Ich, äh …»

«Käsesandwich?»

Eine junge Frau stand mit einem Teller an unserem Tisch. Ich schenkte ihr ein flüchtiges Lächeln. «Danke.»

Mears starrte wütend auf seinen Schoß, als sie mir den Teller hinstellte. Ich wartete, bis sie wieder gegangen war.

«Sprechen Sie weiter.»

Doch der Moment war vorüber. «Spielt keine Rolle», murmelte er.

Im Aufstehen stürzte er das restliche Bier hinunter, quetschte sich hinter dem Tisch hervor und stieß dabei so heftig gegen die Platte, dass mein Kaffee auf die Untertasse schwappte.

«Warten Sie», sagte ich, doch er drängelte sich bereits durch die Menschentraube in Richtung Tür. Im Vorbeigehen rempelte Mears unsanft einen korpulenten Mann im Nadelstreifenanzug an, der darauf beinahe sein Getränk verschüttete.

«Und das, meine Herren, ist haargenau das Benehmen, mit

dem wir uns heutzutage herumschlagen müssen», sagte der Mann laut und starrte Mears hinterher.

Ich glaubte nicht, dass der Taphonom es überhaupt bemerkt hatte.

KAPITEL 24

Ich blieb nur noch, um das Sandwich aufzuessen. Draußen nieselte es, und die Leute, an denen ich vorbeikam, stapften mit gesenkten Köpfen und kläglich hochgezogenen Schultern über den nassen Asphalt. Es war erst früher Nachmittag, doch der Tag schien bereits dem Abend entgegenzueilen. Tage wie dieser trieben mich immer wieder zu der Frage, warum ich mich dazu entschieden hatte, in der Stadt zu leben. Ich war schon einmal weggezogen, hatte verstopfte Straßen und Betonschluchten Londons gegen Norfolk Village getauscht, wo sich das Herbstwetter ein bisschen mehr nach einem Teil des natürlichen Kreislaufs anfühlte, nach dem fortwährenden Wechsel der Jahreszeiten. In der Stadt war es einfach nur scheußlich.

Aber ich wusste, dass meine Perspektive von der Begegnung mit Mears gefärbt war. Während ich an der Bordsteinkante darauf wartete, die Straße zu überqueren, fragte ich mich wieder, was eigentlich mit ihm los war. Die wenigsten Ermittlungen liefen rund, und mit unerwarteten Wendungen umzugehen, war Teil unseres Jobs. Der junge forensische Taphonom verfügte über alle für den Beruf erforderlichen Fähigkeiten, und selbst sein Mangel an Erfahrung war nicht zwingend ein Nachteil. Vorausgesetzt, er stand dazu. Vor sich selbst und vor anderen. Doch ich befürchtete, ihm war sein Ego im Weg, in Verbindung mit der Tendenz, unter Druck zusammenzubrechen, konnte das ein echtes Problem sein.

Die Frage war, was sollte ich dagegen unternehmen.

Als ich die Straße überquerte, klingelte mein Telefon. Ich eilte unter die Markise eines Ladens, um ranzugehen, und sah auf dem Display eine mir unbekannte Nummer. Die Stimme am anderen Ende dagegen war unverkennbar.

«Dr. Hunter? Hier spricht Adam Oduya. Haben Sie einen Augenblick Zeit?»

Ich machte mir nicht die Mühe, ihn zu fragen, woher er meine Nummer hatte, denn wie er nicht müde wurde, immer wieder zu sagen, er hatte seine Quellen. «Hat es irgendwas mit den laufenden Ermittlungen zu tun?»

«Nein, darauf gebe ich Ihnen mein Wort. Es ist eine völlig andere Angelegenheit.»

Der Niesel hatte sich in ausgewachsenen Regen verwandelt und tropfte von der Markise.

«Okay.»

«Als wir vor ein paar Tagen miteinander sprachen, erwähnte ich bereits, dass ich mich gerne über ein bestimmtes Thema mit Ihnen unterhalten würde. Hätten Sie am späten Nachmittag zufällig Zeit, darüber zu sprechen?»

Nach der Begegnung mit Mears eben im Pub war ich nicht in der Stimmung, mich auch noch mit Oduya rumzustreiten. Doch auch wenn mir seine Methoden nicht gefielen, konnte man ihm seine Motive nicht absprechen.

«Worum geht es?», fragte ich vorsichtig.

«Wie stehen Sie zu Arbeit ohne Honorar?»

Ich hatte früher schon ab und zu auf Honorar verzichtet, doch es kam immer auf den Fall an. Vor allem, wenn Oduya im Spiel war. «Um das zu entscheiden, müsste ich mehr wissen.»

«Ich bin momentan dabei, die Möglichkeiten für ein Berufungsverfahren auszuloten. Es geht um einen vor zehn Jahren wegen Mordes verurteilten Mann, von dessen Unschuld ich überzeugt bin. Ich halte die Beweise gegen ihn für mangelhaft, insbesondere die angebliche Ursache für die Verletzungen des Opfers. Ich möchte Sie um ein Gutachten bitten.»

Ich zögerte, immer noch auf der Hut.

«Ich verstehe Ihre Zurückhaltung», fuhr Oduya fort, und ich konnte das listige Lächeln in seiner Stimme hören. «Natürlich möchten Sie nichts tun, das Ihre Arbeit für die Polizei kompromittieren könnte. Ich gebe Ihnen mein Wort, dass dies nicht der Fall sein wird. Ich wollte eigentlich warten, bis die Dinge rund ums St. Jude geklärt sind, aber mein Mandant hat bereits mehrere Selbstmordversuche hinter sich, und seine Familie hat Angst, dass er es wieder probiert. Die Familie hat nicht viel Geld, doch falls Ihnen das die Entscheidung erleichtert, könnte ich mich wenigstens um eine kleine Aufwandsentschädigung kümmern.»

«Es geht mir nicht ums Geld, aber ehe ich mich verpflichte, muss ich mehr darüber wissen.»

«Natürlich. Deshalb würde ich mich gerne mit Ihnen treffen.»

Der Regen tropfte mir vom Rand der Markise in den Nacken. Ich stellte mich weiter nach hinten und überlegte, was es im Leichenschauhaus für mich noch zu tun gab. Nicht allzu viel, aber ich wollte mir unbedingt noch die verschmurgelte Zahnprothese ansehen.

«Heute Nachmittag habe ich keine Zeit», sagte ich.

«Dann heute Abend. Wann und wo Sie wollen.»

Ich war immer noch zögerlich, doch inzwischen war meine Neugier geweckt. «Wir können uns nach der Arbeit treffen. Ich bin derzeit im Leichenschauhaus an der Carlisle Street …»

«Neben den Law Courts», beendete er meinen Satz. «Kenne ich. Ich habe früher viel Zeit dort verbracht. Liegt nicht weit von der U-Bahn-Station entfernt, und in der Nähe gibt es einen Pub namens Plume of Feathers. Wir könnten uns dort treffen. Sagen wir, um neunzehn Uhr?»

Das war genau der Pub, in dem ich gerade eben auf Mears gestoßen war. Doch das Lokal lag günstig, und eine Verabredung um neunzehn Uhr sollte mir mehr als genug Zeit geben. Ich dachte, Oduya hätte bekommen, was er wollte, doch er war noch nicht fertig.

«Wissen Sie, wie es Gary Lennox geht?»

«Ich dachte, wir unterhalten uns nicht über den St.-Jude-Fall.»

«Will ich gar nicht, ich würde trotzdem gerne wissen, wie es ihm geht. Wie Sie wahrscheinlich erfahren haben, vertrete ich Gary und seine Mutter nicht länger.»

«Was ist passiert?» Ward hatte mir zwar erzählt, dass Lola Oduya gefeuert hatte, aber nicht, weshalb.

«Lola hat es sich anders überlegt und sich lieber für den Pflichtverteidiger entschieden. Sie meinte, sie würde sich mit jemandem wohler fühlen, der … na ja, sagen wir, ein bisschen traditioneller ist.»

Nach allem, was ich über Lola wusste, überraschte mich das nicht. Und ich konnte keinen Grund erkennen, weshalb ich mit Oduya nicht über den Zustand ihres Sohnes sprechen sollte. «Ihm geht es nicht gut, war das Letzte, was ich gehört habe.»

«Das tut mir leid. Egal, was am Ende dabei rauskommt, das alles ist traurig.»

Allerdings. «Wissen die Eltern von Christine Gorski Bescheid?»

«Dass ich versucht habe, einem wehrlosen Mann und seiner betagten Mutter zu helfen, meinen Sie? Das ist kein Geheimnis. Außerdem habe ich nie als Rechtsbeistand für Sandra und Tomas agiert, es bestand also kein Interessenkonflikt.»

«Dass Sie die Versuche der Polizei behindern, den Mörder ihrer Tochter zu finden, meinte ich.»

«Wenn Sie auf meinen Ratschlag an Gary Lennox' Mutter hinsichtlich ihres Rechtsanspruchs anspielen: Auch das ist kein Geheimnis. Was immer ihr Sohn getan haben mag oder nicht, er hat dieselben Rechte wie Sie und ich. Wenn die Polizei einen dringenden Tatverdacht gegen ihn hat, soll sie ihn anklagen. Aber ich werde nicht tatenlos zusehen, wenn die Schwäche eines Menschen ausgenutzt wird. Dazu habe ich zu oft miterlebt, wie unser Rechtssystem missbraucht wurde.»

«Was ist mit der Gerechtigkeit für die Opfer und ihre Familien?»

«Das sind zwei Seiten derselben Münze. Und bitte kommen Sie von Ihrem hohen Ross runter. Ich saß bei einer Mutter, die soeben erfahren hatte, dass ihre schwangere Tochter mehr als ein Jahr tot in einem verfallenen Krankenhaus lag. Glauben Sie mir, ich will genauso sehr wie Sie, dass derjenige, der daran Schuld trägt, gefasst wird. Sie sind mir nicht moralisch überlegen, wir haben einfach nur verschiedene Herangehensweisen, Sie und ich.» Die Belustigung schlich sich wieder in seine Stimme. «Tja, Dr. Hunter, als jemand, der auf keinen Fall über das St. Jude sprechen wollte, machen Sie keine besonders gute Figur.»

Wo er recht hatte, hatte er recht. Ich beendete das Gespräch und schob genervt von mir selbst das Telefon zurück in die Tasche. Solange die Polizei nicht ausreichend Beweise hatte, um Gary Lennox wegen dringenden Tatverdachts unter Anklage zu stellen oder ihn als Verdächtigen auszuschließen, hingen die Ermittlungen weiter in der Luft. Doch wie sehr ich mich auch für das Öffnen dieser Büchse der Pandora verantwortlich fühlen mochte, es lag nicht mehr in meiner Hand. Mich mit Oduya in eine Debatte zu verstricken, war sicher wenig hilfreich.

Erst als ich wieder hinaus in den Regen trat, kam mir die Frage, warum er sich nach Gary Lennox erkundigt haben mochte. Ich eilte zurück ins Leichenschauhaus und ermahnte mich, unbedingt auf der Hut zu bleiben, wenn wir uns am Abend trafen.

Die Teilprothese war in beklagenswertem Zustand. Die Hitze und die anschließende unachtsame Behandlung bei dem Versuch, alles aus dem Heizkessel verschwinden zu lassen, hatten den Kunststoff geschmolzen und das Metall verformt. Und auch wenn die Hitze im Kessel nicht genügt hatte, um die Porzellanzähne zum Bersten zu bringen, hatte etwas – wahrscheinlich ein heftiger Schlag – sie kurz über dem Kunststoffzahnfleisch gekappt. Da wir in der Asche keine Reste der abgebrochenen Ersatzzähne gefunden hatten, musste das geschehen sein, ehe die Leiche in den Kessel gelangte. Das wiederum bedeutete, selbst wenn es der Polizei gelang, den Zahnarzt von Wayne Booth ausfindig zu machen, und dieser bestätigte, dass er tatsächlich eine Zahnprothese getragen hatte, könnte es kompliziert werden, ihn anhand der geschmolzenen Zahnprothese zu identifizieren.

Ein forensischer Odontologe mochte mehr erkennen können, aber auch so verriet mir die Prothese ein paar Dinge. Die verschmurgelte Platte war einst an einen menschlichen Gaumen angepasst worden, es handelte sich um eine Oberkieferprothese. Und in den abgebrochenen Zahnstümpfen erkannte ich die vier Schneidezähne sowie den anschließenden rechten Eckzahn. Das ergab eine ziemlich große Lücke. Während sich der Verlust eines einzelnen oder auch zweier benachbarter Zähne noch Zahnfäule oder Zahnfleischschwund hätte zuschreiben lassen, sprach eine Reihe von fünf fehlenden Zähnen – inklusive der Schneidezähne – eine andere Sprache.

Sie waren ausgeschlagen worden.

Wenn auch nicht zwingend durch Gewalt: Ich hatte mal jemanden gekannt, der seine Frontzähne bei einem Sturz vom Fahrrad verloren hatte. Damals war die Wahl auf Implantate gefallen, doch diese Methode erforderte eine teure und aufwändige Operation und kam nicht für jeden in Frage.

Und ganz sicher nicht für diesen Menschen, dachte ich. Es handelte sich bei dieser Zahnprothese um ein sehr einfaches Modell, bestehend aus einer rudimentären Acrylgaumenplatte, die unter den Gaumen gelegt und mit Metallspangen befestigt wurde. Wenn auch vielleicht nicht auffällig, waren die Metallspangen mit Sicherheit zumindest als kleine silberne Krallen an den benachbarten Zähnen zu sehen gewesen. Es handelte sich um eine weit verbreitete Lösung, mit dem Schwerpunkt auf Funktionalität statt auf Tragekomfort oder Fragen der Ästhetik.

Das wiederum ließ auf einen Träger schließen, der entweder keinen großen Wert auf sein Äußeres legte oder der sich nichts anderes leisten konnte.

Ich vermutete Letzteres.

Ich hatte eigentlich vorgehabt, im Anschluss das Fötus-skelett zu untersuchen, doch die Zahnprothese in ihrem schlechten Zustand hatte mich länger aufgehalten als erwartet, und ich war um neunzehn Uhr mit Oduya verabredet.

Eine weitere Nacht im Wasserbad würde den winzigen Knochen nicht schaden, und es bestand auch nicht wirklich Grund zur Eile. Ich beschloss, am nächsten Morgen weiter-zumachen.

Ich streckte mich und zuckte angesichts meiner steifen, knackenden Gelenke zusammen. Dann räumte ich auf, schaltete im Untersuchungsraum das Licht aus, ging mich umziehen und nach vorne in den Empfangsbereich. Jemand lief vor mir den Gang entlang, und mit einem langsam schon vertrauten Gefühl von Überdruss erkannte ich Mears.

Er war offensichtlich ebenfalls gerade dabei, das Haus zu verlassen. Er trug eine wasserdichte Kapuzenjacke und seinen glänzenden neuen Transportkoffer. Er sah müde und geknickt aus, mit gerunzelter Stirn und offenbar tief in Gedanken. Als er mich sah, wandte er eilig, fast verstohlen, den Blick ab. Dann reckte er das Kinn, schob die Brust raus und nickte mir knapp zu.

Ich war kurz davor gewesen, einen allerletzten Versuch zu unternehmen, doch bei seinem Anblick kam ich zu dem Schluss, dass es sinnlos wäre. Ich erwiderte sein Nicken und wartete schweigend, während er sich an der Rezeption austrug. Am Eingang blieb er stehen, um seine Kapuze hochzuziehen. Ich ließ mir beim Abmelden Zeit, damit wir nicht in die Verlegenheit kamen, das Gebäude gleichzeitig verlassen zu müssen.

Und solche Kleinigkeiten besitzen die Macht, Leben zu verändern. Unwiderruflich.

Ein Windstoß fuhr herein, als Mears die Tür aufdrückte und sich gegen den Regen stemmte. Er trat in dem Augenblick auf die Straße, als ich durch die Tür kam. Ich blieb unter dem Vordach stehen, um meinen Mantel zu schließen. Im gleichen Moment hörte ich jemanden rufen.

«Dr. Hunter!»

Ich hob den Kopf und entdeckte Oduya auf der anderen Straßenseite. Er kam aus der Richtung der U-Bahn-Station. Er trug einen Schirm, und als er vom Gehsteig auf die Straße trat, sah ich, wie Mears sich neugierig der Stimme zuwandte. Dieser Moment hat sich als Standbild in mein Gedächtnis gebrannt: zwei Menschen, die in entgegengesetzten Richtungen die regennasse, nächtliche Straße überqueren, von den Straßenlaternen wie von Blitzlicht in Szene gesetzt.

Ich hörte den Wagen, bevor ich ihn sah. Ein Stück die Straße hinunter heulte röhrend ein Motor auf, Reifen quietschten. Ein Auto beschleunigte. Es raste direkt auf Oduya zu, die Scheinwerfer tauchten ihn in Licht. Oduyas Kopf fuhr herum, gleichzeitig warf er sich instinktiv zur Seite. Aber ihm blieb keine Zeit. Mit einem grauenhaften, dumpfen Schlag erfasste der Wagen ihn frontal, nahm ihn auf die Motorhaube und schleuderte ihn hoch über das Dach. Während der Regenschirm unter dem Auto verschwand, flog der Mann in einem wirbelnden Gewirr aus Armen und Beinen durch die Luft und krachte schließlich weit hinter dem Fahrzeug auf den Asphalt.

Das Auto geriet ins Schlingern, hielt jedoch nicht an. Mears stand wie angewurzelt mitten auf der Straße, schockstarr, unfähig, sich zu bewegen. In letzter Sekunde ließ er den Koffer fallen und versuchte, sich mit einem Sprung zur Seite in Sicherheit zu bringen, aber zu spät. Der Wagen erfasste ihn mit dem Kotflügel, riss ihn zu Boden, und ich sah, wie das Hinterrad über seinen Unterkörper rollte. Eine Sekunde lang schien es, als würde der Fahrer die Kontrolle verlieren, er streifte mit einem ohrenbetäubenden Lärm aus splitterndem Glas und zerschrammendem Metall einen parkenden Lieferwagen, dann raste er davon.

Innerhalb weniger Sekunden war alles vorbei. Die Alarmanlage des Lieferwagens fing an zu heulen und löste mich aus meiner Schockstarre. Ich rannte los. Oduya lag näher zu mir. Regungslos und mit unnatürlich verrenkten Gliedern lag er zusammengekrümmt da. Um seinen Kopf breitete sich eine Blutpfütze aus, schwarz glänzend im Licht der Straßenlaterne, und vermischte sich mit Regenwasser. Ein halbgeöffnetes Auge starrte blind auf den groben Asphalt, und als ich neben ihm niederkniete, sah ich, dass mit der Form seines Schädels etwas nicht stimmte. Oduya strahlte absolute Stille aus, ein obszöner Kontrast zu dem energischen Charisma des Aktivisten, und ebenso verlässlich wie seine Verletzungen sagte mir diese Stille, dass es nichts gab, das ich noch hätte tun können.

Jetzt tauchten auch andere Menschen auf, kamen mit schockierten Gesichtern auf die Straße gerannt. Ich ließ Oduya liegen und lief zu Mears hinüber. Blutüberströmt lag er neben seinem Transportkoffer. Das eben noch glänzende Metall war verschrammt und zerbeult. Er lebte noch, war aber bewusstlos und atmete mit rasselnden, kurzen Atemstößen. Ein Arm war offensichtlich gebrochen, aber am schlimmsten hatte es seine Beine erwischt. Das rechte Bein sah aus wie durch den Fleischwolf gedreht, und aus zerrissenem Muskelgewebe und blutgetränkten Stofffetzen ragten weiße Knochensplitter.

Ich versuchte, die betäubenden Auswirkungen des Schocks abzuschütteln und mich zu konzentrieren. Mears' Verletzungen waren viel schwerwiegender, als die von Conrad es gewesen waren, und ich starrte mit einem Gefühl der Hilflosigkeit auf das zerschmetterte Bein. Aus zahlreichen Wunden spritzte Blut, viel zu viel, um den Fluss stillen zu können.

«Machen Sie mir bitte Platz. Ich bin Krankenschwester.»

Eine junge Frau streifte sich die Sporttasche von der Schulter und kniete sich neben Mears. Mit konzentrierter Miene musterte sie seine Verletzungen.

«Halte durch, mein Kleiner, der Notarzt ist gleich da», sagte sie zu ihm. Er reagierte nicht. Sie sah mich an und nahm ihren dünnen Schal ab. «Haben Sie einen Stift?»

Mein Verstand setzte wieder ein. Ich wusste, was sie vorhatte, und zog eilig einen Kugelscheiber aus der Tasche, während sie mit geübten Fingern den Schal um Mears' Oberschenkel wickelte. Als sie ihn festzog, stöhnte Mears auf, doch das war eher körperlicher Reflex als bewusste Reaktion. Sie schob den Stift unter den Schal und fing an zu drehen, um den Druck zu erhöhen. Ein provisorisches Tourniquet, eine Aderpresse: eine simple, aber effektive Methode, um den Blutfluss zu stoppen. Ich hatte das schon einmal gesehen, wenn auch unter gänzlich anderen Umständen als jetzt.

«Lassen Sie mich weitermachen. Ich bin Arzt», fügte ich hinzu, als sie mich zweifelnd ansah. «Sehen Sie zu, ob Sie die anderen Blutungen stoppen können.»

Ich hielt den Stift fest, um den Druck aufrechtzuerhalten, während die junge Frau in ihrer Sporttasche nach einem Handtuch wühlte. «Es ist sauber», sagte sie und machte sich daran, eine Wunde an Mears' linkem Bein damit zu versorgen. «Ich hatte eben Feierabend und war auf dem Weg zum Sport. Ich habe nur gehört, was passiert ist, aber nichts gesehen. War es Fahrerflucht?»

Ich nickte und sah zu Oduya hinüber. Eine Menschentraube hatte sich um ihn geschart, das Licht von Handybildschirmen tauchte die Szene in bläuliches Weiß. Jemand hatte seinen Kopf mit einem Mantel zugedeckt, und in der Ferne ertönten bereits die Sirenen.

«Kannten Sie ihn?» Die junge Frau war meinem Blick gefolgt.

«Ja», sagte ich.

KAPITEL 25

ℱ

«Ich weiß es nicht.»

Ich versuchte, mir meinen Ärger nicht anmerken zu lassen. Auf der anderen Seite des zerkratzten Kunststofftisches saßen Ward und Whelan mit regungslosen Mienen auf zwei Plastikstühlen, die genauso aussahen wie meiner. Wir befanden uns auf einem Polizeirevier, nur eine Meile vom Leichenschauhaus entfernt, ein tristes Gebäude aus Backstein, das wirkte, als sei es eigens gemacht, um jeden, der durch die Tür trat, in Depressionen zu stürzen. Ich saß bereits seit zwei Stunden in dem düsteren Raum, erst, um die Fragen eines mir unbekannten Kriminalbeamten zu beantworten, dann, um auf Ward und Whelan zu warten.

Falls ich gehofft hatte, mit deren Eintreffen würde es einfacher werden, hatte ich mich gründlich getäuscht.

«Versuchen Sie, sich zu erinnern», sagte Whelan. Der DI sah müde und zerknittert aus, und die Deckenbeleuchtung verlieh seinem Teint eine kränkliche Tönung. «Kein anderer Zeuge war so nah dran wie Sie. Sie standen praktisch direkt daneben.»

Das musste er mir nicht sagen. Doch das Ereignis wirkte mit jeder Minute irrealer, ein Vorher-Nachher, dessen Brutalität jedes Hindenken unmöglich machte. Die junge Krankenschwester und ich waren nicht lange mit Mears allein geblieben. Binnen Minuten war die schnelle Eingreiftruppe der Polizei vor Ort gewesen, Einsatzfahrzeuge und Busse hatten schwarz gekleidete Beamte mit kugelsicheren Westen ausgespuckt. Eine Weile hatte Verwirrung geherrscht, blinkende Blaulichter hatten der Szenerie eine albtraumhafte Atmosphäre verliehen, bis schließlich feststand, dass keine weitere Gefahr bestand. Allmählich war ein gewisses Maß an Ordnung zurückgekehrt. Sanitäter waren herbeigeeilt, um sich um Mears zu kümmern, und als die Krankenschwester und ich schließlich weggeführt wurden und ich mich noch einmal umsah, wurden um Oduyas Leiche gerade die Sichtschutzwände aufgestellt.

Das war das Letzte, was ich von ihm sah.

Ich wurde über die Geschehnisse befragt, jemand reichte mir aus einem Krankenwagen Papiertücher und Desinfektionsgel, damit ich mich reinigen konnte, dann wurde ich zu einem Einsatzfahrzeug geführt. Nachdem ich eine gefühlte Ewigkeit dort gesessen hatte, fuhr man mich zum Polizeirevier, während der Regen auf den Scheiben die Lichter in prismenförmige Streifen brach. Dort angekommen, hatte man mich in ein Vernehmungszimmer gesetzt und mir einen Styroporbecher Tee gebracht.

Der stand jetzt immer noch vor mir, unberührt, mit einem schmierigen Film auf der Oberfläche. Whelan setzte die Befragung fort.

«Was für ein Wagen war es?»

Ich versuchte wieder, mir die Szene vor Augen zu rufen. «Ein Fließheck. Kein Golf, aber in etwa dieselbe Größe.»

«Erinnern Sie sich an das Kennzeichen? Teilweise wenigstens?»

Ich schüttelte den Kopf. «Das ging alles viel zu schnell.»

«Und die Farbe?»

«Dunkel, aber das war bei den Lichtverhältnissen schwer zu erkennen.»

«Blau, schwarz, rot?»

«Ich *weiß* es nicht!»

«Und den Fahrer konnten Sie auch nicht sehen? Oder wie viele Leute in dem Wagen saßen?»

«Nein, das habe ich Ihnen doch schon gesagt. Es war dunkel, es hat geregnet, und die Scheinwerfer blendeten mich. Da muss es doch Kameras zur Verkehrsüberwachung geben, können Sie das nicht prüfen?»

«Danke! Auf die Idee sind wir noch gar nicht gekommen», sagte Whelan ausdruckslos. «Könnte es ein Unfall gewesen sein?»

«Nein.» Wenigstens diesbezüglich war ich mir sicher. «Der Fahrer muss ihn gesehen haben. Oduya rief nach mir, und in dem Moment, als er auf die Straße trat, scherte der Wagen aus und raste auf ihn zu.»

«Also hat er gewartet?»

Ich hörte wieder die quietschenden Reifen, das Aufheulen des Motors, sah Oduya sich zu dem Wagen umdrehen, das Licht der Scheinwerfer, das ihn erfasste. Ich versuchte, das Bild zu vertreiben. «Es sah danach aus.»

«Einige Zeugen sagen aus, der Wagen sei ins Schlingern geraten, weil er versuchte, Mears nach dem Zusammenprall mit Oduya auszuweichen. Können Sie das bestätigen?»

«Es sah aus, als hätte er, als Mears versuchte, aus dem Weg zu springen, die Kontrolle verloren», sagte ich in dem Bemühen, mich zu erinnern. «Vielleicht, weil er ausweichen wollte, ich weiß es nicht. Aber Ausweichen war nicht möglich – nicht bei der Geschwindigkeit, die er draufhatte.»

Ward schaltete sich ein. Bis jetzt hatte sie kaum etwas gesagt. «Was hatte Oduya dort zu suchen?»

Ich hatte gewusst, dass die Frage kommen würde. «Wir waren verabredet.»

Whelan blies empört die Backen auf. «Du liebe Güte!»

Wards Gesicht blieb unbewegt. «Weshalb?»

«Er hatte mich am Nachmittag angerufen und gesagt, er hätte einen ehrenamtlichen Fall auf dem Tisch, über den er sich gerne mit mir unterhalten würde.»

«Im Leichenschauhaus?»

«Nein, in einem Pub in der Nähe. Das Plume of Feathers. Wahrscheinlich kam er mit der U-Bahn und war auf dem Weg dorthin, denn er kam aus Richtung der Haltestelle. Es war reiner Zufall, dass ich in dem Moment aus dem Gebäude trat, als er vorbeiging.»

«Zufall», echote Whelan. «Und war es auch Zufall, dass der Wagen auf ihn wartete?»

«Ich habe keine Ahnung. Ich habe niemandem erzählt, dass wir verabredet waren, falls Sie darauf anspielen.»

«Uns jedenfalls nicht, so viel steht fest.»

«Dazu gab es auch keinen Grund. Das Treffen hatte nichts mit den Ermittlungen zu tun», schoss ich zurück.

«Also gut.» Ward klang, als wäre sie zu erschöpft, um wütend zu sein. «Wer hat den Treffpunkt vorgeschlagen, Oduya oder Sie?»

Ich überlegte. «Er. Er sagte, er würde den Pub aus seiner Zeit am Gericht kennen.»

Whelan schnaubte, sagte aber nichts. Ward nickte. «Oduya besaß keinen Wagen. Jeder, der wusste, wohin er wollte, hätte auch wissen können, dass er mit der U-Bahn kam. Es genügte also, am Straßenrand zu parken und abzuwarten.»

Ich rieb mir die Augen, sah ihn vom Gehsteig auf die Straße treten: *Dr. Hunter!* Ich schüttelte den Kopf, der Versuch, die Bilder loszuwerden, die Wards Worte in mir hatten aufsteigen lassen.

«Haben Sie irgendeine Vorstellung, warum?», fragte ich.

«Wir können Terrorismus im Moment zwar noch nicht völlig ausschließen, aber es sieht eher nach einer gezielten Attacke gegen Adam Oduya aus», sagte Ward. «Denkbar wäre auch, dass jemand was gegen Daniel Mears hatte, aber bis jetzt deutet alles darauf hin, dass er ein unschuldiges Opfer ist. Es war schlicht Pech, dass er im selben Augenblick über die Straße ging.»

«Und Glück für Sie», sagte Whelan ungerührt. «Hätten Sie das Leichenhaus als Erster verlassen, hätte es vielleicht Sie erwischt.»

Auch daran brauchte er mich nicht zu erinnern. Dieser Gedanke quälte mich, seit es passiert war. «Haben Sie irgendeine Idee, wer der Fahrer gewesen sein könnte?»

Whelan zuckte die Achseln. «Oduya hat quasi damit Karriere gemacht, Leute gegen sich aufzubringen. Die Liste mit allen Personen, die was gegen ihn haben, wäre ellenlang.»

Doch ich hatte sein Zögern bemerkt, ehe er antwortete. Ich sah von ihm zu ihr. «Sie haben einen Verdacht, oder?»

Whelan warf Ward einen Blick zu. Sie seufzte. «Keith Jessop ist verschwunden. Wir waren gestern bei ihm, um ihn wegen der Sache mit dem Asbest und wegen des tätlichen Angriffs vor dem St. Jude zu befragen. Keiner weiß, wo er steckt. Seine Frau hat ihn vor drei Tagen zum letzten Mal gesehen, als er nach der Szene mit Adam Oduya betrunken nach Hause kam und ausfallend wurde. Sie versuchte, ihn rauszuwerfen, er fing an, mit Gegenständen um sich zu schmeißen, und verzog sich, als ein Nachbar die Polizei rief. Das stimmt, wir haben es überprüft.»

Jessop? Ich lehnte mich zurück und versuchte, den Bauunternehmer in die Gleichung miteinzubeziehen. Der Mann war ein saufender Raufbold, der aus seiner Abneigung gegen Oduya keinen Hehl gemacht hatte. Er hatte ihm vorgeworfen, die Abrissarbeiten zu verzögern, und ihn sogar im Beisein von Polizisten tätlich angegriffen.

Trotzdem war es ein himmelweiter Unterschied, ob jemand handgreiflich wurde oder einen Menschen absichtlich zu überfahren versuchte. «Glauben Sie wirklich, er könnte es gewesen sein?»

«Ich hätte zumindest gern die Chance, ihn zu befragen», sagte Ward trocken. «Wir wussten, dass die Verzögerungen im St. Jude Jessop finanziell getroffen haben, aber es ist schlimmer, als wir dachten. Er ist bankrott. Die Banken haben ihm sämtliche Kredite gekündigt, und da er sein Haus zur Kreditsicherung benutzt hat, verliert er auch das. Außerdem lässt seine Frau sich scheiden. Er hat alles verloren.»

Ich konnte kaum klar denken. Ich fühlte mich erschöpft, war von den Ereignissen vor dem Leichenschauhaus emotional und körperlich ausgelaugt. Trotzdem, irgendetwas stimmte daran nicht. «Ich habe Jessops Wagen vor dem St. Jude gesehen. Es war ein alter Mercedes. Eine Limousine, kein Fließheck.»

«Vielleicht besitzt er mehrere Fahrzeuge», sagte Whelan gereizt. «Vielleicht ein Baustellenfahrzeug. Oder er hat eins gestohlen. Das wissen wir noch nicht.»

«*Was* wir allerdings wissen, ist, dass Jessop ein jähzorniger Säufer mit ordentlich Groll gegen Oduya ist», fuhr Ward fort. «Das alleine reicht schon, um ihn zu vernehmen, und die Tatsache, dass er verschwunden ist, macht es nicht besser. Außerdem hat er nicht nur hinsichtlich des Asbests gelogen.»

Ich massierte mir die Schläfen. Ich bekam ernsthaft Kopfschmerzen. «Was meinen Sie?»

Ward antwortete nicht gleich, vielleicht bereute sie, etwas gesagt zu haben. Die Belastung der jüngsten Zeit war in ihr Gesicht geätzt. Whelan verschränkte die Arme und blickte starr auf den Tisch, als sie fortfuhr.

«Das bleibt definitiv innerhalb dieser vier Wände, okay? Wir haben herausgefunden, dass Jessop früher Zugang zum St. Jude hatte, als er behauptet hat. Er hatte das Areal bereits ein ganzes Jahr vor dem tatsächlichen Beginn der Abbrucharbeiten begutachten sollen. Wir überprüfen derzeit zwar noch die Daten, es gibt möglicherweise eine Überschneidung mit den Zeitpunkten des Verschwindens von Christine Gorski und Darren Crossly.»

«Moment!» Ich hatte Mühe, hinterherzukommen. «Behaupten Sie etwa, Jessop könnte nicht nur in die Fahrerflucht involviert sein, sondern auch in die Mordfälle?»

«Ich behaupte gar nichts. Aber wir haben heute Vormittag den Durchsuchungsbeschluss für Jessops Betriebsgelände bekommen. Auf seinem Hof fanden wir Plastikplanen wie diejenige, in die Christine Gorskis Leiche gewickelt war. Und ehe Sie es sagen, ja, ich weiß, dass die Hälfte aller Bauunternehmer im Land ähnliches Material verwendet. Aber Jessop hatte einen Wachhund auf dem Gelände, einen schwarzen Rottweiler mit braunen Flecken. Passt zu den Hundehaaren, die wir an der Plane auf dem Dachboden gefunden haben.»

«Als Wachhund nicht zu gebrauchen», sagte Whelan. «Dumm wie Stroh. Hatte weder Futter noch Wasser und war nur froh, dass endlich jemand ihn besuchen kam.»

Ich hörte kaum zu. Jessop der Fahrerflucht nach dem tödlichen Zusammenstoß mit Oduya zu verdächtigen, war eine Sache. Doch die sadistischen Morde, die sich im St. Jude ereignet hatten, waren etwas völlig anderes.

«Mal abgesehen von dem Wachhund», fuhr Ward eindringlich fort, «die meisten Planen waren mit Zement- und Baustaub überzogen, was in seinem Gewerbe zugegebenermaßen normal ist. Einige Planen trugen jedoch getrocknete Farbreste, und zwar dasselbe Blau wie auf der Plane vom Dachboden. Wir lassen die Spuren derzeit analysieren, aber optisch sind sie identisch. Außerdem hat Jessops Frau uns Kleidungsstücke von ihm überlassen, sodass wir im Besitz von Haarproben sind. Sollte seine DNA mit dem Haar übereinstimmen, das wir auf der Plane sichergestellt haben, wird er uns einige sehr unangenehme Fragen beantworten müssen.»

Wie betäubt sackte ich gegen die Lehne. «Und was bedeutet das für Gary Lennox?»

Ward spreizte die Finger. «Zum jetzigen Zeitpunkt ist er für die St.-Jude-Ermittlungen weiterhin der Hauptverdächtige. Hier ist der Dreh- und Angelpunkt immer noch die Frage, ob seine Fingerabdrücke mit denen von der falschen Wand übereinstimmen. Wir hatten leider nach wie vor nicht die Chance, das zu überprüfen. In der Zwischenzeit müssen wir Jessop finden und …»

Sie unterbrach sich, weil ihr Handy in der Handtasche klingelte. Sie nahm es heraus. Beim Blick auf das Display wurde ihr Gesicht völlig ausdruckslos.

«Entschuldigen Sie mich bitte.»

Sie kam schwerfällig auf die Beine und verließ den Raum. Nachdem sich die Tür hinter ihr geschlossen hatte, saßen Whelan und ich uns in betretenem Schweigen gegenüber. Er holte sein Telefon heraus und fing an, über den Bildschirm zu scrollen.

«Das läuft nicht gut für Ward, oder?», fragte ich.

Er antwortete nicht gleich, und eine Sekunde lang glaubte ich, er werde es gar nicht tun. Dann ließ er widerstrebend das Telefon sinken.

«Kann man so sagen.»

«Das heute war nicht ihre Schuld.»

«Spielt keine Rolle. Dieser ganze Fall ist ein einziges PR-Desaster. Was vielleicht nicht so schlimm wäre, wenn wir was vorzuweisen hätten, aber zu dem einen Verdächtigen, den wir haben, ist quasi der Zutritt verboten, und der zweite ist auf der Flucht. Das sieht nicht gut aus, egal, wie man es dreht und wendet.»

«Glauben Sie, sie behält die Ermittlungsleitung?»

Wieder eine Pause. «Kommt ganz drauf an», sagte er schließlich. «Wenn uns innerhalb der nächsten vierundzwanzig Stunden ein Durchbruch gelingt, entweder bei Jessop oder bei Lennox, kommt sie vielleicht unbeschadet aus der Nummer raus. Falls nicht …» Er zuckte die Achseln.

Falls nicht, zeigen alle mit dem Finger auf Ward, dachte ich. Eine unerfahrene Ermittlungsleiterin – noch dazu schwanger –, verantwortlich für ihren allerersten Mordfall, wäre ein wunderbarer Sündenbock. Ob das unfair war oder nicht, spielte keine Rolle. Der Fall musste Ward bei ihrer Ernennung als phantastische Gelegenheit erschienen sein.

Jetzt konnte er das Ende ihrer Karriere bedeuten.

Die Tür ging auf, und sie kam ins Zimmer zurück. Unsere Blicke folgten ihr, als sie zu ihrem Platz ging, doch Ward ließ sich nichts anmerken.

«Das Krankenhaus hat sich gemeldet», sagte sie, während

sie sich wieder setzte. «Daniel Mears ist aus dem OP zurück. Er hat das Bein verloren.»

Der arme Kerl. Noch vor ein paar Stunden hatte ich ihn im Pub gesehen, grübelnd und verschlossen. Was auch immer ihn belastet haben mochte, war jetzt völlig bedeutungslos geworden.

«Wenigstens ist er noch am Leben», sagte Whelan.

«Sollen wir das jetzt als Sieg verbuchen, oder was?», fauchte Ward. «Nur ein Toter, der andere verkrüppelt? Verdammt!»

Whelan lief rot an und senkte den Blick. Ward stieß einen langen Seufzer aus.

«Entschuldige, Jack.»

Er nickte, doch sein Kiefer blieb angespannt.

Ward fuhr sich mit der Hand durch die Haare und brachte sie noch mehr in Unordnung als sowieso schon. «Okay. Ich glaube, hier sind wir erst mal fertig. Ich muss zurück ins Präsidium. Wir müssen eine Presseerklärung vorbereiten, und Ainsley will mit Sicherheit einen Bericht.»

«Brauchen Sie mich noch?», fragte ich in der Erwartung, nach Hause fahren zu können.

«Allerdings», sagte sie. «Es gibt noch ein weiteres Problem.»

KAPITEL 26

In der Nacht schlief ich kaum. Die Erinnerung an den Unfall ließ mich bis in die frühen Morgenstunden nicht zur Ruhe kommen, und als ich doch endlich einschlief, dann nur, um kurz darauf wieder hochzufahren, weil ich noch immer das Reifenquietschen und den dumpfen Aufprall hörte. Ich stand früh auf und nahm eine ausgiebige Dusche, die ich bibbernd mit einem eiskalten Schwall abschloss. Hinterher war ich eindeutig wacher, doch der innere Aufruhr hatte sich nicht gelegt. Die Bilder von dem, was mit Oduya und Mears geschehen war, wechselten sich mit Gedanken an Wards Paukenschlag in Sachen Jessop ab. Die Ungeheuerlichkeit der Ereignisse war an sich schon kaum zu begreifen, doch die Erkenntnis, dass der Grund dafür möglicherweise so vollkommen unnötig – so verdammt *banal* – war, machte es noch viel schlimmer. Ich hatte ein gewisses Mitleid für den Bauunternehmer empfunden, weil mir klar gewesen war, dass der Mann trotz seiner Schwächen durch die Hölle ging.

Vorbei.

Ich hatte Sehnsucht nach Rachel. Ich wünschte, ich könnte sie anrufen, aber das ging nicht, solange sie auf See war. Ich versuchte, so zu tun, als wäre es ein ganz normaler Morgen, und flüchtete mich in den Trost von Routine. Ich widerstand dem Drang, die Morgennachrichten einzuschalten, bis ich beim Frühstück saß, für das an diesem Morgen zwei Tassen Instantkaffee und eine Scheibe Toast herhalten mussten. Ich erwartete, dass die Fahrerflucht eines der Hauptthemen sein würde, und so war es auch. Es war seltsam, im Radio zu hören, wie über Oduya und Mears in diesem Kontext gesprochen wurde, und beinahe unfassbar, dass von der charismatischen Persönlichkeit des Aktivisten plötzlich in der Vergangenheitsform die Rede war. Mears' Zustand wurde als ernst, aber stabil bezeichnet, mit zwar lebensverändernden, jedoch nicht lebensbedrohlichen Verletzungen. Das war zwar besser, als es hätte sein können, aber immer noch schlimm genug. Auch dass beide im Zusammenhang mit den St.-Jude-Ermittlungen standen, wurde erwähnt und dazu die unvermeidlichen Mutmaßungen und Kritik an der Vorgehensweise der Polizei. Mit dem, was dann kam, hatte ich nicht gerechnet.

«Die Metropolitan Police fahndet in diesem Zusammenhang nach einem dreiundfünfzigjährigen Mann mit derzeit unbekanntem Aufenthaltsort. Es handelt sich um Keith Jessop, einen Abrissexperten, der auf der Baustelle tätig gewesen sein soll. Der Mann ist möglicherweise gewalttätig, und die Polizei rät, sich ihm, sollte er gesichtet werden, nicht zu nähern.»

Ich legte die kalt gewordene Toastscheibe beiseite. Mir war der Appetit vergangen. Jetzt also das: Ward hatte sich tatsächlich für den Knalleffekt entschieden und Jessops Namen veröffentlicht. Ich vermutete, dass Ainsley sie unter Druck gesetzt hatte, zu demonstrieren, dass die Polizei handelte. Trotzdem hatte ich nicht so schnell damit gerechnet. Der Maßnahme haftete etwas Unwiderrufliches an, sie war wie ein blinder Schritt, den man in der Hoffnung machte, dass der Boden sich dort befand, wo man ihn vermutete.

Ich goss den Rest Kaffee in den Ausguss, griff mir meinen Mantel und ging.

Auf dem Weg zum Aufzug warf ich eine Tüte Abfall in den Müllschacht. Der Container war bereits ersetzt worden, und das einzige Anzeichen dafür, dass es je gebrannt hatte, war der kalte, nach altem Rauch riechende Luftzug beim Öffnen der Klappe. Was immer ich auch an Ballard Court auszusetzen hatte, die Anlage war effizient, das ließ sich nicht leugnen.

Trotz der frühen Uhrzeit herrschte bereits reger Verkehr. Ward hatte mich gebeten, noch einmal ins Leichenschauhaus zu fahren, ehe ich mich wieder dem Hundesuchtrupp anschloss. Sie wollte, dass ich die skelettierten Überreste von Darren Crossly und der Frau in Augenschein nahm, die man für Maria de Souza hielt. Ihre Identität war noch immer nicht offiziell bestätigt. Dies war das «weitere» Problem, von dem Ward gesprochen hatte. Trotz seines Getues hatte Mears sich offenbar bis jetzt davor gedrückt, Ward – oder sonst jemanden – an seinen Ergebnissen teilhaben zu lassen.

«Weiß der Teufel, was er getrieben hat. Er hat uns seit Tagen hingehalten, hat versprochen, endlich den Bericht vorzulegen, aber es gab ständig einen Grund, weshalb er dann doch nicht damit rüberkam», hatte sie mir erzählt. «Wir hatten ihm die Zahnarztunterlagen von de Souza geschickt, damit er ihr Zahnschema mit dem der Leiche vergleichen konnte, doch das hat er auch nicht fertiggebracht. Und falls doch, hat er niemandem etwas darüber gesagt.»

«Hat BioGen keinen Zugang zu seinen Dateien?», hatte ich gefragt.

«Nicht zu denen, auf die es ankommt. Aus irgendeinem Grund hat er nichts davon auf die Firmenseite geladen, und sowohl sein Laptop als auch die Cloud sind passwortgeschützt. Solange er nicht bei Bewusstsein ist, gibt es keine Möglichkeit, an seine Daten ranzukommen.»

Im Pub hatte Mears gemurmelt, Ward würde ihm nicht die Chance geben, einen Job zu Ende zu machen, ehe sie ihm den nächsten hinlegte. Ich hatte daraus den Schluss gezogen, dass es etwas gab, woran er festhing, aber vielleicht gab es noch einen anderen Grund für die Verzögerung. Er hatte Crossly bereits identifiziert, und der Abgleich der Zähne des weiblichen Opfers mit Maria de Souzas Unterlagen hätte eigentlich relativ unkompliziert sein müssen.

Trotzdem war ihm die Sache offenbar wieder entgleist.

Seit ich in der versteckten Kammer den ersten Blick auf sie geworfen hatte, hatte ich mir gewünscht, die beiden eingemauerten Leichen untersuchen zu dürfen. Doch auch in der Nacht, als ich Mears geholfen hatte, war für mehr als einen neugierigen Blick keine Zeit gewesen, und normalerweise hätte ich mich über die Möglichkeit gefreut, endlich mehr herauszufinden. Aber nicht unter diesen Umständen.

Die Straße direkt vor dem Leichenschauhaus war noch immer abgesperrt. Ich hatte ein paar Straßen weiter geparkt, und als ich näher kam, zog sich alles in mir zusammen. Von dem Blutbad am Vorabend war kaum mehr etwas zu sehen. Der nächtliche Regen hatte den Asphalt sauber gewaschen, und auch der gerammte Lieferwagen war inzwischen abgeschleppt worden. Wären das im Wind flatternde Absperrband und ein paar wenige Plastikteile von dem zertrümmerten Außenspiegel des Lieferwagens nicht gewesen, hätte ich mir die ganze Sache genauso gut auch eingebildet haben können. Die Menschen gingen bereits wieder die Straße entlang. Jemand war gestorben, doch die Welt drehte sich weiter.

So wie immer.

Da die Straße gesperrt war, benutzte ich den Seiteneingang. Erst als ich das Gebäude betreten hatte, wurde mir bewusst, dass Oduyas Leichnam womöglich jetzt hier lag, irgendwo im Dunkel eines Kühlfachs. Das unwirkliche Gefühl wurde stärker, als ich bei der Anmeldung Mears' Unterschrift vom Vorabend entdeckte. Direkt unter seinem stand mein eigener Name, und Whelans Worte kamen mir wieder in den Sinn: «*Und Glück für Sie. Hätten Sie das Leichenhaus als Erster verlassen, hätte es vielleicht Sie erwischt.*»

Ich setzte meinen Namen auf ein neues Blatt und ging mich umziehen.

Die Neonröhren tauchten den Untersuchungsraum in grelles Licht. Ich trat an einen der Kühlschränke und entnahm ihm die gereinigten Knochen des weiblichen Opfers. Mears hatte die Überreste beider Opfer weggeschlossen, ehe er ging, und war dabei ebenso akribisch gewesen wie beim Arrangieren der Knochen.

Ich holte das zerlegte Skelett der Frau aus der Kiste und begann damit, es sorgfältig auszulegen, platzierte jeden einzelnen Knochen in seiner anatomisch korrekten Position auf dem Tisch. Zugegeben, nicht ganz so akribisch wie Mears es getan hatte, doch das war auch nicht nötig. Hier ging es um Informationen, nicht um Ästhetik.

Die gelblich braunen Brandwunden auf den Knochen sahen aus wie kleine Schmutzflecke. Mears hatte bereits Proben genommen, um sie unter dem Mikroskop zu untersuchen, und es juckte mich in den Fingern, sie endlich selbst in Augenschein zu nehmen. Aber eins nach dem anderen. Zuallererst musste ich herausfinden, ob dies die Leiche von Maria de Souza war.

Ich ging genauso vor, wie ich es bei Christine Gorski getan

hatte. Sobald ich das Skelett zusammengesetzt hatte, erstellte ich ein Zahnschema und notierte mir dabei sowohl Karies oder sonstige Schäden als auch eine detaillierte Beschreibung der Position von Füllungen, Kronen und weiterer Zahnbehandlungen. Erst als das erledigt war, wandte ich mich den Zahnarztunterlagen von Maria de Souza zu. Ward hatte mir gesagt, dass sie beim zweiten Versuch endlich Glück gehabt und den Zahnarzt der Frau hatten ausfindig machen können. Als ich die Unterlagen durchging, verstärkte sich meine Verwirrung. Als ich Mears im Pub nach der Identifizierung gefragt hatte – unvorstellbar, dass das wirklich erst gestern gewesen war –, hatte er mir fast den Kopf abgerissen. Aber ich konnte überhaupt nicht sehen, weshalb. Der Abgleich war sogar noch unkomplizierter, als es bei Christine Gorski der Fall gewesen war. Die Zähne dieser Toten waren in besserem Zustand als die der Drogenabhängigen, was darauf hinwies, dass sie, ob sie nun mit Drogen gehandelt hatte oder nicht, in keiner derart starken Abhängigkeit gefangen gewesen war. Genauer gesagt, jede einzelne Füllung und jede Krone in den gereinigten Kieferknochen stimmte mit denen in Maria de Souzas Zahnarztunterlagen überein.

Auf eine einfachere Identifizierung konnte jemand in meinem Beruf gar nicht hoffen. Mears musste das ebenfalls gesehen haben. Was also hatte ihn gehindert?

Ich sah mir noch einmal die Zähne der Toten an. Die einzigen Merkmale, die nicht in den Unterlagen verzeichnet waren, waren Risse in mehreren Mahlzähnen. Die Beschädigung war beidseitig, sowohl oben als auch unten, doch es gab keinerlei Lockerung oder auch Absplitterungen, die auf einen Schlag ins Gesicht verwiesen hätten. Die Risse sahen eher wie Schäden aus, die durch hohen Druck verursacht wurden, als hätte sie die Zähne so fest zusammengebissen, dass sie brachen.

Sie wurde gefoltert und in einem verfallenen Krankenhaus eingemauert, gefesselt und im Dunkeln allein gelassen, um zu sterben. Da würdest du auch mit den Zähnen knirschen.

Doch etwas begann, an mir zu nagen. Ich dachte an die Wunden, die ich an beiden Opfern bemerkt hatte, die aufgescheuerten Stellen, wo sie gegen die Gurte angekämpft hatten, um sich zu befreien. Doch so schrecklich die Vorstellung auch war, wahrscheinlich hatten sie den Schmerz dabei nicht mal bemerkt. Derart von Todesangst getrieben, wäre das eine natürliche Reaktion gewesen.

Eine natürliche Reaktion ...

Ich nahm eine der Rippen zur Hand, die ein Brandmal aufwies. Das schmutzige Gelb erinnerte an die Nikotinfinger eines Rauchers. Außerdem war es wirklich klein und für ein Brandmal nach wie vor ungewöhnlich begrenzt. Mein Herz fing an, schneller zu schlagen, als plötzlich eine Idee Form annahm. *Himmel! Könnte es das sein? Ist das möglich?*

Ich legte die Rippe beiseite, streifte die Handschuhe ab und zog ein frisches Paar aus dem Spender. Ich trat an ein anderes Kühlfach und holte die Box mit dem zerlegten Skelett von Darren Crossly heraus. Mears hatte die Knochen mit der für ihn üblichen Sorgfalt verstaut, und was ich suchte, lag ziemlich weit oben. Ich entnahm der Schachtel Schädel und Unterkieferknochen, trug sie zu einem Sektionstisch und schaltete die Lampe der Lupe ein.

Auch Crosslys Zähne hatten Risse.

Es klopfte, und ich erschrak. Ich drehte mich zur Tür, und noch ehe ich antworten konnte, schwang sie bereits auf.

Es war Ainsley.

«Morgen, Dr. Hunter. Haben Sie was dagegen, wenn ich reinkomme?»

Da er bereits im Raum stand, sparte ich mir die Antwort. Der Commander wirkte frisch und ausgeruht. Statt einer Uniform trug er einen dunkelblauen Anzug mit weißem Hemd und blasser Krawatte. Das Jackett war maßgeschneidert und schmeichelte seiner athletischen Figur. Er blieb in einiger Entfernung von mir stehen und hob die Hände.

«Ich weiß, ich habe mich nicht umgezogen, aber ich fasse nichts an. Ich werde auch nicht lange bleiben.»

«Ist alles in Ordnung?»

«Es gab keine weiteren Krisen, falls Sie das meinen. Ich wollte nur kurz reinschauen und sehen, wie Sie vorankommen.»

Sogar auf die Entfernung war sein Aftershave so deutlich zu riechen, dass es die chemischen Gerüche des Untersuchungsraums überdeckte.

«Ich fange gerade an.» Behutsam legte ich den Schädel und den Unterkiefer in die Box zurück. Ich würde die Überreste von Daren Crossly später im Detail untersuchen. Für den Moment hatte ich gesehen, was ich sehen wollte. «Gibt es was Neues von Daniel Mears?»

Ainsley musterte das Skelett der Frau. «Noch nicht. Dass er ein Bein verloren hat, haben Sie gehört?»

«DCI Ward hat es mir erzählt.»

«Eine furchtbare Sache. Sie waren auch vor Ort, nicht wahr?»

Ich nickte. Ich wollte nicht darüber reden. «In den Nachrichten heißt es, Sie fahnden nach Keith Jessop.»

Ich würde nicht erwähnen, was Ward mir bereits erzählt hatte; nämlich dass die Polizei den Bauunternehmer auch in Zusammenhang mit den anderen Morden vernehmen wollte.

Ainsley schürzte die Lippen, vielleicht, weil er sich spontan daran erinnerte, dass Jessops Faust ihn genau dort getroffen hatte.

«Die Entscheidung, zu diesem Zeitpunkt seinen Namen bekanntzugeben, ist uns nicht leichtgefallen, aber je eher er in Gewahrsam kommt, desto besser. Der Mann ist nicht nur für andere eine Gefahr, sondern auch für sich selbst. Sehr bedauerlich, dass man den Namen nicht schon früher veröffentlicht hat.»

Mit «man» meinte er vermutlich Ward. Die Schuldzuweisungen hatten bereits begonnen.

«Welches ist das hier?», fragte Ainsley mit Blick auf das Skelett. Er hätte genauso gut über Autoersatzteile sprechen können.

«Das ist die Frau, die bei Darren Crossly gefunden wurde.»

«Ah ja, die, von der wir vermuten, dass es sich um seine portugiesische Exfreundin handelt. Arbeiten Sie noch an der Identifizierung?»

«Richtig.»

Das war nicht unbedingt gelogen. Der Zahnabgleich hatte zwar bewiesen, dass es sich um Maria de Souza handelte, aber ich wollte noch nach verheilten Knochenbrüchen oder anderen eindeutigen Merkmalen suchen, um die Identifizierung zu bestätigen. Ich hätte Ainsley also sagen können, was ich wusste, doch seine unterschwellige Kritik an Ward gefiel mir nicht. Auch wenn Ainsley über ihr stand, war sie immer noch die leitende Ermittlerin.

Noch.

Ainsley nickte beiläufig, die Antwort schien ihn nicht zu interessieren. In dem Augenblick wurde mir klar, dass er aus einem anderen Grund gekommen war.

«Ich habe DCI Wards Entscheidung, Sie zu bitten, Mears' Arbeit zu übernehmen, übrigens gutgeheißen», sagte er, löste den Blick von dem Skelett und sah mich mit seinen undurchdringlichen Porzellanaugen an.

«BioGen wollte Ersatz für ihn schicken, aber mir war die Wahrung der Kontinuität wichtiger. Sie sind mit dem Fall bereits vertraut und können nahtlos anknüpfen. Und, ohne Dr. Mears zu nahe treten zu wollen, ich fand es, offen gesagt, besser, jemanden mit Erfahrung im Boot zu haben.»

So wie er redete, klang es, als sei es allein seine Idee gewesen. «Ich gebe mein Bestes», sagte ich ungerührt.

«Davon bin ich überzeugt.» Ainsley zupfte sich einen für mich unerkennbaren Fussel vom Jackett. «Ich muss Ihnen sicher nicht sagen, dass wir, was diesen Fall betrifft, unter gehöriger Beobachtung stehen. Wir schlittern, offen gesagt, von einer Katastrophe in die nächste, und wir können uns nicht erlauben, dass das so weitergeht. Natürlich konnte niemand vorhersehen, in welche Richtung sich die Ermittlungen entwickeln würden, doch obgleich ich für DCI Ward allergrößten Respekt hege, war es, im Rückblick betrachtet, wohl doch unfair, ihr ein solches Maß an Verantwortung zuzumuten.»

Jetzt kommt's. Whelan hatte geahnt, dass man Ward die Schuld zuschieben würde, und Ainsley verschwendete keine Zeit. «Weil sie schwanger ist?»

Er ruderte blitzschnell zurück. «Nein, selbstverständlich nicht. Aber es ist ihr erster Fall als leitende Ermittlerin, deshalb ist es nicht verwunderlich, dass sie … überfordert ist.»

«Ich hatte den Eindruck, sie macht das recht gut.»

Das sagte ich nicht nur aus Loyalität zu Ward. Sie stand unter großem Druck, aber sie war auch gezwungen gewesen, mit rasanten Entwicklungen umzugehen, die so niemand hatte vorhersehen können. Außerdem vergaß Ainsley bequemerweise, dass es seine Idee gewesen war, ein privates Forensikunternehmen ins Boot zu holen. Mit dem Resultat dieser Entscheidung mussten wir uns jetzt herumschlagen.

Er nickte bedächtig. «Bloß weiß ich nicht, ob die Ereignisse Ihre Einschätzung unterstützen. Vor allem nicht nach den furchtbaren Geschehnissen des gestrigen Abends.»

Ich sah beim besten Willen nicht, wie Ward den tätlichen Angriff hätte vorausahnen, geschweige denn verhindern können. Doch ich wusste auch, dass jede Diskussion zwecklos war.

«Warum sagen Sie mir das?»

Zivile Berater standen in der Hackordnung viel zu weit unten, um in derartige Überlegungen miteinbezogen zu werden. Es gab definitiv keinen Grund, weshalb ein Commander der Metropolitan Police mich persönlich in Kenntnis setzen sollte, falls er vorhatte, Ward als Ermittlungsleiterin abzulösen.

Ainsley musterte mich nachdenklich. «Ich weiß, dass Sharon Ward und Sie ein sehr gutes Arbeitsverhältnis haben, aber wir können uns keine weiteren Fehler leisten. Weit von irgendwelchen Schuldzuweisungen entfernt, bin ich doch der Meinung, dass es dem Rest der Mannschaft obliegt, so gut wie möglich jeden weiteren Druck von ihr abzuwenden. Deshalb möchte ich, dass Sie in Zukunft direkt an mich berichten.»

«Verlangen Sie von mir, dass ich DCI Ward übergehe?»

«Keineswegs. Sie ist die leitende Ermittlerin, und Sie sollen unbedingt weiter wie gehabt an sie berichten. Aber ich möchte über alle Erkenntnisse ebenfalls ins Bild gesetzt werden.»

Also wurde Ward nicht abgelöst. Sie bekam Bewährung,

während Ainsley im Hintergrund jeden ihrer Schritte überwachte und zweifellos sämtliche Fäden zog.

«Weiß sie davon?», fragte ich ihn.

«DCI Ward ist Realistin.»

Das war zwar keine Antwort, aber ich schloss daraus, dass sie nicht informiert war. Ainsley zog eine Karte aus der Brieftasche und legte sie neben sich auf die Arbeitsfläche. «Verstehen wir uns, Dr. Hunter?»

«Ich denke schon.»

«Ausgezeichnet.» Er zupfte an seinem Hemdsärmel und sah auf die Uhr. «Ich muss weiter. Bald beginnt die Obduktion.»

«Die von Adam Oduya?» Dass Ainsley deshalb hier sein könnte, war mir gar nicht in den Sinn gekommen.

«Ja. Sie ist für zehn Uhr angesetzt. Nicht hier, im Leichenschauhaus Belmont Road», fügte er noch hinzu, als er meinen Blick auf die Wanduhr bemerkte. «Es erschien uns angemessener, die Autopsie an einem anderen Ort durchzuführen. Schließlich ist er direkt vor der Tür getötet worden. Ich habe bloß einen kurzen Umweg zu Ihnen gemacht.»

Er ging zur Tür, blieb stehen und drehte sich noch einmal um.

«Ach, eines noch. Ich weiß zu schätzen, dass Sie uns auf Gary Lennox aufmerksam gemacht haben, aber bitte vergessen Sie nicht, dass Sie hier als ziviler Berater fungieren. Jegliche ermittlungstechnischen Aspekte – potenzielle Verdächtige absolut eingeschlossen – sollten den ermittelnden Beamten überlassen bleiben. Ich kann Sie natürlich verstehen, und es handelte sich auch um eine vielversprechende Spur. Bloß schade, dass sie zu nichts führte.»

«Was meinen Sie damit?» Wenn ich Ward am Vorabend

richtig verstanden hatte, warteten sie immer noch darauf, Lennox' Fingerabdrücke überprüfen zu dürfen.

«Ich dachte, DCI Ward hätte Sie bereits in Kenntnis gesetzt», sagte Ainsley einen Hauch zu glatt, um überzeugend zu wirken. «Es ist uns gelungen, an seine Fingerabdrücke zu kommen. Weder seine noch die seiner Mutter stimmen mit den Spuren vom Tatort überein. All die Zeit und der Aufwand waren umsonst. Na ja, nicht ganz *umsonst*. Wenigstens bekommt Lennox jetzt angemessene Pflege, und das ist auch was wert. Doch für den Zweck wäre ein Anruf beim Sozialdienst absolut ausreichend gewesen.»

Die eiskalten Porzellanaugen hielten meinen Blick fest.

«Ich will Sie nicht länger aufhalten, Dr. Hunter. Sie wissen, wie Sie mich erreichen können.»

KAPITEL 27

Nachdem Ainsley gegangen war, legte ich eine Pause ein. Ich ging aus dem Zimmer, holte mir am Wasserspender auf dem Gang etwas zu trinken und ließ mir noch einmal durch den Kopf gehen, was ich eben erfahren hatte. Der Besuch des Commanders hatte mich aus dem Konzept gebracht. Die gute Nachricht lautete, dass Ward immer noch Ermittlungsleiterin war, und solange das so war, ging alles, was ich zu berichten hatte, ausschließlich an sie. Ich hatte nicht vor, sie zu hintergehen, wie Ainsley es von mir verlangt hatte. Was mir Sorgen bereitete, war die Tatsache, dass er mich überhaupt darum gebeten hatte. Ward war in der Lage, auf sich selbst aufzupassen, und ich hatte keine Zweifel, dass sie sich absolut darüber im Klaren war, in welch heikler Lage sie sich befand. Von einem hochrangigen Vorgesetzten untergraben zu werden, war trotzdem kein gutes Zeichen.

Ainsleys zweite Information war noch beunruhigender. In Bezug auf Jessop hatte er recht: Der Bauunternehmer war für sich selbst und andere eine Bedrohung, und je früher er in Gewahrsam kam, desto besser. Doch solange die Polizei keine Beweise dafür fand, dass er in die St.-Jude-Morde verwickelt war, standen die Ermittlungen wieder ganz am Anfang, ohne Spuren, ohne Verdächtige. Ich hatte mich gerade erst an den

Gedanken gewöhnt, dass Gary Lennox womöglich schuldig war und seine Mutter vielleicht log, um ihn zu beschützen. Jetzt stellte sich heraus, dass die Fingerabdrücke vom Tatort weder zu ihm noch zu ihr gehörten. Wir hatten die ganze Zeit falschgelegen.

Und ich hatte Lola und ihren Sohn völlig umsonst einer Polizeiaktion ausgesetzt.

Ich war aus dem Lot, fühlte mich, als hätte ich schwankenden Boden unter den Füßen. Das lag zum Teil sicher noch an den Ereignissen des Vorabends. Ich war dabei gewesen, als ein Mann, den ich kannte, vorsätzlich von einem Wagen erfasst und getötet und ein zweiter schwer verletzt worden war. Mir war klar, dass ich, als Arzt gefragt, von einer posttraumatischen Belastungsstörung sprechen und zu einer Therapie oder zu Coaching raten würde. Das wäre gewiss ein guter Rat gewesen, doch ich hatte meine eigene Art, mit den Dingen fertigzuwerden.

Ich trank aus, warf den Becher in den Mülleimer und ging zurück an die Arbeit.

Kaum hatte sich die Tür des Untersuchungsraums hinter mir geschlossen, konnte ich mich wieder fokussieren. Die Risse in den Zähnen von Maria de Souza und Darren Crossly hatten einen ersten Anhaltspunkt geliefert, womit wir es womöglich zu tun hatten. Jetzt musste ich es nur noch beweisen.

Mears hatte gesagt, es gäbe dreizehn Brandmale auf dem Skelett der Frau, auf mehrere Knochen verteilt und augenscheinlich zufällig platziert. Auf den ersten Blick entdeckte ich nur acht. Eines befand sich auf dem knöchernen Vorsprung des Warzenfortsatzes am Schläfenbein, direkt unterhalb des rechten Ohrs. Ein weiteres lag auf dem rechten Schlüsselbein und noch zwei weitere auf der siebten und achten Rippe links.

Das Schambein trug eine einzelne Brandwunde, erheblich größer als alle anderen, und die übrigen drei befanden sich auf den Mittelfußknochen, zwei rechts und eine links. Sie lagen auf der Knochenunterseite und ließen darauf schließen, dass sie Maria de Souza zugefügt wurden, nachdem sie ans Bett gefesselt worden war und ihre nackten, verletzlichen Fußsohlen freilagen.

Bis auf diese beiden und die Wunde hinter dem Ohr – von deren Entstehung ich langsam eine Vorstellung gewann – lagen sämtliche gelbbräunlichen Male frontal auf den Knochen. Was bedeutete, dass die Verletzungen im Liegen zugefügt worden waren. Ich verstand nicht gleich, wie Mears auf dreizehn anstatt acht gekommen war, doch dann sah ich näher hin. Der große, verfärbte Fleck auf dem Schambein war keine einzelne Wunde, sondern bestand aus mehreren nahe beieinanderliegenden und sich überlappenden Brandmalen. Als ich das erkannte, entspannte ich mich. Eine großflächige Verbrennung hätte nicht zu meiner Theorie gepasst, diverse kleine jedoch schon.

Denn genau darum handelte es sich, da hatte ich keine Zweifel: Verbrennungen. Was das betraf, hatte Mears recht gehabt. So belanglos die kleinen Flecke auch wirkten, mir war klar, dass von ihnen unerträgliche Schmerzen ausgegangen sein mussten. Allerdings glaubte ich nicht, dass es sich um Brandzeichen handelte. Es war zutreffend, dass ein Lötkolben oder etwas in der Art auf den Knochen zu kleinen, an den Rändern begrenzten Brandmalen ähnlich diesen geführt hätte. Ein solches Gerät hätte jedoch weit größere Schädigung des Weichgewebes nach sich gezogen, als wir sie gesehen hatten. Haut und Muskelfleisch über dem Knochen wären fast vollständig weggebrannt worden.

Ich nahm den Schädel zur Hand und drehte ihn, um den Brandfleck auf dem Warzenfortsatz in Augenschein zu nehmen. Es bestand die Chance, dass Maria de Souza die Verletzung im Liegen zugefügt worden war, den Kopf zur Seite gedreht, um die Stelle hinter dem Ohr zu entblößen. Doch das glaubte ich nicht. Es war passiert, während sie noch stand. Und es war die erste gewesen.

Mears, wo warst du mit deinen Gedanken? Du hattest es direkt vor deiner Nase.

Eilig führte ich eine Bestandsaufnahme des übrigen Skeletts durch, entdeckte nichts von Belang und verstaute die Knochen wieder in ihrer Box. Ich desinfizierte die Arbeitsfläche, wechselte die Handschuhe und machte mich als Nächstes an Darren Crosslys Skelett. Seine Knochen erzählten eine ähnliche Geschichte wie die von Maria de Souza. Zahlreiche kleine Brandmale mit der Farbe von Nikotinflecken, alle an Stellen, wo der Knochen lediglich von einer dünnen Schicht Epidermis und Unterhautfettgewebe geschützt wurde. In seinem Fall Rippen, Schienbein, die Mittelknochen beider Hände und Füße – die Handrücken, bei den Füßen die Sohlen. Die Warzenfortsätze jedoch wiesen keinerlei Verbrennungen auf, was mir kurzfristig Kopfzerbrechen bereitete. Dafür fand sich bei ihm ein Brandmal auf dem Sternum, eher am unteren Ende des klingenförmigen Brustbeins. Als ich das entdeckte, begann ich zu verstehen, was mit ihm geschehen war.

Ich verstaute auch das Skelett des ehemaligen Pflegehelfers in seiner Box und wandte mich den Knochenpräparaten zu, die Mears hergestellt hatte. Eine Scheibe vom Knochen zu schneiden, die dünn genug ist, um unter dem Mikroskop betrachtet zu werden – vor allem bei Brandmalen, wo das Gewebe spröde ist –, erfordert einiges Geschick. Mears hatte die ausgewählten Knochen in Kunstharz gelegt und dann ein Mikrotom benutzt, um hauchdünne Scheiben herunterzuschälen. Dieses Vorgehen erfordert ein gutes Auge und eine ruhige Hand. Ungeachtet seiner charakterlichen Schwächen hatte der forensische Taphonom bis ins kleinste Detail hervorragende Arbeit geleistet. Seine Präparate waren perfekt und ersparten mir die Mühe, selbst welche herzustellen.

Ich legte ein Knochenpräparat von Maria de Souzas Rippe unter das Mikroskop und beugte mich über das Okular.

Die Welt verwandelte sich in eine helle Fläche aus Braun-Grau-Tönen und Weiß. Ich suchte vor allem nach den Osteone genannten, zylindrischen Strukturen. Diese bilden die äußere Schicht des Knochens und transportieren Blut durch einen Zentralkanal – auch wenn hier kein Blut mehr zu finden war. Hier waren sie von der Hitze entfärbt worden, und ich fand die Stellen, wo sich Mikrofrakturen gebildet hatten. Auch das Periost – die als Knochenhaut bezeichnete faserige Membran, die den Knochen bedeckt – hatte Schaden genommen.

Das war bei Knochen, die Verbrennungen aufwiesen, nicht anders zu erwarten gewesen. Was mich interessierte, waren die Abmessungen der Brandmale. Ich war von Anfang an erstaunt darüber gewesen, wie klein sie waren, wie eng umrissen die entfärbten Bereiche sich darstellten. Mears hatte daraus geschlussfolgert, dass auch das Instrument, das die Male verursacht hatte, lokal sehr begrenzt gewesen sein musste, ein Lötkolben etwa, der die Hitze an der Spitze auf einen Punkt gebündelt hatte. Die Mutmaßung war nachvollziehbar, und Mears hatte sämtliche nachfolgenden Schlussfolgerungen davon abgeleitet.

Das war der Fehler gewesen.

Ich untersuchte die restlichen Präparate und sah jedes Mal

dasselbe. Ich räumte sie weg und überlegte, ob ich Ward anrufen sollte, um ihr zu sagen, was ich herausgefunden hatte. Doch vorher musste ich noch eine Sache überprüfen.

Etwas, auf das ich lieber verzichtet hätte.

Während ich zum St. Jude rausfuhr, versuchte die Sonne, sich aus den Wolken hervorzukämpfen. Als ich die Zufahrt erreichte, tauchte sie die steinernen Säulen und das rostige Schmiedeeisen kurz in goldenes Licht, das sofort wieder matter wurde, weil schon die nächsten Wolken aufzogen.

Die junge Polizistin und ihr älterer Kollege hatten Dienst. Sie lächelte mir fröhlich zu.

«Wieder da?»

«Hoffentlich ist bald Schluss damit.»

«Wem sagen Sie das.»

Sie winkte mich durch, ich passierte die mannshohen Schutthügel und registrierte die inzwischen schon vertraute Schwere, als der alte Klotz vor mir aufragte. Weder Ward noch Whelan waren ans Telefon gegangen, als ich versucht hatte, sie zu erreichen. Also hatte ich eine Nachricht auf der Mailbox hinterlassen, mit der Bestätigung, dass die weiblichen Überreste tatsächlich zu Maria de Souza gehörten und wir dringend miteinander sprechen müssten, hatte allerdings nicht gesagt, weshalb. So etwas sprach man nicht auf eine Mailbox, und da ich sowieso ins St. Jude zurückmusste, um mich wieder der Spürhundsuche anzuschließen, würde ich dort hoffentlich wenigstens einem von beiden über den Weg laufen.

Ich parkte neben den Polizeianhängern und Einsatzfahrzeugen und sah beide zusammen auf der Freitreppe sitzen. Sie unterhielten sich mit Jackson, dem polizeilichen Suchexperten. Er trug einen schmutzigen Overall, und als ich mich näherte, kamen zeitgleich ein paar weiß gewandete Polizisten aus dem Gebäude. Entweder die Suchmannschaft war mit ihrer Arbeit fertig oder legte eine Pause ein. Weil ich nicht unterbrechen wollte, wartete ich im Hintergrund, bis das Gespräch beendet war.

Selbst aus dieser Entfernung war ich schockiert über Wards Anblick. Sie hatte schon am Vorabend erschöpft gewirkt, aber jetzt war sie regelrecht ausgezehrt, das Gesicht hohlwangig und verhärmt. Selbst das widerspenstige Haar wirkte strohig, als sie Jackson zunickte und sich dann abwandte. Als der Suchexperte auf die Anhänger zuging, standen Whelan und Ward auf und kamen die Stufen herunter.

«Falls Sie zur Spürhundsuche gekommen sind, die hat sich erst mal erledigt», sagte sie, als ich zu ihnen trat. «Der Hund hat sich einen Nagel eingetreten, und seine Trainerin ist mit ihm zum Tierarzt gefahren. Aber es ist wohl nicht allzu schlimm, und ich gehe davon aus, dass wir morgen weitermachen können.»

Sie klang so erschöpft, wie sie aussah, apathisch und schlapp.

«Haben Sie meine Nachricht erhalten?», frage ich.

«Wegen Maria de Souza? Danke. Wir sind immer noch auf der Suche nach Wayne Booths Zahnarzt, um rauszufinden, ob die Prothese aus dem Kessel seine war. Man sollte meinen, irgendwer müsste doch wissen, ob der Kerl eine Zahnprothese trug oder nicht, doch offensichtlich ist niemand sich sicher.» Dann straffte sie sich. «Sie sagten, Sie müssten uns etwas mitteilen?»

«Ich habe mir die Brandwunden bei Crossly und de Souza angesehen», sagte ich. «Es handelt sich nicht um hitzebedingte Verbrennungen.»

«Wie bitte? Sagen Sie das noch mal», sagte Whelan.

«Es handelt sich um Strommarken. Jemand hat den Opfern wiederholt Stromstöße verpasst, die so stark waren, dass sie bis auf die Knochen vordrangen.»

«Sind Sie sicher?» Plötzlich klang Ward hellwach.

«So sicher ich sein kann. Optisch wäre das sehr ähnlich, aber hitzebedingte Verbrennungen sind größer und weniger konzentriert. Deshalb waren die Male so klein und beinahe ohne sichtbare Versengungen. Der Strom wird durch Haut und Muskeln hindurchgeleitet. Beide Verbrennungsarten können zu Frakturen führen, sind sie jedoch strombedingt, entstehen zusätzlich Schäden im Mikrobereich. Die Knochenstruktur erleidet mikroskopisch kleine Risse, und auf die bin ich gestoßen. Das erklärt auch die anderen Verletzungen, die größeren Frakturen an den Armen. Und die von den Gurten verursachten Abschürfungen stammen weder von Schlägen noch von Fluchtversuchen, sondern von heftigen Spasmen. Außerdem weisen die Zähne beider Opfer Risse auf, die auf Krampfanfälle schließen lassen.»

«Gott!» Ward war jetzt ganz bei mir, wägte eilig ab, was diese Information zu bedeuten hatte. «Was kann es gewesen sein? Eine Elektroschockwaffe, ein Taser etwa?»

Ich schüttelte den Kopf. «Ich glaube nicht. Ein Taser hätte nicht genug Spannung, um solche Verletzungen zu verursachen. Da es in dem Gebäude keinen Strom mehr gab, muss es trotzdem etwas Tragbares gewesen sein.»

«Wir haben Autobatterien gefunden», sagte Whelan. «Wir dachten, die wären einfach illegal entsorgt worden, aber falls man ein Überbrückungskabel benutzt hätte, hätte die Spannung dann ausgereicht?»

«Wenn es genügend waren, vielleicht, ich weiß es nicht», gab ich zu.

Das war für mich unbekanntes Terrain. Es gab nicht viele Studien zu durch Strom verursachten Verbrennungen auf Knochen, und mir selbst waren sie erst ein paarmal untergekommen. Es hatte sich um die Auswirkungen von massiven Stromschlägen aufgrund fehlerhafter Verdrahtung oder um Arbeitsunfälle gehandelt, und in einem Fall um einen Blitzschlag. Nicht im Entferntesten vergleichbar mit dem hier.

«Was auch immer es war, ich glaube nicht, dass es nur zur Folter benutzt wurde. Die Lage der Brandmale lässt zwar darauf schließen, dass die meisten Stromstöße den Opfern im Liegen zugefügt wurden, dennoch weist Maria de Souza außerdem ein Mal hinter dem Ohr auf, und Darren Crossly eines mittig auf dem Brustbein. Ich glaube, man hat ihnen Elektroschocks verabreicht, um sie zu betäuben, ihm frontal und ihr von jemandem, der hinter ihr stand.»

«Vielleicht versuchte sie zu fliehen.» Whelan kratzte sich nachdenklich am Kinn. «Zuerst wird der Große betäubt, weil er gefährlicher ist, und dann seine Freundin, als sie versucht, wegzulaufen.»

Ward nickte. «Das ergibt Sinn. Aber warum zum Teufel hat Mears das nicht erkannt?»

«Ich glaube, das hat er. Er wollte es nur nicht zugeben», sagte ich. «Er hatte die Wunden von Anfang an als durch Hitze verursacht identifiziert, und es war ihm nicht möglich, von seiner Theorie abzuweichen. Ich glaube, das ist der Grund, weshalb er so lange brauchte. Und warum er kein einziges Mal mit Ihnen gesprochen hat. Er konnte einfach nicht akzeptieren, dass die Fakten nicht zu seiner Theorie passten.»

Dieses Phänomen war als kognitive Verzerrung bekannt. Ich kannte mehr als nur einen Akademiker, der in diese Falle getappt war und sich trotz sich häufender Beweise starrsinnig weigerte zuzugeben, dass er einen Fehler gemacht hatte. Das passierte auch älteren Kollegen, doch bei Mears hatten sich Arroganz und ein eklatanter Mangel an Erfahrung gepaart. Er war so verzweifelt darauf aus gewesen, sich in seinem ersten großen Fall zu beweisen, dass er den eigentlichen Auftrag völlig aus den Augen verloren hatte.

Doch das war momentan das geringste seiner Probleme.

Ward dachte offensichtlich dasselbe. «Also gut, Daniel Mears hin oder her, wenigstens wissen wir jetzt, wie die Opfer überwältigt und wie sie gefoltert wurden. Das ist ein Schritt in die richtige Richtung. Sonst noch was?»

Es klang, als wollte sie mich entlassen, aber ich war noch nicht fertig. «Ja, doch, es gibt noch etwas», sagte ich. «Ich vermute, mit Christine Gorski ist dasselbe passiert.»

Ward sah mich stirnrunzelnd an. «Ich dachte, sie hatte keine Verbrennungen?», sagte sie.

«Nicht, soweit ich erkennen konnte. Aber es ist möglich, dass sie Brandmale an Stellen hatte, die wir nicht untersuchen konnten.»

Wards Gesichtsausdruck verriet, dass sie verstanden hatte. «Am Bauch, meinen Sie.»

«Ich glaube schon, ja», sagte ich. «Wir wissen, dass sie keine großflächige Wunde hatte, weil kein Blut an ihrer Kleidung war. Doch sie trug ein abgeschnittenes Top, das die Taille entblößte, und eine von einem elektrischen Gerät verursachte Kontaktbrandwunde hätte die Haut verletzt, ohne zu Blutungen zu führen. Eine solche Wunde hätte ausgereicht, um nach dem Tod Fliegen zur Eiablage zu animieren, vor allem, wenn sich die Wunde entzündet hätte.»

Meine Ausführungen wurden mit Schweigen quittiert.

«Aber sicher sind Sie nicht», sagte Ward schließlich. «Sie

haben selbst gesagt, nichts an ihrem Leichnam ließe Rück-
schlüsse auf das zu, was passiert ist.»

«Nein, an ihrem nicht.» Ich zögerte. Es widerstrebte mir zu
sagen, was ich sagen musste. «Am Leichnam des Fötus aber
schon.»

Ich hatte ursprünglich angenommen, dass die winzigen
Frakturen auf den empfindlichen Knochen entstanden waren,
als die Leiche der Mutter bewegt worden war. Doch nachdem
ich die Verletzungen von Crossly und de Souza gesehen hatte,
hatte ich endlich auch das Skelett des Fötus untersucht und
gesehen, wie sehr die Verletzungen sich ähnelten.

«Von einem Elektroschock verursachte Muskelkontraktio-
nen können zu Knochenfrakturen führen», erklärte ich. «Das
zumindest war bei Crossly und de Souza der Fall, und genau
dasselbe ist vermutlich auch mit dem Fötus geschehen. Uterus und Fruchtwasser haben natürlich einen gewissen Schutz
geboten, aber … nicht genug.»

«Oh, nein!» Whelan schüttelte den Kopf und wandte den
Blick ab.

Ward blieb skeptisch. «Und wie kommt es, dass die Knochen der Mutter keine Frakturen aufweisen?»

«Das passiert nicht zwangsläufig. Der Fötus war viel kleiner und der Ladung näher. Außerdem hatte Christine Gorski
eine ausgerenkte Schulter. Auch das kann von Muskelspas-
men herrühren, es ist also möglich, dass diese Verletzung zeitgleich geschah.»

«Ihre Fruchtblase ist geplatzt.» Whelan klang heiser. «Daher die Spuren auf den Stufen zum Dachboden und der Isolierung. Irgendein Schwein hat ihr einen Elektroschock verabreicht, und daraufhin ist die Fruchtblase geplatzt.»

Ich war zum selben Schluss gekommen. Und dann, als sie

versucht hatte, zu fliehen, war derjenige ihr bis zum Dachboden gefolgt und hatte einfach den Riegel vorgeschoben.

Whelan schien erleichtert, als sein Handy klingelte. Er ging ein Stück zur Seite, um zu telefonieren, und Ward übernahm.

«Das heißt also, ein und dieselbe Person ist für den Tod von allen drei Opfern verantwortlich.» Sie rieb sich die Augen. «Christine Gorski, Crossly und de Souza und wahrscheinlich auch noch Wayne Booth, auch wenn uns hier bisher die Beweise fehlen.»

«Ich habe vorhin mit Ainsley gesprochen», sagte ich. «Er meinte, die im St. Jude gefundenen Fingerabdrücke würden nicht zu Gary Lennox gehören. Hat Lola, was die freiwillige Abgabe der Fingerabdrücke betrifft, ihre Meinung geändert?»

«Nein.» Die zwischenzeitliche Lebhaftigkeit hatte Ward wieder verlassen. «Nein, sie hat nach wie vor ihre Zustimmung verweigert, also haben wir uns schließlich bei ihr zu Hause eine Tasse und seinen Trinkbecher besorgt. Das hätte man zwar als Beweis vor Gericht nicht verwenden können, aber auf der Basis können wir wenigstens weiterarbeiten. Keinerlei Übereinstimmung.»

Das wär's dann gewesen. Tja, wenigstens war Gary Lennox jetzt medizinisch gut versorgt, aber ich bezweifelte, dass Lola uns das anrechnen würde. *Gut gemacht, Hunter.*

«Und was bedeutet das für …», setzte ich an, doch Ward hörte mir nicht mehr zu.

«Moment!», sagte sie.

Sie sah zu Whelan hinüber. Er war immer noch am Telefon und hörte stirnrunzelnd zu.

«Irgendwas ist passiert», sagte er leise zu Ward und hörte dann weiter zu. «Sagen Sie das noch mal. Sie werden nicht …»

Sein Stirnrunzeln verstärkte sich, und gleichzeitig hörte

ich, wie sich ein Wagen näherte. Ein roter Transporter ohne Aufschrift rollte langsam auf den Innenhof. Zwei Polizisten in Uniform liefen wie zur Eskorte davor her. Ich erkannte die fröhliche Polizistin und ihren Kollegen vom Tor wieder, doch selbst als ich die Hand des Fahrers sah, die zum geöffneten Fenster hinausgestreckt war, begriff ich nicht sofort.

Whelan war noch immer am Telefon. Sein Gesicht war aschfahl. «Oh, fuck!», stieß er aus.

«Was ist los, Jack?», drängte Ward, während weitere Beamte sich zu der langsamen Prozession umdrehten.

Für eine Antwort blieb keine Zeit. Plötzlich beschleunigte der Transporter und zwang die beiden Polizisten vor sich zu einem Sprint. Die junge Beamtin geriet ins Stolpern, stürzte, und eine grausame Sekunde lang dachte ich, der Wagen würde sie überrollen. Stattdessen machte er eine Vollbremsung, und die Fahrertür wurde aufgestoßen.

Heraus kletterte Jessop.

Der Abrissunternehmer trug eine ausgebeulte, offensichtlich schwere Sporttasche über der Schulter. Er hatte noch immer einen Arm in die Luft gereckt, in der geballten Faust hielt er etwas Kleines, Rechteckiges, das nicht sofort erkennbar war. Auf den ersten Blick sah es aus wie ein Mobiltelefon, doch dann entdeckte ich die Drähte, die aus der geöffneten Tasche ragten.

Was Jessop in der Hand hielt, war ein Sprengzünder.

KAPITEL 28

Whelan reagierte als Erster. «Areal räumen!», schrie er und drückte sich armewedelnd an mir vorbei. «Alle zurück! *Sofort!*»

Alles geriet in Bewegung. Polizisten und Kriminaltechniker rannten durcheinander, hechteten sich hinter Autos und Anhänger. Noch immer hielt Jessop den Sprengzünder ausgestreckt vor sich und packte die junge Polizistin am Arm. Als ihr grauhaariger Kollege offenbar versuchte zu intervenieren, schrie er, den Daumen knapp über dem Auslöser: «Ja klar, mach schon! Glaub mir, mir ist alles scheißegal!»

«Tut, was er sagt!», schrie Whelan.

Widerstrebend zog der ältere Beamte sich zurück. Neben mir forderte Ward über ihr Handy mit gesenkter Stimme Verstärkung an. Am Fuß der Stufen angelangt, packte Jessop die Polizistin fester, riss sie vor sich, legte ihr den Arm um die Kehle und drückte sie an sich. Seine Kleidung war dreckig. Graue Bartstoppeln überzogen die schlaffen Hängebacken wie schmutziger Raureif, seine Augen waren gelb und blutunterlaufen.

«Runter von den Stufen, Dr. Hunter», flüsterte Whelan mir zu.

Der Zugang zum Krankenhaus hinter mir bot die nächste

Deckung und außerdem die einzige Option, bei der ich die direkte Begegnung mit Jessop vermied. Ich warf einen Blick in den mausoleumsartigen Eingang und zögerte. Ich wollte die beiden nicht allein lassen.

«Sofort!», zischte Whelan.

«Er bleibt hier! Niemand geht irgendwohin!», ertönte Jessops Stimme.

Die Polizistin weiter im Klammergriff, riss er mit der freien Hand den Reißverschluss seiner Sporttasche auf. Darin lagen mit plastikummantelten Drähten umwickelte schmutzig weiße Blöcke. Dazwischen ragte eine Wodkaflasche heraus, deren Inhalt sanft hin und her schwappte.

«Ich habe genug RDX hier drin, um euch alle in die Luft zu jagen!» Er hob den Zünder. «Einer von euch Arschlöchern macht nur einen einzigen Schritt, und ich drücke ab! Ich meine es ernst!»

«In Ordnung, Keith, wir glauben Ihnen.» Ward trat hinter mir hervor und ließ das Telefon sinken. «Jetzt, wo Sie unsere Aufmerksamkeit haben, wie wär's, wenn Sie uns einfach sagen, was Sie wollen?»

Sie sprach im Plauderton, klang beinahe gelangweilt. Das brachte ihn offensichtlich aus dem Konzept. Während Jessop noch um eine Antwort rang, meldete sich mit erstickter Stimme die Polizistin zu Wort. «Es tut mir leid, Ma'am, er hat gesagt, wenn wir machen, was er sagt …»

Jessop verstärkte den Griff um ihre Kehle. «Halt's Maul!»

«Okay, Keith», sagte Ward gelassen. «Wie wär's, wenn Sie den Zünder weglegen …»

«*Sagen Sie mir nicht, was ich zu tun habe!*» Jessop starrte sie an. Sein Kiefer mahlte. «Mir sagt keiner, was ich zu tun habe! Nie wieder!»

Ward hob die Hände. «Das versucht auch niemand. Sie haben die Kontrolle. Sagen Sie mir doch bitte, was Sie wollen.»

«Was ich *will*?» Jessop stieß bellendes Gelächter aus. «Verfickte Scheiße, ich will mein *Leben* zurück! Können Sie es mir zurückgeben?»

«Ich kann helfen, doch dazu muss ich …»

«Habe ich *Idiot* auf der Stirn stehen?» Aus seinen gelblichen Augen sprangen Blitze in Wards Richtung. «Mein verficktes Foto ist in den Nachrichten! Alles weg, und weshalb? Wegen irgend so einer … saudummen kleinen Schlampe, die hier nichts zu suchen hatte!»

«Ihr Name war Christine Gorski.» Wards Stimme klang scharf. «Sie hatte ebenfalls ein Leben. Und eine Familie. Sie sind den Leuten begegnet. Wissen Sie noch?»

«Na und? Ist doch nicht meine Schuld, dass ihre Tochter ein Junkie war!»

«Sie hat nicht verdient, zu sterben, Keith. Genauso wenig wie Adam Oduya oder …»

«Die gehen mir am Arsch vorbei!», brüllte Jessop. «Was ist mit mir? Wen interessiert, was mit *mir* ist? Keine Sau!»

Ward nickte. «Das ist nicht wahr, Keith. Es tut mir leid, wenn …»

«Es tut Ihnen *leid*? Glauben Sie, mich interessiert eine verdammte *Entschuldigung*?»

«Dann sprechen Sie mit mir. Können Sie mir sagen, was Sie wollen?»

«Ich will das machen, was ich schon vor Monaten hätte machen sollen.» Er deutete mit dem Kinn hinter sie auf das düstere Gebäude. «Ich sprenge den Scheißladen in die Luft.»

«Das wird gar nichts ändern, Keith.»

«Nein. Aber wenigstens sterbe ich glücklich.»

«Sind Sie sicher?»

Ein Windstoß fuhr durch seine fettigen Haare, als Jessop Ward, plötzlich unsicher, ansah. Er senkte den Kopf und lauschte. Einen Moment später hörte ich es auch.

Das lauter werdende Heulen von Sirenen.

«Sind das Ihre Freunde?», höhnte Jessop. «Sie dachten, Sie könnten mich mit Ihrem Gequatsche aufhalten, bis mir irgend so ein Schwein das Hirn wegpustet, ja?»

«Nein, warten Sie …»

Doch Jessop kam bereits die Stufen herauf, dabei stieß er die Polizistin unsanft vor sich her. Als Whelan einen Schritt auf ihn zumachte, blieb der Bauunternehmer stehen und hob den Zünder.

«Aus dem Weg!»

«Bleiben Sie stehen, Mann, überlegen Sie, was Sie da tun!»

«Ich sagte, aus dem Weg, Arschloch! Glaubst du, ich trau mich nicht?»

Jessop schwenkte den Zünder, seine Knöchel traten weiß hervor. Die Sirenen waren inzwischen viel näher. Aus dem Augenwinkel sah ich den älteren Kollegen der Geisel vorsichtig näher rücken, doch dann riss Jessop den Kopf zu ihm herum.

«Zurück! Sofort!»

«Tun Sie, was er sagt», befahl Ward eilig. Sie legte Whelan die Hand auf den Arm. «Keine Dummheiten, bitte.»

«Ich zähle bis drei», fauchte Jessop. «Eins!»

«Niemand hält Sie davon ab, reinzugehen. Lassen Sie einfach die Kollegin frei», sagte Ward zu ihm. «Sehen Sie doch hin, Keith. Sie ist noch fast ein Mädchen. Wollen Sie ihr wirklich was antun?»

«Zwei!»

Die Polizistin hatte die Augen geschlossen. Sie wirkte winzig und zerbrechlich neben Jessop. Sie zitterte, doch ihr zusammengepresster Mund verriet Entschlossenheit. Ward waren offenbar die Worte ausgegangen. Während das Heulen der Sirenen noch näher kam, holte Jessop tief Luft und hob die Hand mit dem Zünder.

«Nehmen Sie mich», sagte ich.

Meine Stimme klang unnatürlich laut. Whelan und Ward sprachen gleichzeitig.

«Um Himmels willen …!»

«Halten Sie sich raus, David.»

Doch ich hatte Jessops Aufmerksamkeit auf mich gelenkt. Ich streckte ihm die geöffneten Handflächen entgegen. «Sie wollen eine Geisel? Dann nehmen Sie mich.»

Er sah mich an, ohne den Griff um den Hals der Polizistin zu lockern. Dann verzog er verächtlich den Mund. «Aus dem Weg.»

«Lassen Sie die Frau frei. Ich gehe mit Ihnen», sagte Ward, ehe ich reagieren konnte.

Whelan drehte sich entsetzt zu ihr um. «Auf keinen Fall! Das ist …»

Ward ignorierte ihn. «In höchstens dreißig Sekunden sind Sie im Visier von einem Dutzend Scharfschützen», sagte sie über seinen Kopf hinweg zu Jessop. «Ich kann nicht zulassen, dass Sie eine meiner Beamtinnen da mit reinnehmen, dafür gehe ich mit Ihnen. Oder aber Sie jagen uns jetzt sofort alle in die Luft. So wie mein Tag bis jetzt gelaufen ist, ist mir das, offen gesagt, ziemlich egal. Ihre Entscheidung.»

«Ma'am, das müssen Sie nicht tun!», flehte Whelan sie an.

Sie starrte Jessop an. «Fünfzehn Sekunden.»

Die Sirenen waren jetzt ganz nahe. Jessop nickte. «Wenn Sie irgendwas versuchen …»

«Meine Güte, Mann! Ich bin im siebten Monat schwanger, was soll ich denn versuchen?» Ich hörte die Angst in ihrer Stimme, aller Show zum Trotz.

«Sharon, nicht …», sagte ich, doch Ward ging bereits auf Jessop und die Polizistin zu.

«Das kann ich nicht zulassen», Whelan machte Anstalten, sie aufzuhalten.

«Zur Seite, Jack! Das ist ein Befehl.»

Ihre Stimme überschlug sich, und Whelan zögerte. Mit einer flinken Bewegung schubste Jessop die Polizistin zur Seite und griff nach Ward.

«Rein da. Los!», sagte er und stieß sie die Stufen hinauf.

«Herrgott noch mal, sie ist schwanger!», rief Whelan ihm verzweifelt hinterher.

Das war Christine Gorski auch, dachte ich benommen. Jessop zog sich in den düsteren Eingang zurück und zerrte Ward hinter sich her. Sämtlicher Wagemut war von ihr gewichen, ihr Gesicht war blass und voller Angst.

Jessop schob die großen Türen hinter sich zu, und dann hatte das St. Jude die beiden verschluckt.

Die nächste Stunde gehörte zu den schlimmsten meines Lebens. Sobald Jessop und Ward in dem alten Krankenhaus verschwunden waren, fing Whelan an, Befehle zu brüllen. Während um mich herum Hektik ausbrach, stand ich wie betäubt und unbeachtet auf den Eingangsstufen. Mit blinkendem Blaulicht und quietschenden Reifen fuhren dunkle Transporter vor und spuckten schwer bewaffnete Polizisten mit kugelsicheren Westen aus. Die Luft war erfüllt von Sirenen, die immer lauter wurden, als wäre das St. Jude der Mittelpunkt, der sie magnetisch anzöge. Es war eine Szene wie von Hieronymus Bosch, ein lebendig gewordener Albtraum.

Unsanft zerrte Whelan mich von der Treppe. «Mann! Was haben Sie sich dabei *gedacht*, verdammt noch mal!»

Er hob die Hand, als wollte er mich schlagen. Dann schüttelte er empört den Kopf, wandte sich ab und eilte davon.

Ich wurde von dem Gebäude weggescheucht, man zwang mich zu einem Sprint bis hinter die Polizeianhänger, wo ein Polizist mit Maschinengewehr von mir wissen wollte, wer ich war und was ich hier zu tun hatte. Dann wurde ich angewiesen, mich nicht von der Stelle zu rühren. Ständig trafen immer noch mehr Einsatz- und Spezialfahrzeuge ein, und inzwischen auch Krankenwagen und Feuerwehr. Das Knistern von Funkgeräten war allgegenwärtig, und hinter dem Anhänger sah ich noch immer dunkel das Dach des ehemaligen Krankenhauses aufragen, eine schwarze Silhouette vor dem grauen Himmel.

Noch hatte Jessop es nicht in die Luft gejagt.

Weil ich nicht wusste, was ich sonst hätte tun sollen, setzte ich mich auf die Stufen des Anhängers. Ich sah auf die Uhr. Unfassbar, dass ich noch nicht mal eine halbe Stunde hier war.

«Wie geht es Ihnen?»

Ich hob den Kopf. Vor mir stand die junge Polizistin vom Tor, die Ward soeben als Geisel ersetzt hatte. Sie hielt mir eine Wasserflasche hin.

«Ich dachte, Sie könnten was zu trinken gebrauchen.»

Ich hätte durchaus was Stärkeres vertragen, nahm ihr aber trotzdem dankbar die Flasche ab. Zögernd stand sie vor mir.

«Ich wollte mich bedanken. Sie wissen schon, wegen eben.»

Ich nickte nur. In mir herrschte eine dumpfe Leere, die alles verschluckte, was ich hätte sagen können. Die Polizistin sah an mir vorbei, hinüber zu dem alten Krankenhaus.

«Sie hätte das auf alle Fälle gemacht. Wenn jemand Schuld hat, dann ich. Ich hätte ihn aufhalten müssen.»

«Wie denn? Sie haben getan, was Sie konnten», erwiderte ich.

«Das Wissen darum hindert einen nicht, sich trotzdem mies zu fühlen, stimmt's?»

Da hatte sie recht. Sie ging, und ich trank einen Schluck Wasser. Eigentlich nur, um etwas zu tun zu haben, doch ich merkte, dass ich ausgedörrt war. Als ich die Flasche wieder zuschraubte, hörte ich forsche Schritte auf mich zukommen. Ich hob den Kopf und sah, dass es Ainsley war. Der Commander blieb vor mir stehen und musterte mich eisig, während ich auf die Füße kam.

«Wir unterhalten uns drinnen.»

Er ließ mir nicht den Vortritt und stieg vor mir die Stufen hoch. Leere Plastikstühle standen um einen leeren Tisch.

«Irgendwas Neues?», fragte ich, als Ainsley sich zu mir umdrehte.

Er schien kurz zu überlegen, ob er mir antworten sollte oder nicht. «Nein», sagte er schließlich. «Wir versuchen immer noch, Kontakt zu kriegen.»

«Ist sonst noch jemand drin?» Das Hundeteam hatte seine Arbeit für den Tag beendet, einen zweiten Suchtrupp hatte ich ebenfalls gehen sehen, doch es war durchaus möglich, dass im Keller noch jemand war.

Ainsley atmete hörbar aus. Seine Nasenflügel bebten. «Abgesehen von meiner Ermittlungsleiterin und einem Verdächtigen mit einer Tasche voller Sprengstoff, meinen Sie? Zum

Glück nicht. Die Durchsuchung war so gut wie abgeschlossen. Das Gebäude war leer.»

Er drehte einen Stuhl um und setzte sich. Nach einer Sekunde tat ich dasselbe. Es war hart, den porzellanblauen Augen standzuhalten, doch ich wich seinem Blick nicht aus.

«Also, Dr. Hunter, wären Sie so freundlich, mir zu sagen, weshalb Sie hier sind und nicht im Leichenschauhaus?»

Das war definitiv nicht die Frage, die ich zum Auftakt erwartet hatte. «Ich war mit meiner Arbeit dort fertig und bin hergekommen, um mich wieder dem Suchtrupp anzuschließen.»

Stumm sah er mich an. Unser letztes Gespräch hing zwischen uns in der Luft, seine Anweisung an mich, sämtliche Erkenntnisse außer an Ward auch an ihn zu melden. Uns war beiden klar, dass ich mich darüber hinweggesetzt hatte, doch das war mir im Augenblick herzlich egal.

«Erzählen Sie, was mit Jessop war», sagte er schließlich.

Ich bemühte mich, möglichst jedes Detail aus meiner Erinnerung zu kramen. Ainsley hatte, ehe er zu mir gekommen war, mit Sicherheit bereits mit Whelan gesprochen, doch er war jetzt ganz in der Rolle des Ermittlers und wollte alles wissen, was ich womöglich noch hinzufügen konnte.

«Beschreiben Sie, was Sie in der Tasche gesehen haben», unterbrach er mich.

«Rechteckige Blöcke, sahen aus wie schmutzigweißes Plastilin, daraus ragten Drähte hervor. Jessop sprach von RDX.»

Ainsley atmete aus. «Ein Sprengstoff, der für Abrissarbeiten verwendet wird. Können Sie sagen, wie viele Blöcke Sie gesehen haben?»

«Nein, aber die Tasche war mittelgroß und wirkte schwer. Etwa zur Hälfte gefüllt. Außerdem steckte zwischen den Blöcken eine Wodkaflasche.»

Das erwähnte ich, falls es niemand anderem aufgefallen war. Alkohol und Sprengstoff waren immer eine schlechte Kombination. Ainsley nickte, als hätte ich bestätigt, was er bereits wusste.

«Wie würden Sie Jessops Geisteszustand beschreiben?»

Für eine professionelle Begutachtung fehlte mir die Fachkompetenz, doch danach fragte Ainsley auch nicht.

«Wütend, beleidigt. Voller Selbstmitleid. Zeigte keinerlei Reue, weder in Bezug auf Christine Gorski noch auf Adam Oduya.»

«Würden Sie sagen, seine Drohung ist ein Bluff?»

Mein Mund wurde trocken. «Nein.»

Ainsley musterte mich. «Erinnern Sie sich an unser Gespräch heute Vormittag hinsichtlich der Einmischung in die Polizeiarbeit?»

Ich holte tief Luft und atmete aus. «Ja.»

«Hätten Sie dann die Güte, mir zu erklären, was Sie sich dabei dachten, sich einem mit einer Tasche voller Sprengstoff bewaffneten, gewalttätigen Verdächtigen als Geisel anzubieten?»

Mit dieser Frage quälte ich mich selbst bereits die ganze Zeit herum, und ich fragte mich, ob Ward sich auch als Geisel angeboten hätte, wenn ich es nicht zuerst getan hätte. Doch dann hätte Jessop die junge Beamtin mitgenommen, und ich hätte mir vorwerfen müssen, nichts unternommen zu haben. Es gab keine einfache Antwort.

Ich erwiderte den Blick aus den harten, blauen Augen. «Was hätten Sie getan?»

Ainsley schürzte die Lippen, die Antwort blieb er schuldig. Er stand auf und zupfte sich etwas Unsichtbares von den perfekt gebügelten Hosenbeinen.

«Ich schicke jemanden, um die formale Aussage zu Protokoll zu nehmen, dann können Sie gehen. Ich lasse Sie nach Hause bringen.»

Daran hatte ich noch gar nicht gedacht. Ich parkte auf dem Innenhof vor dem Eingang, also innerhalb des Bannkreises. Mit dem Auto würde ich nirgendwo hinfahren, bis die Sache vorbei war.

Wie auch immer sie ausging.

«Danke. Ich kümmere mich selbst», sagte ich.

«Wie Sie wollen.»

Er ging. Es war mir gelungen, mir die Frage zu verkneifen, was jetzt geschehen würde. Ainsley hätte mir sowieso nichts gesagt, und einen guten Teil konnte ich mir selbst denken. Ein polizeilicher Unterhändler würde versuchen, Kontakt zu Jessop aufzunehmen, vermutlich über Wards Telefon, sollte der Geiselnehmer seines ausgeschaltet haben. Man würde versuchen, ihn zur Aufgabe zu überreden und dazu, Ward freizulassen. Falls das scheiterte, würde man die Risiken abwägen müssen. War es riskanter, zu warten oder die bewaffnete Spezialeinheit reinzuschicken? In einem Labyrinth von der Größe des St. Jude wäre das die letzte Option.

Vor allem, wenn Jessop das ganze Haus mit Sprengstoff gespickt hatte.

Es dauerte eine Weile, ehe ein Detective Constable in Zivilkleidung eintraf, um meine Aussage zu Protokoll zu nehmen. Ich verbrachte die Zeit in dem leeren Anhänger damit, die Ereignisse auf den Stufen vor dem Krankenhaus wieder und wieder Revue passieren zu lassen und mich mit Gedanken zu quälen, was drinnen wohl gerade geschehen mochte. Mir taten vor Anspannung Nacken und Schultern weh, während ich auf eine Explosion wartete.

Sie kam nicht. Sobald ich meine Aussage unterschrieben hatte, sagte man mir, jemand würde mich hinter die äußere Absperrung begleiten, und dann könne ich gehen. Als eine Viertelstunde darauf noch immer niemand auftauchte, war ich es endgültig leid, die zerkratzten Wände des Anhängers anzustarren, und ging ins Freie, um dort zu warten. Niemand nahm Notiz, als ich die Tür öffnete und die Stufen hinunterstieg. Die Anspannung, die in der Luft lag, war fast mit Händen zu greifen. Es war bereits später Nachmittag gewesen, als ich hier angekommen war, und inzwischen wurde es dunkel. Vor dem Gebäude waren Flutscheinwerfer errichtet worden, die die düstere Fassade des St. Jude in gleißendes Licht tauchten wie eine gigantische Theaterkulisse.

Jessops Transporter stand noch immer direkt vor den Eingangsstufen, zu nah am Gebäude, als dass die Polizei sich hätte nähern können. Die Tür stand im selben Winkel offen, wie Jessop sie hinterlassen hatte, eine sichtbare Erinnerung, was geschehen war.

«Dr. Hunter.»

Ich drehte mich um und sah Whelan auf mich zukommen. In Erwartung neuer Kritik straffte ich die Schultern.

Doch sämtliche Kraft schien ihn verlassen zu haben. Der Detective Inspector sah aus, als wäre er in den letzten Stunden fünf Jahre gealtert, und mir wurde klar, dass er sich wahrscheinlich ähnlich nutzlos vorkam wie ich. Es handelte sich inzwischen um einen taktischen Einsatz, und er war wohl gezwungen, sich in die zweite Reihe zu stellen, während andere das Ruder übernommen hatten.

«Ich wusste nicht, ob Sie noch hier sind», sagte er. «Hören Sie, wegen vorhin, ich war womöglich …»

Plötzlich bebte die Erde, ein dumpfer, heftiger Schlag, der

sich anfühlte, als hätte mein Herz ausgesetzt. Einen Augenblick später folgte ein ohrenbetäubender, erschütternder Knall, der den Anhänger neben uns zum Wanken brachte. Ich stolperte gegen Whelan. Die komplette Front des St. Jude schien zu beben, die vor die Fenster genagelten Bretter flogen davon. Ein großer Dachbalken krachte gegen Jessops Transporter und hätte ihn fast umgeworfen, dann wurde beides von einer riesigen Staubwolke verschluckt.

Die Luft war erfüllt von den schrillen Sirenen der Kfz-Alarmanlagen, und wie Hagelkörner auf ein Blechdach prasselten tosend Trümmer aus Ziegeln und Schutt nieder. Mir klingelten die Ohren, und in meinem Mund breitete sich saurer Schwefelgeschmack aus. Überall um uns rappelten sich Menschen hoch und starrten unter Schock auf das Krankenhaus.

Kraftlos ließ Whelan sich gegen den Anhänger sinken. «O nein …»

Unter einer riesigen Wolke aus Staub war mehr als das halbe St. Jude in sich zusammengestürzt.

KAPITEL 29

Kurz vor Mitternacht wurde die erste Leiche geborgen.

Die Rettungsaktion war gestartet, noch ehe der Staub über dem riesigen roten Schutthaufen begonnen hatte, sich zu legen. Mit entschlossenen Gesichtern luden Rettungskräfte Ausrüstung und schweres Räumgerät von Feuerwehrfahrzeugen und Transportern und versuchten, sich einen Weg ins Innere zu bahnen. Neue Flutscheinwerfer wurden herangeschafft und ersetzten jene, die bei der Detonation geborsten waren. Die flackernden Blaulichter unzähliger Einsatzfahrzeuge tauchten die Szenerie in eisiges Licht. Das einstige Krankenhaus war tödlich getroffen worden. Der Bereich vor dem Gebäude war mit Trümmern übersät, Scherben und zerfetzte Balken lagen überall verstreut. Ein Flügel war völlig zerstört, der Dachboden, auf dem Christine Gorski gefunden worden war, und die geheime Kammer darunter existierten nicht mehr. Der Mittelflügel samt dem Haupteingang wirkte halbwegs unversehrt, und auch der Großteil des Daches war noch da. Doch der Eindruck täuschte. Lediglich die Außenmauern standen noch. Die Explosion hatte sämtliche Innenwände, Fußböden und Decken zum Einsturz gebracht und das Innere zu einen riesigen Haufen Schutt zerbröselt. Die Fenster hatten keine Scheiben mehr. Geblieben waren blinde Löcher, mit Scherben gezahnt, die Fensterrahmen gesplittert.

In den Minuten nach der Explosion herrschte offenes Chaos. Während das letzte Poltern erstarb, machte Whelan ein paar unsichere Schritte auf das Krankenhaus zu und kam schwankend zum Stehen, als Rauch und Staub sich etwas lichteten und einen ersten Blick auf die Trümmer preisgaben.

«Mein Gott …»

«Was kann ich tun?», fragte ich.

Er sah mich an, als hätte er vergessen, wer ich war. «Bleiben Sie hier.»

Er rannte auf eine Gruppe uniformierter Beamter zu und fing an, Befehle zu brüllen. Ich ignorierte seine Anweisung und näherte mich dem zerstörten Krankenhaus, bis ein Polizist in Schutzanzug mich am Arm packte.

«Hey! Wo wollen Sie hin?»

«Helfen. Ich bin Arzt», sagte ich.

«Glauben Sie, da kommt noch irgendwer raus? Bleiben Sie hinter den Anhängern.»

Schon lief er weiter. Ich sah ein, dass er recht hatte, der nächste Trupp eilte an mir vorbei, ich aber konnte hier absolut nichts tun. Benommen ging ich zu den Anhängern zurück.

Im Gegensatz zu mir wirkten alle um mich herum zielstrebig und voller Tatendrang. Etwas wie eine erste Ordnung wurde bereits hergestellt. Von Ferne schrillten Feuerwehrsirenen. Ich sank auf die Stufen des Anhängers und starrte zu dem zerstörten Krankenhaus hinüber. Vor der Treppe zum Eingang stand auf platten Reifen Jessops Transporter, der Lack stumpf von Schutt und Staub. Die Tür hing schief in den Angeln, die Windschutzscheibe war von dem Balken eingedrückt worden, der jetzt quer über der zerbeulten Motorhaube lag. Mir war übel. Ich hatte nicht geglaubt, dass er es tun würde. Trotz allem hatte ich bis zuletzt gedacht, Jessop würde Ward gehen lassen.

Damit hatte ich nicht gerechnet.

Langsam legte sich die riesige Staubwolke, und mir fiel eine Bewegung oberhalb des Gebäudes ins Auge. Schwarze Tupfer lösten sich aus dem unzerstörten Teil des Dachs und breiteten sich aus, in den sich verdunkelnden Abendhimmel hinein. *Bitte, jetzt nur kein Brand*, dachte ich. Mir zog sich der Magen zusammen. Dann fegte ein Windstoß alles auseinander, und mir wurde klar, dass das am Himmel kein Rauch war.

Die überlebenden Fledermäuse verließen das St. Jude.

Während es gänzlich dunkel wurde, lief die Rettungsaktion mit der unerbittlichen Effizienz einer Maschine weiter. Ich hätte gerne geholfen, doch man brauchte mich nicht. Aber da niemand mich aufforderte zu gehen, blieb ich, wo ich war. Irgendwann sah ich Polizisten und Feuerwehrleute sich über Grundrisse beugen, und dann bahnten sich Rettungskräfte einen Weg durch den zerstörten Haupteingang. Das große Flügelportal war herausgesprengt worden, und der Eingang klaffte offen wie ein zahnloses Maul. Kurz darauf tauchte Ainsley auf. Er begleitete einen hochgewachsenen Mann in Zivil zu einem der Anhänger. Der Mann war um die vierzig und wirkte zutiefst erschüttert. Obwohl ich ihn nicht kannte, war mir vollkommen klar, dass dies Wards Ehemann war.

Dazu genügte ein einziger Blick in sein Gesicht.

Etwa eine Stunde später geriet plötzlich vor dem Haupteingang etwas in Bewegung. Von innen kamen Rufe, und als ich sah, dass Sanitäter mit einer Trage auf den Eingang zuliefen, kam ich mühsam auf die Füße. Sosehr ich wünschte, irgendetwas zu tun, ich konnte nur dastehen und zusehen und mich fragen, was passiert war.

Als die Trage zurück ins Freie transportiert wurde, senkte sich eine seltsame Stille über die ganze Szenerie. Die Gestalt auf der Trage war abgedeckt, und ich war zu weit entfernt, um Details zu erkennen. Doch der gemächliche, begräbnishafte Schritt der Sanitäter war Botschaft genug. Im Licht der Scheinwerfer und flankiert von den noch immer aufragenden hohen Säulen aus Stein, wirkte die Prozession beinahe theatralisch. Ich musste wissen, wer unter der Decke lag. Ich sah mich um und entdeckte Whelan. Er stand in der Nähe und sah mit ernster Miene zu. Ich hatte ihn seit kurz nach der Explosion nicht mehr gesehen. Er wirkte erschöpft und warf mir, als ich auf ihn zueilte, einen abwesenden Blick zu.

«Wer ist es?», fragte ich.

Ohne die Augen von der Prozession zu nehmen, sagte er: «Jessop.» Er sagte es tonlos, ohne Gefühl. Die Spannung in meinen Schultern ließ ein klein wenig nach, während ich zusah, wie die Trage in einen wartenden Krankenwagen geschoben wurde.

«Was ist mit Ward?»

«Noch nichts. Es war pures Glück, dass sie ihn so schnell entdeckt haben. Er lag im Keller, am Rand eines riesigen Schutthaufens, wo die Hälfte der darüberliegenden Stockwerke runterkam. Offenbar hat er die Ladungen zwar platziert, war aber nicht in unmittelbarer Nähe, als sie hochgingen. Sonst war da nichts … Sie haben dort sonst niemanden gefunden. Aber den Schutt zu räumen, wird eine Ewigkeit dauern.»

Sein Gesichtsausdruck reflektierte die tonlose Stimme. Was er sagte, bestätigte mir, was ich bereits gewusst hatte, aber

mir nicht hatte eingestehen wollen: Dies war eine Bergungs-
aktion, keine Rettungsaktion.

Als die Tür des Krankenwagens zugeworfen wurde, drehte
Whelan sich zu mir um. «Wusste gar nicht, dass Sie noch hier
sind.»

«Besser, als zu Hause rumzusitzen.»

Er nickte. «Sie sollten trotzdem gehen. Es gibt nichts, was
Sie hier tun könnten, und es wird Stunden dauern, bis … na
ja, bis es was Neues gibt.»

«Ich bleibe lieber.»

«Wie Sie wollen. Wenn das so ist, können Sie genauso
gut …»

Vom Eingang zum St. Jude erschallte ein lauter Ruf. In die
vor dem Haupteingang versammelten Retter kam Bewegung,
eine Aufregung, die sich wie Wellen in einem Teich nach außen hin fortsetzte. Whelan sah es, alles an ihm verkrampfte
sich, und wie aufs Stichwort klingelte sein Handy.

Er riss es aus der Tasche, wandte sich ab und reckte die
Schultern, wie um sich zu wappnen. Ich ließ ihn nicht aus den
Augen. Mein Magen krampfte sich zusammen.

«Sind Sie sicher?», sagte er. Auf seinem Gesicht lag ein seltsamer Ausdruck. «Und es gibt keinen …?»

Es folgte eine lange Pause. Ich sah die breiten Schultern zu-
sammensacken. Er steckte das Telefon ein.

«Sie haben sie gefunden.»

Um sieben Uhr am nächsten Morgen rief Rachel mich an,
außer sich vor Sorge. Sie hatte am Vorabend auf den BBC
Weltnachrichten von der Explosion im St. Jude gehört. In
der Meldung war lediglich von Opfern in Folge einer Geisel-
nahme die Rede gewesen. Doch über das Satellitentelefon an

Bord hatte sie mich nicht erreicht und hatte bis zum nächsten Hafen warten müssen, ehe sie endlich anrufen konnte.

«Geht es dir auch ganz bestimmt gut?», fragte sie immer wieder.

«Mit mir ist alles in Ordnung», versicherte ich.

Ihr Anruf hatte mich aus tiefstem Erschöpfungsschlaf gerissen, doch das war egal. Es tat gut, ihre Stimme zu hören. Ich hatte keine Ahnung gehabt, wie spät es war, als ich endlich zurück im Apartment war. Weil ich an meinen Wagen vorläufig nicht herankam, hatte ich mir ein Taxi genommen. Obwohl ich nicht in der Nähe der Explosion gewesen war, war ich schmutzig und staubig. Doch zum Duschen war ich zu müde gewesen. Nach allem, was passiert war, wollte ich nur noch schlafen.

Es hatte Stunden gedauert, bis Ward geborgen wurde. Nachdem er mich angewiesen hatte, zu bleiben, wo ich war, war Whelan davongeeilt und hatte mich mit meinen Gedanken und dem Blick auf die grell erleuchtete Ruine des ehemaligen Krankenhauses allein gelassen. Kurze Zeit später war Wards Ehemann zusammen mit Ainsley aus dem Anhänger gekommen. Er wirkte wackelig auf den Beinen und völlig neben sich, als sie auf das St. Jude zugingen.

Eine Ewigkeit lang passierte scheinbar gar nichts.

Dann brach direkt beim Krankenhaus plötzlich Hektik aus. Ich machte ein paar Schritte, um besser zu sehen, die Hände so fest zu Fäusten geballt, dass meine Fingernägel kleine Halbmonde in die Handballen gruben. Hinter dem eingestürzten Gebäude tauchte eine Gruppe Rettungskräfte auf, die Leuchtstreifen auf den dreckigen Schutzanzügen reflektierten das Scheinwerferlicht. Als Nächstes kamen Sanitäter mit einer Trage in Sicht, und obwohl ich die zugedeckte

Gestalt nicht richtig sehen konnte, erkannte ich doch Wards Ehemann, der neben der Trage herlief.

Dann tauchte unter der Decke ein Arm auf, und ich sah, wie Ward nach der Hand ihres Mannes griff.

Nachdem der Krankenwagen abgefahren war, kam Whelan zurück. Er wirkte immer noch erschöpft, aber jetzt lag Erleichterung auf seinen Zügen statt Anspannung. Er reichte mir eine Flasche Wasser.

«So eine Nacht brauche ich nicht noch einmal», sagte er. Seine Stimme war heiser.

Mir ging es genauso. Vorher am Telefon hatte man ihn darüber informiert, dass die Einsatzkräfte von tief unten plötzlich ein Klopfen gehört hatten. Sie hatten zurückgehämmert und zur Antwort denselben Rhythmus erhalten. Irgendwie hatte Ward die Explosion und den Einsturz überlebt. Nachdem man die ironischerweise ausgerechnet von Jessop gelieferten Grundrisse konsultiert hatte, war klargeworden, dass Ward sich in dem unterirdischen Tunnel befinden musste, der das Untergeschoss früher mit der abgerissenen Leichenhalle hinter dem St. Jude verbunden hatte.

Der Versuch, durch das zerstörte Krankenhaus zu Ward vorzudringen, wäre zu riskant gewesen. Der Tunnelzugang lag unter Hunderten Tonnen Schutt begraben, und jeglicher Versuch, die Trümmer zu bewegen, hätte Tage gedauert und womöglich zum Einsturz der verbliebenen Mauern geführt. Stattdessen hatte man beschlossen, vom anderen Ende des Tunnels zu Ward vorzudringen, sich einen Weg durch den leichter zugänglichen Bauschutt der Leichenhalle zu bahnen und sie von dort aus zu bergen.

Der Einsatz hatte unendlich lange gedauert und musste sich für Ward und ihren Ehemann sicher noch viel länger angefühlt haben. Weil ihr Handy so weit unter der Erde keinen Empfang hatte, hatte niemand eine Vorstellung von ihrem Zustand, bis die Rettungskräfte tatsächlich zu ihr vordrangen.

«Sie ist in erstaunlich guter Verfassung», berichtete Whelan zwischen zwei Schlucken Wasser. «Ziemlich durchgerüttelt, und wahrscheinlich ein geplatztes Trommelfell von der Explosion, doch abgesehen von ein paar Schnitten und Schrammen kam sie doch in einem Stück wieder raus.»

«Was ist mit dem Baby?»

«Sie wird im Krankenhaus gründlich untersucht, drücken wir die Daumen, aber auf den ersten Blick war alles okay. Sie ist zäh, unsere Chefin. Zäher, als so mancher ihr zutraut.»

In seiner Stimme schwangen Zuneigung und Stolz. Ich blickte zu dem zerstörten Krankenhaus hinüber und dachte an die Wucht der Explosion, die dieses Gebäude zum Einsturz gebracht hatte. Dass jemand das überlebt haben konnte, war für mich noch immer unfassbar.

«Wie konnte sie Jessop entkommen?»

«Gar nicht. Er hat sie gehen lassen.» Whelan schraubte die Wasserflasche zu. «Nach dem, was sie uns erzählt hat, hat er sich fleißig am Wodka bedient, während er rumlief und den Sprengstoff platzierte. Sie brachte ihn zum Reden, und im Keller dann war er ziemlich weinerlich geworden. Als sie schon dachte, sie hätte ihn dazu gebracht, aufzugeben, wurde aus dem Selbstmitleid wieder ein Wutanfall. Er schrie sie an, sie sollte verschwinden, ehe er es sich anders überlegte, und das hat sie auch getan. War genau bis zum Tunnel gekommen, als er das Knöpfchen drückte, und als der Laden einstürzte, rannte sie hinein.»

Ich erinnerte mich noch gut an den abschreckenden schwarzen Schlund, versperrt mit Absperrband und Asbestwarnschildern. Verschüttet und allein unter der Erde. Das musste eine höllische Erfahrung gewesen sein.

«Was glaubt sie? Hat er absichtlich alles gesprengt?»

«Weiß der Teufel. Er war betrunken, und es klingt, als wäre er am Schluss nicht mehr bei klarem Verstand gewesen. Aber er hat getan, was er angekündigt hatte, und wenn einer es verdient hat, dass ihm der ganze Kasten auf den Kopf fällt, dann dieses Mörderarschloch.»

Ich hatte nicht vor, ihm zu widersprechen. Doch trotz all der Erschöpfung und Erleichterung fühlte sich etwas daran nicht stimmig an.

«Wieso hat er sie gehen lassen?», fragte ich.

«Das hat sie nicht gesagt. Vielleicht, weil sie schwanger war.»

«Das hat Christine Gorski auch nichts genutzt.» Sie hatte mindestens einen Elektroschock in den Bauch bekommen und wurde zum Sterben auf dem Dachboden zurückgelassen. Das Ausmaß an Brutalität, das in den Morden an Darren Crossly und Maria de Souza offenbar geworden war, die eiskalte Auslöschung von Adam Oduya und die Kaltschnäuzigkeit, mit der auch Mears überrollt worden war, waren nur schwer mit Wards Freilassung in Einklang zu bringen.

Whelan zuckte gereizt die Achseln. «Dann hat sich eben zum Schluss doch noch sein Gewissen gemeldet. Keine Ahnung. Er hat sie gehen lassen. Das ist die Hauptsache.»

Da hatte er recht, überdies war das kaum der richtige Augenblick, um einen derart unerwarteten Akt der Gnade in Frage zu stellen. Kurz darauf machte Whelan sich auf den Weg ins Krankenhaus. Ich bestellte mir ein Taxi zum Haupttor. Dann ging ich über die lange, unbeleuchtete Zufahrt in Richtung der Straße. Kurz vor dem Tor blieb ich stehen und drehte mich noch einmal um. Die Scheinwerfer tauchten das zerstörte Krankenhaus in kalten Glanz. Scharf hoben sich die gezackten Ruinen vor dem schwarzen Nachthimmel ab. Genau wie die verfallene Kirche in dem Waldstück dahinter, hatte der Anblick etwas Natürliches an sich. Als wäre dem St. Jude dieses Ende von Anfang an bestimmt gewesen.

Ich wandte ihm den Rücken zu und ging zum letzten Mal davon.

Vor der Polizeiabsperrung auf der Straße herrschte dichtes Gedränge aus Übertragungswagen, Kamerateams und Schaulustigen. Mit gesenktem Kopf eilte ich auf das wartende Taxi zu und ignorierte die Fragen, die mir entgegenschallten. Eine besonders aufdringliche Reporterin eilte mir nach, als ich in den Wagen stieg, doch ich schlug ihr die Tür vor der Nase zu und bat den Fahrer, loszufahren. Die Frau rief mir wütend hinterher, doch ich ließ mich in das Polster zurücksinken, ohne darauf zu achten. Ich wollte nur noch ins Bett und schlafen.

Was mir auch gelungen war, bis Rachels Anruf mich weckte. Als sie sich endlich vergewissert hatte, dass es mir gutging, wandte ihre Aufmerksamkeit sich Ward zu.

«Es ist ein Wunder, dass sie lebend da rausgekommen ist. Ist mit dem Baby auch alles okay?»

«Soweit ich weiß, ja.»

Rachel stieß einen langen Seufzer aus. «Als ich das in den Nachrichten hörte ... ich dachte, du hast gesagt, der Auftrag sei ungefährlich!»

«Das dachte ich ja auch. Das ... das hat sich so ergeben.»

«*So ergeben?* Herrgott, David, du hättest tot sein können!»

«Ich war nur Zuschauer. Ward war in dem Gebäude, nicht ich.»

«Und was ist mit der Fahrerflucht? In den Nachrichten hieß es, da wäre ebenfalls jemand aus dem Umkreis der Ermittlungen verletzt worden. Das hättest genauso gut du sein können.»

Ich erzählte ihr nicht, dass es mich tatsächlich beinahe selbst erwischt hätte. Dies war nicht der richtige Zeitpunkt. «Mir geht es gut. Wirklich. Wenn du hier wärst, könntest du dich selbst davon überzeugen.»

«Was soll das denn heißen?»

«Gar nichts», sagte ich erschrocken. «Ich meinte nur … Du musst dir keine Sorgen machen.»

«Ernsthaft? Ich schalte das Radio ein und höre, dass du vielleicht in die Luft geflogen bist, und muss stundenlang warten, ehe ich weiß, dass es dir gutgeht? Meinst du das mit ‹keine Sorgen machen›?»

Ich massierte mir den Nacken, fassungslos, wie schnell aus einem Anruf ein Streit geworden war. «Hör mal. Es tut mir leid, dass du dir Sorgen gemacht hast. Aber ich hätte nichts daran ändern können.»

Das klang selbst in meinen Ohren ziemlich mau. Ich hörte Rachel am anderen Ende atmen. Unangenehmes Schweigen breitete sich zwischen uns aus, aber mir fiel nichts ein, das ich hätte sagen können, ohne es noch schlimmer zu machen.

«Ich hatte nicht vor, dir den Kopf abzureißen», sagte sie schließlich ein bisschen ruhiger. «Das ist einfach nicht … Ich rufe dich später noch mal an, okay?»

Sie legte auf.

Das Telefonat hatte mich aufgewühlt. An Schlaf war nicht mehr zu denken. Draußen wurde es langsam hell. Ich starrte durchs Fenster hinunter auf das baumbestandene Gelände. Von hier aus konnte man erkennen, wie gut die Anlage abgeschirmt war, eine umzäunte Oase, durch automatische Tore von ihrer Nachbarschaft getrennt. In diesem Moment beschloss ich, sobald es sich einrichten ließ, in meine alte Wohnung zurückzukehren. Hier einzuziehen, war ein Fehler gewesen, und es hatte keinen Sinn, noch länger zu bleiben. Ich hatte mich lange genug vor Gespenstern versteckt.

Eine heiße Dusche und Frühstück brachten meine Lebensgeister zurück, auch wenn das Telefonat mit Rachel weiter an mir nagte. Der Schlafmangel trug nicht dazu bei, meine innere Unruhe zu lindern, genauso wenig wie das Gefühl, in der Luft zu hängen. Ich war davon ausgegangen, noch weitere ein bis zwei Tage im St. Jude beschäftigt zu sein, doch dieser Teil der Ermittlungen war wortwörtlich in sich zusammengestürzt. Ich hing ohne Pläne und ohne Aufgabe in der Schwebe. Ich konnte mit Ausfallzeiten nicht gut umgehen, und obwohl es natürlich im Institut immer etwas zu tun gab, hatte ich nicht mal dazu Lust.

Du brauchst dringend eine Veränderung.

Ich machte mir gerade noch eine Tasse Kaffee, als mein Telefon klingelte. Diesmal war es Whelan, und mein erster Gedanke war, dass Ward und das Baby es nicht geschafft hatten.

Die Sorge war unbegründet. «Es geht ihnen gut», berichtete der DI. «Sie soll bereits heute Nachmittag entlassen werden. Ich habe Ihnen doch gesagt, die Chefin ist zäh.»

Er klang nüchtern wie eh und je, keine Spur mehr von den Gefühlen, die letzte Nacht an die Oberfläche gekommen waren.

«Haben Sie vor, heute vorbeizukommen?», fragte er mich.

Ich versuchte, nicht zu erfreut zu klingen. «Könnte ich. Weshalb?»

«Ich möchte Sie gerne etwas fragen. Vielleicht ist es auch

gar nichts, aber die Chefin hat etwas gesagt, das mir nicht mehr aus dem Kopf geht.»

Meine Neugierde war geweckt. «Worum geht es denn?»

«Das sage ich Ihnen, wenn wir uns sehen. Vorher möchte ich noch ein paar Dinge abklären. Sagen wir, um zwei am St. Jude? Sie müssen nicht reinkommen. Wir treffen uns vorne am Haupttor.»

«Am St. Jude?»

Damit hätte ich nicht gerechnet. Nach der vergangenen Nacht dachte ich, ich hätte den Kasten endgültig zum letzten Mal gesehen.

Doch Whelan machte nicht mal eine Andeutung. «Ich erkläre Ihnen später alles. Aber tun Sie mir bitte einen Gefallen und behalten es für sich. Wie gesagt, vielleicht ist auch gar nichts dran.»

Als ich das Telefon wegsteckte, war alle Rastlosigkeit vergessen. Nach Jessops Tod und der Zerstörung des Tatorts hatte ich erwartet, dass die Ermittlungen zurückgefahren würden. Ich konnte mir beim besten Willen nicht vorstellen, weshalb Whelan sich mit mir treffen wollte. Noch dazu ausgerechnet am St. Jude.

Ich sah auf die Uhr. Meine Neugierde machte mich ungeduldig. Doch das war schon okay.

Ich hatte noch etwas anderes zu erledigen.

KAPITEL 30

Ein Müllwagen blockierte die Straße. Ich bat den Taxifahrer, mich an der Ecke rauszulassen, bezahlte und ging den Rest zu Fuß. Ich öffnete die Jacke und genoss das fahle Sonnenlicht auf meinem Gesicht. Das morgendliche Gespräch mit Rachel warf noch immer einen Schatten, doch ich redete mir ein, dass so etwas eben passierte, wenn Menschen erschöpft waren, gestresst und zwei Zeitzonen weit voneinander entfernt.

Aber jetzt, bei Tageslicht und frischer Luft und den Gedanken an Sharon Wards wundersame Rettung, war es fast unmöglich, nicht optimistisch zu sein. *Na ja, die Luft ist doch nicht ganz so frisch.* Der süßliche Gestank des Müllwagens begleitete mich, während das Ungetüm im Schneckentempo ratternd und zischend hinter mir herkroch.

Als ich vor Lolas Haustür ankam, schnitten mir die Griffe der braunen Papiertüte in die Hand. Von drinnen kam kein Lebenszeichen. Die Jalousien vor dem Fenster waren geschlossen, und Schmutz und Spinnweben überzogen die Scheibe mit einem schmierigen Film. Selbst der Hochglanzlack der Haustür wirkte stumpf. Ich wusste immer noch nicht, was ein Besuch hier bringen sollte, außer vielleicht, mein Gewissen zu beruhigen. Ich machte mir keine großen Illusionen, was Lolas Gefühle für mich betraf. Schließlich hatte sie es mir zu verdanken, dass sie von der Polizei verhört worden war und ihr bettlägeriger Sohn als Mordverdächtiger gegolten hatte. Seine Fingerabdrücke hatten ihn zwar entlastet, doch er war trotzdem aus ihrer Obhut genommen worden. Dass Lola zu den Menschen gehörte, die leicht verziehen, glaubte ich nicht.

Doch es war nun einmal, wie es war, und ich musste wissen, wie es ihr ging. Ich klopfte an die Haustür. Es kam keine Antwort. Der Müllwagen blieb ein paar Häuser weiter stehen und empfing mit quietschender Hydraulik die nächste Ladung. Ich klopfte noch einmal, doch mich beschlich das Gefühl, dass ich meine Zeit verschwendete. Selbst wenn Lola zu Hause war, wäre ich der letzte Mensch, den sie würde sehen wollen. Ein Müllmann rief dem Fahrer etwas zu und schlug auf die Seite des Fahrzeugs. In dem Moment, als der Wagen sich wieder in Bewegung setzte, sah ich aus dem Augenwinkel, wie die Jalousie in Lolas Fenster sich bewegte. *Wenigstens ist sie zu Hause.* Ich hob den Arm, um ihr die Tüte zu zeigen.

«Lola? Können Sie mir die Tür aufmachen?»

Nichts. Ich ließ die Tüte wieder sinken. Ich kam mir dumm vor. Mir war klar gewesen, dass es zur Wiedergutmachung mehr brauchte als ein weiteres Hähnchen vom Grill, doch ich hatte sie ködern wollen, damit sie mit mir sprach. Mit zischenden Bremsen kam der Müllwagen hinter mir zum Stehen und nahm mir die Sonne. Mit lautem Getöse wurden die Tonnen vor den noch bewohnten Häusern auf der anderen Straßenseite eingesammelt und geleert. Ich stellte die Tüte auf die Schwelle und wandte mich zum Gehen.

In dem Moment wurde die Haustür geöffnet. Lola starrte mich an. Ihr Gesicht war eine eiskalte Maske. Ihr Blick schnellte zu dem Müllwagen hinter mir, dann trat sie zurück.

«Besser, Sie kommen rein.»

Na, das ging ja leichter, als ich dachte. Ich hob die Tüte vom Boden auf und betrat die Wohnung. Innen herrschte finsteres Dämmerlicht. Ich sah, dass sämtliches Pflegematerial, das sich neulich noch überall im Zimmer getürmt hatte, entfernt worden war. Nur das Bett stand noch an Ort und Stelle, und obwohl die fleckige Matratze kein Bettzeug mehr hatte, hing noch immer der Geruch nach Schweiß und Fäkalien im Raum.

Lola schloss die Tür hinter sich und sperrte den Lärm des Müllwagens aus. Sie drehte sich um und sah mich an.

«Was wollen Sie?»

«Ich wollte mich erkundigen, wie es Ihnen geht.»

«Warum?»

Ich konnte ihr die Feindseligkeit kaum übelnehmen. Das schreinartige Schränkchen mit den Fotografien eines jugendlichen Gary Lennox stand noch immer am Fußende, obwohl es niemanden mehr gab, der sie ansah.

«Ich wollte wissen, ob ich irgendetwas tun kann …»

«Haben Sie nicht genug getan? Sie haben mir alles genommen, was wollen Sie denn noch?»

Ich hielt immer noch die Tüte mit dem Grillhähnchen in der Hand. Was für ein jämmerliches Friedensangebot.

«Es tut mir leid. Ich weiß, dass Sie …»

«Es tut Ihnen leid? Oh, na dann ist es ja gut! Sie kommen hierher, tun so, als würde Ihre Scheiße nach Veilchen duften, und dabei haben Sie das die ganze Zeit geplant!» Sie machte eine Geste auf das leere Bett. «Sind Sie jetzt zufrieden?»

Lola starrte mich an, ihre Brust hob und senkte sich. Mir wurde klar, dass es ein Fehler gewesen war, herzukommen, und ich fragte mich, was ich mir dabei gedacht hatte. Von der

Straße kam ein Zischen, der Müllwagen setzte sich in Bewegung und ließ das Tageslicht zurück ins Zimmer. Ich wollte gerade gehen, als irgendetwas im Ausdruck der tiefliegenden Augen sich änderte. Lola streckte die Hand aus.

«Geben Sie das her.»

Sie riss mir fast die Tüte aus der Hand, ließ sie neben der Spüle auf die Arbeitsplatte plumpsen und hielt inne, um das Aroma zu riechen, das daraus emporstieg.

«Wo Sie schon mal da sind, wollen Sie sicher 'ne Tasse Tee.»

Das war das Allerletzte, womit ich gerechnet hatte, doch Lola füllte bereits den Wasserkocher. Mit dem Kinn deutete sie auf den von Flecken übersäten Esstisch.

«Sie können sich auch setzen.»

Immer noch baff, zog ich mir einen Stuhl heran und setzte mich an den Tisch. Ich sah zu der Fotogalerie hinüber.

«Wie geht es Gary?», fragte ich.

Der Wasserkocher knallte auf die Arbeitsplatte. «*Sie nehmen seinen Namen nicht in den Mund!*»

Der plötzliche Ausbruch erschreckte mich, auf den Hass in ihren Augen war ich nicht gefasst gewesen. «Verzeihen Sie, ich wollte nur wissen, wie es ihm geht.»

Lola hatte sichtlich Mühe, sich wieder unter Kontrolle zu bekommen. Sie wandte sich von mir ab. «Fragen Sie doch die Ärzte, wenn Sie sich solche Sorgen machen.»

Plötzlich herrschte eine eisige Atmosphäre in dem kleinen Zimmer. Ich wünschte, ich hätte den Tee ausgeschlagen, aber jetzt konnte ich schlecht gehen. Lola wirkte ebenfalls verstört. Sie nahm eine Tasse, stellte sie wieder weg, öffnete die Papiertüte mit dem Hähnchen und knüllte sie wieder zu.

«Was bin ich Ihnen schuldig?»

«Nichts, das ist … »

«Wie oft noch? Ich will keine Almosen!» Sie bedachte mich mit einem verächtlichen Blick. Und noch etwas anderes lag darin, etwas, das ich nicht deuten konnte. «Ich gehe meine Geldbörse holen. Warten Sie hier.»

Sie verließ den Raum, und ich hörte sie mit schweren Schritten eine Treppe hinaufsteigen. Auf der Arbeitsplatte schaltete sich der in Vergessenheit geratene Wasserkocher ab. Ich atmete langsam aus. Ich war darauf gefasst gewesen, dass Lola sich weigern würde, mit mir zu sprechen, und auch darauf, dass sie mich anschrie, aber nicht auf diesen kaum verbrämten Hass.

Das Klingeln meines Handys ließ mich zusammenzucken. Ich holte es aus der Tasche und sah, dass Whelan anrief. Ich überlegte, den Anruf zu ignorieren, aber Lola war immer noch oben, und vielleicht gab es was Neues über Ward. Mit einem letzten Blick zur Tür hob ich ab.

«Alles in Ordnung?», fragte ich mit gesenkter Stimme.

«Wenn Sie die Chefin meinen, der geht's gut. Macht schon wieder Ärger, weil sie zurück an die Arbeit will», sagte Whelan. «Wo sind Sie?»

Wieder warf ich einen Blick zu der Tür. Es klang nicht so, als würde Lola gleich kommen, doch ich wollte trotzdem nicht zu lange telefonieren. «Ich kann gerade nicht sprechen.»

«Dann will ich Sie nicht aufhalten. Die Lage hat sich geändert. Können wir uns statt um zwei auch um vier treffen?»

Ich hatte eigentlich direkt von Lola aus zum St. Jude fahren wollen, aber ich wäre in jedem Fall zu früh dran gewesen, da kam es auf zwei Stunden auch nicht mehr an.

«Gibt es ein Problem?»

«Nein, es hat sich nur noch etwas ergeben.» Sein Tonfall machte klar, dass er mir nicht sagen würde, worum es ging.

«Ach, eine Sache noch. Wir haben Wayne Booths Zahnarzt ausfindig gemacht. Die Überreste aus dem Heizkessel sind nicht seine. Booth hatte keine Zahnprothese, weder eine Teilprothese noch ein Gebiss. Er hatte noch sämtliche Zähne.»

Das hätte mich nicht überraschen dürfen. Der einzige Grund, weshalb wir dachten, bei dem vierten Opfer könnte es sich um den vermissten ehemaligen Pflegehelfer und Wachmann handeln, war seine Verbindung zum St. Jude und damit zu Gary Lennox. Doch diese Theorie war bereits zusammen mit dem Verdacht gegen Lolas Sohn kollabiert.

Das bedeutete, wir hatten keine Ahnung, wessen sterbliche Überreste wir in dem Heizkessel gefunden hatten. Enttäuscht stimmte ich der Terminverschiebung zu und steckte das Telefon weg. Ich konnte Lola immer noch oben rumoren hören. Seufzend stand ich auf und trat an das mit Fotos vollgestellte Schränkchen.

Ich hatte zum ersten Mal Gelegenheit, die Bilder ungestört aus der Nähe zu betrachten, ohne die ablenkende Gegenwart von Lolas Sohn. *Das Schränkchen wirkt wirklich wie ein Schrein*, dachte ich. Neben den gerahmten Fotos gab es kleine Andenken an Gary Lennox' Kinderzeit. Schwimmurkunden, die Teilnahmebestätigung an einem Maurer- und Schreinerkurs, etwas, das aussah wie ein selbstgebasteltes Schmuckkästchen aus Holz. Es gab sogar eine verblasste Muttertagskarte, auf die mit kindlicher Handschrift ein Glückwunsch gekritzelt worden war.

Nach allem, was Gary widerfahren war, war es wohl nachvollziehbar, dass Lola betrauerte, wie ihr Sohn einst gewesen war. Gleichzeitig empfand ich es als grausam, den Bettlägerigen damit zu konfrontieren, ob beabsichtigt oder nicht. *Armer Teufel*, dachte ich und betrachtete ein Schulfoto von ihm.

Die Farben waren verblichen, das Bild zeigte Gary Lennox mit dreizehn oder vierzehn. Er wirkte unerträglich unbehaglich in der viel zu engen Schuluniform, und sein Unwohlsein war trotz eines gezwungenen Lächelns, das schiefe Zähne entblößte, deutlich spürbar. Er war auch damals schon übergewichtig gewesen und hatte auf den späteren Bildern noch weiter zugelegt. Es war ein erschreckender Kontrast zu dem abgemagerten Mann, den ich in dem Bett hatte liegen sehen.

Ich nahm ein Foto von Lennox in Pflegehelferkleidung in die Hand. Es gehörte zu den größten Bildern und zeigte ihn in seinen späten Teenager-Jahren, wahrscheinlich kurz nachdem er im St. Jude angefangen hatte. Er hatte sich zu einem ungeschlachten jungen Mann entwickelt, doch das unbeholfene Lächeln war dasselbe geblieben. Ich stellte das Foto zurück an seinen Platz, wandte mich ab und hielt dann inne. Etwas an dem Bild irritierte mich. Ich nahm es wieder in die Hand und musterte es genauer. Dann sah ich es. Das Lächeln war doch nicht dasselbe. Gary hatte keine schiefen Zähne mehr. Jetzt sah ich es auch auf den anderen Bildern, die ihn als älteren Teenager zeigten. Auch wenn es seinem Selbstbewusstsein offensichtlich nicht geholfen hatte, waren irgendwann seine Zähne begradigt worden.

Eine Erkenntnis beschlich mich, eine prickelnde Spannung, die ich spürte, noch ehe mir die Ursache dafür bewusst war. Ich sah mir noch einmal die älteren Bilder an, den jüngeren Gary Lennox mit den schiefen Zähnen. Dann wieder das in meiner Hand. Die Frontzähne wirkten zu ebenmäßig für das Werk einer Zahnspange, und es gab auch kein einziges Foto, auf dem er eine getragen hätte. Es gab nur Vorher-Nachher-Bilder. Also wahrscheinlich Überkronungen oder eine Brücke.

Oder eine Zahnprothese.

Das hatte gar nichts zu bedeuten, sagte ich mir. Doch sämtliche Instinkte sagten etwas anderes. Gary Lennox war in seinen Dreißigern, also innerhalb der Altersspanne der aus dem Kessel geborgenen verkohlten Knochen. Obwohl es von ihm keine späteren Bilder gab, zeichnete sich auf den vorhandenen Fotos deutlich ab, wie er als Erwachsener ausgesehen haben musste. Ein großer Mann. Hochgewachsen, mit schweren Knochen.

Nicht zu erkennen in dem siechen Invaliden, von dem Lola behauptete, er sei ihr Sohn.

Was auch immer an der Sache dran sein mochte, Whelan musste umgehend informiert werden. Ich stellte den Bilderrahmen weg und nahm das Handy aus der Tasche, um ihn anzurufen. Doch noch ehe ich zu der Nummer des DI hatte runterscrollen können, hörte ich Lolas schwere Schritte auf der Treppe. Hastig öffnete ich das SMS-Feld, tippte eilig eine Nachricht: *GLs Zähne checken!*, und drückte auf Senden. In der Hoffnung, dass er kapierte, was ich meinte, steckte ich das Telefon wieder weg und drehte mich in dem Moment um, als die Tür aufging.

Als Lola mich vor dem Schränkchen stehen sah, erstarrte sie. Ihre Augen schnellten zu den Bildern, die ich betrachtet hatte, doch ich war mir nicht sicher, ob sie misstrauischer war als sonst.

«Er war ein lieber Junge, mein Gary.»

So lässig ich konnte, trat ich ein paar Schritte zurück. «Wann hat er seine Frontzähne verloren?»

Sie betrat das Zimmer. Sie hielt eine gefaltete Zeitung in der Hand, aber keine Geldbörse. «Mit sechzehn.»

«Das ist ziemlich hart in dem Alter. Wie ist es passiert?»

Die kleinen Augen fixierten mich unablässig. «Die hat ihm das Schwein ausgeschlagen, das sich sein Vater schimpfte. Ein Unfall, hat er behauptet, aber das war gelogen.»

Das Prickeln war zurück, stärker als vorhin. Meine Vermutung hatte gelautet, dass der Besitzer der Zahnprothese seine Frontzähne vermutlich gewaltsam verloren hatte. Dass sie von einem gewalttätigen Vater ausgeschlagen worden waren, passte definitiv ins Bild.

«Trug er eine Brücke oder eine Prothese?», fragte ich.

«Was geht Sie das an?»

Inzwischen war sie zweifellos misstrauisch. Doch eine Antwort wurde mir erspart, weil zum zweiten Mal mein Handy klingelte und ich wieder zusammenzuckte.

Lola grinste spöttisch. «Gehen Sie nicht ran?»

Ich zog das Telefon aus der Jackentasche. *Whelan.* Er musste die SMS bekommen haben, aber jetzt konnte ich auf keinen Fall sprechen. Ich drückte ihn weg, schaltete das Gerät auf lautlos und schob es wieder in die Tasche.

«Keine Lust zu telefonieren, oder was?», höhnte sie.

«Das kann warten.»

Lola sah mich weiter mit diesem wissenden Lächeln an. Plötzlich fühlte ich mich unwohl, meine Intuition bedrängte mich. *Hau ab! Jetzt!*, schrie mein Instinkt mir zu. Aber das war lächerlich. Lola war eine alte Frau. Außerdem hatte das Spiel lange genug gedauert.

«Wer war der Mann in diesem Bett, Lola?»

«Ich weiß nicht, wovon Sie sprechen.»

«Das war nicht Gary, habe ich recht?»

Sie starrte mich an, und wieder beschlich mich eine unerklärliche Unruhe. «Sie glauben wohl, Sie wissen Bescheid, was?»

Nein. Tat ich nicht. Aber ich fing langsam an, mir so einiges zusammenzureimen.

«Gary ist tot, stimmt's?»

Ihre Beherrschung bekam Risse. Ihr Mund fing an zu zittern, ihre Augen wanderten zu den Fotos ihres Sohnes auf dem Schränkchen. Eine Träne rann über eine faltige Wange, auf der anderen Seite eine zweite.

«Er war mein Junge», flüsterte sie heiser. «Mein lieber, lieber Junge.»

Ich konnte nicht anders. Sie tat mir leid. «Ich weiß, dass Sie ihn beschützen wollen, aber das können Sie nicht. Nicht mehr», sagte ich sanft. «Es ist vorbei.»

«*Vorbei?*», spie sie mir entgegen. «Glauben Sie, es ist jemals vorbei? Mein Gary ist *fort*! Alles nur wegen denen … wegen diesem *Gesocks*! Dabei konnten die drei ihm nicht das Wasser reichen!»

Sie wischte sich mit dem Handrücken die Tränen weg. Ich hatte genug gehört. Erschöpft griff ich nach dem Telefon.

«Ich rufe jetzt die Polizei, Lola. Sie müssen denen erzählen, was Gary getan hat.»

«Was *er* getan hat?» Sie verzog verächtlich den Mund. Sie kam auf mich zu, hielt noch immer die Zeitung in der Hand. «Ich habe Ihnen schon mal gesagt, mein Gary war ein *guter* Junge. Er hätte keiner Fliege was zuleide getan.»

Plötzlich machte sie einen Satz, streckte die Hand mit der Zeitung aus. Ich wich zurück, aber hinter mir stand das Bett. Ich stolperte, die Zeitung fiel zu Boden und enthüllte eine lange, schwarze Stange. Ich versuchte, sie beiseitezuschlagen, doch das stumpfe Ende prallte gegen meinen Brustkorb. Ein höllischer Schmerz durchzuckte mich.

Und ich hörte auf zu atmen.

KAPITEL 31

🐦

Der Schmerz war schlimmer als alles, was ich je erlebt hatte. Die Welt wurde von einem grellweißen Blitz ausradiert, jeder einzelne Nerv in meinem Körper schrie gellend auf. Ich lag rücklings auf dem Bett, die Muskeln blockiert vom Krampf. Ich hatte den kupfernen Geschmack von Blut im Mund. Mein Herz war aus dem Rhythmus, die Lungenflügel zerbarsten fast vor Sauerstoffnot. Dann hob sich mein Brustkorb, und ich konnte wieder atmen.

Herr im Himmel!, dachte ich und schnappte nach Luft. *Herr im Himmel, was war das?*

Neben mir bewegte sich jemand. Schwere, schlurfende Schritte. Das Schaben von Stuhlbeinen, dann setzte Lola sich grunzend hin und nahm eine Tasse vom Tisch. *Wann hat sie Tee gekocht?* Hatte ich das Bewusstsein verloren? Ich hatte keine Ahnung. Lola trank mit lautem Schlürfen, dann ließ sie seufzend die Tasse sinken.

Sie sah zu mir runter und lächelte.

«Doch nicht so clever, was?»

Ich konnte nicht klar denken, alles fühlte sich an wie im Nebel, und ich konnte mich immer noch nicht bewegen. Mein Körper fühlte sich an wie erstarrt. Da war immer noch Schmerz, aber irgendwie fern, als wäre ich gleichzeitig anästhesiert.

Die alte Frau trank noch einen Schluck und schmatzte zufrieden. Sie griff nach einem Gegenstand auf dem Tisch. Als ich die schwarze Stange sah, wollte ich zurückweichen, doch mein gelähmter Körper gehorchte mir nicht. An dem Ende, das Lola in der Hand hielt, kamen dicke Drähte aus dem Stab, am anderen Ende ragten zwei kurze Metallstummel hervor.

Sie hielt mir das Ding vors Gesicht.

«Das ist das einzig Nützliche, was mein Mann mir hinterlassen hat. Das hat er mal aus Südamerika mitgebracht. Wie ein Viehtreiber, nur viel stärker. Die Polizei hat es geladen, und dann …»

Sie stieß die Stange in meine Richtung und hielt, kurz bevor sie mich damit berührte, grinsend inne. Ich hätte geschrien, doch nicht mal das konnte ich. Ich konnte nur daliegen, völlig gelähmt.

«Tut weh, oder? Er hat es an mir ausprobiert, als er betrunken war. Aber nur ein einziges Mal.»

Das Grinsen war weg. Sie legte sich das Ding auf den Schoß, das Ende mit den zwei Stummeln war auf mich gerichtet.

«Nachdem er Gary die Zähne ausgeschlagen hatte, bekam er es selbst zu spüren. ‹Na, wie gefällt dir das?›, hab ich ihn gefragt. Hat sich bepisst und vollgeschissen wie ein Baby. Tja.» Prüfend sah sie auf mich herab. Enttäuscht zog sie die Mundwinkel runter. «Hätte zwar nicht gedacht, dass ich ihn damit umbringe, aber verdient hat er's.»

Langsam kamen meine Empfindungen zurück. Ich spürte die grobe Matratze unter mir, nahm den sauren Gestank wahr. Alles tat mir weh, doch am meisten schmerzte die Stelle an den Rippen, wo die Stange mich berührt hatte. Dort loderte ein grelles, heißes Brennen. *Du bist geschockt worden*, dachte ich entsetzt. *Sie hat dir einen Elektroschock verpasst. Einen sehr starken.*

«Zuerst war mein Gary ganz durcheinander, aber er war ein guter Junge», sagte Lola. «Hat immer getan, was man ihm sagte. Wirst sehen, habe ich zu ihm gesagt, jetzt wird alles gut. Jetzt sind wir nur noch du und ich, das ist besser. Und so war es auch. Er hat mir geholfen, hat alles weggeräumt, falls jemand gekommen wäre, um sich nach Patrick zu erkundigen. Kam aber keiner.»

Sie unterbrach sich und trank wieder einen Schluck Tee. Meine Muskeln fingen unkontrolliert an zu zucken, ein qualvolles Zittern durchfuhr meinen Körper. Ich konnte mich noch immer nicht bewegen, aber in meinen Händen und Füßen hatte es inzwischen angefangen zu kribbeln, winzige, unangenehme Nadelstiche. Ich versuchte mir einzureden, dass das ein gutes Zeichen war.

Lola faselte weiter.

«Uns ging es gut, bis dieses miese Schwein von Booth aufgetaucht ist.» Sie sah mit gekräuselten Lippen auf mich runter. «Er war schuld, dass mein Gary aus dem St. Jude gefeuert wurde, wussten Sie das, Mr. Klugscheißer? Er und die andern zwei, Crossly und diese Ausländerschlampe. Sie schikanierten ihn, machten ihm das Leben zur Hölle. Haben ständig auf ihm rumgetrampelt, haben sich über seine Figur lustig gemacht. Crosslys Freundin, das liederliche Flittchen, vögelte den Apothekenchef, und dafür sah der weg, wenn sie Medikamente klauten und verhökerten. Doch als der Wachdienst misstrauisch wurde und anfing, rumzuschnüffeln, haben sie das Zeug im Spind von meinem Gary versteckt. Haben ihn als *Dieb* dastehen lassen. Das Krankenhaus musste es gewusst haben, aber die wollten schließlich keinen *Skandal*, oder?

Also wurde mein Gary gefeuert, und die Schweine haben zugeschaut und sich ins Fäustchen gelacht! ‹Oh, oh, oh, warst ein böser Junge, was? Hast dich wohl erwischen lassen, was?› Ich werde niemals das Gesicht vergessen, mit dem er an dem Abend nach Hause kam. Wie ein geprügelter Hund.»

Ich spürte ein Vibrieren in der Brust, erst dachte ich, es sei Muskelzucken, doch dann wurde mir klar, dass mein Handy in der Brusttasche meiner Jacke klingelte. Die Gummihülle hatte es offensichtlich vor der Stromladung beschützt. Es vibrierte, wurde still, vibrierte, wurde wieder still. *Whelan noch mal?* Ich hätte heulen können vor Frust. Doch selbst wenn Lola nicht nur ein paar Zentimeter von mir entfernt gesessen hätte, ich konnte genauso wenig die Hand heben, wie ich fliegen konnte.

Lola hatte nichts davon mitbekommen. Ihre Stimme nahm einen frohlockenden Tonfall an. «Tja! Was habe ich gelacht, als die ein paar Monate später das St. Jude dichtgemacht haben! Auf einen Schlag war das ganze Pack arbeitslos! Da hatte sich das Blatt gewendet, was? Mein Gary hatte einen Job im Supermarkt um die Ecke, und die gingen stempeln. Die haben schön blöd aus der Wäsche geschaut!»

Das Vibrieren hörte auf. *Nein! Nicht auflegen!* Ich war verzweifelt, und es dauerte ein paar Sekunden, ehe ich merkte, dass Lolas Wortfluss verebbt war. Sie starrte mich an, und ich merkte, dass ich unwillkürlich den Arm bewegt hatte, als die betäubten Muskeln und Nerven sich langsam erholten.

«Lässt schon wieder nach, was?»

Lolas Lächeln war grausam. Sie hob die schwarze Stange. Ich versuchte, mich wegzudrehen, als sie sich über mich beugte, doch meine Muskeln gehorchten mir nicht. *Nein! Nein, nein …*

Ich hörte ein elektrisches Knistern, als mir die beiden Metallstummel in den Bauch gerammt wurden. Die Welt versank aufs Neue in blendendem Weiß, mein Nervensystem schrie gellend auf. Diesmal verlor ich nicht das Bewusstsein. Ich bekam mit, wie mein Rücken sich durchbog und ich mich zuckend aufbäumte, bis nur noch Fersen und Schädelkrone Kontakt zur Matratze hatten.

Dann war es vorbei. Ich krachte zurück aufs Bett. Jeder einzelne, abgehackte Atemzug war gesegnete Erleichterung und Höllenqual zugleich, mein geschockter Körper setzte sich zitternd zur Wehr. Es stank nach verbranntem Stoff und Fleisch.

Lola legte die Stange vor sich auf den Tisch, lehnte sich zurück und griff nach der Tasse, um einen Schluck Tee zu trinken. «Ungefähr ein Jahr später tauchte Booth in dem Supermarkt auf, wo Gary arbeitete. Das fiese Schwein hatte es geschafft, einen Job als Wachmann im St. Jude zu kriegen. Ausgerechnet der!» Sie schüttelte den Kopf. «Fand es sehr witzig, dass Gary Regale auffüllte. Als wäre Nachtwächter was Besseres! Ein paar Tage später kam er wieder, und diesmal hatte er Crossly und seine Schlampe dabei. Haben sich beim Bier und beim Wein bedient, direkt vor den Augen von meinem Gary. Haben ihm ins Gesicht gelacht, ihm gesagt, er wäre schon mal wegen Diebstahl wo rausgeflogen und ob er wollte, dass ihm das noch mal passiert.»

Sie kniff den Mund zu einem verbitterten Strich zusammen.

«Mein Gary war ganz außer sich, wollte mir nichts davon erzählen. Oh, ich *wusste* natürlich, dass was nicht stimmte, aber er sagte, er wäre einfach nur müde. Er war zu der Zeit nicht ganz in Form, musste Tests machen lassen und so.» Sie starrte finster in ihren Teebecher. «Scheißärzte, was wissen die schon?»

Ohne Vorwarnung schüttete sie mir den Tee ins Gesicht. Ich würgte, mein gelähmtes Zwerchfell kämpfte um Luft. Lola stellte die Tasse weg und suchte sich eine bequemere Position auf dem Stuhl.

«Jedenfalls ging das wochenlang so weiter. Bis Gary eines Abends nach der Arbeit nicht nach Hause kam. Ich saß die halbe Nacht wach, krank vor Sorge. Um drei Uhr morgens kam er dann endlich wieder, die Kleidung zerrissen und schmutzig, er stank nach Alkohol und ... und ... und *nach ihr*!»

Lolas Gesicht verzog sich, ihr Mund fing an zu arbeiten, als müsste sie einen üblen Geschmack loswerden.

«Sie hatten ihn nach der Arbeit abgepasst. Brachten ihn dazu, zu ihnen ins Auto zu steigen, sagten, sie wollten Party machen. Als wären sie *Freunde*. Sind mit ihm zum St. Jude gefahren. Sie hatten sich eine der Krankenstationen hergerichtet, mit Sesseln und allem Möglichen. Booth arbeitete nicht mehr dort, aber Crossly und seine Schlampe hatten Jobs in einem anderen Krankenhaus und wieder mit ihrem alten Scheiß angefangen. Medikamente klauen und verkaufen. Dachten, sie wären besonders schlau, wenn sie das Zeug im St. Jude vertickten. Das Gesindel!»

Sie stierte finster von sich hin, versunken in ihren Erinnerungen.

«Die Sache war die. Die Geschäfte liefen schlecht. Die Krankenhausapotheke, die sie beklaut hatten, hatte die Daumenschrauben angelegt, und ihnen ging der Stoff aus. Also war ihnen langweilig, und sie wollten ein bisschen *Unterhaltung*. Mit meinem Gary. Er war kein Säufer, nicht wie sein Vater, aber sie haben ihn gezwungen. Sie haben ihn gepiesackt, ihn dazu getrieben, Sachen zu machen, Sachen, mit dieser ...

mit dieser *Hure*! Er wollte das nicht – ich kenne meinen Sohn. Dann wurde Crossly richtig fies. Fing an, ihn rumzuschubsen, ihn anzubrüllen. Mein Gary war so stark, der hätte ihn in Stücke reißen können, aber er hat niemandem je auch nur ein Haar gekrümmt. Und als er auf dem Boden lag und weinte, da hat Booth, dieses Arschloch …» Sie unterbrach sich, ihre Stimme zitterte, «… da hat dieses Arschloch ihn *vollgepisst*! Als wäre er ein Hund! Wer tut denn so was?»

Sie verstummte, ihr Kiefer mahlte, und sie atmete in abgehackten Zügen. Plötzlich sah sie zu mir runter, und ich wusste, was kam. Lola griff nach der schwarzen Stange, und meine Haut fing an zu kribbeln. Ich versuchte, mich abzuwenden, als sie mir das Ding vors nasse Gesicht hielt. Doch meine gelähmten Gliedmaßen versagten mir den Dienst.

«Glaubst du etwa, das bis jetzt hätte weh getan?», zischte sie. «Wenn ich dir das in die Fresse schiebe, weißt du, was Schmerzen sind. Wenn deine Zähne platzen, wirst du schreien wie am Spieß.»

Die beiden Elektroden schwebten wenige Zentimeter vor meinem Mund. Sie waren stumpf und fleckig, nur ganz vorne schimmerten die Enden metallen. Ich las Lola am Gesicht ab, wie stark der Wunsch war, es zu tun, doch dann ging ihr Blick zu dem verschlossenen Fenster. Die dünnen Holzlamellen und die Einfachscheibe waren die einzige Barriere zwischen uns und jedem, der draußen vorbeigehen mochte. Ein gereizter Ausdruck zog wie ein Schatten über ihr Gesicht.

Sie setzte mir die Stange an die Brust.

Als der Krampf vorbei war, hörte ich sie an der Spüle hantieren. Sie kochte frischen Tee. Zitternd lag ich da, die Wangen nass von Tee und Tränen. Doch so schlimm es auch gewesen war, ich hatte das Gefühl, dass der letzte Schock nicht mehr so stark gewesen war wie die ersten beiden. Ich konnte bereits das Zucken meiner Muskeln wieder spüren, als allererste Anzeichen von Bewegungsfähigkeit sich bemerkbar machten. Ich hatte keine Ahnung, welche Ladung die schwarze Stange hatte, jedenfalls besaß das Ding keinen Stecker. Früher oder später musste es leer sein.

Ich wusste nur nicht, ob ich bis dahin überleben würde.

Stöhnend ließ Lola sich auf den Stuhl sinken. Sie nahm einen gezierten Schluck aus der Tasse und setzte sie neben der Stange auf dem Tisch ab. Sie schniefte, wischte sich mit dem Handrücken die Nase und nahm schließlich den Faden wieder auf. Als würde sie einem Kind eine Geschichte erzählen.

«Bei Crossly war es einfach», sagte sie. «Wir mussten ein paar Wochen warten, bis er sich wieder im Supermarkt blicken ließ, aber ich wusste, dass das widerliche Schwein es nicht lange aushalten würde. Ich hatte Gary gesagt, er sollte behaupten, eine Tüte verschreibungspflichtiger Schmerzmittel gefunden zu haben, die ich gebunkert hätte. Codein, Opiate, lauter Zeug, das sie verkaufen könnten. Sie wussten, dass ich früher Krankenschwester war. Sie haben ihn immer mit den Geschichten schikaniert, die sie über mich gehört hatten, und wären außerdem nie auf die Idee gekommen, dass Gary sie anlügen könnte. Er wollte nicht, aber ich wusste, dass er's trotzdem machen würde. Er war ein guter Junge, mein Gary.»

In ihrer Stimme schwang Stolz. Ich wackelte mit den Zehen, spannte behutsam die Muskeln an, um wieder Gefühl in die Füße zu bekommen, ohne dass Lola es merkte.

«Crossly wollte, dass Gary die Sachen ins St. Jude bringt», redete sie weiter. «Sagte ihm, er sollte über die Leichenhalle kommen, damit die Kameras ihn nicht erwischten, die vorne inzwischen hingen. Dachte, er könnte Gary Angst machen, wenn er ihn allein durch den Tunnel schickt. Nur dass Gary nicht alleine war. Er hatte mich dabei. Und das hier.»

Sie nahm mit glänzenden Augen die schwarze Stange vom Tisch. Ich verkrampfte mich, weil ich dachte, sie würde mir den nächsten Schock versetzen. Doch dann ließ sie das Ding wieder sinken.

«Ich nahm an, die wären zu dritt, aber da waren nur Crossly und seine Schlampe. Die wurden fast hysterisch, als sie mich sahen. ‹Hast du deine Mami mitgebracht?› – ‹Brauchst wohl wen, der im Dunkeln mit dir Händchen hält?›»

Ein Lächeln glitt über Lolas Gesicht. Sie tätschelte die schwarze Stange.

«Dem ist das Lachen schnell vergangen, als ich ihm das hier in seinen fetten Wanst geschoben habe. Und ihr auch. Sie hat versucht, wegzurennen, ist aber nicht weit gekommen. Dafür hab ich gesorgt. Ich wollte denen eigentlich nur ein paar Schocks verpassen, ihnen ein bisschen Feuer unterm Arsch machen. Aber dann hab ich die alten Betten da stehen sehen und hatte eine bessere Idee.»

Sie nickte gedankenverloren und trank noch ein Schlückchen Tee.

«Gary war gar nicht begeistert», sagte sie. «Hat gezittert wie Espenlaub, der arme Junge. Es war das zweite Mal in meinem Leben, dass ich laut werden musste, aber das schaffte ich nicht allein. Ich brauchte Hilfe, um die fetten Schweine auf die Betten zu wuchten, und eine Wand konnte ich schließlich auch nicht alleine hochziehen, stimmt's? Ich hab dafür gesorgt, dass sie ihm zusahen, das kannst du dir vorstellen. Na, habe ich gesagt, glaubt ihr jetzt immer noch, dass er zu nichts taugt? Und? Wer lacht jetzt?»

Sie hatte die schwarze Stange vom Tisch genommen und

beim Reden damit in der Luft herumgefuchtelt. Jedes Mal, wenn sie mir damit nahe kam, zuckte ich zusammen. Dann verblasste ihr Grinsen.

«Schade war nur, dass Booth nicht auch da war, aber der würde uns schon noch über den Weg laufen. Der sollte sein eigenes Zimmer kriegen. Ich hatte nicht erwartet ...»

Ihre Stimme brach. Sie blinzelte ein paar Tränen weg.

«Er war stark wie ein Ochse, mein Gary. War nie krank, keinen einzigen Tag in seinem Leben, die Ärzte hatten doch keine Ahnung. Und er hat sich nicht beklagt, auch nicht, als er die Steine und das ganze Zeug da raufschleppen musste. Ich habe gemerkt, dass er außer Atem ist, aber wer wäre das nicht, bei der ganzen Schlepperei? Außerdem hatte er das Schlimmste längst hinter sich. Er hat das ganz wunderbar gemacht mit dieser Wand, bis hin zur Farbe. Sie war prima, die Wand. Noch ein, zwei Stunden, und niemand hätte je geahnt, dass wir überhaupt da gewesen waren. Und dann das ... dann kam plötzlich diese dämliche Kuh reinspaziert!»

Meine Glieder fühlten sich hölzern und schwer an, wie vollgepumpt mit Novocain. Trotzdem waren sie allmählich wieder zu gebrauchen. Während Lola in die Erinnerung versunken war, versuchte ich, unauffällig das Bein zu beugen. Ich ließ sie dabei nicht aus den Augen, um sicherzugehen, dass sie nichts merkte.

Aber Lola war mit den Gedanken bei ihrer Geschichte. «Ich hatte es ihm gesagt! Ich hatte *gesagt*, er soll nachgucken, ob er die Tür zum Krankensaal verriegelt hat! Mehrmals hatte ich es gesagt! Ich wollte nicht, dass irgendwelche Junkies reinspaziert kamen, während wir an der Arbeit waren, das *wusste* er! Doch an dem Tag war er schon die ganze Zeit so eigenartig gewesen. War still, hatte keinen Appetit. Ich dachte, wenn wir erst fertig sind, geht es ihm bestimmt wieder besser. Hätte ich das geahnt, hätte ich niemals … Ich dachte, er wäre *gestürzt*, der Tollpatsch. Aber er lag einfach nur da, das Gesicht war ganz *blau*! Ich konnte ihn doch nicht da liegen lassen, oder, meinen lieben, lieben Jungen? Nicht an so einem Ort, nicht bei *denen*!»

Ich versuchte nicht mal, ihr zu folgen. Ich war ganz darauf konzentriert, meinen Körper wieder bewegungsfähig zu machen. Lola beugte sich vor und schlug die Hände vors Gesicht. Ihre Schultern bebten. Doch dann riss sie plötzlich den Kopf wieder hoch.

«Die kleine schwangere Schlampe war schuld!», fauchte sie. «Wäre die nicht …»

Ohne Vorwarnung hob sie die Stange und rammte sie mir in die Seite. Und dann noch ein zweites Mal. Frischer, unerträglicher Schmerz floss durch mich hindurch. Diesmal verlor ich das Bewusstsein und kam erst mühsam wieder zu mir, als ich spürte, wie ich vom Bett gezerrt wurde. Ich landete mit einem dumpfen, harten Schlag auf dem Boden, zu allem Überfluss auch noch außer Atem. Meine Gliedmaßen waren völlig taub, gefühllos wie totes Holz, und mein Herz flatterte in meinem Brustkorb, als ich sah, wie Lola sich steif nach unten bückte und den Teppich packte, auf dem ich lag.

«So. Dann wollen wir dich mal aus dem Weg schaffen, was?»

Die Decke über mir geriet in Bewegung, und ich rutschte langsam, ruckelnd über den Fußboden. Nach ein paar Sekunden blieb Lola stehen und streckte sich, keuchend und mit hochrotem Gesicht.

«Verfluchte Scheiße …»

Eine Grimasse schneidend, massierte sie sich das Kreuzbein und versuchte, wieder zu Atem zu kommen. Dann bückte sie sich erneut und griff nach dem Teppich. Keuchend vor Anstrengung machte sie einen schwankenden Rückwärtsschritt, dann noch einen.

Der Teppich, und ich mit ihm, bewegte sich ein paar Zentimeter vorwärts.

Dann entdeckte ich in ihrem Rücken eine geöffnete Tür. Dahinter lag ein kurzer, unbeleuchteter Flur mit niedriger Decke, der sich der tiefen Schwärze eines Kellers entgegenneigte. Bei dem Anblick ergriff mich kaltes Grauen. Mir war klar, was Lola vorhatte. Falls ich mir nicht gleich den Hals brach, wenn sie mich die Kellertreppe runterwarf, konnte sie, sobald ich erst mal da unten lag, mit mir machen, was sie wollte. Niemand wusste, wo ich war, und mein Wagen stand immer noch vor dem St. Jude. Lola konnte sich alle Zeit der Welt lassen. Da unten konnte sie mich mit der schwarzen Stange foltern, ohne dass irgendjemand etwas sah oder hörte.

Genau wie sie es bei Darren Crossly und Maria de Souza getan hatte.

Verzweifelt versuchte ich, meine gelähmten Muskeln unter Kontrolle zu kriegen. *Kommt schon! BEWEGT EUCH!* Während Lola mich pfeifend und keuchend Zentimeter für Zentimeter über den Fußboden schleifte, wurde ich mit einem winzigen Zucken meiner Finger belohnt. Ein Anfang war gemacht. Doch die Kellertür war nur noch ein paar Schritte entfernt. Als Lola nach einer erneuten Pause den Teppich wieder hochhievte, wurde ich von neuer Panik überschwemmt. Dann blieb sie stehen, wischte sich über die Stirn und rang keuchend nach Luft.

«Mein verfluchter Rücken!» Ihr Gesicht war hochrot und glänzte vor Schweiß. Ihre kleinen Augen ruhten auf mir. «Na, aufgewacht?»

Ich registrierte, dass ihr Blick zu dem Stuhl zurückging, wo sie die schwarze Stange gelassen hatte, und konnte fast sehen, was sie dachte. Ich lag absolut regungslos, denn ich wusste, wenn sie mir nur einen einzigen weiteren Stromschlag verpasste, war es endgültig vorbei. *Nein! Tu das nicht!*

Meine Gedanken verhallten ungehört. Lola ließ den Teppich los, und meine Füße knallten auf den Boden. Sie stieg über meine Beine, um an den Stuhl zu kommen. Im selben Moment spürte ich ein sanftes Brummen an meiner Brust. Mein Handy hatte wieder begonnen zu vibrieren. Es war kaum zu hören, doch sie war mir diesmal viel näher als vorhin. Vielleicht verriet mich auch mein Gesichtsausdruck. Jedenfalls blieb Lola stehen. Sie kniff die Augen zusammen und starrte auf mich runter.

«Was ist das denn? Da versucht wohl jemand, dich zu erreichen, was?»

Sie bückte sich und riss mir die Jacke auf. Mit einem missbilligenden Zungenschnalzen zog sie das Telefon heraus. Es vibrierte hörbar, und Lola runzelte die Stirn.

«Scheißteile!»

Sie stieg über mich hinweg, ging zu der mit dreckigem Geschirr überladenen Spüle und ließ das Handy hineinfallen. Wasser spritzte auf, das Telefon gab noch ein letztes *Bzzz* von sich wie ein ertrinkendes Insekt und verstummte. Mit einem bösen Lächeln drehte Lola sich wieder zu mir um.

«Das brauchst du jetzt nicht mehr.»

Ich schloss die Augen. Verzweiflung wallte in mir auf. Doch durch die Ablenkung hatte sie vergessen, dass sie eigentlich die schwarze Stange holen wollte. Nicht dass sie die noch gebraucht hätte. Meine Füße lagen bereits im Durchgang zum Keller. Die Hände in die Hüften gestützt, starrte Lola auf mich runter, wie um sich für die allerletzte Kraftanstrengung zu wappnen.

«Na gut. Fast geschafft.»

Sie holte tief Luft, stieg ein letztes Mal über meine Beine und machte sich daran, mich die letzten paar Zentimeter zu zerren. Mit aus purer Verzweiflung geborener Anstrengung hob ich die Hand, um sie am Knöchel zu packen. Ein zweckloser Versuch. Die Hand plumpste taub zu Boden und streifte gerade einmal ihren Fuß.

«Ach ja?», knurrte sie. «Willst wohl doch noch mehr, was?»

Aufgebracht zog sie den Fuß zurück. Doch dabei verfing sich der andere zwischen meinen ausgestreckten Beinen. Lolas Augen wurden weit, als sie stolperte. Schwankend stand sie im Türrahmen. In dem Versuch, sich an der Tür festzukrallen, versetzte sie ihr einen Stoß. Die Tür schwang auf uns zu. Sie schlug gegen meine Beine, kam abrupt zum Stillstand, und Lolas Hand rutschte ab. Ihr Schrei wurde abgeschnitten, als sie rückwärts die Kellertreppe hinunterstürzte und heftig polternd auf mehreren Stufen aufschlug.

Dann war es still.

Ich lag bewegungslos im Durchgang. Mein Herz raste. Fast rechnete ich damit, aus dem Keller Geräusche zu hören, weil Lola wieder die Treppe heraufkam. Doch da war nichts. *Okay. Hier kannst du nicht bleiben. Zeit, sich zu bewegen.* Verzweifelt versuchte ich, mich zum Sitzen hochzuzwingen, und schließlich gelang es mir, mich auf die Seite zu rollen. Dort blieb ich keuchend liegen. Mein ganzer Körper fühlte sich völlig verkehrt an, taub und brennend zugleich. In meinen Ohren surrte es laut, und mein Herz hämmerte immer noch viel zu schnell. *Bleib ruhig. Atme tief und bleib ruhig.* Ich hob den Blick, sah mich um und entdeckte auf einem Sideboard Lolas Telefon.

Wenn ich da rankam und es mir gelang, es am Kabel zu mir runterzuziehen, konnte ich Hilfe holen. Ich warf einen Arm nach vorne, der sich taub wie ein Holzscheit anfühlte, und versuchte, mich über den Fußboden zu zerren. Das Surren in meinen Ohren wurde lauter, und mein Herz raste schlimmer denn je. Ich spürte es in meinem Brustkorb bocken, stotternd und völlig aus dem Rhythmus. Dann füllte der Raum sich mit grauem Nebel. *Oh Gott, nur jetzt keine Ohnmacht. Nicht jetzt, noch nicht. Bitte.* Die Augen fest auf das Telefon gerichtet, versuchte ich mit aller Macht, darauf zuzukriechen.

Doch es hätte genauso gut eine ganze Meile weit weg sein können. Das Surren war inzwischen ohrenbetäubend. Es füllte meinen ganzen Kopf aus. Erschöpft ließ ich den Blick sinken. Ich konnte meinen Körper nicht mehr spüren. Das beunruhigte mich, doch gleichzeitig war es erleichternd. Ein seltsamer Frieden überkam mich. *Das war's also,* dachte ich, als meine Sicht zu schwinden begann. Kurz spürte ich Traurigkeit, als ich an Rachel dachte, dann sah ich Kara und Alice vor mir. Ich hörte meine Tochter lachen, und ehe das Grau um mich sich in Schwarz verwandelte, brachte mich der Gedanke, dass sie zu Hause auf mich warteten, zum Lächeln.

KAPITEL 32

«Ist seine Freundin benachrichtigt worden?», fragte Whelan.

Ward schob sich im Sessel hin und her und versuchte, eine bequemere Position für ihren Bauch zu finden. «Noch nicht. Wir wissen, dass sie nicht im Land ist, und haben sie bisher nicht kontaktieren können.»

Sie saßen vor dem Fenster, beide müde, die Anstrengungen der letzten Zeit waren ihnen deutlich anzumerken. Whelan sah schlimm aus, das Tageslicht und die Neonlampen im Zimmer offenbarten jede einzelne schlaflose Stunde. Ward wirkte etwas ausgeruhter, doch die frisch verschorften Wunden und der blaue Fleck auf der Wange sprachen ihre eigene Sprache.

«Besser, sie hört es von uns, als dass sie es aus den Nachrichten erfährt.» Whelan blies die Wangen auf. «Was zum Teufel hat er sich gedacht, zu der alten Lennox zu fahren?»

«Vermutlich hat sie ihm leidgetan. Und vielleicht hat er sich verantwortlich gefühlt. Schließlich hat er uns überhaupt erst von Lola und ihrem Sohn erzählt. Sonst würden wir immer noch …»

Sie brach ab, schaute zu mir herüber.

«Sind Sie wieder unter uns?»

Ich versuchte zu sprechen. Mein Mund war trocken, erst

brachte ich nichts heraus. «Was machen Sie hier?», krächzte ich schließlich.

Ward lächelte. «Ich freue mich auch, Sie zu sehen.»

«Ich meinte …» Ich schluckte, versuchte, ein wenig Speichel in meinen Mund zu bringen. «… müssten Sie nicht im Bett liegen?»

«Hab ich versucht, wurde langweilig.» Sie sagte es leichthin, doch ein Schatten strich über ihr Gesicht. Sie grinste müde. «Mir geht es gut. Außerdem habe ich alle Hände voll damit zu tun, Sie aus irgendwelchen Schwierigkeiten rauszuholen.»

Ich versuchte, mich im Bett aufzurichten, gab aber schnell auf. «Welcher Tag ist heute?»

«Freitag.»

Richtig: Ich hatte vergessen, dass ich am Morgen schon aus der Bewusstlosigkeit erwacht war und die Krankenschwester gefragt hatte. Meine Gedanken waren immer noch durcheinander, aber ich wusste, dass ich am Mittwoch zu Lola gefahren war. Ein ganzer Tag war mir verlorengegangen.

«Wie fühlen Sie sich?», fragte Ward.

Seltsam war das erste Wort, das mir in den Sinn kam. Das Licht schmerzte in meinen Augen, die Farben waren zu grell. Jede Bewegung erforderte eine bewusste Anstrengung, als würde mein Körper nicht richtig zusammenpassen. Außerdem fühlte ich mich schwach wie ein Kätzchen, und alles tat weh. Am Oberarm und dem Oberkörper, wo der Schmerz sich zu konzentrieren schien, waren Wundverbände angelegt, auf meiner Brust klebten EKG-Elektroden, angeschlossen an einen Monitor neben dem Bett.

«Okay», sagte ich.

«An was erinnern Sie sich?»

Langsam kam alles zurück. *Lola. Die schwarze Stange.* «An genug.»

«Fühlen Sie sich kräftig genug, um uns zu erzählen, was passiert ist?» Ward schenkte mir ein Glas Wasser ein.

Ich versuchte mein Bestes. Ab und zu hielt ich inne und trank einen Schluck, einmal kam die Krankenschwester, um meine Werte zu überprüfen, aber schließlich hatte ich alles erzählt, an das ich mich erinnern konnte. Bis zu dem Zeitpunkt, als ich auf Lolas Fußboden das Bewusstsein verloren hatte.

«Fühlt sich vielleicht nicht so an, aber Sie hatten Glück», sagte Ward und schenkte Wasser nach. «Das Ding, das Lola benutzt hat, ist eine sogenannte *picana*. Eine Art aufgemotzter Viehtreiber, aber viel fieser. Dieser wurde so umgebaut, dass er neu aufgeladen werden konnte und nicht am Stromnetz hängen musste. Als sie ihn bei Ihnen angewendet hat, war der Akku schon schwach.»

So hatte es sich nicht angefühlt. «Sie hat gesagt, ihr Mann hätte ihn aus Südamerika mitgebracht.»

«Das wissen wir. Anscheinend wurden die Dinger in den siebziger Jahren von diversen Diktaturen zum Foltern von Gefangenen benutzt, aber ich hatte keine Ahnung, dass einer es bis zu uns geschafft hatte. Sie hat ihn im Schlafzimmer unter einer Diele aufbewahrt. Bei der ersten Hausdurchsuchung haben wir ihn übersehen, aber wir haben auch nach nichts Derartigem gesucht.»

«Wie haben Sie mich gefunden?» Endlich schaffte ich es, mich im Bett aufzurichten. Dass ich nur einen Krankenhauskittel trug, war mir egal.

«Dafür können Sie sich bei Jack bedanken. Nachdem er ihre SMS bekommen hatte und Sie dann nicht erreichen konnte, ist er zu Lola Lennox gefahren. Eine Nachbarin sagte, sie wäre definitiv zu Hause, und als sie nicht öffnete, hat er die Tür aufgebrochen und Sie auf dem Fußboden gefunden.»

«Ich habe Sie für tot gehalten», sagte Whelan nüchtern.

Ich mich auch. «Wieso ahnten Sie, dass ich dort bin?»

Doch Ward erhob sich. «Ich glaube, das reicht für heute. Ruhen Sie sich aus. Wir können morgen weiterreden.»

Ich hätte gern noch ein paar Fragen gestellt, zum Beispiel, weswegen Whelan mich am St. Jude hatte treffen wollen und was Ward mit «das wissen wir» gemeint hatte. Doch als ich widersprechen wollte, überrollte mich eine Welle der Erschöpfung. Plötzlich konnte ich die Augen kaum noch offen halten. Ich sank ins Kissen zurück, und die beiden verließen, leise miteinander sprechend, das Zimmer.

«Sie haben ihm nichts von ihr gesagt», hörte ich Whelan, und Ward erwiderte, «später», aber ich war schon zu weit weg, um mir Gedanken zu machen.

In den nächsten achtundvierzig Stunden schlief ich immer wieder so fest, dass es mir wie Bewusstlosigkeit vorkam. Wenn ich aufwachte, saß oft jemand neben meinem Bett, dann war ich plötzlich wieder allein und stellte fest, dass Stunden vergangen waren. Rachel traf am Freitagabend ein. Sie hatte mich nach unserem Streit zu erreichen versucht, aber mein Handy war ja in Lolas Spüle untergegangen und funktionierte nicht mehr. Sie hatte sich immer größere Sorgen gemacht und schließlich bei Jason und Anja angerufen.

Jason hatte die Krankenhäuser abtelefoniert und schließlich erfahren, dass ich als Notfall eingeliefert worden war. Da er Arzt war, schaffte er es, den Grund herauszufinden. Rachel hatte einen Tag gebraucht, um zu einem Flughafen zu gelangen und über Umwege nach London zurückzufliegen. Sie umarmte mich so fest, dass sich ein paar der Elektroden auf meiner Brust lösten, dann wurde sie wütend.

«Verdammt noch mal, David, wie du aussiehst! Ich kann dich keine fünf Minuten allein lassen!»

Dann umarmte sie mich wieder.

Jason war bei seinem Besuch mit Anja noch direkter gewesen. «Weißt du, was dein Problem ist? Du ziehst Schwierigkeiten magnetisch an. Das ist fast schon unheimlich.»

Ich hatte zahlreiche Untersuchungen, Röntgentermine und Scans über mich ergehen lassen, damit herausgefunden werden konnte, ob Lolas Behandlung anhaltende Beschwerden verursacht hatte. Die Hauptsorge galt meinem Herzen, das, als man mich gefunden hatte, bereits stark arrhythmisch geschlagen hatte. Die Frage war, ob es dauerhaft in Mitleidenschaft gezogen war. Ein Kardiologe hatte mich untersucht und erklärt, auch wenn keine unmittelbaren Schäden zu erkennen wären, wollte er mich in ein paar Wochen wiedersehen.

«Im Großen und Ganzen hatten Sie wirklich großes Glück», sagte er.

Das sagten alle.

Zu meiner Überraschung erfuhr ich, dass Lola überlebt hatte. Ich hatte angenommen, dass der Treppensturz in ihrem Alter tödlich hätte sein müssen, doch sie war mit Prellungen, einer gebrochenen Hüfte und kleineren Brüchen davongekommen.

«Sie hat besser ausgesehen als Sie», hatte Whelan bei seinem zweiten Besuch mit Ward gesagt. «Was zum Teufel haben Sie sich dabei gedacht, da hinzufahren?»

Ganz sicher nicht, dass eine alte Frau versuchen würde, mich umzubringen. Aber schon bevor ich Whelan die Nachricht geschickt hatte, er solle Gary Lennox' Zahnarztunterlagen überprüfen, hatte der DI sich seine eigenen Gedanken zu Lola und ihrem Sohn gemacht. Nach Wards Rettung aus dem Tunnel war ihm aufgegangen, dass die Leichenhalle eine ideale Hintertür für jeden darstellte, der ungesehen das St. Jude betreten oder verlassen wollte.

«Dass die Sicherheitskameras am Haupteingang bloß Attrappen waren, wussten die meisten Leute nicht», sagte er. «An der Leichenhalle waren keine, bis sie abgerissen wurde, also konnte jeder, der den Tunnel kannte, heimlich ins Krankenhaus gelangen. Dann fiel mir ein, dass Sie Lennox' Mutter im Wald getroffen hatten und dass das der schnellste Weg von ihrem Haus zur Leichenhalle war.»

Er hatte sich mit mir verabredet, damit ich ihm zeigen konnte, wo genau ich Lola begegnet war. Dann hatte er meine SMS bekommen und plötzlich begriffen, dass wir möglicherweise komplett auf dem Holzweg waren. Und dass die Knochenreste im Boiler vielleicht gar nicht von einem anderen Opfer stammten.

«Es musste ja einen Grund geben, dass ich Gary Lennox' Zahnunterlagen überprüfen sollte, und da ich Ihnen gerade mitgeteilt hatte, dass die Prothese nicht von Wayne Booth stammte, war der nicht so schwer zu erraten», sagte Whelan. «Als Sie nicht ans Handy gegangen sind, hatte ich so eine Ahnung, dass Sie bei Lola gerade wieder den barmherzigen Samariter spielen wollten.»

«Zum Glück», warf Ward ein. «Sie wären nicht mehr unter uns, wenn er zuerst die Zahnarztunterlagen überprüft hätte.»

Das war mir mehr als deutlich bewusst. «Ich bin sehr froh darüber.»

Whelan wehrte ab. «Ich wollte bloß nicht, dass Sie wieder Mist bauen, bevor wir die Chance hatten, Lola zu befragen. Ich war ziemlich sicher, dass der Mann im Bett nicht ihr Sohn war, und hatte auch eine Ahnung, um wen es sich handeln könnte.»

«Wayne Booth», sagte ich.

«Wayne Booth», bestätigte Ward.

Ward berichtete, dass Lola von Darren Crossly und Maria de Souza erfahren hatte, wo Booth wohnte. Sie hatte vorgehabt, ihn ebenfalls im St. Jude einzumauern, aber nach Garys Tod hatte sie ihre Pläne ändern müssen.

«Sie hat Wayne zu Hause aufgesucht, ihm einen Elektroschock verpasst und ihn in einem alten Rollstuhl zu sich nach Hause geschoben.» Ward klang fast beeindruckt. «Fünf Meilen weit, die *picana* unter einer Decke versteckt, sodass sie ihn bei Bedarf wieder außer Gefecht setzen konnte. Ihre Nachbarin hat sogar gesehen, wie sie ihn ins Haus gebracht hat, aber sie war erst kürzlich eingezogen und Gary Lennox nie begegnet. Sie nahm einfach an, er wäre Lolas Sohn. Wie wir alle.» Selbstvorwurf klang in ihrer Stimme mit.

«Booth ist also wegen der Elektroschocks in diesem Zustand?» Die Haut um meine eigenen Verbrennungen schien zu zucken, als ich es aussprach.

Ward nickte. «Gott weiß, wie viele der arme Kerl bekommen hatte, bis wir ihn da rausholten. Die Ärzte haben keine Ahnung, wie er so lange überleben konnte, vermutlich war Lolas Erfahrung als Krankenschwester also doch zu irgendwas gut. Sie wollte ihn lebendig, um ihn immer weiter bestrafen zu können. Das war leichter, als sich selber Vorwürfe zu machen, nehme ich an.»

Nehmen Sie ihn mir nicht auch noch weg! Er ist alles, was ich noch habe! Nicht das Flehen einer Mutter, wie wir dachten, sondern das einer verbitterten Sadistin, der das Opfer genommen wurde. Die Fotosammlung am Bett hatte nicht nur wie ein Schrein ausgesehen. Es war einer.

«Kann Booth irgendwie kommunizieren?», fragte ich.

«Er kann mit Nicken und Handbewegungen auf Ja-Nein-Fragen antworten. Die Therapeuten wollen es mit einer Tastatur versuchen, doch das wird Zeit brauchen. Aber Lola hat uns das meiste selbst erzählt.»

«Sie hat gestanden?»

«Geständnis würde ich es nicht nennen, ich glaube, ihr ist inzwischen alles egal. Wir haben die Fingerabdrücke von der Wand und den Farbeimern im St. Jude mit denen von Gary Lennox' persönlichen Gegenständen abgeglichen, es gibt also einen konkreten Beweis. Lola weiß, dass Leugnen keinen Sinn mehr hat, und genießt ihre Schimpftiraden.»

«Hat sie gesagt, wie ihr Sohn ums Leben gekommen ist?», fragte ich. Nach dem, was Lola mir erzählt hatte, schien Christine Gorskis Auftauchen einen Herzinfarkt ausgelöst zu haben.

Ward lächelte grimmig. «Bei dem Thema bockte sie erst, aber am Ende kam es heraus. Sie hat ihn getötet.»

«*Was?*»

«Nicht absichtlich. Als er versucht hat, Christine Gorski zu beschützen, ist Lola durchgedreht. Sie hatte Christine bereits einmal geschockt, und als Gary sie davon abhalten wollte, es noch mal zu tun, hat sie die *picana* bei ihm angewendet. Wir wissen, dass er ein schwaches Herz hatte, vielleicht ist es bei seinem Vater auch so gelaufen.»

Eine Herzschwäche, vererbt oder nicht, wäre durch das Schleppen von Baumaterial ins oberste Stockwerk des St. Jude nicht besser geworden. Und als Komplize wider Willen bei den Verbrechen seiner Mutter musste Gary unter enormem körperlichem und emotionalem Stress gestanden haben.

«Sie hatten recht, dass bei Christine die Fruchtblase geplatzt ist», fuhr Ward fort, ihr Tonfall plötzlich neutral. «Als Lola gerade versuchte, Gary wiederzubeleben, kam Christine zu Bewusstsein und wollte fliehen, schaffte es aber nur bis zum Dachboden. Lola folgte den Tropfen auf dem Boden, und als sie sah, wo das Mädchen sich versteckt hatte, hat sie einfach die Tür verriegelt und sie dort zurückgelassen.»

Ich wusste nicht, was ich entsetzlicher fand, dass Lola ihren Sohn getötet hatte, oder die Kaltblütigkeit, einer schwangeren Frau einen Elektroschock zu verabreichen und sie dann auf dem Dachboden eines verlassenen Gebäudes sterben zu lassen.

«Was für eine Krankenschwester.» Whelan schüttelte den Kopf. «Und als wäre das alles nicht schlimm genug, wollte sie seine Leiche nicht liegen lassen und hat ihn mit einem zufällig rumstehenden alten Rollstuhl zur Treppe geschoben und in den Keller gekippt.»

«Deswegen waren wohl die Rippen, die wir im Boiler gefunden haben, gebrochen», fügte Ward hinzu. «Eigentlich hatte sie ihn durch die Leichenhalle nach draußen bringen wollen, aber sie hat den Rollstuhl am anderen Ende nicht die Stufen hochbekommen. Da kam ihr die Idee, ihn im Boiler zu verbrennen.»

Ich stellte mir vor, wie Lola die Leiche ihres Sohns durch das dunkle Krankenhaus gezerrt und gehört hatte, wie bei jeder Treppenstufe seine Knochen und Zähne brachen. *Ich konnte ihn doch nicht da liegen lassen, oder? Nicht an so einem Ort, nicht bei denen!*

«Das Einzige, was sie uns nicht verraten will, ist, was sie mit seinen Überresten gemacht hat», fuhr Ward fort. «Wir wissen, dass sie sie Stück für Stück aus dem Heizungsraum geholt hat, wenn ich auch glaube, dass es dabei eher um die Vernichtung von Beweisen als um mütterliche Gefühle ging.

Wie auch immer, sie gibt zu, dass sie vor dem Abriss der Leichenhalle nicht alles holen konnte, bleibt aber stumm, wenn wir wissen wollen, was sie mit den eingesammelten Knochen gemacht hat. Meint, wir hätten ihr schon genug genommen. Im Haus haben wir bisher nichts gefunden, ich lasse es vom Leichenspürhund absuchen.»

«Wann?», fragte ich.

Sie schüttelte den Kopf. «Da müssen Sie sich ausnahmsweise mal raushalten. Keine Sorge, ich sage Bescheid, wenn wir was finden.»

Ich war nicht in der Verfassung für Widerworte. Aber eins wollte ich noch wissen. Auch wenn ich Wards Widerwillen verstehen konnte, früher oder später musste es raus.

«Was ist mit Jessop?», fragte ich.

Whelan verzog den Mund und blickte zu Boden. Ward faltete die Hände im Schoß, als wollte sie sich sammeln.

«Da haben wir uns geirrt», gab sie zu. «Jessop hat tatsächlich etwas verheimlicht, aber nicht, was wir dachten. Nachdem er das St. Jude in die Luft gejagt hatte, kam einer seiner Angestellten zu uns, Neil Wesley, gerade neunzehn Jahre alt. Er behauptet, Christine Gorskis Leiche vor vier Monaten entdeckt zu haben, als er routinemäßig den Dachboden überprüfte. Weil Jessop keine weiteren Verzögerungen wollte, hat er Wesley gezwungen, mit ihm zusammen die Leiche in die Plastikplane einzuwickeln und sie tiefer im Dachboden zu verstecken, wo sie nicht so leicht zu sehen war.»

«Hat ihm nicht viel genützt», sagte Whelan unversöhnlich. «Wenn sie es sofort gemeldet hätten, wäre all das nicht passiert. Wir hätten gedacht, sie wäre das einzige Opfer, und das St. Jude würde inzwischen vermutlich abgerissen werden. Von den anderen hätten wir nie erfahren.»

Ich sank erschöpft in die Kissen zurück. Jessop hatte für seinen Fehler einen hohen Preis gezahlt. «Warum hat dieser Wesley erst jetzt etwas gesagt?»

«Er hatte zu viel Angst», sagte Ward. «Er hat seinen Boss informiert und gedacht, der würde die Polizei verständigen, aber Jessop ist schier durchgedreht. Meinte, das wäre bloß irgendein Junkie, den niemand vermissen würde, und wenn Wesley jemandem davon erzählt, entlässt er ihn nicht nur, sondern sorgt auch dafür, dass er richtig Ärger kriegt wegen der Leiche. Den armen Jungen hat seither sein Gewissen geplagt. Sie haben ihn selbst gesehen, er lungerte vor dem Haupttor herum und hat versucht, den Mut aufzubringen, mit uns zu reden.»

Ich brauchte einen Moment, um zu begreifen, was sie meinte. Der junge Mann, der mir vors Auto gelaufen war und den ich danach an der Bushaltestelle gesehen hatte. «Das war Neil Wesley?»

Ward lächelte freudlos. «PC Hendricks hat uns davon erzählt. Seit Sie angeboten haben, sich als Geisel austauschen zu lassen, ist sie ein großer Fan von Ihnen.»

Es war ein Versuch, das Gespräch in seichteres Gewässer zu lenken. Aber es gab noch zu viel, das ich nicht verstand.

«Hat Jessop denn irgendetwas gesagt, als Sie mit ihm im St. Jude waren?», fragte ich. «Irgendwas erklärt?»

«Er war ein selbstmitleidiger Säufer, der sein Leben versaut hat!» Whelan brauste plötzlich auf. «Wenn er nur einen

433

Funken Anstand besessen hätte, hätte er sich irgendwo in aller Stille umgebracht anstatt mit einem Riesenknall!»

«Schon gut, Jack», sagte Ward leise und seufzte. «Er hat nicht viel gesagt, nein. Aber wäre er der sadistische Killer gewesen, für den wir ihn gehalten haben, hätte er mich nicht gehen lassen. Und ich bin nicht mal sicher, dass er das St. Jude wirklich in die Luft jagen wollte. Bei dem Zustand, in dem er am Ende war, glaube ich kaum, dass er noch wusste, was er tat. Es kann ein Versehen gewesen sein.»

«Sie sollten sich das Mitgefühl sparen, Ma'am. Er hätte Sie trotzdem fast getötet», sagte Whelan trotzig. «Er hat Ihnen nicht genug Zeit gelassen, um rauszukommen. Wenn der Tunnel nicht gewesen wäre … »

Er brach ab und wurde rot. Aber zur Abwechslung waren wir einer Meinung. «Selbst wenn Jessop nicht für die Toten im St. Jude verantwortlich war, hat er trotzdem absichtlich Adam Oduya überfahren», sagte ich und merkte, dass mir vor Müdigkeit das Sprechen schwerfiel. «Und Daniel Mears dürfte es kaum trösten, dass sein Unfall ein Versehen war.»

Plötzlich veränderte sich die Atmosphäre im Raum. Meine Müdigkeit verflog, als ich die Mienen der beiden sah.

«Was ist?»

Ward wandte sich an Whelan. «Geben Sie uns eine Minute, ja, Jack?»

«Sind Sie sicher, Ma'am?»

Sie nickte. «Warten Sie draußen auf mich.»

«Sicher weswegen?», fragte ich, als Whelan das Zimmer verlassen hatte. «Was ist los?»

«Ich wollte es Ihnen nicht sagen, weil Sie nicht fit waren, aber wir haben den Unfallwagen gefunden. In einem stillgelegten Steinbruch in der Nähe der M20. Wie es aussieht, war der Wagen gestohlen, und die Fahrerin hat wohl entweder die Kontrolle verloren oder den Wagen absichtlich durch den Zaun und über die Abbruchkante gefahren. Auf jeden Fall war sie sofort tot.»

Mein Mund wurde trocken. «Sie?»

Ward sah mich mit einem seltsamen Ausdruck an.

«Es war Grace Strachan.»

KAPITEL 33

Zwei Tage später wurde ich entlassen. Rachel brachte mir etwas zum Anziehen und würde mich nach Ballard Court fahren. Als ich aus dem Krankenhaus trat, erschien mir die Welt unwirklich. Der Himmel war bewölkt, trotzdem brannte mir das Tageslicht in den Augen. Alles schien zu grell und zu laut, eine sensorische Überlastung aus Farben und Geräuschen. Und eine weitere Nachwirkung der Elektroschocks, die, wie man mir versichert hatte, verschwinden würde.

Wenn es auch bei einigen länger als bei anderen dauerte.

Im Auto redeten wir nicht viel. «Ist alles in Ordnung?», fragte Rachel, als wir an einer roten Ampel standen.

«Ja», antwortete ich.

Schweigend warteten wir, dass die Ampel auf Grün sprang.

Wir betraten das Apartment, Rachel stellte Musik an und machte sich in der Küche zu schaffen. Ich ging ins Wohnzimmer und hatte vergessen, was ich dort wollte. Das passierte immer wieder, aber nicht mehr so oft wie am Anfang. Ich dachte an etwas und konnte mich plötzlich nicht mehr erinnern, was es gewesen war.

Ich stellte mich ans Fenster und sah auf die Straße hinunter. Die Bäume waren fast kahl, die Gehwege dunkel und regennass. Die draußen geparkten Wagen sahen zu klein aus, um echt zu sein, wie Spielzeugmodelle.

«Warum setzt du dich nicht?», sagte Rachel, die mit einer Tasse aus der Küche kam. «Hier ist Kaffee für dich, ich mache jetzt das Mittagessen. Ich weiß ja, dass du die Kaffeemaschine hasst, deswegen habe ich eine Espressokanne gekauft. Dann musst du nicht mehr Instant trinken.»

«Ich habe nichts gegen Instant», sagte ich, ohne nachzudenken.

«Na, jetzt hast du die Wahl.» Sie seufzte. «Tut mir leid. Es ist bloß ... du bist sehr still. Ich weiß nicht, was ich sagen soll.»

Ich zwang mich zu lächeln. «Ich bin nur müde.»

Ihr Blick zeigte, dass sie mir genauso wenig glaubte wie ich selbst. «Willst du darüber reden?»

«Nein.» Ich wandte mich wieder dem Fenster zu.

Nur daran zu denken, war schwer genug. Mir war klar, dass meine Verfassung zum Teil eine Reaktion auf das war, was ich bei Lola erlebt hatte. Es würde dauern, bis die psychischen und physischen Nachwirkungen der Elektroschocks abgeklungen wären, und die Erinnerung daran, gelähmt und hilflos zu sein, ließ nackte Panik in mir aufsteigen. Aber darauf war ich vorbereitet. Das war eine normale Reaktion, die ich verstand und mit der ich umgehen konnte.

Doch das, was Ward mir im Krankenhaus mitgeteilt hatte, konnte ich nicht einfach akzeptieren.

«Wir glauben, dass Grace Strachan Sie seit Monaten gestalkt hat», hatte sie gesagt, nachdem Whelan das Zimmer verlassen hatte. «Wir sind noch dabei, ihr Bewegungsprofil zu erstellen, aber wie es aussieht, hat sie sich im Ausland aufgehalten. In Großbritannien wäre sie irgendwann aufgeflogen, daher gehen wir davon aus, dass sie damals das Land verlassen hat, nachdem sie versucht hatte, Sie zu töten.»

«Aber das ist ...» Ich wusste nicht weiter, es war zu viel. Ich versuchte, meine Gedanken zu ordnen, und setzte erneut an. «Jemand muss ihr geholfen haben.»

Grace war zu instabil, um so lange allein klarzukommen. Früher hatte ihr Bruder sie beschützt und die Spuren ihres psychotischen Verhaltens verwischt. Damals schon hatten sie immer in Bewegung bleiben müssen, bis er in seiner Verzweiflung auf einer kaum bevölkerten Insel in den Hebriden Zuflucht gesucht hatte. Vergeblich.

«Das könnte sein», stimmte Ward zu. «Aber wenn man reich ist, ist Untertauchen nicht schwer, und die Strachans waren stinkreich. Alle Konten, von denen wir wussten, wurden eingefroren, aber es kann Auslandsanlagen gegeben haben. Und soweit ich weiß, wirkt Grace meistens völlig normal. Sie wird nur dann gewalttätig, wenn etwas sie triggert.»

Beispielsweise Eifersucht wegen ihres Bruders. Oder der Glaube, dass ich schuld an dessen Tod wäre, dachte ich benommen. «Und was hat sie jetzt zurückgelockt?»

Ward schien sich unbehaglich zu fühlen. «Vermutlich Sie. Ihr Name stand im Frühjahr in Verbindung mit den Morden in Essex in den Zeitungen, und auch schon nach dem Chaos in Dartmoor. Beide Fälle haben Aufmerksamkeit erregt, sie kann also leicht davon gelesen haben. Möglicherweise hatte sie Sie bis dahin für tot gehalten. Der Fingerabdruck an Ihrer Haustür stammte jedenfalls eher von einem Einbruchsversuch, als dass er nach der Messerattacke übersehen wurde. Sie waren nicht zu Hause, und wir nehmen an, dass sie seitdem nach Ihnen gesucht hat.»

«Ich kann nicht so schwer zu finden gewesen sein.»

«Eigentlich nicht. Aber erst waren Sie bei der Mordermittlung in Essex, dann sind Sie in das neue Apartment gezogen. Grace konnte ja schlecht rumfragen, wo Sie abgeblieben sind, also musste sie warten, bis Sie irgendwo auftauchen. Wir haben die Sicherheitskameras der Universität überprüft und eine Frau gefunden, die mehrfach vor dem Gebäude, in dem Sie arbeiten, zu warten schien. Immer mehrere Stunden lang.»

«Sie war in der Universität?»

«Ich spare mir ein ‹Ich hab's Ihnen ja gleich gesagt›, weil ich ehrlich gesagt auch nicht mit einer echten Bedrohung gerechnet hatte. Aber es war gut, dass Sie die Seitentüren benutzt haben und nicht den Haupteingang.»

Das darf nicht wahr sein, dachte ich fassungslos, als mir einfiel, wie ich vor einigen Tagen Wards Ratschlag vergessen und den Haupteingang genommen hatte. Ich war nahezu überzeugt gewesen, mir den Hauch von Grace' Parfüm nur eingebildet zu haben, denn es war spät, und ich war fast der Letzte gewesen, der das Gebäude verlassen hatte. Jetzt lief mir ein Schauer über den Rücken.

Vielleicht hatte ich Grace knapp verpasst.

«Als uns klar war, dass sie an Ihrem Arbeitsplatz gewesen war, haben wir uns auch die Aufnahmen der Kameras vor Ihrem Apartment angesehen», fuhr Ward fort. «Wegen der Sicherheitsmaßnahmen kam sie nicht ins Gebäude, und zum Glück haben Sie die Tiefgarage benutzt. Wir glauben, dass Sie mindestens zweimal dort war, vielleicht öfter. Einmal in der Nacht, als die Müllcontainer in Brand gesteckt worden waren. Alle dachten, es wären irgendwelche Kids gewesen, aber die Feuerwehrleute haben berichtet, dass sie eine Frau wegschicken mussten, die sich während der Evakuierung der Bewohner auf dem Gelände herumgetrieben hat. Sie haben sie für eine Gafferin gehalten, aber … Nun ja, sagen wir, ich bin froh, dass Sie nicht zu Hause waren.»

In der Nacht hatte ich Mears im Leichenschauhaus geholfen. Ich erinnerte mich, bei meiner Rückkehr mit einer Frau von der Feuerwehr gesprochen zu haben. *Wir mussten bereits eine Ihrer Nachbarinnen wegbegleiten, weil sie zu neugierig war. Wenn's brennt, kommen echt immer die Irren aus ihren Löchern gekrochen.*

«Woher wusste sie, wo ich wohne?» Ich war erstaunlich ruhig, als würde all das einem anderen passieren. «Fast niemand kennt die Adresse.» Nicht einmal die Uni. Ich ließ mir die Post nachsenden, und da ich nicht vorhatte, lange dort zu wohnen, hatte ich kaum jemandem Bescheid gesagt.

Ward seufzte. «Wahrscheinlich ist sie Ihnen vom St. Jude aus gefolgt. Die Morde waren ja in allen Nachrichten, sie hat wohl vermutet, dass Sie an der Ermittlung beteiligt sein würden. Da konnte sie sich leicht unter die Pressemeute am Tor mischen. Oder sie hat das Leichenschauhaus beobachtet und gehofft, Sie würden irgendwann dort auftauchen.»

Was dann auch passiert war. *Mein Gott.* Bei der Erinnerung an jenen Abend rieb ich mir mit der Hand über das Gesicht.

«Sie sagten, Adam Oduya hätte Ihren Namen gerufen, als Sie aus dem Leichenschauhaus kamen», fuhr Ward gnadenlos fort. «Mears überquerte gerade die Straße, in der Dunkelheit hat es womöglich so ausgesehen, als wäre er gemeint …»

Ich sah Oduya im Geiste auf die Straße treten, den Regenschirm schräg vor sich haltend. *Dr. Hunter!* Mears hatte in seine Richtung geschaut, von den Straßenlampen von hinten beleuchtet, das Gesicht unter der Kapuze verborgen. Und in der Hand einen Metallkoffer wie meinen. Nicht Oduya war das Ziel gewesen. Er hatte nur im Weg gestanden, und der

Schlenker des Wagens, bevor er gegen Mears prallte, war kein Kontrollverlust gewesen.

Sondern eine Lenkkorrektur.

«Sind Sie sicher, dass es Grace war?» Mir war schlecht, mein Atem ging stockend, als hätte mir jemand in den Magen geboxt.

«Eine Kamera an der Straße hat sie beim Wegfahren ziemlich gut ins Bild bekommen. Sie sieht viel älter aus als auf den Fotos in den Akten, aber ... ja, sie war's. Das Auto ist auf eine Adresse in Kent registriert. Wir glauben, es wurde gestohlen, haben aber den Eigentümer noch nicht kontaktieren können.»

«Oh, Gott ...» Ich schloss die Augen.

«Nichts dergleichen, er ist bloß außer Landes», sagte Ward hastig. «Er arbeitet viel im Ausland, wahrscheinlich weiß er noch gar nicht, dass sein Wagen gestohlen wurde.»

Ich versuchte, meine Gedanken zu ordnen. «Sie haben gesagt ... Grace sei bei dem Autounfall ums Leben gekommen?»

Ward schien erleichtert über die Frage. «Das stimmt. Es kann ein Unfall oder Absicht gewesen sein, das wissen wir noch nicht. Wir müssen die Leiche noch identifizieren, aber ...»

«Moment mal. Sie sind nicht sicher, dass das Grace war?»

«So sicher, wie man sein kann, aber der Wagen ist in Brand geraten, daher ... Was ist mit Ihnen?»

Ich bekam keine Luft mehr. Einen Moment lang war ich in eine andere Zeit an einen anderen Ort versetzt, hörte ein Krachen wie von Wellen, roch verbranntes Fleisch und Knochen.

«Geht es Ihnen gut?», fragte Ward und wollte aufstehen.

Ich zwang mich zu atmen und nickte. «Erzählen Sie weiter.»

«Wir können später …»

«Nein.» Ich entspannte meine geballten Hände. Sie waren schweißnass. «Nein, ich würde es lieber hinter mich bringen.»

Viel mehr gab es nicht zu berichten. Die Leiche im Wagen hatte beim Sturz in den Steinbruch schwere Gesichtsverletzungen erlitten, die Polizei hoffte, aus den stark verbrannten Knochen brauchbare DNA ziehen zu können. Aber im Kofferraum hatte man einen teuren Aluminiumkoffer gefunden, dessen Metallhülle den Inhalt vor dem Feuer geschützt hatte. Aus Haarfollikeln an einer Bürste hatte man DNA entnehmen können, und Fingerabdrücke und persönliche Gegenstände wiesen eindeutig auf Grace Strachan hin. Am Handgelenk der Leiche war sogar ein Platinarmband gewesen, verkohlt, aber die Inschrift noch lesbar. *Meiner wunderschönen Grace, in Liebe, Michael.*

Ihr Bruder. Erst jetzt konnte ich es glauben.

Grace war tot.

Ein abergläubischer Mensch hätte vielleicht gedacht, das Schicksal hätte bei ihrem Tod seine Hand im Spiel gehabt. Feuer hatte in unserer Beziehung von Anfang an eine entscheidende Rolle gespielt. Ich war nach Runa gereist, auf die entlegene Hebrideninsel, wo sie und ihr Bruder wohnten, weil ich dort verbrannte Leichenreste untersuchen sollte. Grace war für den Tod jenes Menschen nicht direkt verantwortlich gewesen, aber ihre Taten hatten die Ereignisse, die dazu geführt hatten, immerhin in Gang gesetzt und dann zu weiteren Toden geführt, auch zu dem ihres geliebten Bruders Michael.

Und fast zu meinem eigenen.

So irrational es war, Grace hatte mir die Schuld gegeben. Alle dachten, sie wäre gemeinsam mit ihrem Bruder ums Leben gekommen, doch sie war mir nach London gefolgt und hatte versucht, mich zu erstechen. Ich hatte den Angriff nur knapp überlebt und seitdem immer mit der Gefahr gelebt. Nie hatte ich gewusst, wo sie war oder ob sie es wieder versuchen würde.

Und das hatte sie jetzt getan.

Unter anderen Umständen wäre ich erleichtert gewesen, dass es endlich vorbei war. Aber ein Unschuldiger hatte sein Leben verloren, ein anderer war verstümmelt, Zufallsopfer von Grace Strachans irrem Rachefeldzug. Nachdem ich gerade bei Lola dem Tod so nahe gekommen war, erschütterten mich diese Neuigkeiten bis ins Mark. Körperlich erholte ich mich in den nächsten Tagen. Auf meine Koordination konnte ich mich noch nicht verlassen, und ich war immer mal wieder benommen, doch die Verbrennungen heilten. Noch wurde ich leicht müde, aber Kraft und Ausdauer kehrten allmählich zurück. Doch ich kam nicht zur Ruhe. Ich fühlte mich wie ein Fremder in meiner eigenen Haut.

Als Ward am Tag nach meiner Entlassung anrief, verknotete sich mein Magen in Erwartung weiterer schlechter Nachrichten. Aber sie teilte mir mit, dass der Leichenspürhund in Lolas Haus etwas gefunden hatte.

«Im Keller war eine Ziegelwand eingezogen, voll verputzt, sodass wir ohne den Hund keinen Verdacht geschöpft hätten. Als wir sie eingerissen haben, sind wir auf Leichenreste gestoßen.»

Ich setzte mich auf. «Gary Lennox?»

«Nein, höchstwahrscheinlich nicht. Sie stammen von einem Mann, sind aber nicht verbrannt und sehen so aus, als hätten sie seit Jahren dort gelegen. Wir glauben, es könnte Garys Vater sein. Lola wollte nicht verraten, was sie mit seiner Leiche gemacht hat, aber es sieht so aus, als wäre die Wand im St. Jude nicht die erste, die Gary für sie bauen musste.»

Natürlich nicht, dachte ich. Lola hatte es mir gegenüber fast zugegeben. *Er hat mir geholfen, hat alles weggeräumt.*

Gary war ein guter Junge.

Im Apartment wurde die Atmosphäre immer angespannter. Trotz aller Bemühungen konnte ich die Lethargie nicht abschütteln, die mich fest im Griff hatte. Ich verlor mich immer wieder in Gedanken, um plötzlich hochzuschrecken und zu merken, dass mich Rachel mit besorgter Miene ansah. Weil ich wusste, wie unfair das ihr gegenüber war, gab ich mir Mühe und versuchte, eine normale Unterhaltung zu führen.

Dann, ohne dass ich es merkte, war ich in Gedanken wieder ganz weit weg.

Rachel nahm es bis zum Abend meines dritten Tages zu Hause hin. Wir saßen am Esstisch und aßen einen Braten, mit dem sie den ganzen Nachmittag beschäftigt gewesen war. Doch ich stocherte bloß auf meinem Teller herum. Nach einer Weile bekam ich mit, dass keine Musik mehr aus den teuren Lautsprechern kam und wir schweigend dasaßen. Ich schaute auf, Rachel betrachtete mich.

«Tut mir leid», sagte ich. «Ich war gerade woanders.»

Sie spielte mit dem Stiel ihres Weinglases, ihr Blick war düster. «Wie lange willst du so weitermachen?»

«Wie, so? Mir geht's gut.»

«Nein, das stimmt nicht.» Ihre grünen Augen durchbohrten mich. «Es ist nicht deine Schuld.»

Sie brauchte nicht zu erklären, was sie meinte. «Können wir ein andermal darüber reden?»

«Wann? Du hast viel durchgemacht, aber wir wissen beide, dass es nicht nur um das geht, was im Haus der alten Hexe mit dir passiert ist. Grace Strachan …»

Ich stand auf. «Ich will wirklich nicht darüber sprechen.»

«Aber ich! Wenn du mit mir nicht reden willst, gut, aber mit irgendwem musst du reden! Hol dir professionelle Hilfe.»

«Brauche ich nicht.»

«Wirklich? Es gibt einen Ausdruck für das, worunter du leidest. Es nennt sich Überlebensschuld-Syndrom.»

«Ach, komm schon!»

«Wie würdest *du* es denn nennen? Willst du allen Ernstes behaupten, du gibst dir nicht die Schuld für das, was geschehen ist? Fühlst du dich etwa nicht verantwortlich?»

Ich setzte zu einer Antwort an, doch plötzlich zitterte mein ganzer Körper. Ich sank auf den Stuhl, meine Beine trugen mich nicht mehr.

«Ich *bin* verantwortlich.» Meine Stimme schwankte.

«Nein, bist du nicht! Grace Strachan hat den Wagen gefahren, nicht du. Du wusstest nicht mal, dass sie noch am Leben war! Was passiert ist, ist schrecklich, aber es lässt sich nicht mehr ändern, auch nicht durch Selbstvorwürfe. Wenn du jemandem die Schuld geben willst, dann ihr!»

«Grace war krank.»

«Ist mir egal!» Rachel warf die Hände in die Luft. «Herrgott, wie kannst du so hart zu dir sein, aber einem … bösartigen Rabenaas wie ihr vergeben? Sie hatte ein beschissenes Leben, na und? Das geht vielen so! Denk an das, was *du* durchgemacht hast! Meine Schwester wurde ermordet, meinst du, das war lustig? Menschen sterben, und das ist schrecklich, aber weißt du was? Wir leben noch. Und du musst dich entscheiden, ob du weiterleben oder … so tun willst, als wärst du schon tot!»

Sie stand auf und ging, wischte sich über die Augen. Ich blieb am Tisch sitzen, es würde nichts bringen, ihr nachzugehen. Ich hörte sie klappern, aber allmählich wurde es ruhiger, dann schloss sich die Schlafzimmertür – nicht mit einem Knall, aber auch nicht leise –, sie war ins Bett gegangen.

Nach einer Weile stand ich auf, stellte die Spülmaschine an, schenkte mir ein Glas Blanton's ein und ging ins Wohnzimmer. Ich machte kein Licht an, saß in der Dunkelheit. Die Spülmaschine war lange schon fertig, die Stille im Apartment wurde nur noch vom Summen der Zentralheizung durchbrochen, als ich aufstand und zum Schrank im Flur ging. Die meisten Fallaufzeichnungen und Akten hatte ich in der alten Wohnung gelassen, einen Karton mit persönlichen Gegenständen hatte ich jedoch mitgenommen. Ich nahm ihn heraus, stellte ihn auf den Esstisch und öffnete ihn. Als ich die Fotoalben berührte, verspürte ich den vertrauten Schmerz. Es waren die üblichen Andenken an Urlaubsreisen, Geburtstage und Weihnachtsfeste, die wenigen, die wir zusammen verbracht hatten. Sie zeigten Alice' Wandlung von einem kleinen Baby zu einem scheu lächelnden, sechsjährigen Ebenbild ihrer Mutter. Ich sah mir ein Foto nach dem anderen an, ließ mir Zeit, bis ich alle betrachtet hatte.

Dann legte ich die Alben vorsichtig in den Karton zurück und stellte ihn wieder in den Schrank.

Der Himmel wurde schon hell, als ich ins Schlafzimmer ging. Ich setzte mich neben Rachel auf die Bettkante. Der Schlaf hatte den Stress der letzten Tage geglättet, der Ärger war aus ihrem Gesicht gewichen. Ein paar dunkle Locken fielen ihr über die Wangen und bewegten sich unter ihren sanften Atemzügen. Ich widerstand dem Drang, sie wegzustreichen, und sah aus dem Fenster. Der Tag erwachte zum Leben, aus der Dunkelheit traten Formen und Farben hervor. Ein Neuanfang.

Ein Gefühl brachte mich dazu, mich wieder Rachel zuzuwenden. Sie hatte sich nicht bewegt, aber ihre grünen Augen waren jetzt geöffnet und sahen nachdenklich zu mir auf. Ich blickte sie an und strich ihr das Haar von der Wange.

«Möchtest du mich heiraten?»

KAPITEL 34

Es fühlte sich an, als hätte ich die Krise hinter mich gebracht. Wie bei einem Dammbruch waren die negativen und nieder-drückenden Gedanken, die mich seit der Entlassung aus dem Krankenhaus gefangen gehalten hatten, weggespült worden. Immer noch fühlte ich mich schuldig an Adam Oduyas und Daniel Mears' Schicksal, konnte aber jetzt das große Ganze sehen. Ich war für Grace Strachans Taten nicht verantwortlich. Die Dämonen, die sie getrieben hatten, waren schon vor mir da gewesen. Ich war das letzte Ziel, nicht der Verursacher.

Ward berichtete mir, dass Mears bei Bewusstsein und außer Lebensgefahr war, aber noch nicht bereit, Besuch zu empfangen. Ich zweifelte ohnehin, dass er mich würde sehen wollen, wusste aber, dass hier noch etwas zu klären war. Ich konnte nichts dafür, aber weil Grace ihn mit mir verwechselt hatte, hatte er ein Bein verloren. Das konnte ich nicht ignorieren.

Wie so oft schien meine physische Gesundung parallel zur emotionalen zu verlaufen. Die Verbrennungen heilten gut, mein Konzentrationsvermögen normalisierte sich, und ich war kaum noch erschöpft. Rachel und ich gingen wieder aus, der Herbst blieb nass, lag aber nicht länger wie eine dunkle Wolke auf meiner Seele.

Wir luden Jason und Anja zum Essen ein und verkündeten die Neuigkeit. Anja umarmte Rachel, Jason schüttelte mir feierlich die Hand und warf mir dann seinen bärenhaften Arm um die Schulter.

«Wenn du meinen Rat willst, mach schnell, bevor sie es sich anders überlegt», sagte er.

Ihre Freude war echt, aber ich spürte, wie überrascht sie waren. Rachel und ich kannten uns noch nicht lange, und ich war, abgesehen von einer gescheiterten Beziehung, seit Karas und Alice' Tod alleine gewesen. Jason und Anja hatten das irgendwann als meinen natürlichen Zustand angesehen, und ich vermutlich auch.

Aber wenn ich bei meiner Arbeit eins gelernt hatte, dann, dass Veränderungen zum Leben gehörten. Meine Vergangenheit würde immer Teil von mir bleiben, aber ich war schon vor langer Zeit zu der schmerzhaften Einsicht gekommen, dass meine Frau und meine Tochter tot waren, ich aber noch am Leben. Rachels Worte hatten mir das erneut zu Bewusstsein gebracht. Und nachdem ich auf Lolas dreckigem Fußboden fast gestorben wäre, wusste ich auch, dass man nur selten eine zweite Chance bekam.

Und nicht für ewig.

Trotzdem kam es mir zeitweise unwirklich vor. Ich fühlte mich manchmal, als wäre ich ein Beobachter im eigenen Körper. Morgens wachte ich ab und zu mit einem panischen Schwindel auf. Dann sah ich Rachel neben mir schlafen, und der Schwindel verflüchtigte sich wie Tau in der Sonne.

Wir hatten beschlossen, fürs Erste in Ballard Court wohnen zu bleiben. Rachel zog nichts an einen Ort, an dem ich fast getötet worden wäre und wo ich früher mit einer anderen Frau gelebt hatte. Das Apartment war größer und bequemer, und da der Mietvertrag noch mehrere Monate lief, schien es sinnvoll, dort zu bleiben, während ich meine alte Wohnung zum Verkauf anbot.

Ich stellte fest, dass ich mich schnell daran gewöhnte.

Wir schmiedeten Zukunftspläne, überlegten, wo wir wohnen wollten, und schauten uns die Webseiten von Immobilienmaklern und Hausverkäufen an. Mir war es recht, diese Dinge Rachel zu überlassen, aber als wir die Vorteile des Stadtlebens gegenüber anderen Alternativen diskutierten, kam es zu einem seltsamen Moment.

«Ich mag London, aber wollen wir wirklich hier leben?», sagte Rachel, während sie Prospekte mit zum Verkauf angebotenen Wohnungen und Häusern durchblätterte. «Keiner von uns beiden ist beruflich hier gebunden, vielleicht sollten wir uns einfach woanders umsehen. Außerhalb sind Immobilien viel günstiger, und wir könnten uns etwas Größeres suchen, in einer Gegend mit guten Schulen.»

Sobald sie es ausgesprochen hatte, brach sie ab, wurde rot und sah mich an. «Tut mir leid, ich greife wohl ein bisschen vor.»

Wir hatten nie über eine Familie gesprochen, aber mir wurde klar, dass es dumm gewesen war, nicht zu ahnen, dass Rachel Kinder wollte. *Willst du das auch?* Ich dachte an Kara und Alice, in meinem Geist blieb meine Tochter immer sechs Jahre alt. Ein Bild stieg in meinem Kopf auf und brachte den altbekannten Schmerz, Alice lachte und kreischte, als Kara sie kitzelte. *Zeit fürs Bett. Sag Daddy gute Nacht.* Kurz kehrten Schwindel und Panik zurück, ich spürte das ungeheure Ausmaß des Ganzen. Dann konnte ich wieder atmen.

«Wir sollten darüber nachdenken», sagte ich.

Wir hatten beschlossen, die Hochzeit so bald wie möglich

abzuhalten. Zwar bestand kein Grund zur Eile, aber warum warten? Wir waren beide für eine kleine standesamtliche Trauung im Beisein von ein paar Freunden. Jason erklärte sich bereit, mein Trauzeuge zu werden, und Rachels Nichte Faye würde die einzige Brautjungfer sein.

«Wie wäre es mit Flitterwochen in Vegas?», schlug Rachel vor und grinste, als sie mein Gesicht sah. «War nur Spaß. Hauptsache, es gibt einen Strand, und ich kann schwimmen und in der Sonne liegen.»

Damit konnte ich leben.

Genau eine Woche nach meiner Entlassung aus dem Krankenhaus rief Ward an. Gary Lennox' sterbliche Überreste waren immer noch nicht gefunden worden, aber in einer anderen Sache hatte es eine Entwicklung gegeben. Die Kenter Polizei hatte in den Oare Marshes, einem Naturschutzgebiet an der Südostküste, auf dem Wasser eine Yacht entdeckt. Niemand war an Bord, aber Grace Strachans Fingerabdrücke waren überall.

«Das Boot war schon eine ganze Weile verlassen. Wahrscheinlich ist sie damit nach England zurückgekehrt, ohne dass jemand etwas gemerkt hat. Die letzten Jahre scheint sie im Mittelmeer verbracht zu haben und ist mit der Yacht die Küsten entlanggeschippert.»

Das schien stimmig. Grace war eine erfahrene Seglerin. Sie und ihr Bruder hatten hinter ihrem Haus in Runa eine wunderschöne Yacht liegen gehabt, die sie für ihre Flucht genutzt hatte. Das Boot war zwar später als Wrack gefunden worden, aber offensichtlich hatte sie sich ein neues beschafft. Die Mittelmeerküste bestand aus Tausenden von Kilometern mit unbewohnten Buchten, Höhlen und Inseln, und wenn man die größeren Häfen mied, musste man sich um Passfragen oder

Papierkram keine Sorgen machen. Mit genug Geld konnte man dort lange Zeit unbehelligt leben.

«Die Yacht war auf den Namen einer Firma registriert, die einem Buchhalter in Genf gehört. Er war der Finanzberater der Strachans, Sie hatten also recht, Grace bekam Hilfe», berichtete Ward. «Wir sind noch dabei, alles zusammenzusetzen, aber die Yacht wurde nicht lange nach ihrem Verschwinden gekauft, vermutlich hat Grace den Buchhalter überredet, sie zu beschaffen. Er ist viel älter als sie und war damals frisch geschieden, man kann sich die Art der Überredungskünste also vorstellen.»

Stimmt. Mein eigenes Bild von Grace war von ihren Verbrechen getrübt, aber ich wusste noch sehr gut, welche körperliche Auswirkung unsere erste Begegnung auf mich gehabt hatte. Sie hatte jene Schönheit besessen, die einen blendete und blind machte für das, was dahinter lag, bis es zu spät war.

«Hat die Schweizer Polizei den Buchhalter vernommen?», fragte ich.

«Konnte sie nicht. Er ist im Frühjahr verschwunden. Alle haben geglaubt, er hätte die Konten seiner Klienten geplündert, doch wir haben auf der Yacht trockene Blutflecke gefunden. Zu alt, um sie bestimmen zu können, aber wir können es wohl erraten.»

Die Nachricht, dass Grace noch ein Leben ausgelöscht hatte, war ernüchternd, doch ein paar der Lücken füllen zu können, war auch eine Erleichterung. Es fühlte sich wie ein Abschluss an.

Lange konnte ich nicht darüber nachdenken, es gab zu viele Ablenkungen. Abgesehen von der Frage des Wohnorts mussten Rachel und ich auch über unsere Arbeit nachdenken. London war für eine Meeresbiologin nicht ideal, auch für mich bestand keine dringende Notwendigkeit, in der Stadt zu bleiben. Meine Position an der Universität war zwar fürs Erste gesichert – Dekan Harris war regelrecht aus dem Häuschen wegen der Publicity, die der St.-Jude-Fall gebracht hatte –, aber es mangelte auch nicht an Jobangeboten. Vor kurzem war ich noch *Persona non grata* gewesen, jetzt brachte zu meiner Überraschung jeder Tag neue Chancen.

Eines Morgens erhielt ich einen Brief mit dem eingravierten BioGen-Logo darauf. Ich öffnete ihn mit Anspannung. Laut Ward machte Mears gute Fortschritte, empfing aber, abgesehen von seiner Familie, immer noch keine Besucher. Ich spürte, dass sie sich diplomatisch ausdrückte, und war vernünftig genug, nicht nachzuhaken. Ein Brief von seinem Arbeitgeber brachte wahrscheinlich keine guten Nachrichten.

«Was schreiben die?», fragte Rachel. Wir saßen an der Kücheninsel und tranken nach einem späten Frühstück gemächlich unseren Kaffee.

«Er ist vom Geschäftsführer», sagte ich. «Sie bieten mir einen Job an.»

«Du machst Witze.»

Ich gab ihr den Brief, lehnte mich mit meinem Kaffee zurück und sah ihr beim Lesen zu.

«Leitender Forensik-Berater, verantwortlich für Forschung und operatives Geschäft», sagte sie stirnrunzelnd. «Was soll das eigentlich bedeu… oh, mein Gott!»

Sie war zu dem Satz mit dem Gehaltsangebot gekommen. Mit offenem Mund las sie den Brief erneut und legte ihn dann auf den Tisch.

«Wirst du dich mit ihm treffen?»

«Würdest du es schlimm finden, wenn nicht?»

«Natürlich nicht. Wegen Daniel Mears?»

«Teilweise», gab ich zu.

In dem Brief wurde Mears nicht erwähnt, und auch wenn die mir angebotene Position ihm übergeordnet wäre, hätte ich mich nicht wohl gefühlt. Außerdem wollte ich nicht für eine Firma arbeiten, die einen unerfahrenen Mitarbeiter bei einer großen Ermittlung ins tiefe Wasser stößt.

Ich faltete den Brief zusammen und steckte ihn in den Umschlag zurück.

Und ich bekam nicht nur Jobangebote. Meine Beteiligung an der Ermittlung am St. Jude musste nach außen gesickert sein, denn es kamen Interviewanfragen von Journalisten. Unter anderem eine weitere von Francis Scott-Hayes.

«Der Mann weiß einfach nicht, wann Schluss ist», grummelte ich, nachdem ich sie gelesen hatte.

«Ist das der Freelancer, der dich die ganze Zeit schon nervt?», fragte Rachel.

«Seit Wochen. Er versteht das Wort ‹nein› nicht.»

«Vielleicht solltest du ja sagen.»

Ich sah sie überrascht an. «Im Ernst?»

Sie zuckte die Achseln. «Warum nicht? Ich weiß, dass du nicht gerne über deine Arbeit redest, aber du musst ja nicht über einzelne Fälle sprechen. Für wen schreibt er?»

Ich las ihr seine letzte Mail vor. Angesichts der Liste der Qualitätszeitungen und -zeitschriften, in denen Scott-Hayes auf beiden Seiten des Atlantiks veröffentlicht hatte, bekam sie große Augen.

«Wow, das klingt echt beeindruckend», sagte sie. «Ich glaube, den Artikel im *Rolling Stone* habe ich sogar gelesen. Warum hörst du dir nicht an, was er zu sagen hat?»

«Ich weiß nicht.»

Sie griff nach ihrer Kaffeetasse. «Na ja, ist deine Entscheidung. Aber wenn du überlegst, dich auf den Arbeitsmarkt zu begeben, könnte ein Interview mit einer seriösen Zeitung deinem Profil nicht schaden.»

«Ich denke drüber nach», sagte ich.

Das Standesamt war gebucht, die Hochzeit sollte in drei Wochen stattfinden. Es war der erste freie Termin, den wir nur bekommen hatten, weil eine andere Hochzeit abgesagt worden war. Das Pech anderer war unser Glück. Ich hoffte, es wäre kein böses Omen.

Aber dunkle Gedanken kamen nur selten auf. Beim Aufwachen wurde mir nicht mehr schwindelig, und die Ungläubigkeit mischte sich mit Vorfreude. Die Zeit verging wie im Flug. Bei allem, was zu tun und zu entscheiden war, hatte ich den Journalisten ganz vergessen, bis Rachel mich wieder an ihn erinnerte. Die Internetrecherche nach ihm ergab Unmengen an Artikeln, Fotos zeigten einen schlanken Mann Mitte dreißig, mit Dreitagebart, intelligent und gutaussehend. Sogar ein kurzer Wikipedia-Eintrag existierte. Er war bei Kriegseinsätzen in Afghanistan dabei gewesen, hatte über vom Drogenkrieg verwüstete Gemeinden in Mexiko geschrieben und einen Journalistenpreis für einen Bericht über Menschenhandel erhalten. Anscheinend führte ihn seine Arbeit regelmäßig in Kriegsgebiete und an einige der gefährlichsten Orte auf diesem Planeten.

«Wieso will er über mich schreiben?», fragte ich Rachel nach dem Abendessen. «Ich bin forensischer Wissenschaftler, kein Drogenbaron.»

«Du bist ein forensischer Wissenschaftler, der an einigen der größten Kriminalfälle der letzten zehn Jahre beteiligt war. Das interessiert die Leute.»

Ich war mir da weniger sicher. Doch angetrieben von Rachels Enthusiasmus und einem Glas Wein, beantwortete ich widerstrebend die E-Mail.

Sofort meldete eine Abwesenheitsnotiz, dass er außer Landes sei und keinen Zugang zum Internet habe.

«Na ja, ich hab's versucht», sagte ich zu Rachel und hoffte, damit wäre die Sache erledigt.

Am nächsten Tag schrieb er zurück.

Ich hätte das Interview gern bis nach der Hochzeit verschoben, aber Rachel fand, ich sollte nicht warten. «Vielleicht verliert er sonst das Interesse», sagte sie. «Hör dir wenigstens an, was er zu sagen hat.»

Wir verabredeten, dass Scott-Hayes am nächsten Tag ins Apartment kommen sollte. Ich lud ihn nur widerwillig zu mir nach Hause ein, aber irgendein Pub oder Café war mir für unser Gesprächsthema zu öffentlich. Außerdem meinte Rachel, dass wir ja nicht mehr lange in Ballard Court wohnen würden.

Am Samstag saß ich im Arbeitszimmer am Laptop, während Rachel erste Vorbereitungen für das Abendessen traf. Jason und Anja würden zu Besuch kommen, und Rachel hatte unbedingt kochen wollen. Dem aus der Küche dringenden Geklapper und Gefluche nach bereute sie ihren Vorschlag. Der Journalist sollte um fünfzehn Uhr da sein, und je näher die Zeit rückte, desto öfter sah ich abgelenkt auf die Uhr und bedauerte es, mich auf die Sache eingelassen zu haben. Der Zeiger tickte die Stunde ab und bewegte sich weiter. Ich wartete noch zehn Minuten und ging dann in die Küche.

«Er kommt zu spät. Ich wusste, dass das keine gute Idee war.»

«Nein, keine gute Idee war, dass ich mir eingeredet habe, ich könnte Brandteig machen.» Rachel schob die Rührschüssel von sich. «Wahrscheinlich steckt er in der U-Bahn oder im Verkehr fest. Setz doch schon mal Kaffee auf.»

Ich füllte die neue Espressokanne und stellte sie auf den Herd, dann ging ich ins Arbeitszimmer zurück. Solange mir das Interview im Kopf herumschwirrte, konnte ich sowieso nicht arbeiten. Ich hatte gerade beschlossen, Scott-Hayes noch fünfzehn Minuten zuzugestehen, als die Gegensprechanlage summte.

Na, endlich. Ich ging in den Flur.

«Hier ist Francis Scott-Hayes für Sie», hörte ich die Stimme des Concierge.

«Okay, danke.»

«Ich hab's dir doch gesagt», sagte Rachel aus der Küche.

Das Klingeln meines Handys im Arbeitszimmer ersparte mir eine Antwort. «Kannst du ihn reinlassen, während ich da rangehe?»

Ich überließ es ihr, dem Journalisten die Tür zu öffnen, und eilte durch das Wohnzimmer ins Arbeitszimmer. Mein Handy, der Ersatz für das von Lola im Wasser versenkte, lag neben dem Computer auf dem Schreibtisch. Ich griff danach und sah zu meiner Überraschung Wards Namen auf dem Display. Erst am Vorabend hatten wir miteinander gesprochen. Es gab eigentlich nichts zu bereden. Ich nahm das Gespräch an, verließ das Arbeitszimmer und kehrte zurück in die Küche.

«Hallo, ich hatte nicht erwartet …»

«Wo sind Sie?»

Von der Dringlichkeit in ihrer Stimme beunruhigt, hielt ich in der Küchentür inne. Die Espressokanne brodelte auf dem Herd und verbreitete den Duft von frischem Kaffee.

«Zu Hause. Warum, was ist …?»

«Ist Rachel bei Ihnen?»

Auf der anderen Seite der Küche lag die Tür zum Flur. Ich vernahm Stimmengemurmel. «Sie macht gerade die Tür auf …»

«*Nein!* Halten Sie sie auf!»

Aber Rachel kam bereits in die Küche zurück. Auf ihrem Gesicht lag ein amüsiertes Lächeln.

«Frances Scott-Hayes ist da», sagte sie, die letzte Silbe des Vornamens betonend, um die weibliche Form hervorzuheben.

Hinter ihr stand eine Frau, dünn, ergraut, die Haare zu einem unvorteilhaften Bob geschnitten. Mein erster Gedanke war, dass es eine Verwechslung gegeben haben musste, dass ich den falschen Journalisten recherchiert hatte. Der zweite war, dass mir die Frau, die Rachel in die Küche folgte, bekannt vorkam. Dann fing ich einen Hauch ihres Parfüms auf, ein schwerer Duft nach Gewürz und Moschus, den ich überall erkannt hätte. Er hatte sich in mein Gedächtnis eingebrannt, als ich verblutend auf der Türschwelle meiner alten Wohnung lag und ein Messer bis zum Griff in meinem Bauch steckte.

Wards Stimme drang immer noch aus dem Handy, aber ich nahm sie kaum noch wahr. Grace Strachan war fast nicht wiederzuerkennen. Die überwältigende Schönheit war einer kadaverhaften Magerkeit gewichen. Die Haut zog sich straff über die hohen Wangenknochen und entblößte die Konturen des Schädels. Die dunklen Augen waren eingesunken und schwarz umringt, ihr Blick brannte sich mit manischer Intensität in mich ein.

Rachels Lächeln verschwand. «David …?»

Ich war sprachlos. Wie in einem albtraumhaften Déjà-vu

sah ich Grace in ihre Schultertasche greifen, Rachel drehte sich zu ihr um, und erst da konnte ich mich wieder rühren.

«*Nein!*», brüllte ich und stürmte vorwärts.

Und wusste, dass ich zu spät kam.

Mit einer einzigen fließenden Bewegung zog Grace ein Messer aus der Tasche und stach zu. Rachel schrie auf und taumelte, Blut tropfte auf die Küchenfliesen. Dann schoss Grace mit gefletschten Zähnen auf mich zu und hob das Messer. Als es niederstieß, griff ich ohne nachzudenken nach der Klinge.

Plötzlich flog Grace' Kopf nach hinten, sie kam abrupt zum Stehen. Rachel hatte mit einer Hand ihre grauen Haare gepackt und schwang mit der anderen die Espressokanne. Das heiße Metall knallte gegen Grace' Stirn, der kochend heiße Kaffee spritzte heraus, als der Griff abbrach, fiel die Kanne klappernd zu Boden. Grace brach zusammen, das Messer fiel ihr aus der Hand. Ich kickte es mit dem Fuß außer Reichweite und rannte zu Rachel, die eine Hand auf einen langen Schnitt in ihrem Oberarm presste, die Augen vor Schmerz und Schock weit aufgerissen. Mit der anderen Hand umklammerte sie immer noch den abgebrochenen Griff der Espressokanne.

«Um Himmels willen, ist alles okay?», fragte ich und tastete sie in aller Eile ab.

Sie nickte zitternd. Blut lief an ihrem Arm entlang und tropfte auf den Boden. Die Hand, mit der sie zudrückte, war rot gefleckt, wo der kochende Kaffee darauf gespritzt war. Nachdem ich mich mit einem raschen Blick überzeugt hatte, dass sich Grace nicht bewegte, führte ich Rachel zum Spülbecken, ließ kaltes Wasser auf ein Handtuch laufen und nahm vorsichtig ihre verbrannte Hand.

«Halt die Hand unter das Wasser», sagte ich und band das Handtuch um die tiefe Schnittwunde in ihrem Arm.

Sie tat es und japste auf, als das kalte Wasser auf die verbrannte Haut traf.

Ein klagendes Tiergeräusch drang in mein Bewusstsein. Ich sah, dass sich Grace in Embryostellung zusammengerollt hatte, die Arme bedeckten das Gesicht.

«Es tut so weh», wimmerte sie. «Bitte, Michael, mach, dass es aufhört …»

«Oh, Gott, sieh sie dir an …» Rachel keuchte.

«Halt deine Hand unter das Wasser.»

Ich beugte mich über die ausgemergelte Gestalt auf dem Küchenboden. Aus einer langen Schnittwunde am Haaransatz lief Blut, das sich mit Kaffee vermischte und Grace' Gesicht wie eine marmorierte Maske aussehen ließ. Die Haut warf bereits Blasen, und als ich sah, was der heiße Kaffee mit ihren Augen gemacht hatte, zuckte ich zusammen.

Ich nahm ein neues Handtuch, ließ Wasser darauf laufen und legte es sanft auf Grace' verbrühtes Gesicht. Sie schrie bei der Berührung auf, ihre knochige Hand umkrallte meinen Arm und ließ ihn nicht mehr los. Ich sah mich nach meinem Handy um. Als ich es aufhob, drang Wards panische Stimme an mein Ohr.

«Wir brauchen einen Krankenwagen.» Ich bemühte mich, ruhig zu klingen.

EPILOG

Der Himmel drohte mit Schnee. Die dunkelgrauen Wolken hingen tief, es war gerade fünfzehn Uhr, dämmerte aber schon. Im Zimmer war es stickig und heiß. Die Neonröhre an der Decke dimmte die Welt da draußen noch mehr.

«Es dauert nicht mehr lange. Kann ich Ihnen irgendwas bringen?», fragte der übergewichtige junge Mann an der Tür.

«Nein, danke.»

Er ging. Ich rutschte auf dem harten Plastikstuhl hin und her und sah auf die Uhr. Fast eine Stunde wartete ich schon, und da ich eine lange Rückfahrt vor mir hatte, wollte ich los, bevor der Schnee kam. Aber meine Ungeduld hatte eine andere Ursache. Ich war nervös.

Das, weswegen ich hier war, stand schon lange an.

Mein Handy summte, ich zog es hervor und lächelte. Das Foto eines rotgesichtigen Babys mit zusammengekniffenen Augen und winzigen Fäusten. Darunter stand *Emma Louise Ward, geboren heute Morgen 3.25 Uhr, 2800 Gramm.* Unterschrieben war mit *Sharon und Doug.*

Immer noch lächelnd, schickte ich Glückwünsche und steckte das Handy wieder ein. Die Nachricht war ein heller Fleck im Dunkel, und von denen hatte es in letzter Zeit nur wenige gegeben. Seit dem Nachmittag, an dem Grace Strachan wieder in mein Leben getreten war.

Ward und Whelan waren ins Krankenhaus gekommen, wo ich in der überfüllten Notaufnahme vor mich hin gestarrt hatte, während Rachels Wunde genäht und verbunden wurde.

«Wie geht es ihr?», fragte Ward und setzte sich neben mich. Whelan blieb stehen.

Ich sah sie an. «Sie haben gesagt, Grace wäre tot.»

«Es tut mir leid, wir haben gedacht, sie …»

«Sie haben gesagt, das wäre ihre Leiche, in dem Auto.»

«Beruhigen Sie sich», schaltete sich Whelan ein.

«*Ich soll mich beruhigen?* Ist das Ihr Ernst?»

«Wir haben Mist gebaut», sagte Ward. Sie sah sich im Warteraum um. «Gehen wir irgendwo einen Tee trinken. Ich sorge dafür, dass wir Bescheid bekommen, wenn es was Neues gibt.»

In der Cafeteria des Krankenhauses fanden wir einen leeren Tisch. Mein Magen war immer noch verknotet, eine Wut, die sich ebenso sehr gegen mich selbst richtete wie gegen die anderen.

«Als die DNA-Ergebnisse kamen, habe ich Sie sofort angerufen.» Wards Gesicht war angespannt. «Bis dahin waren wir wirklich überzeugt, dass die Frau in dem Auto Grace Strachan wäre.»

Erst da ging mir auf, was es bedeutete, dass Grace noch am Leben war. Ein weiterer Stich ins Herz. «Wer war sie?»

«Sie hieß Belinda Levinson, eine freiberufliche Webdesignerin. Ihr Freund war Journalist, er … Was ist mit Ihnen, alles in Ordnung?»

Ich hatte mich vorgebeugt, mir war übel. In meinen Ohren rauschte es. «Heißt er Francis Scott-Hayes?»

Die Polizei hatte seine Leiche in seinem abgelegenen Cottage in Kent gefunden. Er war an multiplen Stichwunden gestorben, und der Zustand der Leiche zeigte, dass er seit mehreren Wochen tot war. Man ging davon aus, dass Grace seit ihrer Rückkehr nach England im Frühjahr auf dem Boot gelebt hatte und dann per Anhalter nach London gefahren war und versucht hatte, in meine Wohnung einzubrechen. Die Oare Marshes, wo man die Yacht gefunden hatte, lagen nur ein paar Meilen von dem Haus entfernt, in dem Scott-Hayes wohnte. Er war gerade von einer zweimonatigen Recherchereise über den Krieg im Jemen zurück und hatte Grace auf der Heimfahrt wahrscheinlich mitgenommen.

«Wir wissen nicht, warum er sie mit in sein Cottage genommen hat. Sex lässt sich nicht ausschließen, aber er hatte seit Jahren eine Freundin und scheint nicht der Typ für One-Night-Stands gewesen zu sein. Und er war viel jünger als Grace. Wenn sie noch wie früher aussehen würde, wäre das was anderes, aber … nun, Sie haben sie ja gesehen.»

In der Tat. Die Grace Strachan in meiner Erinnerung hatte eine geradezu magische sexuelle Anziehungskraft ausgestrahlt, davon war bei der jämmerlichen Vogelscheuche nichts zu spüren gewesen. «Meinen Sie, sie hat ein Messer gezogen oder ihn sonst irgendwie gezwungen?»

Ward zuckte die Achseln. «Möglich, aber er muss erst mal überhaupt angehalten haben. Vielleicht hatte er einfach Mitleid mit ihr und hat sie mit zu sich genommen, damit sie sich frisch machen konnte. Wir haben die Wetterberichte geprüft, zu der Zeit hat es stark geregnet. Eine Frau mittleren Alters, durchnässt und allein am Straßenrand stehend, hätte niemand für eine Gefahr gehalten.»

Nein, bestimmt nicht, dachte ich. Und Scott-Hayes war gerade aus einem Kriegsgebiet zurückgekehrt und hatte sich im heimischen Kent bestimmt sicher gefühlt. Die Blutflecke zeigten, dass er im Flur seines Hauses gestorben war, vermutlich direkt nach der Ankunft mit seinem Gast. Seine verweste Leiche war in einem kleinen Steinschuppen hinter dem Cottage gefunden worden, im ehemaligen Schweinestall.

«Wie stark verwest?», fragte ich automatisch.

«Stark genug. Und die Antwort ist nein, denken Sie nicht mal dran.»

Grace hatte danach ihr Boot verlassen und war in das Cottage gezogen. Die ruhige und einsame Lage machte es zu einem idealen Versteck, es gab niemanden, dem ihr erratisches Verhalten auffallen konnte. Und es bestand auch erst einmal keine Gefahr, dass Scott-Hayes vermisst werden würde. Er hatte vor seiner Reise eine automatische Nachricht eingerichtet – die auch ich bekommen hatte –, und sein Job brachte es mit sich, dass er seine Pläne oft unvermittelt änderte. Auch seine Abwesenheit in den sozialen Medien erregte keinen Verdacht, weil er häufig in entlegenen und unwirtlichen Gegenden der Erde unterwegs war. Und auch wenn Grace das wahrscheinlich nicht geplant hatte, musste ihr irgendwann aufgegangen sein, dass der Beruf ihres toten Gastgebers ihr unverhoffte Möglichkeiten eröffnete.

Wahrscheinlich war es nicht schwer gewesen, seinen E-Mail-Account zu knacken. Selbst wenn sein Handy und Laptop Fingerabdruckverifizierung erforderten, wäre das kein Problem gewesen, die Leiche lag ja im Schweinestall. Grace hatte ihm also nicht nur das Leben, sondern auch die Identität genommen und mir eine E-Mail geschickt, in der Hoffnung, mich aus der Deckung zu locken. Und als das zuerst nicht gelang, hatte sich eine andere Chance geboten.

«Belinda Levinsons Auto stand vor dem Cottage», sagte

Ward. «Ihre Freunde sagen, als Scott-Hayes ihren Geburtstag verpasste, fing sie an, sich Sorgen zu machen. Sie hat seine Redakteure kontaktiert, aber niemand schien zu wissen, ob er wieder im Land war oder nicht, also ist sie hingefahren. Als sie nicht zurückkam, haben ihre Freunde angenommen, sie würden ihr Wiedersehen feiern.»

Ich rieb mir die Schläfen. «Hat Grace sie ebenfalls erstochen?»

«Wegen des Feuers war es schwer zu sagen, ob die Leiche Stichwunden hatte, aber wir haben noch eine zweite Blutgruppe im Cottage gefunden. Ob die von Levinson stammt, wissen wir bis jetzt nicht, gehen aber davon aus. Wahrscheinlich hat Grace sie getötet, sobald sie am Cottage auftauchte, und dann ... Tja, als das St. Jude in die Schlagzeilen geriet, hat Grace die Leiche vermutlich in den Kofferraum von Scott-Hayes' Wagen geladen und ist mit ihr nach London gefahren.»

Ich schloss die Augen. Früher hatte Grace meiner Erfahrung nach nie weit im Voraus geplant, doch damals war das auch nicht nötig gewesen. Ihr Bruder hatte sich immer um sie gekümmert.

«Sie haben gedacht, Scott-Hayes' Wagen wäre gestohlen worden», sagte ich, bemüht, keinen Vorwurf in meiner Stimme mitschwingen zu lassen. «Ist denn niemand zu ihm rausgefahren, um das nachzuprüfen?»

«Natürlich, wir haben die Polizei in Kent darum ersucht. Aber zu der Zeit galt immer noch Jessop als Hauptverdächtiger für den Anschlag mit Fahrerflucht, und es gab keinen Grund zu denken, dem Autobesitzer könnte etwas zugestoßen sein. Wir wussten ja, dass Scott-Hayes im Ausland arbeitete, und als niemand zu Hause war ...»

Ward hob entschuldigend die Schultern. Mir fehlte die

Kraft für Einwände, außerdem war ich selbst nicht ohne Schuld. Ich hatte dem Interview zugestimmt, ohne erst mit dem Journalisten persönlich zu sprechen. Hatte Grace Strachan meine Adresse gemailt. Als der Concierge auf der Gegensprechanlage durchrief, hatte ich erwartungsgemäß *Francis* gehört, nicht *Frances*, die weibliche Variante des Namens. Und Rachel hatte einfach angenommen, ich hätte mich irgendwie im Geschlecht des Journalisten geirrt. Sie war Grace nie zuvor begegnet und konnte nicht wissen, wer da vor der Tür stand. Hätte ich geöffnet, so hätte ich sie wahrscheinlich selbst nicht erkannt.

Dann wäre alles ganz anders ausgegangen.

Rachels Verletzungen waren nicht schwer. Die Verbrennungen an der Hand waren oberflächlich, und obwohl das Messer den Oberarm fast bis zum Knochen aufgeschlitzt hatte, versicherten die Ärzte, dass es keine bleibenden Nerven- oder Sehnenschäden geben würde. Aber wegen des Blutverlusts brauchte sie eine Transfusion und musste deswegen über Nacht im Krankenhaus bleiben.

Das bot mir die Chance, das Apartment zu säubern. Als ich Rachel am nächsten Morgen mit dem Taxi abholte, gab es keine sichtbaren Spuren mehr. Aber die weniger offensichtlichen Auswirkungen ließen sich nicht so leicht wegwischen.

In den Tagen nach der Attacke versuchten wir, so zu tun, als wäre alles ganz normal, fanden es aber beide mühsam. Rachel schlief schlecht, wurde immer stiller und angespannter. Ich hatte das Luxusapartment nie gemocht, und sie fühlte sich trotz Alarmanlage und Concierge nicht mehr sicher dort. Wir hatten einen Riesenstreit über die Rückkehr in meine Wohnung, versöhnten uns zwar wieder, aber es war nicht mehr wie vorher.

In gegenseitigem Einvernehmen wurde der Termin im Standesamt abgesagt. Wir redeten uns ein, er wäre nur verschoben, wussten aber beide, dass das nicht stimmte. Wir wollten es uns nur nicht eingestehen.

Zwei Wochen nach dem Überfall war Rachel noch zurückgezogener als sonst. Wir saßen beim Abendessen. Sie hatte lustlos das Essen auf dem Teller hin- und hergeschoben, jetzt legte sie die Gabel beiseite.

«Ich gehe zurück nach Griechenland.»

Halb hatte ich damit gerechnet, trotzdem war es ein Schlag. Einwände und Gegenargumente kamen mir in den Sinn, dann sah ich ihr Gesicht. Schmaler als früher, dunkle Ringe unter den Augen. Rachel war immer stark gewesen, doch jetzt war eine Zerbrechlichkeit an ihr zu spüren, wie sie nicht einmal der Mord an ihrer Schwester ausgelöst hatte.

Ich legte mein Besteck weg, der ohnehin geringe Appetit war verschwunden.

«Wann?»

«Sonntag. Ich kann für den Rest der Forschungsreise aufs Boot zurück. Und man hat mir …» Sie hielt inne, presste die Worte heraus. «Es gibt die Möglichkeit, den Vertrag zu verlängern. Für ein weiteres Jahr.»

In meiner Brust war ein dumpfer Schmerz. «Willst du das?»

«Nein», stieß sie hervor. «Aber so können wir nicht weitermachen. *Ich* kann so nicht … Ich will nicht Schluss machen, aber das … Ich brauche einfach Zeit.»

Ich stand auf und ging zu ihr. Ihre Tränen durchnässten mein Hemd, während ich sie festhielt und die Tür anstarrte, durch die Grace in unser Leben eingedrungen war.

Wir blieben bis spät in die Nacht auf und redeten. Ich wollte nicht, dass sie ging, aber sie hatte sich bereits entschieden. Und tief im Inneren wusste ich, dass es das Beste für sie war. In der kurzen Zeit, die wir uns kannten, war zweimal Gewalt in unser Leben eingebrochen, und das forderte seinen Tribut. Rachel musste noch immer den Mord an ihrer Schwester verarbeiten, und dieser Anschlag auf unser Leben – an einem Ort, an dem sie sich sicher gefühlt hatte – hatte sie zutiefst getroffen. Sie hatte selbst mit Gewalt reagiert, und obwohl es gerechtfertigt gewesen war, hatte das unsere Welt verändert. Wir konnten nicht so tun, als wäre alles wie vorher, und es zu versuchen, wäre eine Tortur gewesen. Sie hatte etwas Besseres verdient.

Drei Tage später, an einem grauen Oktobernachmittag, flog Rachel nach Griechenland zurück. «Es ist nicht weit. Du kannst jederzeit dort Urlaub machen», hatte sie gesagt, als wir mit ihren Koffern im Flur standen.

Ich lächelte. «Ich weiß.»

Wir würden sehen.

Ich zog in meine alte Wohnung zurück. Ich war gespannt gewesen, ob es seltsam sein würde, als würde ich die Zeit zurückdrehen. War es nicht, aber es fühlte sich auch nicht besonders gut an.

Nur vertraut.

Beruflich war ich begehrter denn je. Auf eine strapaziöse Reise nach Irland, für die ich körperlich eigentlich nicht in der Verfassung war, die ich aber trotzdem antrat, folgte eine bizarre Mordserie an der Grenze zu Wales. Und ich hatte ein weiteres Jobangebot bekommen, viel interessanter als das von BioGen. Eine private Firma wollte eine anthropologische Forschungseinrichtung aufbauen, die erste dieser Art in Großbritannien. Zunächst mussten noch rechtliche und bürokratische Hürden genommen werden, aber ich wurde als idealer Kandidat gesehen, aufgrund meiner «einzigartigen Erfahrung und Expertise», wie es hieß. In dem Brief stand nicht, um was für eine Einrichtung es sich genau handelte, aber ich konnte es mir denken.

Ich war auf einer ähnlichen in Tennessee ausgebildet worden.

Meine Entscheidung stand noch aus, und währenddessen zog der St.-Jude-Fall immer weitere Kreise. Im Fernsehen hatte ich gesehen, wie ein Kran eine Abrisskugel in die letzten noch stehenden Mauern schwang. Nach all den Protesten und Demonstrationen, dem Blut und den Tränen, fiel das alte Krankenhaus fast demütig in einer Staubwolke in sich zusammen. Das einzig Gute war, dass die Bauunternehmer einzulenken schienen. Es lag ein neuer Vorschlag auf dem Tisch, das ganze Gelände für den Bau von Sozialwohnungen zu nutzen, und es gab bereits eine Petition, die neue Siedlung Oduya Park zu nennen.

Zufällig erfuhr ich von Ward, dass Oduyas «Quelle» gefunden worden war: Ein Police Constable, dessen Frau Zwillinge bekommen hatte und der auf die Pensionierung zuging. Der Name sagte mir nichts, bis Ward erwähnte, dass er der ältere Kollege der jungen Polizistin am Tor gewesen war. Er hatte nicht zum Ermittlungsteam gehört, aber genug mitbekommen, und die Leute reden eben gern, egal, was sie von Beruf sind.

Um weitere negative Schlagzeilen zu vermeiden, wurde die Pensionierung des Polizisten vorverlegt. Ich war froh, dass er nicht härter bestraft wurde, auch wenn ich mich fragte, wie sich alles entwickelt hätte, wäre Christine Gorskis Schwangerschaft nicht bekannt geworden. Hätte Oduya nach der

Versammlung mit mir gesprochen, wenn es ihm nicht darum gegangen wäre, sich das Gerücht bestätigen zu lassen? Und wäre es dazu gekommen, dass er meinen Namen rief, als gerade Mears mit der Kapuze über dem Kopf im Regen die Straße überquerte? Oder hätte sich unser aller Schicksal verändert, und ich wäre an jenem Abend unter die Räder von Grace Strachans Auto geraten?

Keiner konnte es wissen.

Ich hatte mich mit Oduyas Familie getroffen, auch mit seinem Partner, einem nachdenklichen Mann Mitte vierzig, der mir zuvor schon den Papierkram für den ehrenamtlichen Fall gegeben hatte, den ich für Oduya übernehmen sollte. Oduyas Eltern waren in ihrer Trauer zurückhaltend gewesen, hatten mir nach außen hin nicht die Schuld am Tod ihres Sohnes gegeben. Trotzdem war es ein schwieriges Treffen für uns alle.

Wenn auch nicht so schwierig wie das nächste. Eines Nachmittags hatte ich gegen Wards Ratschlag Daniel Mears besucht. Als ich eintrat, saß er in Bademantel und Shorts in einem Rollstuhl. Das eine dünne Bein war nackt, das andere endete in einem verbundenen Stumpf über dem Knie. Er starrte in die Ferne, auf dem Schoß umgedreht ein aufgeschlagenes Buch. Das rote Haar war strähnig und ungekämmt. Zuerst sah er mich nicht, dann huschte ein ganzes Spektrum an Ausdrücken über sein Gesicht. Seine Wangen liefen rot an.

Neben dem Bett stand ein Stuhl für Besucher, aber ich blieb stehen. «Wie geht es Ihnen?» Die Worte klangen banal.

Er breitete die Hände aus und bot sich und seinen verbundenen Stumpf als Antwort dar. «Was glauben Sie?»

Sein Blick war so bohrend, dass er schwer zu erwidern war, aber ich erlaubte mir nicht, wegzusehen. Tagelang hatte ich überlegt, was ich sagen sollte, und jetzt hatten mich alle guten Vorsätze verlassen.

«Es tut mir leid.» Ein Angebot.

Man hatte Mears gesagt, wer ihn überfahren hatte und warum. Er versuchte zu lachen, aber es gelang nicht. Die Röte hatte sich über sein gesamtes Gesicht und den Hals ausgebreitet, die hohlen Augen wirkten fiebrig.

«Es tut Ihnen *leid*. Na, dann ist ja alles gut. Dann ist ja alles wieder im Scheiß-Lot, wie?»

«Wenn ich irgendetwas tun …»

«Was denn tun? Die Zeit zurückdrehen? Mir mein Bein zurückgeben?» Er wandte den Kopf ab, sein Mund zitterte. «Lassen Sie mich in Ruhe.»

Ward hatte recht gehabt. Ich hätte nicht kommen sollen. Wortlos wandte ich mich zum Gehen.

«Hunter!»

Ich hielt inne und wandte mich um. Die Patienten in den anderen Betten starrten mich an. Mears schien den Tränen nahe zu sein, seine Hand umklammerte die Armlehne seines Rollstuhls. Seine Stimme bebte.

«Eigentlich sollten Sie hier sitzen. Vergessen Sie das nie.»

Ich ließ die Tür hinter mir ins Schloss fallen.

Ward hielt mich weiterhin sporadisch über die St.-Jude-Ermittlungen auf dem Laufenden. Professor Conrad war aus dem Krankenhaus entlassen worden und würde bald wieder zur Arbeit zurückkehren. Und Wayne Booths Zustand hatte sich durch Therapie und Medikamente stetig verbessert, auch wenn er nie wieder volle Mobilität und Sprachfähigkeit erlangen würde. Was Lola anging, so hatte sie plötzlich jegliche Kooperation eingestellt und weigerte sich, auf die Vorwürfe gegen sie einzugehen oder sie auch nur zur Kenntnis zu nehmen. Ihr Schweigen war die Folge einer Entdeckung, die die Polizei gemacht hatte.

«Wir haben den Tod des Patienten untersucht, von dem Ihnen die Nachbarin erzählt hatte. Der vierzehnjährige Junge, der an einer Insulinüberdosis gestorben war», sagte Ward. «Lola war nicht belangt worden, weil es keinen Grund zu der Annahme gab, es wäre böse Absicht gewesen. Alle gingen von einem Unfall aus. Aber wir haben herausgefunden, dass der Junge auf dieselbe Schule ging wie Gary Lennox. Er war zwei Jahre älter, es gab also keine offensichtliche Verbindung, aber raten Sie mal, wen er drangsaliert hatte, bevor er ins Krankenhaus musste?»

«Sie hat ein *Kind* ermordet, weil es ihren Sohn drangsaliert hat?» Über diese Nachricht war ich trotz allem noch geschockt.

«Sie gibt es nicht zu, aber wir gehen davon aus», sagte Ward. «Wenn es nicht so tragisch wäre, müsste man lachen. Lauter Leute sind gestorben, weil eine überbeschützende Mutter glaubte, sie hätten ihrem Sohn weh getan. Und dann bringt sie ihn am Ende selbst um.»

Wenig später war Ward in den Mutterschutz gegangen, um sich endlich auf die positiven Aspekte der Mutterrolle zu konzentrieren. Das wurde auch Zeit. Nur noch ein loser Faden hing an dem St.-Jude-Fall, und allmählich sah es so aus, als würde das auch so bleiben. Gary Lennox' Überreste waren immer noch nicht gefunden worden. Whelan hatte spekuliert, dass Lola die verbrannten Knochen einfach in eine Mülltonne geworfen hatte, aber ich war anderer Meinung. Der Schrein auf ihrem Schränkchen war nicht nur dazu da gewesen, Wayne Booth zu quälen. Er war genau das gewesen – ein Schrein. Lola hätte die sterblichen Überreste ihres Sohnes nicht einfach weggeworfen, um Beweise zu vernichten.

Nicht lange, nachdem Ward in den Mutterschutz gegangen war, bekam ich einen Anruf von Whelan.

«Haben Sie Lust, Gassi zu gehen?», fragte er.

Zu dieser Jahreszeit wirkte die Kirchenruine noch trostloser. Der Efeu hing an der zerfallenen Giebelwand, das Moos lag dick und feucht auf den Steinquadern am Boden. Die Bäume waren inzwischen kahl, die Blätter bildeten einen verfaulenden Teppich. Krähen glotzten von den schwarzen Ästen herab, das Gefieder aufgeplustert zum Schutz vor Kälte und Regen. Das grauenhafte Wetter machte nur einem aus unserer Gruppe nichts aus. Star, der Labrador, trottete zufrieden über die Lichtung, die Gerüche hier draußen gefielen ihm viel besser als der Moder in dem alten Krankenhaus.

Es war Whelans Idee gewesen, den Leichenspürhund entlang der Route zu schicken, die Lola genommen haben musste, als sie Garys Überreste aus dem Boiler holte. Wir hatten an der abgerissenen Leichenhalle begonnen, deren Ziegelhaufen neben dem Schuttberg des St. Jude winzig wirkte, dann hatte der Hund sich über das Gelände und in den Wald hinter dem Krankenhaus geschnüffelt.

Wir fanden Gary Lennox' Überreste auf der Lichtung. Oder vielmehr der Labrador fand sie. Sie waren nicht sehr gut versteckt. Nachdem Star die Kirchenruine abgesucht hatte, lief er schnurstracks auf die vom Blitz gefällte Eiche zu. Sie war etwa einen Meter über dem Boden abgebrochen, der noch verwurzelte Stamm von Holzfäule ausgehöhlt und umgeben von neuen Setzlingen, die der sterbende Baum ausgesät hatte. Fast unsichtbar lagen im Stamm verkohlte menschliche Knochen, der Schädel zuunterst. Er war schwarz und zerborsten, und am Oberkiefer fehlten die Frontzähne.

Während die Knochen von Gary Lennox aus der Eiche

geholt wurden, dachte ich an meine erste Begegnung mit Lola zurück. Wie verärgert sie gewesen war, jemanden an der Kirchenruine anzutreffen. Es war mir immer seltsam vorgekommen, dass sie auf der Lichtung Müll einsammelte, jetzt verstand ich den Grund.

Sie hatte sich um das Grab ihres Sohnes gekümmert.

Draußen hatte es zu schneien begonnen. Kleine Flocken landeten auf dem vergitterten Fenster und flossen schmelzend langsam nach unten. Ich rutschte wieder auf dem unbequemen Stuhl hin und her und war versucht, das Wetter als Ausrede zum Gehen zu nehmen. Ich fragte mich, was ich zu erreichen hoffte. Ich konnte nicht wirklich begründen, warum ich hergekommen war, außer dass es sich falsch angefühlt hätte, es nicht zu tun.

Als im Gang Schritte zu hören waren, krampfte sich mein Magen zusammen. Die Tür wurde geöffnet, ein Krankenpfleger kam herein. Ich erhob mich halb vom Sitz, als hinter ihm eine Frau in den Raum geschlurft kam. Sie war jämmerlich mager, unter dem einfachen weißen Kittel zeichneten sich die Schulterknochen ab. Das dünne graue Haar war kurz und an der einen Schläfe stoppelig, dort leuchtete die rote Linie einer verheilenden Narbe.

Die Gefahr, die Grace Strachan einst ausgestrahlt hatte, war erloschen. Der Pfleger hielt sie am Arm und führte sie zu dem Stuhl mir gegenüber. Ihre Augen waren mit weißen Pads verbunden, die Haut ringsherum roh und rot. Die Verbrühungen im Gesicht waren verheilt, aber die Hornhaut war schwer beschädigt. Das Ausmaß war kaum zu bestimmen, da Grace sich zu sehr aufregte, wenn die Ärzte sie richtig untersuchen wollten. Wahrscheinlich wäre eine Operation

474

notwendig, um ihre Sehkraft wiederherzustellen, aber selbst wenn das Gericht dem zugestimmt hätte, waren die Psychiater der Meinung, dass dieses Trauma für ihre fragile Psyche zu viel wäre. Von nun an lag für Grace Strachan die Welt hinter grauem Nebel verborgen.

Sie legte den Kopf schief, lauschte furchtsam.

«Wer ist da?» Ihre Stimme war ein Flüstern. «Michael, bist du das? Ich habe solche *Angst* gehabt.»

Hinter ihrem verzweifelten Eifer sah ich einen Moment lang einen Hauch ihrer einstigen Schönheit, den Geist der Frau, die sie früher gewesen war. Dann verflog auch das und verschwand. Ich zwang mich, nicht zurückzuzucken, als ihre blau geäderten Hände auf dem Tisch nach meinen tasteten. Ihre Haut war eisig.

Ich fing einen Hauch von Seife auf. Sonst nichts.

«Hallo, Grace», sagte ich.

DANKSAGUNG

Beim Schreiben dieses Buches halfen mir Menschen, deren Wissen weit über mein eigenes hinausreicht, mit Großzügigkeit und Expertise. Eventuelle Ungenauigkeiten im Text liegen allein in meiner Verantwortung. In keiner besonderen Reihenfolge möchte ich mich bedanken bei Tim Thompson, Professor für Angewandte Biologische Anthropologie an der Teesside University, für seine geduldigen Antworten auf immer seltsamere Fragen; Tony Cook, Einsatzleiter der Crime Agency bei CEOP (Child Exploitation and Online Protection Command) für Hinweise zu Verfahrensweisen, sein hervorragendes Handbuch für Leitende Ermittler war ein unschätzbares Nachschlagewerk; bei Dr. Martin Hall, forensischer und Veterinärentomologe am National History Museum in London für Erkenntnisse über Schmeißfliegen und andere Insekten; bei Patricia Wiltshire, Professorin für Forensische Ökologie an der Southampton University für allgemeines und weitreichendes Hintergrundwissen; bei der Presseabteilung der Metropolitan Police für ihre schnellen Antworten und bei der forensischen Anthropologin Dr. Anna Williams von der University of Huddersfield für Informationen über Leichenspürhunde und die Gerüche von Zersetzungsprozessen. Einzelheiten über ihre Kampagne für eine Body Farm in Großbritannien sind unter http://htf4uk.blogspot.com zu finden.

Dank auch meinen AgentInnen Gordon Wise und Melissa Pimentel und dem Team bei Curtis Brown; meinem britischen Lektor Simon Taylor, meinen deutschen Lektorinnen Ulrike Beck und Friederike Ney und allen, die bei Transworld und Rowohlt hinter den Kulissen arbeiten; meiner Mutter für ihre Unterstützung und Ben Steiner und SCF für das schnelle Lesen und Kommentieren.

Zu guter Letzt danke ich meiner Frau Hilary, der ersten und besten Leserin, die in guten wie in schlechten Zeiten unermüdlich an diesem Buch mitgearbeitet hat. Es ist wirklich ein Gemeinschaftswerk – ich bin nur derjenige, der die Tasten drückt.

Simon Beckett, Oktober 2018

Weitere Titel

Der Hof

Flammenbrut

Katz und Maus

Obsession

Schneefall & Ein ganz normaler Tag

Tiere

Voyeur

David Hunter

Die Chemie des Todes

Kalte Asche

Leichenblässe

Verwesung

Totenfang

Die ewigen Toten